LE CAHIER DE MAYA

Née en 1942, fille de diplomate, nièce de Salvador Allende, Isabel Allende exerce d'abord comme journaliste pour la télévision et la presse féminine. En 1975, elle fuit la dictature du général Pinochet et s'exile au Venezuela, où elle reprend ses activités de journaliste, écrit des chroniques pour le quotidien *El Nacional*, mais aussi des contes pour enfants. C'est en 1982, avec la publication de *La Maison aux esprits*, qui connaît un succès immédiat, qu'elle se lance dans le roman. Elle vit aujourd'hui en Californie. Ses livres sont tous traduits dans une trentaine de langues et vendus à des millions d'exemplaires.

ISABEL ALLENDE

Le Cahier de Maya

ROMAN TRADUIT DE L'ESPAGNOL (CHILI)
PAR ALEX ET NELLY LHERMILLIER

GRASSET

Titre original :

EL CUADERNO DE MAYA
publié par Random House Mondadori, 2011.

Aux adolescents de ma tribu :
Alejandro, Andrea, Nicole, Sabrina,
Aristotelis et Achilleas

Tell me, what else should I have done?
Doesn't everything die at last, and too soon?
Tell me, what is it you plan to do
with your one wild and precious life?

Dis-moi, qu'aurais-je dû faire d'autre?
Tout ne finit-il pas par mourir, et trop vite?
Dis-moi, qu'as-tu l'intention de faire
de ta vie unique, sauvage, précieuse?

Mary OLIVER,
The Summer Day

Été

Janvier, février, mars

Il y a une semaine, à l'aéroport de San Francisco, ma grand-mère m'a serrée dans ses bras sans une larme et elle m'a répété que si j'avais un peu d'estime pour mon existence je ne devais entrer en contact avec aucune de mes connaissances avant d'avoir la certitude que mes ennemis n'étaient plus à mes trousses. Ma Nini est paranoïaque, comme le sont les habitants de la république populaire indépendante de Berkeley, que pourchassent le gouvernement et les extra-terrestres, mais en ce qui me concerne elle n'exagérait pas : toute précaution est à peine suffisante. Elle m'a remis un cahier de deux cents pages pour tenir mon journal intime, comme je l'ai fait entre huit et quinze ans, avant que mon destin n'emprunte un mauvais chemin. « Tu vas avoir tout le temps de t'ennuyer, Maya. Profites-en pour écrire les bêtises monumentales que tu as commises, nous verrons si tu en prends la mesure », m'a-t-elle dit. Il existe plusieurs de mes carnets, scellés par des rubans adhésifs, que mon grand-père gardait sous clé dans son bureau, et que Nini conserve à présent sous son lit, dans une boîte à chaussures. Celui-ci serait le numéro neuf. Nini pense qu'ils me serviront le jour où je ferai une psychanalyse, car ils contiennent les clés qui permettront de débrouiller les nœuds de ma personnalité ; mais si elle les avait lus, elle saurait qu'ils renferment un tas de fables capables de confondre Freud lui-même. En principe, ma grand-mère se méfie des gens qui se font payer à l'heure, car il ne leur convient pas d'obtenir des résultats rapides. Mais elle fait une exception pour les psychiatres, parce que l'un d'eux l'a sauvée de la dépression et des pièges de la magie quand lui a pris la lubie de communiquer avec les morts.

Pour ne pas la vexer, j'ai mis le cahier dans mon sac, sans aucune intention de l'utiliser, mais il est vrai qu'ici le temps s'étire et qu'écrire est une façon d'occuper les heures. Cette première semaine d'exil m'a paru longue. Je suis sur un îlot à peu près invisible sur la carte, en plein Moyen Âge. Je trouve compliqué de disserter sur ma vie, car j'ai du mal à faire la part des choses entre les souvenirs et ce qui est le fruit de mon imagination ; la stricte vérité peut être ennuyeuse et souvent, sans m'en rendre compte, je la modifie ou l'exagère, mais j'ai décidé de corriger ce défaut et, à l'avenir, de mentir le moins possible. Voilà pourquoi j'écris à la main à une époque où même les Yanomamis d'Amazonie utilisent des ordinateurs. Je prends mon temps et mon écriture est probablement cyrillique, car je n'arrive pas à me relire, mais je suppose qu'elle s'améliorera au fil des pages. Écrire, c'est un peu comme rouler à bicyclette : ça ne s'oublie pas, même si on ne pratique pas pendant des années. J'essaie d'avancer selon un ordre chronologique, car il faut bien un ordre quelconque, et j'ai pensé que celui-ci serait le plus facile, mais je perds le fil, je passe d'une branche à l'autre, ou alors me revient une chose importante quelques pages plus loin et il m'est impossible de l'intercaler au bon endroit. Ma mémoire se déplace en cercles, en spirales et par sauts de trapéziste.

Je m'appelle Maya Vidal : de sexe féminin, célibataire, j'ai dix-neuf ans, pas d'amoureux faute
d'occasions et non par excès d'exigence, un passeport américain ; née à Berkeley, en Californie, je suis
momentanément réfugiée dans une île au sud du
monde. On m'a donné le prénom de Maya parce que
ma Nini a une prédilection pour l'Inde et que mes
parents n'ont pas trouvé autre chose, bien qu'ils aient
eu neuf mois pour y réfléchir. En hindi, *maya* signifie
« sortilège, illusion, rêve ». Rien à voir avec mon caractère. Attila m'irait mieux, parce que là où je pose le
pied l'herbe ne repousse plus. Mon histoire commence
au Chili avec ma grand-mère, ma Nini, bien avant ma
naissance, car si elle n'avait pas émigré elle ne serait
pas tombée amoureuse de mon Popo et ne se serait pas
installée en Californie, mon père n'aurait pas connu ma
mère et je ne serais pas moi, mais une jeune Chilienne
complètement différente. Comment est-ce que je suis ?
Un mètre quatre-vingts, cinquante-huit kilos quand je
joue au football et un peu plus si je ne fais pas attention,
jambes musclées, mains maladroites, yeux bleus ou gris
selon l'heure de la journée, et je crois être blonde, mais
je n'en suis pas sûre car voilà plusieurs années que je
n'ai pas vu la couleur naturelle de mes cheveux. Je n'ai
pas hérité de l'apparence exotique de ma grand-mère,
avec sa peau olivâtre et ces cernes sombres qui lui
donnent un air lascif, ou de mon père, beau comme
un torero et tout aussi vaniteux ; je ne ressemble pas
non plus à mon grand-père – mon magnifique Popo –,
parce qu'il n'est malheureusement pas mon aïeul biologique, mais le second mari de Nini.

Je ressemble à ma mère, du moins par la taille et la
carnation. Elle n'était pas une princesse de Laponie,

comme je le croyais avant d'avoir l'âge de raison, mais une hôtesse de l'air danoise dont mon père, pilote de l'aviation commerciale, tomba amoureux dans les airs. Il était trop jeune pour se marier, mais se mit en tête qu'elle était la femme de sa vie et la poursuivit obstinément jusqu'à ce que, de guerre lasse, elle finît par céder. Ou peut-être parce qu'elle était enceinte. Le fait est qu'ils se marièrent et s'en repentirent en moins d'une semaine, mais ils restèrent ensemble jusqu'à ma naissance. Quelques jours plus tard, alors que son mari était en vol, ma mère fit ses valises, m'enveloppa dans un lange et partit en taxi rendre visite à ses beaux-parents. Nini se trouvait à San Francisco où elle protestait contre la guerre du Golfe, mais Popo était à la maison et il reçut le paquet qu'elle lui remit, sans lui donner beaucoup d'explications, avant de courir vers le taxi qui l'attendait. La petite-fille était si légère qu'elle tenait dans une seule main de son grand-père. Peu après, la Danoise adressa par courrier les papiers du divorce et, en prime, le renoncement à la garde de sa fille. Ma mère s'appelle Marta Otter et j'ai fait sa connaissance l'été de mes huit ans, lorsque mes grands-parents m'emmenèrent au Danemark.

Je suis au Chili, le pays de ma grand-mère Nidia Vidal, où l'océan grignote la terre et le continent sud-américain s'égrène en îles. Plus précisément, je suis à Chiloé, dans la Région des Lacs, entre les parallèles 41 et 43 de latitude sud, un archipel d'environ neuf mille kilomètres carrés et quelque deux cent mille habitants, tous plus petits de taille que moi. En mapudungun, la langue des indigènes de la région, Chiloé veut dire terre des *cáhuiles*, des mouettes criardes à tête noire, mais elle devrait s'appeler terre du bois et des pommes de terre. Outre la Grande Île, où se trouvent les villes les plus peuplées, il existe de nombreuses petites îles, plusieurs inhabitées. Certaines sont groupées par trois ou quatre, et si proches les unes des autres qu'à marée basse elles sont unies par voie de terre, mais je n'ai pas eu la chance d'échouer dans l'une d'elles : je vis à quarante-cinq minutes, en canot à moteur et par mer calme, du village le plus proche.

Mon voyage depuis le nord de la Californie jusqu'à Chiloé a commencé dans l'illustre Volkswagen jaune de ma grand-mère, qui a subi dix-sept collisions depuis 1999, mais roule comme une Ferrari. Je suis partie en plein hiver, par l'une de ces journées de vent et de pluie où la baie de San Francisco perd ses couleurs, où le paysage blanc, noir, gris semble dessiné à la plume. Ma grand-mère conduisait dans ce style qui lui est propre, émettant des râles d'agonie, cramponnée au volant comme à une bouée de sauvetage, les yeux plus souvent fixés sur moi que sur la route, occupée à me donner les dernières instructions. Elle ne m'avait pas encore expliqué où elle m'envoyait exactement ; au Chili, voilà tout ce qu'elle avait dit en élaborant le plan qui devait me faire disparaître. Dans la voiture, elle m'a révélé les détails et m'a remis un petit guide touristique dans une édition bon marché.

« Chiloé ? C'est quoi cet endroit ? lui ai-je demandé.

— Tu trouveras tous les renseignements nécessaires là-dedans, m'a-t-elle dit en montrant le livre.

— Ça paraît bien loin...

— Plus loin tu seras, mieux ça vaudra. À Chiloé j'ai un ami, Manuel Arias, la seule personne au monde, en dehors de Mike O'Kelly, à qui j'oserais demander de te cacher un an ou deux.

— Un an ou deux ! Tu perds la tête, Nini !

— Écoute, ma fille, il y a des moments où l'on n'a aucun contrôle sur sa propre vie, les choses arrivent, voilà tout. Ce moment est l'un d'eux », m'a-t-elle annoncé le nez collé au pare-brise, essayant de se repérer, tandis que nous avancions à l'aveuglette dans l'enchevêtrement d'autoroutes.

Nous sommes arrivées à l'aéroport sur les chapeaux de roue et nous nous sommes séparées sans démonstrations sentimentales excessives ; la dernière image que je garde d'elle, c'est la Volkswagen qui s'éloigne en éternuant sous la pluie.

J'ai voyagé plusieurs heures jusqu'à Dallas, coincée entre le hublot et une grosse dame qui sentait la cacahuète grillée, puis dix heures dans un autre avion pour Santiago, éveillée et affamée, perdue dans mes souvenirs et mes pensées ou plongée dans le livre sur Chiloé, qui exaltait les vertus du paysage, des églises en bois et de la vie rurale. J'ai été atterrée. Le 2 janvier de cette année 2009 se levait dans un ciel orangé sur les montagnes violettes des Andes, irréfutables, éternelles, immenses, quand la voix du pilote a annoncé la descente. Bientôt sont apparus une vallée verte, des rangées d'arbres, des prés semés et au loin Santiago, où sont nés ma grand-mère et mon père et où se trouve une part mystérieuse de l'histoire de ma famille.

Je ne sais que peu de choses du passé de ma grand-mère, qu'elle-même a rarement évoqué, comme si sa vie avait commencé lorsqu'elle avait rencontré mon Popo. Son premier mari, Felipe Vidal, est mort en 1974 au Chili, quelques mois après le coup d'État militaire qui renversa le gouvernement socialiste de Salvador Allende et instaura une dictature dans le pays. Lorsqu'elle se retrouva veuve, elle décida qu'elle ne voulait pas vivre sous un régime d'oppression et émigra au Canada avec son fils Andrés, mon père. Celui-ci n'a pas pu ajouter grand-chose à ce récit, car il garde peu de souvenirs de son enfance, mais il vénère encore son père, dont ne restent que trois photographies. «On ne va jamais revenir, n'est-ce pas ? » commenta Andrés dans l'avion qui les emmenait au Canada. Ce n'était pas une question, mais une accusation. Il avait neuf ans, avait grandi à vue d'œil au cours des derniers mois et voulait des explications, parce qu'il se rendait compte que sa mère essayait de le protéger avec des demi-vérités et des mensonges. Il avait accepté sans faiblir l'annonce de la subite crise cardiaque de son père et la nouvelle que celui-ci avait été enterré sans qu'il pût voir son corps et lui dire adieu. Peu après, il se retrouva dans un avion qui faisait cap sur le Canada. «Bien sûr que nous reviendrons, Andrés», lui assura sa mère, mais il ne la crut pas.

À Toronto, ils furent reçus par les volontaires du Comité de réfugiés, qui leur fournirent des vêtements appropriés et les installèrent dans un appartement meublé dont les lits étaient faits et le frigidaire rempli. Les trois premiers jours, tant que durèrent les provisions, mère et fils restèrent enfermés, grelottant de solitude, mais le quatrième jour apparut une assistante sociale qui parlait bien espagnol et les renseigna sur les avantages et les droits de toute personne résidant au Canada. Avant tout, ils reçurent des cours intensifs d'anglais et l'enfant fut inscrit à l'école de leur quartier ; ensuite, Nidia obtint un poste de chauffeur, ce qui lui épargna l'humiliation de recevoir l'aumône de l'État sans travailler. C'était l'emploi qui convenait le moins à ma Nini, car si elle conduit mal aujourd'hui, à l'époque c'était pire.

Le bref automne canadien fit place à un hiver polaire, fantastique pour Andrés – désormais surnommé Andy – qui découvrit le bonheur du patinage sur glace et du ski, mais insupportable pour Nidia qui ne parvint ni à se réchauffer ni à surmonter la tristesse d'avoir perdu son mari et son pays. Son humeur ne s'améliora pas avec la venue d'un printemps hésitant et l'éclosion des fleurs, qui surgirent tel un mirage en une seule nuit, là où la veille encore le sol était couvert de neige gelée. Elle se sentait déracinée et gardait sa valise prête, attendant l'occasion de rentrer au Chili dès que la dictature prendrait fin, n'imaginant pas que celle-ci allait durer dix-sept ans.

Nidia Vidal resta deux ans à Toronto, comptant les jours et les heures, jusqu'à ce qu'elle rencontre Paul Ditson II, mon Popo, un professeur de l'université de Californie à Berkeley qui s'était rendu à Toronto pour y donner une série de conférences sur une planète insaisissable, dont il tentait de prouver l'existence grâce à des calculs poétiques et des sauts d'imagination. Popo était l'un des rares astronomes afro-américains dans une profession à l'écrasante majorité blanche, une éminence dans son domaine et l'auteur de plusieurs livres. Dans sa jeunesse, il avait passé un an sur les rives du lac Turkana, au Kenya, afin d'étudier les antiques mégalithes de la région, et élaboré la théorie, fondée sur des découvertes archéologiques, selon laquelle ces colonnes de basalte avaient été des observatoires d'astronomie utilisés trois cents ans avant l'ère chrétienne pour établir le calendrier lunaire borana, toujours en usage chez les éleveurs éthiopiens et kenyans. En Afrique, il avait appris à observer le ciel sans préjugés, et ainsi étaient nés ses soupçons sur l'existence de la planète invisible, qu'il chercha en vain dans le ciel par la suite, à l'aide des télescopes les plus puissants.

L'université de Toronto l'installa dans une suite pour universitaires en visite et lui loua une voiture dans une agence ; c'est ainsi qu'il revint à Nidia de l'escorter durant son séjour. En apprenant que son chauffeur était d'origine chilienne, il lui raconta qu'il avait été à l'observatoire de La Silla, au Chili, que dans l'hémisphère Sud on voit des constellations inconnues dans le nord, comme la galaxie du Petit Nuage de Magellan et celle du Grand Nuage de Magellan, et que dans certains coins les nuits sont si claires et le climat si sec que les conditions sont idéales pour scruter le firmament. Grâce à cela, on a découvert que les galaxies sont groupées selon des dessins semblables à des toiles d'araignée.

Par l'une de ces coïncidences romanesques, il avait achevé sa visite au Chili le jour même où, en 1974, elle s'était envolée avec son fils pour le Canada. J'aime imaginer qu'ils se sont peut-être croisés dans l'aéroport, alors qu'ils attendaient leurs vols respectifs sans se connaître, mais d'après eux ce serait impossible, car il aurait remarqué cette belle femme et elle aussi l'aurait vu, parce qu'un Noir attirait l'attention dans le Chili d'alors, surtout un Noir aussi grand et aussi beau que mon Popo.

Il suffit à Nidia d'une matinée passée à sillonner Toronto pour comprendre que son passager possédait la rare alliance d'un esprit brillant et de l'imagination d'un rêveur, mais qu'il manquait totalement du sens commun dont elle se vantait. Nini n'a jamais pu m'expliquer comment elle était arrivée à cette conclusion au volant de la voiture et en pleine circulation, mais le fait est qu'elle devina juste. L'astronome était aussi perdu dans la vie que la planète qu'il cherchait dans le ciel ; il pouvait calculer en moins d'un battement de paupières combien de temps met une navette spatiale pour atteindre la Lune en se déplaçant à 28 286 kilomètres à l'heure, mais il restait perplexe devant une cafetière électrique. Elle n'avait pas senti le souffle diffus de l'amour depuis des années et cet homme, très différent de ceux qu'elle avait connus en ses trente-trois ans de vie, l'intriguait et l'attirait.

Mon Popo, assez effrayé par la conduite audacieuse de son chauffeur, ressentait aussi de la curiosité pour la femme qui se cachait sous un uniforme trop grand et une casquette de chasseur d'ours. Il n'était pas homme à céder facilement à des impulsions sentimentales, et si d'aventure l'idée de la séduire lui passa par la tête il la trouva embarrassante et l'écarta sur-le-champ. En revanche Nini, qui n'avait rien à perdre, décida d'aller au-devant de l'astronome avant qu'il termine ses conférences. Elle aimait son admirable couleur acajou – elle avait envie de le voir en entier – et pressentait que tous deux avaient beaucoup en commun : lui l'astronomie et elle l'astrologie, qui selon elle revenaient à peu près au même. Elle pensa que tous deux étaient venus de loin pour se rencontrer en ce point du globe et de leurs destinées, parce que c'était écrit dans les étoiles. Déjà à cette époque, Nini vivait suspendue à l'horoscope, mais elle ne laissa pas tout au hasard. Avant de prendre l'initiative de l'attaquer par surprise, elle vérifia qu'il était célibataire, qu'il avait une situation économique confortable, qu'il était en bonne santé et n'avait qu'onze ans de plus qu'elle, encore qu'à première vue, s'ils avaient été de la même race, elle aurait pu passer pour sa fille. Des années plus tard, mon Popo raconterait en riant que si elle ne l'avait pas mis hors de combat au premier round, il serait encore amoureux des étoiles.

Le deuxième jour, le professeur prit place sur le siège avant afin de mieux voir son chauffeur, et elle fit plusieurs tours inutiles en ville pour lui en laisser le temps. Le soir même, après avoir servi le repas à son fils et l'avoir couché, Nidia quitta son uniforme, elle prit une douche, mit du rouge à lèvres et se présenta à sa proie sous prétexte de lui rendre un dossier qu'il avait laissé dans la voiture et qu'elle aurait aussi bien pu lui rendre le lendemain matin. Elle n'avait jamais pris une décision amoureuse aussi osée. Elle arriva devant l'immeuble en bravant une bourrasque de neige glacée, monta jusqu'à la suite, se signa pour se donner du courage et frappa à la porte. Il était onze heures et demie lorsqu'elle entra définitivement dans la vie de Paul Ditson II.

Ma Nini avait vécu comme une recluse à Toronto. La nuit, elle avait la nostalgie d'une main d'homme sur sa taille, mais elle devait survivre et élever son fils dans un pays où elle serait toujours une étrangère ; elle n'avait pas le temps pour des rêves romantiques. Le courage dont elle s'était armée ce soir-là pour arriver jusqu'à la porte de l'astronome s'évapora dès qu'il lui ouvrit, en pyjama et venant apparemment de se réveiller. Ils se regardèrent pendant trente secondes sans savoir quoi se dire, parce qu'il ne l'attendait pas et qu'elle n'avait pas de plan, avant qu'il l'invite à entrer, surpris de la trouver si différente sans la casquette de l'uniforme. Il admira sa chevelure sombre, son visage aux traits irréguliers et son sourire légèrement de travers, qu'il n'avait jusqu'alors vu qu'à la dérobée. Elle fut surprise par leur différence de taille, moins notable dans la voiture : sur la pointe des pieds elle parviendrait à renifler le sternum du géant. Dans la petite suite, elle perçut le désordre de cataclysme et en conclut que cet homme avait sérieusement besoin d'elle.

Paul Ditson II avait passé la plus grande partie de son existence à étudier le mystérieux comportement des corps astraux, mais il savait fort peu de chose des corps féminins et rien des caprices de l'amour. Il n'était jamais tombé amoureux et sa plus récente relation était une collègue de la faculté avec laquelle il s'accouplait deux fois par mois, une juive séduisante et en belle forme pour son âge, qui insistait toujours pour payer la moitié de l'addition au restaurant. Nini n'avait aimé que deux hommes, son mari et un amant qu'elle s'était sorti de la tête dix ans plus tôt. Son mari avait été un compagnon étourdi, absorbé par son travail et l'action politique, qui voyageait sans arrêt et trop distrait pour prêter attention à ses besoins à elle ; l'autre avait été une relation inachevée. Nidia Vidal et Paul Ditson II étaient prêts pour l'amour qui les unirait jusqu'au bout.

J'ai entendu bien des fois le récit, sans doute romancé, de l'amour de mes grands-parents et j'ai fini par le mémoriser mot pour mot, comme un poème. Je ne connais évidemment pas les détails de ce qui s'est passé cette nuit-là à huis clos, mais je peux les imaginer en me fondant sur la connaissance que j'ai de chacun d'eux. Popo se doutait-il, lorsqu'il ouvrit la porte à cette Chilienne, qu'il se trouvait à un croisement important de sa vie et que le chemin qu'il choisirait déterminerait son avenir ? Non, cette idée ridicule ne lui serait sûrement pas venue à l'esprit. Et Nini ? Je la vois s'avancer telle une somnambule au milieu des vêtements éparpillés sur le sol et des cendriers remplis de mégots, traverser le petit salon, entrer dans la chambre et s'asseoir sur le lit, car le fauteuil et les chaises étaient encombrés de papiers et de livres. Lui a dû s'agenouiller près d'elle pour la prendre dans ses bras et ils sont restés ainsi un bon moment, essayant de s'adapter à cette subite intimité. Peut-être a-t-elle commencé à étouffer à cause du chauffage et l'a-t-il aidée à se débarrasser de son manteau et de ses bottes ; alors ils se sont caressés, hésitants, se reconnaissant, sondant leur âme pour s'assurer qu'ils ne se trompaient pas. « Tu sens le tabac et le dessert. Et tu es lisse et noir comme un phoque », a dû remarquer Nini. J'ai souvent entendu cette phrase.

Je n'ai pas besoin d'inventer la dernière partie de la légende, parce qu'ils me l'ont racontée. Après cette première étreinte, Nini a conclu qu'elle avait connu l'astronome dans d'autres vies et d'autres temps, que ce n'étaient que des retrouvailles et que leurs signes astraux et leurs arcanes du tarot se complétaient. « Heureusement que tu es un homme, Paul. Imagine que dans cette réincarnation il t'ait été donné d'être ma mère...», soupira-t-elle, assise sur ses genoux. «Comme je ne suis pas ta mère, on pourrait se marier, qu'en penses-tu?» lui répondit-il.

Deux semaines plus tard, elle arriva en Californie, traînant son fils qui n'avait aucune envie d'émigrer pour la deuxième fois, munie d'un visa de fiancée pour trois mois, au terme desquels elle devait se marier ou quitter le pays. Ils se marièrent.

J'ai passé ma première journée au Chili à me promener dans Santiago munie d'un plan, sous une chaleur lourde et sèche, en attendant l'heure de prendre un car pour le sud. C'est une ville moderne, qui n'a rien d'exotique ou de pittoresque: pas d'Indiens vêtus de leur costume typique ni de quartiers coloniaux aux couleurs audacieuses, comme j'en avais vu avec mes grands-parents au Guatemala ou au Mexique. J'ai pris un funiculaire pour monter au sommet d'une montagne, promenade obligée des touristes, et j'ai pu me faire une idée de la taille de la capitale, qui semble ne jamais finir, comme de la pollution qui la couvre telle une brume poussiéreuse. À la tombée du jour, j'ai embarqué dans un autobus couleur abricot en direction du sud, vers Chiloé.

J'ai essayé en vain de dormir, bercée par le mouvement, le ronronnement du moteur et les ronflements des autres passagers, mais pour moi il n'a jamais été facile de dormir, encore moins maintenant, car des résidus de ma vie dissolue encrassent toujours mes veines. Au lever du jour, nous nous sommes arrêtés pour aller aux toilettes et boire un café dans une auberge, au milieu d'un paysage pastoral de collines vertes et de vaches ; puis nous avons continué pendant plusieurs heures, jusqu'à un embarcadère rudimentaire où nous avons pu nous dégourdir les jambes et acheter des friands au fromage ainsi que des fruits de mer à des femmes vêtues de blouses blanches d'infirmières. Le car est monté à bord d'un ferry pour traverser le canal de Chacao : une demi-heure de navigation silencieuse sur une mer lumineuse. Je suis descendue de l'autobus pour me pencher à la rambarde avec les autres passagers engourdis qui, comme moi, étaient restés plusieurs heures prisonniers sur leurs sièges. Affrontant le vent coupant, nous avons admiré les bandes d'hirondelles, semblables à des mouchoirs dans le ciel, et les *toninas*, les dauphins au ventre blanc qui accompagnaient l'embarcation en dansant.

L'autobus m'a laissée à Ancud, dans la Grande Île, la deuxième ville la plus importante de l'archipel. De là, je devais en prendre un autre pour atteindre le village où m'attendait Manuel Arias, mais je me suis aperçue que je n'avais plus mon portefeuille. Nini m'avait mise en garde contre les pickpockets chiliens et leur habileté d'illusionnistes : ils te volent ton âme avec amabilité. Par chance, ils m'avaient laissé la photo de Popo et mon passeport, que je gardais dans une autre poche de mon sac à dos. J'étais seule, sans un centime, dans un pays inconnu, mais si mes funestes aventures de l'année dernière m'ont appris quelque chose, c'est à ne pas me laisser écraser par des inconvénients mineurs.

Dans l'une des petites boutiques d'artisanat de la place, où l'on vendait des étoffes de Chiloé, trois femmes assises en rond tissaient en bavardant ; j'ai supposé que si elles étaient comme ma Nini, elles m'aideraient.

Les Chiliennes se précipitent au secours de toute personne en détresse, surtout si cette personne est étrangère. Je leur ai expliqué mon problème dans mon espagnol hésitant et elles ont aussitôt lâché leurs fuseaux pour m'offrir une chaise et un Orangina, tandis qu'elles discutaient de mon cas en se coupant la parole pour exprimer leur avis. Elles ont donné plusieurs coups de fil avec un téléphone portable et m'ont trouvé un moyen de transport avec un cousin qui allait dans ma direction ; il pouvait m'emmener dans une heure ou deux et ne voyait pas d'inconvénient à faire un petit crochet pour me laisser à destination.

J'ai profité du temps d'attente pour visiter le village et un musée des églises de Chiloé, dessinées il y a trois cents ans par des missionnaires jésuites et construites planche à planche par les Chilotes, qui sont des maîtres du bois et des constructeurs d'embarcations. Les toits voûtés sont des bateaux renversés et les structures soutenues par d'ingénieux assemblages, sans un seul clou. J'ai trouvé le chien à la sortie du musée. De taille moyenne, boiteux, il avait le poil raide et grisâtre, la queue dans un état lamentable, mais l'attitude digne d'un animal à pedigree. Je lui ai offert le friand que j'avais dans mon sac, il l'a saisi avec délicatesse entre ses grandes dents jaunes, l'a posé par terre et m'a regardée, me laissant clairement entendre qu'il n'avait pas faim de pain, mais de compagnie. Ma belle-mère, Susan, était dresseuse de chiens et elle m'avait appris à ne pas toucher un animal avant qu'il s'approche, signe qu'il se sent en confiance, mais avec celui-ci nous nous sommes dispensés du protocole et nous sommes tout de suite entendus à merveille. Nous avons fait du tourisme ensemble et à l'heure dite je suis revenue vers les tisseuses. Le chien est resté à l'extérieur de la boutique, posant une seule patte sur le seuil, poliment.

Le cousin a tardé une heure de plus qu'annoncé avant de faire son apparition dans un fourgon plein jusqu'au toit, accompagné de sa femme et d'un tout petit bébé. J'ai remercié mes bienfaitrices, qui en plus m'avaient prêté le téléphone portable pour prendre contact avec Manuel Arias et j'ai fait mes adieux au chien, mais il avait d'autres projets : il s'est assis à mes pieds en balayant le sol avec sa queue, souriant comme une hyène. Il m'avait fait l'honneur de me distinguer de son attention et j'étais maintenant son chanceux humain. J'ai changé de tactique. «*Shoo ! Shoo ! Fucking dog*», lui ai-je crié en anglais. Il n'a pas bougé, tandis que le cousin observait la scène avec pitié. «Ne vous inquiétez pas, mademoiselle, nous pouvons emmener votre Fakine», a-t-il fini par dire. Et c'est ainsi que cet animal cendré a acquis son nouveau nom, peut-être dans sa vie antérieure s'appelait-il Prince. Nous avons péniblement trouvé place dans le véhicule déjà bourré, et une heure plus tard sommes arrivés dans le village où je devais retrouver l'ami de ma grand-mère, à qui j'avais fixé rendez-vous dans l'église, face à la mer.

Le village, fondé par les Espagnols en 1567, est l'un des plus anciens de l'archipel, il compte deux mille habitants, mais je ne sais où ils étaient, car on voyait plus de poules et de brebis que d'humains. J'ai attendu Manuel un long moment, assise sur les marches d'une église peinte en blanc et bleu, en compagnie de Fakine et observée à distance par quatre gamins silencieux à l'air sérieux. Tout ce que je savais de lui, c'est qu'il avait été un ami de ma grand-mère et qu'ils ne s'étaient pas vus depuis les années soixante-dix, mais qu'ils avaient gardé un contact sporadique, d'abord par lettres, comme on le faisait dans la préhistoire, puis par courrier électronique.

Manuel Arias est enfin apparu et il m'a reconnue grâce à la description que Nini lui avait faite au téléphone. Que lui avait-elle dit ? Que je suis un obélisque aux cheveux teints des quatre couleurs primaires, avec un anneau dans le nez. Il m'a tendu la main et m'a examinée d'un rapide coup d'œil, évaluant les traces de vernis bleu sur mes ongles rongés, le jean râpé et les bottes de commandant peintes au spray rose, que j'avais trouvées dans une boutique de l'Armée du salut lorsque j'étais une mendiante.

« Je suis Manuel Arias, s'est présenté l'homme en anglais.

— Salut ! Je suis recherchée par le FBI, Interpol et une mafia criminelle de Las Vegas, lui ai-je annoncé à brûle-pourpoint afin d'éviter tout malentendu.

— Félicitations, a-t-il répondu.

— Je n'ai tué personne et, franchement, je ne crois pas qu'ils prendront la peine de venir me chercher au trou du cul du monde.

— Merci.

— Pardon, je ne voulais pas insulter ton pays, vieux. En fait il est très beau, beaucoup de verdure et beaucoup d'eau, mais putain qu'il est loin !

— De quoi ?

— De la Californie, de la civilisation, du reste du monde. Nini ne m'avait pas dit qu'il ferait froid.

— C'est l'été, m'a-t-il informée.

— L'été en janvier ! Où a-t-on vu ça ?

— Dans l'hémisphère Sud », a-t-il répliqué sèchement.

Ça commence bien, ai-je pensé, ce type n'a aucun sens de l'humour. Il m'a invitée à prendre le thé, tandis que nous attendions un camion qui lui apportait un réfrigérateur et aurait dû arriver trois heures plus tôt. Nous sommes entrés dans une maison signalée par un chiffon blanc accroché à un bâton, tel un drapeau de reddition, indiquant qu'on y vendait du pain frais. Il y avait quatre tables rustiques avec des nappes en toile cirée et des chaises de modèles différents, un comptoir et un poêle sur lequel bouillait une théière noire de suie. Une grosse femme au rire contagieux a salué Manuel Arias d'un baiser sur la joue et elle m'a observée, quelque peu déconcertée, avant de se décider à m'embrasser aussi.

« Américaine ? a-t-elle demandé à Manuel.

— Ça ne se voit pas ? a-t-il dit.

— Et qu'est-il arrivé à sa tête ? a-t-elle ajouté en montrant mes cheveux teints.

— Je suis née comme ça, l'ai-je informée, piquée au vif.

— La *gringuita* parle chrétien ! s'est-elle exclamée, ravie. Asseyez-vous et attendez, je vous apporte le thé. »

Elle a saisi mon bras et m'a assise avec détermination sur l'une des chaises, tandis que Manuel m'expliquait qu'au Chili *gringo* est tout individu blond qui parle anglais, et que lorsqu'on emploie le diminutif, *gringuito* ou *gringuita*, c'est un terme affectueux.

L'aubergiste nous a apporté du thé dans des sachets et une pyramide de pains odorants pétris à la main juste sortis du four, du beurre, du miel, puis elle s'est installée avec nous pour s'assurer que nous faisions honneur à sa table. Bientôt, nous avons entendu les toussotements du camion qui s'avançait par à-coups dans la rue non pavée pleine de nids-de-poule, avec un réfrigérateur qui se balançait dans la caisse. La femme s'est approchée de la porte, elle a lancé un sifflement et rapidement plusieurs jeunes se sont rassemblés pour aider à descendre l'appareil, le porter à bout de bras jusqu'à la plage et le monter à bord du bateau à moteur de Manuel par une passerelle en planches.

L'embarcation en fibre de verre avait environ huit mètres de long, elle était peinte en blanc, bleu et rouge, les couleurs du drapeau chilien – presque identique à celui du Texas – qui flottait à la proue. Son nom était écrit sur le flanc : *Cahuilla*. Ils ont amarré le réfrigérateur du mieux qu'ils pouvaient en position verticale et m'ont aidée à embarquer. Le chien m'a suivie de son trottinement pathétique ; il avait une patte à moitié recroquevillée et marchait de travers.

« Et lui ? m'a demandé Manuel.

— Il n'est pas à moi, il s'est collé à mes talons à Ancud. On m'a dit que les chiens chiliens sont très intelligents et celui-ci est de bonne race.

— Ce doit être un croisement de berger allemand et de fox-terrier. Il a le corps d'un grand chien et les pattes d'un petit, a opiné Manuel.

— Quand je l'aurai baigné, tu vas voir comme il sera beau.

— Comment s'appelle-t-il ? m'a-t-il demandé.

— *Fucking dog* en chilien.

— Comment ?

— Fakine.

« — J'espère que ton Fakine s'entendra bien avec mes chats. Il faudra que tu l'attaches la nuit pour qu'il n'aille pas tuer les brebis, m'a-t-il avertie.

— Ce ne sera pas nécessaire, il va dormir avec moi. »

Fakine s'est aplati au fond du bateau, le museau entre les pattes de devant, et il est resté là immobile, sans me quitter des yeux. Il n'est pas affectueux, mais nous nous comprenons dans la langue de la flore et de la faune : un espéranto télépathique.

De l'horizon arrivaient en roulant une avalanche de gros nuages et une brise glacée, mais la mer était calme. Manuel m'a prêté un poncho de laine et il ne m'a plus adressé la parole, concentré sur le gouvernail et ses appareils, compas, GPS, radio à ondes maritimes et qui sait quoi d'autre, tandis que je l'étudiais du coin de l'œil. Nini m'avait raconté qu'il était sociologue, ou quelque chose comme ça, mais dans son petit bateau il pouvait passer pour un marin : taille moyenne, mince, fort, tout en fibres et en muscles, tanné par le vent salé, avec des rides de caractère, des cheveux raides et courts, des yeux du même gris que les cheveux. Je ne sais pas calculer l'âge des gens âgés ; celui-ci a belle allure de loin, parce qu'il marche encore vite et n'est pas bossu comme les vieux, mais de près on voit qu'il est plus âgé que Nini, je dirais qu'il a plus de soixante-dix ans. Je suis tombée comme une bombe dans sa vie. Je vais devoir marcher sur des œufs, pour qu'il ne regrette pas de m'avoir offert l'hospitalité.

Au bout de près d'une heure de navigation, en passant à proximité de plusieurs îles qui paraissaient inhabitées mais ne l'étaient pas, Manuel Arias m'a indiqué un promontoire qui à distance était à peine un coup de pinceau brun, mais de près s'avéra être une colline bordée par une plage de sable noirâtre et de rochers, où séchaient quatre bateaux en bois retournés, ventre en l'air. Il a amarré la *Cahuilla* à un embarcadère flottant et a lancé de grosses cordes à plusieurs enfants qui étaient arrivés en courant et ont habilement attaché la barque à des poteaux. « Bienvenue dans notre métropole », a dit Manuel en montrant un village aux maisons en bois sur pilotis face à la plage. Un frisson m'a traversée, car ce monde serait désormais le mien.

Un groupe est descendu sur la plage pour m'examiner. Manuel leur avait annoncé qu'une Américaine venait l'aider dans son travail de recherche ; si ces gens s'attendaient à quelqu'un de respectable, ils ont dû être déçus, car le T-shirt orné du portrait d'Obama que Nini m'avait offert pour Noël ne couvrait pas mon nombril.

Descendre le réfrigérateur sans l'incliner a été la tâche de plusieurs volontaires qui se donnaient du courage par des éclats de rire, en se hâtant parce que la nuit commençait à tomber. Nous sommes montés au village en procession : devant, le réfrigérateur, puis Manuel et moi, plus loin derrière une douzaine de gamins bruyants et, à l'arrière-garde, une levée de chiens bigarrés aboyant furieusement après Fakine, mais sans trop s'approcher, car son attitude de mépris suprême indiquait clairement que le premier qui s'en aviserait le regretterait. Il paraît difficile d'intimider Fakine et il ne permet pas qu'on lui renifle l'arrière-train. Nous sommes passés devant un cimetière où des chèvres aux mamelles gonflées paissaient entre les fleurs en plastique et les maisons de poupées qui marquaient les tombes, quelques-unes avec des meubles à l'usage des morts.

Dans le village, les maisons sur pilotis étaient reliées par des passerelles en bois, et dans la rue principale, pour lui donner un nom, j'ai vu des ânes, des bicyclettes, une jeep avec l'emblème aux fusils croisés des carabiniers, la police chilienne, et trois ou quatre vieilles voitures qui en Californie, si elles étaient moins cabossées, seraient de collection. Manuel m'a expliqué qu'à cause du terrain irrégulier et de la boue, inévitable en hiver, le transport lourd se fait dans des charrettes tirées par des bœufs, le léger à dos de mules ; quant aux habitants, ils se déplacent à cheval et à pied. Quelques écriteaux délavés indiquaient de modestes boutiques, deux épiceries, la pharmacie, plusieurs tavernes, deux restaurants consistant en deux ou trois tables métalliques devant chacune des poissonneries, et un local d'Internet où l'on vendait des piles, des limonades, des revues, et des babioles pour les visiteurs qui débarquent une fois par semaine, transportés par des agences d'écotourisme, pour déguster le meilleur *curanto* de Chiloé. Le *curanto*, je le décrirai plus tard, car je n'y ai pas encore goûté.

Quelques personnes sont sorties pour m'observer avec prudence, en silence, jusqu'à ce qu'un homme petit et massif comme une armoire se décide à me saluer. Il s'est essuyé la main sur son pantalon avant de me la tendre, souriant de ses dents serties d'or. C'était Aurelio Ñancupel, descendant d'un célèbre pirate et le plus indispensable des personnages de l'île, parce qu'il vend de l'alcool à crédit, arrache les dents et possède un téléviseur à écran plat dont jouissent ses clients quand il y a de l'électricité. Son local porte le nom très approprié de «Taverne du Petit Mort»; vu sa situation avantageuse près du cimetière, c'est la station obligée de la famille pour atténuer le chagrin de l'enterrement.

Ñancupel s'est fait mormon pour pouvoir disposer de plusieurs épouses, mais il a découvert trop tard que ceux-ci ont renoncé à la polygamie à la suite d'une nouvelle révélation prophétique plus conforme à la Constitution des États-Unis. C'est ainsi que Manuel Arias me l'a décrit, tandis que l'homme concerné se tordait de rire, accompagné par les badauds. Manuel m'a également présenté d'autres personnes, dont j'ai été incapable de retenir les noms, qui m'ont paru âgées pour être les parents de cette bande d'enfants; je sais à présent que ce sont les grands-parents, car la génération intermédiaire travaille loin de l'île.

Sur ces entrefaites, dans la rue s'est avancée une femme à l'air autoritaire, la cinquantaine, robuste, belle, les cheveux de cette couleur beige des blondes qui blanchissent, attachés en un chignon désordonné sur la nuque. C'était Blanca Schnake, la directrice de l'école, que les gens, par respect, appellent tante Blanca. Elle a embrassé Manuel sur la joue, comme on le fait ici, puis elle m'a officiellement souhaité la bienvenue au nom de la communauté; cela a détendu l'atmosphère et resserré le cercle des curieux autour de moi. La tante Blanca m'a invitée à visiter l'école le lendemain et a mis la bibliothèque à ma disposition, ainsi que deux ordinateurs et des jeux vidéo que je pourrai utiliser jusqu'au mois de mars, quand les enfants retourneront en classe; ensuite il y aura des limitations d'horaire. Elle a ajouté que le samedi, à l'école, passent les mêmes films qu'à Santiago, mais gratuitement. Elle m'a bombardée de questions et je lui ai résumé, dans mon espagnol de débutante, mon voyage de deux jours depuis la Californie et le vol de mon portefeuille ; cela a provoqué un chœur d'éclats de rire de la part des enfants, qui a vite été éteint par le regard glacial de tante Blanca. « Demain, je vous préparerai des *machas*[1] au parmesan, pour que la *gringuita* se familiarise peu à peu avec la cuisine d'ici. Je vous attends vers neuf heures », a-t-elle annoncé à Manuel. J'ai appris par la suite qu'il est poli d'arriver avec une heure de retard. Ici on dîne très tard.

Nous avons terminé le bref parcours du village, grimpés dans une charrette tirée par deux mules où était déjà installé le réfrigérateur, et nous sommes partis au rythme des roues sur un sentier de terre à peine visible dans l'herbe, suivis de Fakine.

Manuel Arias vit à un mille – disons un kilomètre et demi – du village, face à la mer, mais la propriété n'est pas accessible par bateau à cause des rochers. Sa maison est un bel exemple d'architecture de la région, m'a-t-il dit, une note de fierté dans la voix. Moi, elle m'a paru semblable aux autres du village : elle est en bois et repose également sur des pilotis, mais il m'a expliqué que ce qui la différencie, ce sont les poutres et les piliers taillés à la hache, les petites tuiles « à tête circulaire », très appréciées pour leur valeur décorative, et le bois de cyprès de *las Guaitecas*, autrefois abondant dans la région mais très rare aujourd'hui. Le cyprès de Chiloé peut

---

1. *Macha* : mollusque de mer comestible, très abondant dans les mers du Chili et du Pérou. (*N.d.T.*)

vivre plus de trois mille ans, c'est l'arbre le plus ancien au monde, après le baobab d'Afrique et le séquoia de Californie, et le conifère le plus austral de la planète.

La maison comprend une salle commune à double hauteur, où la vie s'écoule autour d'un poêle à bois noir et imposant qui sert à chauffer l'atmosphère et à cuisiner ; deux chambres, l'une de taille moyenne, que Manuel occupe, une autre plus petite, la mienne, et un cabinet de toilette avec un lavabo et une douche. Il n'y a pas une seule porte intérieure, mais à l'entrée du cabinet est accrochée une couverture rayée, en laine, afin de donner un peu d'intimité au lieu d'aisances. La partie de la salle commune destinée à la cuisine est meublée d'une grande table, d'une armoire et d'un coffre fermé par un couvercle où l'on entrepose les pommes de terre, qui à Chiloé sont présentes à chaque repas ; du toit pendent les bouquets d'herbes aromatiques, des tresses de piments et d'aulx, des saucisses sèches ainsi que de lourdes marmites en fonte, idéales pour le feu de bois. On accède à l'étage mansardé, où Manuel garde la plus grande partie de ses livres et de ses archives, au moyen d'une échelle. Il n'y a ni tableaux, ni photographies, ni décorations sur les murs, rien de personnel, seulement des cartes de l'archipel et une magnifique horloge de bateau dans un cadre d'acajou avec des ferrures en bronze, qui semble avoir été sauvée du *Titanic*. Dehors, Manuel a improvisé un jacuzzi primitif dans un grand tonneau en bois. Les outils, le bois, le charbon, les bidons d'essence pour le bateau et le générateur sont remisés dans le hangar de la cour.

Ma chambre est toute simple, comme le reste de la maison ; elle consiste en un lit étroit couvert d'un plaid semblable au rideau des cabinets, une chaise, une commode à trois tiroirs et plusieurs clous pour accrocher les vêtements. Suffisant pour mes possessions, qui tiennent largement dans mon sac à dos. J'aime cette ambiance austère et masculine, la seule chose déconcertante, c'est l'ordre maniaque de Manuel Arias ; moi, je suis plus décontractée.

Les hommes ont mis le réfrigérateur à sa place, ils l'ont connecté au gaz puis se sont installés pour partager deux bouteilles de vin et un saumon que Manuel avait fumé la semaine précédente dans un bidon en métal avec du bois de pommier. Ils ont bu et mangé sans parler en regardant la mer par la fenêtre, les seuls mots qu'ils aient prononcés étant une série de toasts cérémonieux : « Santé ! » « Que cela vous garde en bonne santé. » « Je vous rends les mêmes délicatesses. » « Longue vie à vous. » « Je vous souhaite d'assister à mon enterrement. » Manuel me lançait des regards à la dérobée, mal à l'aise, jusqu'à ce que je le prenne à part pour le rassurer : je n'avais aucune intention de me jeter sur les bouteilles. Ma grand-mère l'avait sûrement averti et il projetait de cacher les alcools ; mais ce serait idiot, le problème, ce n'est pas l'alcool, c'est moi.

Pendant ce temps, Fakine et les chats s'épiaient avec prudence, se partageant le territoire. Le tigré s'appelle *Gato-Leso*, Chat-Bête, parce que le pauvre animal est idiot, celui couleur carotte est *Gato-Literato*, Chat-Lettré, parce que la place qu'il préfère est l'ordinateur ; Manuel prétend qu'il sait lire.

Les hommes ont terminé le saumon et le vin, ils ont salué et sont partis. Ce qui a attiré mon attention, c'est que Manuel n'a pas fait mine de les payer, pas plus qu'il ne l'avait fait avec ceux qui auparavant l'avaient aidé à transporter le réfrigérateur, mais il aurait été imprudent de ma part de lui poser des questions à ce sujet.

J'ai examiné le bureau de Manuel, composé de deux tables, d'un meuble pour les archives, d'étagères pour les livres, d'un ordinateur moderne à double écran, fax et imprimante. Il avait Internet, mais il m'a rappelé – comme si je pouvais l'oublier – que je n'avais pas le droit de me connecter. Il a ajouté, sur la défensive, que tout son travail se trouve dans cet ordinateur et qu'il préfère que personne n'y touche.

« Qu'est-ce que tu fais comme travail ? lui ai-je demandé.

— Je suis anthropologue.

— Anthropophage ?

— J'étudie les gens, je ne les mange pas, m'a-t-il expliqué.

— C'était une plaisanterie. Les anthropologues n'ont plus de matière première ; même le dernier sauvage de ce monde a son téléphone portable et un téléviseur.

— Je ne suis pas un spécialiste des sauvages. J'écris un livre sur la mythologie de Chiloé.

— On te paie pour ça ?

— Presque rien, m'a-t-il informé.

— On voit que tu es pauvre.

— Oui, mais je vis de peu.

— Je ne voudrais pas être une charge pour toi.

— Tu vas travailler pour couvrir tes frais, Maya, c'est ce dont nous sommes convenus ta grand-mère et moi. Tu peux m'aider pour le livre, et en mars tu travailleras à l'école avec Blanca.

— Je t'avertis que je suis très ignorante, je ne sais rien de rien.

— Que sais-tu faire ?

— Des galettes et du pain, nager, jouer au football et écrire des poèmes de samouraïs. Tu devrais voir mon vocabulaire ! Je suis un vrai dictionnaire, mais en anglais. Je ne crois pas que ça te serve.

— Nous verrons. Mais les galettes ont de l'avenir. »

Et il m'a semblé qu'il dissimulait un sourire.

« Tu as écrit d'autres livres ? » lui ai-je demandé en bâillant ; la fatigue du long voyage et les cinq heures de décalage entre la Californie et le Chili pesaient autant qu'un sac de pierres sur mes épaules.

« Rien qui puisse me rendre célèbre, a-t-il dit en montrant plusieurs livres sur sa table : le monde oni-rique des aborigènes australiens, les rites d'initiation des tribus de l'Orénoque, la cosmogonie mapuche du sud du Chili.

— D'après ma Nini, Chiloé est magique.

— Le monde entier est magique, Maya », m'a-t-il répondu.

Manuel Arias m'a affirmé que l'âme de sa maison est très ancienne. Nini aussi croit que les maisons ont des souvenirs et des sentiments, elle peut même capter leurs vibrations : elle sait si l'air d'un lieu est chargé d'énergie négative parce que des malheurs s'y sont déroulés, ou si son énergie est positive. Sa grande maison de Berkeley a une bonne âme. Lorsque nous la récupérerons, il faudra la réparer – elle est si vieille qu'elle menace de s'écrouler – et je pense alors y vivre jusqu'à ma mort. C'est là que j'ai grandi, au sommet d'une colline, avec une vue sur la baie de San Francisco qui serait impressionnante si deux pins touffus ne la cachaient pas. Popo n'a jamais permis qu'on les coupe, il disait que les arbres souffrent lorsqu'on les mutile, ainsi que toute la végétation à un kilomètre à la ronde, car tout est connecté dans le sous-sol ; ce serait un crime de tuer deux pins pour voir une mare que l'on peut aussi bien voir de l'autoroute.

Le premier Paul Ditson acheta la maison en 1948, l'année même où fut abolie la restriction raciale pour acquérir des propriétés à Berkeley. Les Ditson ont été la première famille de couleur dans le quartier, et la seule pendant vingt ans, avant que d'autres commencent à arriver. Elle fut construite en 1885 par un magnat des oranges, qui à sa mort légua sa fortune à l'université et laissa sa famille dans le dénuement. Elle resta longtemps inoccupée, puis passa de main en main, se détériorant à chaque transaction, jusqu'à ce que les Ditson l'achètent et puissent la restaurer, car elle avait un squelette solide et de bonnes fondations. Après la mort de ses parents, mon Popo acheta la partie qui revenait à ses frères et sœurs et habita seul cette relique victorienne de six chambres, couronnée par un inexplicable clocher où il installa son télescope.

Quand Nidia et Andy Vidal arrivèrent, il n'occupait que deux chambres, la cuisine et la salle de bains ; les autres restaient fermées. Ma Nini fit irruption comme un ouragan de rénovation, jetant les vieilleries à la poubelle, nettoyant et fumigeant, mais la férocité qu'elle mit à combattre le désordre ne put venir à bout du chaos endémique de son mari. Après bien des bagarres, ils transigèrent et convinrent qu'elle pouvait faire ce qu'elle voulait dans la maison, à condition de respecter le bureau et la tour des étoiles.

Nini s'est tout de suite sentie à l'aise à Berkeley, cette ville sale, radicale, extravagante, avec son mélange de races et de pelages humains, comptant plus de génies et de prix Nobel que toute autre dans le monde, saturée de nobles causes, intolérante dans sa bigoterie. Ma Nini se transforma ; jusque-là c'était une jeune veuve prudente et responsable, qui essayait de passer inaperçue, mais à Berkeley son vrai caractère se fit jour. Elle n'avait plus besoin de porter l'uniforme de chauffeur, comme à Toronto, ni de céder à l'hypocrisie sociale, comme au Chili ; personne ne la connaissait, elle pouvait se réinventer. Elle adopta l'esthétique des hippies qui languissaient dans Telegraph Avenue en vendant leur artisanat au milieu des effluves d'encens et de marijuana. Elle s'habilla de tuniques, de sandales et porta des colliers ordinaires d'Inde, mais elle était loin d'être une hippie : elle travaillait, s'occupait d'une maison et d'une petite-fille, participait à la communauté ; je ne l'ai jamais vue incohérente ou entonnant des cantiques en sanscrit.

Au grand scandale de ses voisins, presque tous des collègues de son mari, avec leurs résidences obscures, vaguement anglaises, couvertes de lierre, Nini peignit la maison des Ditson de couleurs psychédéliques inspirées de la rue Castro à San Francisco, où les gays commençaient à s'installer et à rénover les vieilles maisons. Ses murs violets et verts, ses frises jaunes et ses guirlandes de fleurs en plâtre firent jaser et motivèrent deux ou trois convocations de la mairie, jusqu'à ce que la maison paraisse en photo dans une revue d'architecture, qu'elle devienne une curiosité touristique de la ville et soit bientôt imitée par les restaurants pakistanais, les boutiques pour enfants et les ateliers d'artistes.

Nini imprima aussi sa griffe personnelle dans la décoration intérieure. Aux meubles solennels, aux horloges volumineuses et aux horribles tableaux à cadres dorés achetés par Ditson Ier, elle ajouta sa touche artistique : une profusion de lampes à franges, d'épaisses moquettes, des divans turcs et des rideaux au crochet. Ma chambre, peinte de couleur mangue, avait au-dessus du lit un baldaquin en tissu indien brodé de petits miroirs, avec un dragon ailé accroché au centre qui aurait pu me tuer s'il m'était tombé dessus ; sur les murs elle avait mis des photographies de petits Africains faméliques, pour que je voie que ces pauvres petits mouraient de faim tandis que je refusais ma nourriture. D'après Popo, le dragon et les enfants du Biafra étaient la cause de mes insomnies et de mon manque d'appétit.

Mes intestins ont commencé à subir l'attaque frontale des bactéries chiliennes. Le deuxième jour dans cette île, je suis tombée dans le lit pliée en deux par de terribles douleurs d'estomac et j'ai encore des frissons, je passe des heures devant la fenêtre, une bouillotte sur le ventre. Ma grand-mère dirait que je donne à mon âme le temps d'arriver à Chiloé. Elle pense que les voyages en jet sont préjudiciables, car l'âme voyage plus lentement que le corps, reste à la traîne et parfois se perd en chemin ; ce serait la raison pour laquelle les pilotes, comme mon père, ne sont jamais tout à fait présents : ils attendent leur âme, qui se promène dans les nuages.

Ici on ne peut louer ni DVD ni jeux vidéo ; le seul cinéma, ce sont les films qui passent une fois par semaine à l'école. Pour me distraire, je n'ai que les romans d'amour passionné de Blanca Schnake et des livres en espagnol sur Chiloé, très utiles pour apprendre la langue, mais que j'ai du mal à lire. Manuel m'a donné une lanterne à piles qui s'ajuste sur le front comme une lampe de mineur ; c'est ainsi que nous lisons quand il y a une coupure de courant. Je n'ai pas grand-chose à dire sur Chiloé, car je suis à peine sortie de cette maison, mais je pourrais remplir plusieurs pages sur Manuel Arias, les chats et le chien, qui constituent à présent ma famille, la tante Blanca, qui apparaît à chaque instant sous prétexte de me rendre visite, bien qu'il soit évident qu'elle vient pour Manuel, et Juanito Corrales, un garçon qui vient lui aussi chaque jour pour lire avec moi et jouer avec Fakine. Le chien est très sélectif en matière de relations, mais il tolère le gamin.

Hier, j'ai fait la connaissance de la grand-mère de Juanito. Je ne l'avais pas vue plus tôt parce qu'elle était à l'hôpital de Castro, la capitale de Chiloé, avec son mari, qu'on a amputé d'une jambe en décembre et qui ne s'est pas bien remis de l'opération. Eduvigis Corrales est une Chilote typique : elle a la couleur de la terre cuite, un visage joyeux couvert de rides, le tronc large et les jambes courtes. Elle porte une fine tresse autour de la tête et s'habille comme une missionnaire, d'une jupe épaisse et de gros godillots de bûcheron. On lui donnerait soixante ans, mais elle n'en a pas plus de quarante-cinq ; ici les gens vieillissent vite et vivent longtemps. Elle est arrivée avec une marmite en fonte, lourde comme un canon, qu'elle a mise à réchauffer dans la cuisine, tandis qu'elle m'adressait un discours précipité, quelque chose qui disait qu'elle se présentait avec tout le respect, qu'elle était Eduvigis Corrales, la voisine de monsieur et la bonne du foyer. « Houé !

Quelle jolie fillette est cette *gringuita* ! Que Jésus la protège ! Le monsieur l'attendait, comme tout le monde dans l'île, et j'espère que vous aimerez le poulet aux pommes de terre que je vous ai préparé. » Ce n'était pas un dialecte de la région, comme je l'ai pensé, mais de l'espagnol galopé. J'en ai déduit que Manuel Arias était le monsieur, même si Eduvigis parlait de lui à la troisième personne, comme s'il n'était pas là.

En revanche, Eduvigis s'adresse à moi sur le même ton autoritaire que ma grand-mère. Cette bonne dame vient nettoyer, elle emporte le linge sale et le rapporte lavé, elle coupe le bois avec une hache si lourde que je ne pourrais la soulever, cultive sa terre, trait sa vache, tond les brebis et sait tuer et découper les cochons, mais elle m'a précisé qu'elle ne va ni pêcher ni ramasser les fruits de mer à cause de son arthrite. Elle dit que son mari n'est pas d'un naturel méchant, comme le croient les gens du village, mais que le diabète lui a aigri le caractère et que depuis qu'il a perdu une jambe il n'a qu'un désir : mourir. Sur ses cinq enfants vivants, il ne lui reste qu'Azucena, âgée de treize ans, et son petit-fils Juanito, qui en a dix mais paraît plus petit « parce qu'il est né *espirituado* », d'après ce qu'elle m'a expliqué. *Espirituado* peut signifier débile mental ou, au contraire, que la personne affectée possède plus d'esprit que de matière ; dans le cas de Juanito, ce doit être le second sens, car il n'a rien d'un idiot.

Eduvigis vit du produit de son champ, de ce que lui paie Manuel pour ses services et de l'aide que lui envoie l'une de ses filles, la mère de Juanito, employée dans une saumonerie au sud de la Grande Île. À Chiloé, l'élevage industriel du saumon était le deuxième au monde, après la Norvège, et il a stimulé l'économie de la région, mais contaminé les fonds marins, ruiné la pêche artisanale et dispersé les familles. L'industrie a aujourd'hui disparu, m'a expliqué Manuel ; on mettait trop de poissons dans les cages et on leur a donné tellement d'antibiotiques que lorsqu'un virus les a attaqués on n'a pas pu les sauver. Il y a vingt mille chômeurs dans les saumoneries, des femmes pour la plupart, mais la fille d'Eduvigis a encore du travail.

Nous nous sommes bientôt mis à table. Dès que la marmite a été découverte et que le parfum est arrivé à mes narines, je me suis retrouvée dans la cuisine de mon enfance, chez mes grands-parents, et des larmes de nostalgie me sont montées aux yeux. Le ragoût de poulet d'Eduvigis a été ma première nourriture solide depuis plusieurs jours. Cette maladie m'a fait honte, il m'était impossible de dissimuler les vomissements et les diarrhées dans une maison sans portes. J'ai demandé à Manuel ce qui était arrivé aux portes et il m'a répondu qu'il préférait les espaces ouverts. Je suis sûre que ce sont les *machas* au parmesan et la tarte aux baies de myrte de Blanca Schnake qui m'ont rendue malade. Au début Manuel a fait semblant de ne pas entendre les bruits qui provenaient des W.-C., mais ensuite, me voyant sur le point de défaillir, il a dû se sentir concerné. Je l'ai entendu parler sur son téléphone portable avec Blanca pour lui demander conseil, et aussitôt après il m'a préparé une soupe de riz, a changé mes draps et m'a apporté la bouillotte. Il me surveille du coin de l'œil sans dire un mot, mais il est attentif à mes besoins. Dès que je fais mine de le remercier, il réagit par un grognement. Il a aussi appelé Liliana Treviño, l'infirmière de la localité, une jeune femme au rire contagieux, petite, trapue, avec une crinière de cheveux bouclés indomptée, qui m'a donné d'énormes cachets de charbon, noirs et rugueux, très difficiles à avaler. Comme ils n'ont eu aucun effet, Manuel a emprunté la camionnette du marchand de légumes pour m'emmener voir un docteur au village.

Tous les jeudis, la barque du Service national de santé visite les îles et passe par ici. Le médecin avait l'air d'un gamin de quatorze ans, myope et imberbe, mais un regard lui a suffi pour établir son diagnostic : «Elle a la *chilenitis*, le mal des étrangers qui viennent au Chili. Rien de grave», et il m'a donné des pilules dans un cornet en papier. Eduvigis m'a préparé une infusion de plantes, parce qu'elle ne fait pas confiance aux remèdes de la pharmacie, elle dit que c'est un bureau des entreprises américaines. J'ai avalé l'infusion avec discipline et, grâce à tout cela, je me remets peu à peu. J'aime bien Eduvigis Corrales, elle n'arrête pas de parler, comme la tante Blanca ; tous les autres sont plutôt taciturnes par ici.

Juanito Corrales m'a posé des questions sur ma famille et je lui ai raconté que ma mère était une princesse de Laponie. Manuel était à son bureau et il n'a fait aucun commentaire, mais quand le garçon est parti il m'a précisé que chez les Samis, les habitants de Laponie, il n'y a pas de royauté. Nous nous étions mis à table, lui devant une sole au beurre avec de la coriandre et moi devant un bouillon translucide. Je lui ai expliqué que cette histoire de princesse de Laponie était venue à l'idée de Nini dans un moment d'inspiration, lorsque j'avais cinq ans et commençais à prendre conscience du mystère qui entourait ma mère. Je me souviens que nous étions dans la cuisine, la pièce la plus accueillante de la maison, en train de faire cuire les galettes de la semaine pour les délinquants et les drogués de Mike O'Kelly, le meilleur ami de ma Nini, qui s'est donné la mission impossible de sauver la jeunesse égarée. C'est un véritable Irlandais, né à Dublin, très blanc, avec des cheveux si noirs et des yeux si bleus que mon Popo l'avait surnommé Blanche-Neige, d'après cette idiote qui mangeait des pommes empoisonnées dans le film de Walt Disney. Je ne dis pas que O'Kelly est un idiot ; bien au contraire, il est très malin : c'est la seule personne capable de clouer le bec à Nini. La princesse de Laponie figurait dans l'un de mes livres. J'avais une bibliothèque sérieuse à ma disposition, car Popo estimait que la culture pénètre par osmose et qu'il vaut mieux commencer tôt, mais mes livres préférés étaient les contes de fées. D'après mon Popo, les contes pour enfants sont racistes, comment se fait-il qu'il n'y ait pas de fées au Botswana ou au Guatemala ?, mais il ne censurait pas mes lectures : il se contentait de donner son opinion afin de développer mon esprit critique. Ma Nini, au contraire, n'a jamais apprécié mon esprit critique et elle s'employait à le décourager en me donnant des tapes sur la tête.

Sur un dessin de ma famille que j'ai peint en maternelle, j'ai mis mes grands-parents très colorés au centre de la page, ajouté une mouche à un bout – l'avion de mon père – et, de l'autre côté, une couronne représentant le sang bleu de ma mère. Au cas où subsisteraient des doutes, le lendemain j'ai apporté mon livre, dans lequel on voit la princesse vêtue d'une cape d'hermine, chevauchant un ours blanc. Toute la classe s'est moquée de moi. Plus tard, de retour à la maison, j'ai mis le livre dans le four avec le gâteau de maïs qui cuisait à 350 degrés. Quand les pompiers sont partis et que le nuage de fumée a commencé à se dissiper, ma grand-mère m'a houspillée aux cris habituels de « espèce de petite merdeuse ! », tandis que mon Popo tentait de me sauver avant qu'elle ne m'arrache la tête. Entre hoquets et reniflements, j'ai raconté à mes grands-parents qu'à l'école on m'avait surnommée l'« orpheline de Laponie ». Ma Nini, dans l'un de ses changements d'humeur subits, m'a serrée contre ses seins en papaye et m'a assurée que je n'avais rien d'une orpheline, car j'avais un père et des grands-parents, et que le premier malheureux qui oserait m'insulter aurait affaire à la mafia chilienne. Cette mafia ne comptait qu'elle, mais Mike O'Kelly et moi avions tellement peur de Nini que nous l'appelions don Corleone.

Mes grands-parents m'ont retirée de la maternelle et pendant un certain temps ils m'ont enseigné les bases du coloriage et de la fabrication des chenilles en pâte à modeler à la maison, jusqu'à ce que mon père rentre de l'un de ses voyages et décide que j'avais besoin de relations appropriées à mon âge, outre les drogués de O'Kelly, les hippies abouliques et les féministes implacables que fréquentait ma grand-mère. Ma nouvelle école était constituée de deux vieilles maisons réunies par une passerelle couverte au deuxième étage, un défi architectural qui tenait en l'air grâce à sa courbure, comme les coupoles des cathédrales, d'après ce que m'a expliqué mon Popo, bien que je n'aie posé aucune question. On y pratiquait une méthode italienne d'éducation expérimentale : les élèves faisaient ce qu'ils voulaient, il n'y avait ni tableaux ni pupitres dans les salles, on s'asseyait par terre, les maîtresses ne portaient ni soutien-gorge ni chaussures et chacun apprenait à son rythme. Mon père aurait sans doute préféré une école militaire, mais il n'est pas intervenu dans la décision de mes grands-parents, vu que c'étaient eux qui devaient s'entendre avec mes institutrices et m'aider pour les devoirs.

«Cette petite est retardée», a décidé ma Nini en constatant combien mon apprentissage était lent. Son vocabulaire est émaillé d'expressions politiquement inacceptables, telles que retardé, gros, nain, bossu, pédé, virago, chinois bouffeur de riz, et beaucoup d'autres que mon grand-père tentait de justifier en invoquant l'anglais limité de sa femme. À Berkeley, elle est la seule personne qui dit nègre au lieu d'Afro-Américain. D'après mon Popo, je ne souffrais d'aucune déficience mentale, j'avais simplement de l'imagination, ce qui est moins grave, et le temps lui a donné raison, car dès que j'ai appris l'alphabet je me suis mise à lire avec voracité et à remplir des cahiers de poèmes prétentieux et d'histoires inventées de ma vie, amères et tristes. Je m'étais rendu compte que dans l'écriture le bonheur ne sert à rien – sans souffrance il n'y a pas d'histoire –, et je savourais en secret le surnom d'orpheline, car les seuls orphelins détectés par mon radar étaient ceux des contes classiques, tous très malheureux.

Ma mère, Marta Otter, l'improbable princesse de Laponie, disparut dans les brumes scandinaves avant que je puisse identifier son odeur. J'avais une douzaine de photographies d'elle, et un cadeau qu'elle avait envoyé par la poste pour mon quatrième anniversaire, une sirène assise sur un rocher dans une boule en verre, où la neige semblait tomber lorsqu'on l'agitait.

Cette boule fut mon trésor le plus précieux jusqu'à mes huit ans ; subitement, elle perdit sa valeur sentimentale, mais c'est là une autre histoire.

Je suis furieuse parce que ma seule possession de valeur a disparu, ma musique civilisée, mon iPod. Je crois que c'est Juanito Corrales qui l'a emporté. Je ne voulais pas créer de problèmes à ce pauvre petit, mais j'ai dû le dire à Manuel, qui n'y a accordé aucune importance ; il dit que Juanito va s'en servir pendant quelques jours et qu'il le laissera ensuite là où il l'a trouvé. Apparemment, c'est une habitude à Chiloé. Mercredi dernier, un homme nous a rendu une hache qu'il avait empruntée dans le bûcher, sans autorisation, une dizaine de jours plus tôt. Manuel se doutait que c'était lui qui l'avait, mais c'eût été une insulte de la réclamer, car une chose est d'emprunter et une autre bien différente de voler. Descendants de dignes indigènes et de fiers Espagnols, les Chilotes sont orgueilleux. L'homme de la hache n'a pas donné d'explications, mais il a apporté en cadeau un sac de pommes de terre, qu'il a posé dans la cour avant de rejoindre Manuel sur la terrasse pour boire de la *chicha* de pommes en observant le vol des mouettes. La même chose s'est produite avec un parent des Corrales qui travaille dans la Grande Île et qui est venu se marier peu avant Noël. Eduvigis lui a remis la clé de cette maison afin qu'en l'absence de Manuel, qui se trouvait à Santiago, il prenne le matériel de musique pour animer la noce. En rentrant, Manuel a eu la surprise de constater que son matériel s'était envolé, mais au lieu d'avertir les carabiniers, il a patiemment attendu. Dans l'île, il n'y a pas de voleurs sérieux et ceux qui viennent de l'extérieur auraient

52

des difficultés à emporter un objet aussi volumineux. Peu après, Eduvigis a récupéré ce que son parent avait emporté et l'a rendu avec un panier de fruits de mer. Si Manuel a récupéré son matériel, je reverrai mon iPod.

Manuel préfère rester muet, mais il s'est rendu compte que le silence de cette maison peut paraître exagéré à une personne normale, aussi fait-il des efforts pour bavarder avec moi. Depuis la pièce que j'occupe, je l'ai entendu parler avec Blanca Schnake dans la cuisine. « Ne sois pas aussi rustre avec la *gringuita*, Manuel. Tu ne vois pas qu'elle est très seule ? Tu dois lui parler », lui a-t-elle conseillé. « Que veux-tu que je lui dise, Blanca ? Elle me fait l'effet d'une Martienne », a-t-il marmonné, mais il a dû y réfléchir à deux fois, car au lieu de m'accabler de conférences académiques sur l'anthropologie, comme il le faisait au début, il s'enquiert à présent de mon passé et ainsi, peu à peu, nous échangeons des idées et apprenons à nous connaître.

Mon espagnol sort par cahots, alors que son anglais est fluide, mais avec un accent australien et une intonation chilienne. Nous sommes tombés d'accord sur le fait que je dois pratiquer, si bien qu'en temps normal nous essayons de parler espagnol, mais très vite nous nous mettons à mélanger les langues dans la même phrase et terminons en *spanglish*. Si nous sommes fâchés, il s'exprime en espagnol en détachant chaque syllabe, pour bien se faire comprendre, et moi, pour l'effrayer, je le traite en anglais de voyou.

Manuel ne parle pas de lui. Le peu que je sais, je l'ai deviné ou entendu de la bouche de tante Blanca. Il y a quelque chose d'étrange dans sa vie. Son passé doit être plus trouble que le mien, car souvent, la nuit, je l'entends gémir et se débattre en dormant : « Sortez-moi de là ! Sortez-moi de là ! » On entend tout à travers ces minces parois. Ma première impulsion est d'aller le réveiller, mais je n'ose pas entrer dans sa chambre ; l'absence de porte m'oblige à la prudence. Ses cauchemars invoquent des présences maléfiques, la maison semble se remplir de démons. Cela angoisse même Fakine et il se met à trembler, collé à moi dans le lit.

Mon travail avec Manuel Arias est des plus reposants. Il consiste à transcrire ses enregistrements d'entretiens et à recopier ses notes au propre pour son livre. Il est si méthodique qu'il pâlit si je déplace un insignifiant bout de papier sur sa table de travail. « Tu peux te sentir très honorée, Maya, car tu es la première et la seule personne à qui je permets d'entrer dans mon bureau. J'espère ne pas avoir à le regretter », a-t-il eu l'insolence de me dire quand j'ai jeté le calendrier de l'année dernière. Je l'ai récupéré intact dans la poubelle, hormis quelques taches de spaghettis, et je l'ai collé sur l'écran de son ordinateur avec du chewing-gum. Il ne m'a pas adressé la parole pendant vingt-six heures.

Son livre sur la magie de Chiloé me tient tellement en haleine qu'il m'empêche de dormir. (Façon de parler, car n'importe quelle niaiserie m'empêche de dormir.) Je ne suis pas superstitieuse, comme Nini, mais j'admets que le monde est mystérieux et que tout y est possible. Manuel a écrit tout un chapitre sur la *Mayoría*, ou *Recta Provincia*, comme on appelait le gouvernement des sorciers, très redouté dans ces foyers. Dans notre île, le bruit court que les Miranda sont une famille de sorciers et les gens croisent les doigts ou se signent lorsqu'ils passent devant la maison de Rigoberto Miranda, parent d'Eduvigis Corrales, pêcheur de son métier. Son nom de famille est aussi suspect que sa bonne fortune : les poissons se battent pour tomber dans ses filets, même quand la mer est noire, et par deux fois en trois ans son unique vache a donné naissance à des jumeaux. On dit que pour voler, la nuit, Rigoberto Miranda a un *macuñ*, un corselet confectionné avec la peau du buste d'un cadavre, mais personne ne l'a vu. Il est recommandé d'inciser le torse des morts à l'aide d'un couteau ou d'une pierre coupante afin qu'ils ne subissent pas le sort indigne d'être transformés en gilet.

Les sorciers volent, ils peuvent faire beaucoup de mal, ils tuent par la pensée et prennent la forme d'animaux, ce que j'ai du mal à imaginer en ce qui concerne Rigoberto Miranda, un homme timide qui apporte des crabes à Manuel. Mais mon opinion ne compte pas, je suis une *gringa* ignorante. Eduvigis m'a avertie que lorsque Rigoberto Miranda vient, je dois croiser les doigts avant de le faire entrer dans la maison, au cas où il apporterait un maléfice. Celui qui n'a pas subi la sorcellerie de première main est enclin à l'incrédulité, mais dès que surviennent des choses étranges il se précipite chez une *machi*, une guérisseuse indigène. Mettons qu'une famille d'ici se mette à tousser beaucoup ; alors la *machi* cherche le Basilic ou Grosse Couleuvre, un reptile maléfique né de l'œuf d'un vieux coq qui loge sous la maison et, la nuit, absorbe le souffle des personnes endormies.

On obtient les contes et anecdotes les plus savoureux auprès des personnes âgées, dans les endroits les plus reculés de l'archipel, où depuis des siècles sont conservées les mêmes croyances et les mêmes coutumes. Manuel ne recueille pas ses informations seulement auprès des anciens, mais aussi auprès de journalistes, de professeurs, de libraires, de commerçants, qui se moquent des sorciers et de la magie, mais même fous ne s'aventureraient pas la nuit dans un cimetière. Blanca Schnake dit que son père, lorsqu'il était jeune, connaissait l'entrée de la grotte mythique où les sorciers se réunissent, dans le paisible village de Quicaví ; mais en 1960 un tremblement de terre a déplacé la terre et la mer, et depuis personne n'a pu la retrouver.

Les gardiens de la grotte sont les *invuches*, des êtres terrifiants créés par les sorciers avec le premier nouveau-né mâle d'une famille, enlevé avant le baptême. La méthode consistant à transformer le bébé en *invuche* est aussi macabre qu'improbable : on lui brise une jambe, on la tord et on l'introduit sous la peau du dos, afin qu'il ne puisse se déplacer que sur trois pattes et ne s'enfuie pas ; ensuite on lui applique un onguent qui fait pousser sur lui une épaisse toison de chèvre, on divise sa langue en deux comme celle d'un serpent et on le nourrit de la viande putréfiée d'une morte ainsi que de lait d'Indienne. En comparaison, un zombie peut considérer qu'il a de la chance. Je me demande dans quel esprit pervers ont pu naître de telles horreurs.

La théorie de Manuel est qu'à l'origine la *Recta Provincia* ou *Mayoría*, comme on l'appelle également, était un système politique. Les Indiens de la région, les Huilliches, se sont rebellés contre la domination espagnole dès le XVIIIe siècle, et ensuite contre les autorités chiliennes ; sans doute ont-ils formé un gouvernement clandestin sur le modèle administratif des Espagnols et des jésuites, divisé le territoire en royaumes et nommé des présidents, des secrétaires, des juges, etc. Il y avait treize sorciers principaux, lesquels obéissaient au Roi de la *Recta Provincia*, au Roi de Sur la Terre et au Roi de Sous la Terre. Comme il fallait absolument garder le secret et contrôler la population, ils ont créé un climat de crainte superstitieuse à travers la *Mayoría* et une stratégie politique a fini ainsi par devenir une tradition de magie.

En 1880, on a arrêté plusieurs personnes accusées de sorcellerie, elles ont été jugées à Ancud et fusillées, afin de briser la colonne vertébrale de la *Mayoría*, mais personne n'est sûr que l'objectif a été atteint.

«Tu crois aux sorcières? ai-je demandé à Manuel.

— Non, mais pour sûr il y en a, comme on dit en Espagne.

— Dis-moi oui ou non.

— Il est impossible de prouver le contraire, Maya, mais rassure-toi, je vis ici depuis de nombreuses années et la seule sorcière que je connaisse est Blanca.»

Blanca ne croit à rien de tout cela. Selon elle, les *invuches* ont été inventés par les missionnaires pour inciter les familles chilotes à baptiser leurs enfants, mais ça me paraît un recours vraiment extrême, même de la part des jésuites.

«Qui est Mike O'Kelly? J'ai reçu de lui un message incompréhensible, m'a annoncé Manuel.

— Ah! Blanche-Neige t'a écrit! C'est un Irlandais, un ami de toute confiance de notre famille. C'est sûrement Nini qui a eu l'idée de communiquer avec nous par son intermédiaire, pour plus de sécurité. Je peux lui répondre?

— Pas directement, mais je peux lui transmettre un message.

— Ces précautions sont exagérées, Manuel, que veux-tu que je te dise.

— Ta grand-mère doit avoir de bonnes raisons d'être aussi prudente.

— Ma grand-mère et Mike O'Kelly font partie du Club des Criminels et ils donneraient de l'or pour être mêlés à un vrai crime, mais ils doivent se contenter de jouer aux bandits.

— Qu'est-ce que c'est que ce club ? » m'a-t-il demandé inquiet.

Je le lui ai expliqué en commençant par le début. Onze ans avant ma naissance, la bibliothèque du comté de Berkeley avait embauché Nini pour raconter des histoires aux enfants, de manière à les tenir occupés après l'école, avant que leurs parents sortent du travail. Peu après, elle a proposé à la bibliothèque des séances de lecture de romans policiers pour adultes, idée qui fut acceptée. Alors, avec Mike O'Kelly, elle a fondé le Club des Criminels, comme ils l'appellent, bien que la bibliothèque en fasse la promotion sous le nom de Club du Roman noir. À l'heure des contes pour enfants, j'étais l'un des gosses qui buvaient chacune des paroles de ma grand-mère et parfois, lorsqu'elle n'avait personne à qui me confier, elle m'emmenait aussi à la bibliothèque à la séance des adultes. Assise sur un coussin, les jambes croisées comme un fakir, Nini demandait aux enfants ce qu'ils voulaient entendre, l'un d'eux proposait le thème et elle improvisait en moins de dix secondes. Nini n'a jamais eu recours au stratagème d'une fin heureuse dans les contes pour enfants ; elle pense que dans la vie il n'y a pas de fins mais des seuils, qu'on déambule de-ci de-là en trébuchant et s'égarant. Récompenser le héros et châtier le méchant lui apparaissent comme une restriction, mais pour garder son emploi elle doit s'en tenir à la formule traditionnelle, la sorcière ne peut empoisonner impunément la jeune fille et se marier en blanc avec le prince. Nini préfère le public adulte, parce que les assassinats morbides n'exigent pas de fin heureuse. Elle est très bien préparée, elle a lu toutes les histoires policières et tous les manuels de médecine légiste qui existent, et affirme que Mike O'Kelly et elle pourraient très facilement réaliser une autopsie sur la table de la cuisine.

Le Club des Criminels est un groupe d'amateurs de romans policiers, ce sont des personnes inoffensives qui passent leur temps de loisirs à concocter des homicides monstrueux. Il a débuté discrètement dans la bibliothèque de Berkeley et aujourd'hui, grâce à Internet, il s'étend au monde entier. Il est totalement financé par les associés, mais comme ceux-ci se réunissent dans un lieu public, des voix indignées se sont élevées dans la presse locale sous prétexte qu'on fomente le crime avec les impôts des contribuables. « Je ne sais pas de quoi ils se plaignent. Ne vaut-il pas mieux parler de crimes plutôt que d'en commettre ? » a allégué ma Nini devant le maire, lorsque ce dernier l'a convoquée dans son bureau pour discuter du problème.

La relation de Nini avec Mike O'Kelly est née dans une librairie de livres d'occasion, où tous deux étaient absorbés dans la section des vieux romans policiers. Elle était mariée depuis peu avec Popo, et Mike étudiait à l'université, il marchait encore sur ses deux jambes et n'imaginait pas devenir un activiste social ou s'occuper un jour de sauver des jeunes délinquants de la rue et de la prison. Aussi loin que je m'en souvienne, ma grand-mère a confectionné des biscuits pour les adolescents de O'Kelly, dans leur majorité des Noirs et des Latinos, les plus pauvres de la baie de San Francisco. Lorsque j'ai été en âge d'interpréter certains signes, j'ai deviné que l'Irlandais était amoureux de ma Nini, bien qu'il ait douze ans de moins et qu'elle n'ait jamais cédé au caprice d'être infidèle à Popo. Il s'agit d'un amour platonique de roman victorien.

Mike O'Kelly est devenu célèbre le jour où on a tourné un documentaire sur sa vie. Il a reçu deux balles dans le dos en voulant protéger un jeune délinquant et s'est retrouvé en fauteuil roulant, mais cela ne l'empêche pas de mener sa mission à bien. Il peut faire quelques pas avec un déambulateur et conduire une voiture adaptée ; il parcourt ainsi les quartiers les plus dangereux pour sauver des âmes et il est le premier à se présenter à toutes les manifestations de protestation organisées à Berkeley et dans les environs. Son amitié avec Nini se fortifie à chaque nouvelle cause dingue qu'ils embrassent ensemble. C'est eux qui ont eu l'idée de demander aux restaurants de Berkeley de donner leurs restes de nourriture aux mendiants, fous et drogués de la ville. Elle a obtenu une caravane pour la distribution, tandis qu'il recrutait les volontaires pour le service. Au journal télévisé, on a pu voir les indigents choisir entre sushi, curry, canard aux truffes et assiettes végétariennes sur le menu. Plus d'un s'est plaint de la qualité du café. Bientôt, des personnes de la classe moyenne cherchant à manger gratis sont venues grossir les files, il y a eu des affrontements entre la clientèle du début et les profiteurs, et O'Kelly a dû faire venir ses garçons pour mettre de l'ordre avant que la police n'intervienne. Finalement, le département de la Santé a interdit la distribution des restes, parce qu'un allergique avait failli mourir à cause de la sauce thaïlandaise aux cacahouètes.

L'Irlandais et Nini se retrouvent souvent pour prendre un thé accompagné de brioches et analyser des assassinats truculents. « Tu crois qu'un corps dépecé peut se dissoudre dans un liquide à déboucher les tuyaux ? » demandait par exemple O'Kelly. « Ça dépend de la taille des morceaux », répondait Nini, et tous deux se mettaient en devoir de le vérifier en faisant tremper un kilo de côtelettes dans du Drano, tandis qu'il me revenait de noter les résultats.

« Je ne suis pas étonnée qu'ils aient comploté pour me mettre au secret au bout du monde, ai-je commenté à Manuel Arias.

— D'après ce que tu me racontes, Maya, ils sont plus redoutables que tes supposés ennemis, m'a-t-il répondu.

— Ne sous-estime pas mes ennemis, Manuel.

— Ton grand-père aussi faisait tremper des côtelettes dans du liquide à déboucher les tuyaux ?

— Non, ce n'étaient pas les crimes qui l'intéressaient, mais les étoiles et la musique. Il appartenait à la troisième génération d'une famille qui aimait la musique classique et le jazz. »

Je lui ai raconté que mon grand-père m'avait appris à danser dès que j'avais pu tenir sur mes jambes et qu'à cinq ans il m'avait acheté un piano parce que Nini voulait que je sois une enfant prodige et que je passe des concours à la télévision. Mes grands-parents ont supporté mes bruyants exercices de clavier jusqu'à ce que le professeur leur dise que mes efforts seraient mieux employés dans une activité qui n'exigeait pas d'avoir de l'oreille. J'ai aussitôt opté pour le *soccer*, comme les Américains appellent le football, activité qui d'après Nini convient parfaitement aux idiots : onze malabars, en short, qui se battent pour un ballon. Popo ignorait tout de ce sport, car il n'est pas populaire aux États-Unis, mais il n'a pas hésité à abandonner le base-ball, dont il était un fan, pour assister à des centaines de matches de football féminin junior. Grâce à des collègues de l'observatoire de São Paolo, il m'avait trouvé une affiche signée par Pelé, lequel avait quitté le terrain depuis longtemps et vivait au Brésil. De son côté, Nini a insisté pour que je lise et écrive comme un adulte, puisque je ne serais pas une enfant prodige de la musique. M'ayant inscrite à la bibliothèque, elle me faisait copier des paragraphes entiers de livres classiques et me donnait des tapes quand je faisais une faute d'orthographe ou revenais avec des notes médiocres en anglais ou en littérature, les seules matières qui l'intéressaient.

« Nini a toujours été rude, Manuel, mais Popo était un caramel, il a été le soleil de ma vie. Quand Marta Otter m'a amenée chez mes grands-parents, il m'a serrée contre lui en faisant très attention, parce qu'il n'avait jamais tenu un bébé dans ses bras. Il dit que la tendresse qu'il a éprouvée pour moi l'a bouleversé. C'est ainsi qu'il me l'a raconté et je n'ai jamais douté de cette tendresse. »

Quand je commence à parler de mon Popo, il n'y a pas moyen de m'arrêter. J'ai expliqué à Manuel que je dois à Nini le goût des livres et un vocabulaire qui n'a rien de négligeable, mais que tout le reste je le dois à mon grand-père. Nini me faisait étudier de force, elle disait que «la lettre entre par le sang», ou quelque chose d'aussi barbare, alors que lui faisait de l'étude un jeu. L'un d'eux consistait à ouvrir un dictionnaire au hasard, à mettre le doigt à l'aveuglette sur un mot et à deviner son sens. Nous jouions aussi aux questions idiotes : Popo, pourquoi la pluie tombe-t-elle vers le bas ? Parce que, Maya, si elle tombait vers le haut elle mouillerait ta culotte. Pourquoi le verre est-il transparent ? Pour tromper les mouches. Pourquoi tes mains sont-elles noires dessus et roses dessous, Popo ? Parce qu'il n'y avait pas assez de peinture. Et nous poursuivions ainsi jusqu'à ce que ma grand-mère, à bout de patience, se mette à hurler.

La présence immense de mon grand-père, son humeur moqueuse, sa bonté illimitée, son innocence, sa bedaine pour me bercer et sa tendresse ont comblé mon enfance. Il avait un rire sonore, qui naissait dans les entrailles de la terre, montait le long des jambes et le secouait tout entier. «Popo, jure-moi que tu ne mourras jamais», exigeais-je de lui au moins une fois par semaine, et sa réponse était toujours la même : «Je te jure que je serai toujours près de toi.» Il s'arrangeait pour rentrer tôt de l'université afin de passer un moment avec moi avant d'aller à sa table de travail avec ses gros livres d'astronomie et ses cartes du ciel, pour préparer ses cours et corriger des épreuves, faire des recherches et écrire. Des élèves, des collègues lui rendaient visite et ils s'enfermaient pour échanger des idées splendides et improbables jusqu'à l'aube ; Nini arrivait alors en chemise de nuit et les interrompait avec un grand thermos de café. « Ton aura est opaque, mon chéri, as-tu oublié que tu as cours à huit heures ? » Puis elle servait le café et poussait les visiteurs vers la porte. La couleur dominante de l'aura de mon grand-père était violette, une couleur très appropriée car c'est celle de la sensibilité, de la sagesse, de l'intuition, de la puissance psychique, de la vision du futur. C'étaient les seules occasions où Nini entrait dans son bureau ; moi, au contraire, j'y avais libre accès et disposais même de ma propre chaise et d'un coin de la table pour faire mes devoirs, accompagnée par le jazz doux et l'odeur du tabac de sa pipe.

Popo pensait que le système éducatif officiel fige le développement de l'intellect ; il faut respecter les maîtres, mais ne pas trop les écouter. Il disait que Léonard de Vinci, Galilée, Einstein et Darwin, pour ne citer que quatre génies de la culture occidentale, car il y en a beaucoup d'autres, de même que les philosophes et mathématiciens arabes Avicenne et al-Khwarizmi, avaient remis en question la connaissance de leur époque. S'ils avaient accepté les stupidités que leur enseignaient leurs aînés, ils n'auraient rien inventé ou découvert. « Ta petite-fille n'a rien d'Avicenne et si elle n'étudie pas elle devra gagner sa vie en vendant des hamburgers », lui réfutait Nini. Mais j'avais d'autres projets, je voulais être footballeur, car ils gagnent des millions. « Ce sont des hommes, petite idiote. Connais-tu une femme qui gagne des millions ? » rétorquait ma grand-mère, et elle m'assénait sur-le-champ un discours humiliant, qui commençait sur le terrain du féminisme et déviait vers celui de la justice sociale, pour conclure que si je jouais au football je finirais avec les jambes poilues. Ensuite, en aparté, mon grand-père m'expliquait que ce n'est pas le sport qui provoque l'hirsutisme, mais les gènes et les hormones.

Au cours de mes premières années, j'ai dormi avec mes grands-parents, au début entre eux deux, puis dans un sac de couchage, que nous rangions sous le lit et dont nous feignions tous trois d'ignorer l'existence. Le soir, mon Popo m'emmenait dans la tour pour observer l'espace infini émaillé de lumières, c'est ainsi que j'ai appris à distinguer les étoiles bleues qui s'approchent et les rouges qui s'éloignent, les amas de galaxies et les superamas, des structures encore plus immenses dont il existe des millions. Il m'expliquait que le Soleil est une petite étoile parmi les cent millions qui constituent la Voie lactée, et qu'il y avait sûrement des millions d'autres univers en plus de celui que nous pouvons percevoir aujourd'hui. « Ça veut dire, Popo, que nous sommes moins qu'un soupir de pou », concluais-je en toute logique. « Tu ne trouves pas fantastique, Maya, que ces soupirs de poux que nous sommes puissent concevoir le prodige de l'univers ? Un astronome a besoin de plus d'imagination poé-tique que de sens commun, parce que la magnifique complexité de l'univers ne peut se mesurer ni s'expli-quer, on ne peut qu'en avoir l'intuition. » Il me parlait du gaz et de la poussière stellaire qui forment les mer-veilleuses nébuleuses, véritables œuvres d'art, coups de pinceau aux couleurs magnifiques jetés pêle-mêle sur le firmament, de la manière dont naissent et meurent les étoiles, des trous noirs, de l'espace et du temps, de la façon dont tout cela, probablement, a pris naissance lors d'une explosion indescriptible, le big-bang, des particules fondamentales qui ont formé les premiers protons et neutrons, et comment, dans des processus de plus en plus complexes, sont nées les galaxies, les planètes, la vie. « Nous venons des étoiles », me disait-il souvent. « C'est exactement ce que je dis », ajoutait Nini en pensant à ses horoscopes.

Après avoir rendu visite à la tour et son télescope magique, m'avoir donné mon verre de lait à la cannelle et au miel, secret d'astronome pour développer l'intuition, mon grand-père surveillait que je me brosse bien les dents, puis il me portait dans mon lit. Alors Nini arrivait et elle me racontait une histoire chaque soir différente, inventée au pied levé, que j'essayais de prolonger le plus possible, mais inévitablement arrivait le moment où je me retrouvais seule ; alors je me mettais à compter les moutons, attentive au balancement du dragon ailé au-dessus de mon lit, aux craquements du plancher, aux pas menus et aux murmures discrets des habitants invisibles de cette maison ensorcelée. Mon combat pour vaincre la peur était pure rhétorique, car dès que mes grands-parents dormaient, je me glissais dans leur chambre à tâtons dans l'obscurité, je traînais mon sac de couchage dans un coin et me couchais en paix. Pendant des années, mes grands-parents sont allés à l'hôtel à des heures indécentes pour faire l'amour en cachette. C'est seulement aujourd'hui, à dix-neuf ans, que je peux prendre la mesure du sacrifice qu'ils m'ont consenti.

Manuel et moi avons analysé le message codé qu'avait envoyé O'Kelly. Les nouvelles étaient bonnes : chez moi la situation était normale et mes poursuivants n'avaient donné aucun signe de vie, mais cela ne signifiait pas qu'ils m'avaient oubliée. Bien évidemment, l'Irlandais ne l'avait pas exprimé directement, étant donné la situation, mais selon un code similaire à celui qu'utilisaient les Japonais pendant la Seconde Guerre mondiale et qu'il m'avait appris.

Voilà un mois que je vis dans cette île. Je ne sais si je finirai un jour par m'habituer au pas de tortue de Chiloé, à cette paresse, à cette menace permanente de pluie, à ce paysage immuable d'eau, de nuages et de vertes prairies. Tout est lisse, tout est quiétude. Les Chilotes ne connaissent pas la ponctualité, les projets dépendent du climat et de l'envie, les choses arrivent quand elles arrivent, à quoi bon faire aujourd'hui ce qu'on peut faire demain ? Manuel Arias se moque de mes listes et de mes programmes, inutiles dans cette culture atemporelle, ici une heure ou une semaine, c'est pareil ; pourtant il respecte ses horaires de travail et son livre avance au rythme qu'il s'est fixé.

Chiloé a sa propre voix. Avant je gardais les écouteurs collés à mes oreilles, la musique était mon oxygène, mais à présent je reste attentive pour comprendre l'espagnol alambiqué des Chilotes. Juanito Corrales a laissé mon iPod dans la poche de mon sac où il l'avait pris et nous n'avons jamais évoqué le sujet, mais pendant la semaine qu'il a tardé à me le rendre, je me suis rendu compte qu'il ne me manquait pas autant que je le pensais. Sans mon iPod, je peux entendre la voix de l'île : les oiseaux, le vent, la pluie, le crépitement des bûches, les roues d'une charrette et, parfois, les violons lointains du *Caleuche*, un bateau fantôme qui navigue dans la brume et qu'on reconnaît à sa musique et aux sonnailles produites par les os des naufragés qui chantent et dansent à son bord. Le bateau est accompagné par un dauphin appelé *cahuilla*, le nom que Manuel a donné à son bateau.

J'ai parfois la nostalgie d'une gorgée de vodka pour trinquer en l'honneur de temps révolus, qui ont été abominables mais un peu plus mouvementés que ceux-ci. C'est un caprice fugace, pas la panique de l'abstinence forcée que j'ai connue. Je suis décidée à tenir ma promesse, pas une goutte d'alcool, pas de drogues, de téléphone ou d'e-mail, et ce qui est sûr, c'est que ça m'a moins coûté que je ne m'y attendais. Lorsque nous avons éclairci ce point, Manuel a cessé de cacher les bouteilles de vin. Je lui ai expliqué qu'il ne devait pas changer ses habitudes pour moi, il y a partout de l'alcool et je suis la seule responsable de ma sobriété. Il a compris et ne s'inquiète plus trop lorsque je vais à la Taverne du Petit Mort pour voir une émission de télévision ou assister à une partie de *truco*, un jeu argentin qui utilise des cartes espagnoles et où les participants improvisent des vers à chaque tour.

Certaines coutumes de l'île, comme celle du *truco*, m'enchantent, mais d'autres ont fini par m'agacer. Si le *chucao*, un petit oiseau criard, chante sur ma gauche, c'est un mauvais présage, je dois enlever un vêtement et le mettre à l'envers avant de continuer sur le même chemin ; si je me déplace la nuit, mieux vaut me munir d'un couteau propre et de sel, car si un chien noir mutilé d'une oreille vient à ma rencontre, c'est un sorcier : pour m'en délivrer, je dois tracer une croix en l'air avec le couteau et répandre le sel. La diarrhée qui a failli m'expédier *ad patres* peu après mon arrivée à Chiloé n'était pas une dysenterie, car les antibiotiques du docteur l'auraient guérie, mais un maléfice, comme

Eduvigis l'a prouvé en me soignant avec des prières, une infusion de myrte, de graines de lin et de mélisse, ainsi que des frictions du ventre avec de la pâte à nettoyer les métaux.

Le plat traditionnel de Chiloé est le *curanto*, et celui de notre île est le meilleur. L'idée d'offrir un *curanto* aux touristes a été une initiative de Manuel pour rompre l'isolement de ce petit village où venaient rarement des visiteurs, car les jésuites ne nous ont légué aucune de leurs églises et nous n'avons ni pingouins ni baleines, uniquement des cygnes, des flamants et des dauphins, très communs dans ces parages. Manuel a d'abord fait courir le bruit qu'ici se trouve la grotte de la Pincoya, ce que personne n'a l'autorité de démentir, vu que l'endroit exact de la grotte est matière à discussion et que plusieurs îles se l'attribuent. La grotte et le *curanto* sont désormais nos attractions.

La côte nord-ouest de l'île est sauvage et rocheuse, dangereuse pour la navigation, mais excellente pour la pêche ; il y a là une caverne immergée seulement visible à marée basse, parfaite pour le royaume de la Pincoya, l'un des rares êtres bienfaisants de la terrifiante mythologie chilote, qui vient en aide aux pêcheurs et aux marins en difficulté. C'est une belle adolescente à la longue chevelure, vêtue d'algues marines, qui si elle danse en regardant la mer indique une bonne pêche, mais si elle le fait en regardant la plage indique qu'elle sera médiocre et qu'il vaut mieux chercher un autre endroit où jeter ses filets. Comme presque personne ne l'a vue, cette information ne sert à rien. Lorsque la Pincoya apparaît, il faut fermer les yeux et courir dans la direction opposée, car elle séduit les luxurieux et les emporte au fond de la mer.

Du village à la grotte il n'y a que vingt-cinq minutes de marche avec de bonnes chaussures et du ressort, par un sentier grimpant très escarpé. Sur la colline se dressent quelques araucarias solitaires qui dominent le paysage, et du sommet on peut admirer un panorama bucolique de mer, de ciel et de proches îlots inhabités. Certains sont séparés par des chenaux si étroits qu'à marée basse on peut s'appeler d'une rive à l'autre. De la colline on voit la grotte, semblable à une grande bouche édentée. Il est possible de descendre en s'agrippant aux rochers couverts d'excréments de mouettes – en prenant le risque de se briser la colonne vertébrale –, ou d'arriver en kayak en longeant la côte de l'île, mais à condition d'avoir une bonne connaissance de l'eau et des rochers. Il faut un peu d'imagination pour apprécier le palais sous-marin de la Pincoya, car on ne voit rien au-delà de la bouche de sorcière. Dans le passé, des touristes allemands ont voulu nager à l'intérieur, mais les carabiniers le leur ont interdit à cause des courants traîtres. Nous n'avons aucun intérêt à ce que des gens de l'extérieur viennent se noyer chez nous.

On m'a dit que janvier et février sont des mois secs et chauds sous ces latitudes, mais celui-ci doit être un étrange été, car il pleut à chaque instant. Les journées sont longues, le soleil n'est pas encore pressé de se coucher.

Je me baigne dans la mer malgré les avertissements d'Eduvigis contre les courants, les saumons carnivores échappés des cages et le Millalobo, un être de la mythologie chilote, moitié homme moitié phoque, couvert d'un pelage doré et qui peut m'enlever à marée haute.

À cette liste de calamités Manuel ajoute l'hypothermie ; il dit que seule une *gringa* imprudente peut avoir l'idée de se baigner dans ces eaux glacées sans une combinaison en caoutchouc. En fait je n'ai vu personne se mettre à l'eau par plaisir. L'eau froide est bonne pour la santé, affirmait Nini quand le chauffe-eau était en panne dans la grande maison de Berkeley, ce qui arrivait deux ou trois fois par semaine. J'ai soumis mon corps à trop d'abus l'année dernière, j'aurais pu mourir dans la rue ; ici je récupère peu à peu, et pour cela il n'y a rien de mieux que les bains de mer. Je crains seulement que la cystite revienne, mais pour le moment tout va bien.

J'ai parcouru d'autres îles et villages avec Manuel pour interviewer les anciens, et j'ai déjà une idée générale de l'archipel, bien que je ne connaisse pas encore le sud. Castro est le cœur de la Grande Île, avec plus de quarante mille habitants et un commerce prospère. Prospère est un qualificatif quelque peu exagéré, mais au bout de six semaines ici, Castro fait figure de New York. La ville est au bord de la mer avec des pilotis sur le rivage et des maisons en bois peintes de couleurs audacieuses, pour égayer l'esprit au cours des longs hivers, quand le ciel et l'eau virent au gris. C'est là que Manuel a sa banque, son dentiste et son coiffeur, là qu'il fait ses courses, qu'il commande et reçoit des livres à la librairie.

Si la mer est houleuse et qu'il nous est impossible de rentrer à la maison, nous logeons à l'auberge d'une Autrichienne dont le postérieur imposant et l'énorme poitrine font rougir Manuel, et nous nous gavons de cochon et de *strudel* aux pommes. Il y a peu d'Autrichiens dans ces contrées mais des foisons d'Allemands. La politique d'immigration de ce pays a été ouvertement raciste : pas d'Asiatiques, de Noirs ou d'indigènes de l'extérieur, uniquement des Européens blancs. Au XIXe siècle, un président a fait venir des Allemands de la Forêt-Noire et il leur a attribué des terres dans le sud, qui n'étaient pas à lui mais appartenaient aux Indiens mapuches, et ce dans l'intention d'améliorer la race ; il voulait que les Allemands inculquent aux Chiliens la ponctualité, l'amour du travail et la discipline. Je ne sais pas si les résultats ont été à la hauteur des attentes, mais en tout cas les Allemands, par leurs efforts, ont relevé quelques provinces du sud et les ont peuplées de leurs descendants aux yeux bleus. La famille de Blanca Schnake descend de ces émigrants.

Nous avons fait un voyage spécial afin que Manuel me présente au père Luciano Lyon, un vieillard formidable qui a été emprisonné plusieurs fois sous la dictature militaire (1973-1990) parce qu'il défendait les persécutés. Le Vatican, lassé de tirer les oreilles de ce frondeur, l'a mis à la retraite dans un lointain hameau de Chiloé, mais ici non plus le vieux guerrier ne manque pas de raisons de s'indigner. Pour ses quatre-vingts ans, ses admirateurs sont venus de toutes les îles et vingt autobus ont amené ses paroissiens de Santiago ; la fête a duré deux jours sur le parvis de l'église, avec des moutons et des poulets rôtis, des friands et un fleuve de vin ordinaire. On a assisté au miracle de la multiplication des pains, car des gens arrivaient sans arrêt et il y avait toujours plus à manger. Les éméchés de Santiago ont dormi dans le cimetière, sans se soucier des âmes en peine.

La petite maison du prêtre était surveillée par un coq majestueux aux plumes iridescentes qui chantait sur le toit et un mouton imposant à l'épaisse toison couché en travers du seuil, comme mort. Nous avons dû entrer par la porte de la cuisine. Le mouton, du nom approprié de Mathusalem, a évité pendant tant d'années d'être transformé en ragoût et il est si vieux qu'il peut à peine se déplacer.

« Que fais-tu en ces lieux, si loin de ton foyer, fillette ? m'a demandé le père Lyon en guise de salut.

— Je fuis les autorités, lui ai-je répondu sérieusement, et il s'est mis à rire.

— J'ai passé seize ans dans la même situation, et pour être franc avec toi je regrette ce temps-là. »

C'est un ami de Manuel Arias depuis 1975, l'époque où tous deux ont été relégués à Chiloé. La peine d'assignation à résidence, ou relégation comme on dit au Chili, est très dure, mais moins que l'exil, car au moins le condamné vit dans son propre pays, m'a-t-il expliqué.

« Ils nous envoyaient loin de notre famille, dans un endroit inhospitalier où nous étions seuls, sans argent ni travail, harcelés par la police. Manuel et moi, nous avons eu de la chance, car nous avons échoué à Chiloé, et ici les gens nous ont accueillis. Tu ne vas pas le croire, fillette, mais don Lionel Schnake, qui détestait les gauchistes plus que le diable, nous a offert l'hospitalité. »

C'est dans cette maison que Manuel a connu Blanca, la fille de son généreux amphitryon. Blanca avait un peu plus de vingt ans, elle était fiancée et la réputation de sa beauté allait de bouche en bouche, attirant une procession d'admirateurs qui ne se laissaient pas intimider par le fiancé.

Manuel est resté un an à Chiloé, gagnant à peine de quoi se nourrir comme pêcheur et charpentier, tout en

se documentant sur l'histoire et la mythologie fascinantes de l'archipel sans bouger de Castro, où il devait
chaque jour se présenter au commissariat pour signer
le registre des relégués. Malgré les circonstances, il est
tombé amoureux de Chiloé ; il voulait parcourir tout
l'archipel, l'étudier, le raconter. C'est pour cette raison
qu'au bout d'un long périple à travers le monde il est
venu finir ses jours ici. Après avoir accompli sa période
de relégation, il a pu partir pour l'Australie, l'un des
pays qui recevaient des réfugiés chiliens, où l'attendait
sa femme. J'ai été surprise d'apprendre que Manuel
avait de la famille, il ne m'en avait jamais parlé. Il se
trouve qu'il s'est marié deux fois ; il n'a pas eu d'enfants, a divorcé de ses deux femmes il y a longtemps, et
aucune d'elles ne vit au Chili.

« Pourquoi t'ont-ils relégué, Manuel ? lui ai-je
demandé.

— Les militaires ont fermé la faculté de Sciences
sociales, où j'enseignais, car ils la considéraient comme
un repaire de communistes. Ils ont arrêté beaucoup de
professeurs et d'élèves, et certains ont été tués.

— Tu as été arrêté ?

— Oui.

— Et Nini ? Sais-tu s'ils l'ont arrêtée ?

— Non, pas elle. »

Comment est-il possible que je sache aussi peu de
choses sur le Chili ? Je n'ose pas poser de questions à
Manuel, afin de ne pas passer pour une ignorante, mais
j'ai commencé à faire des recherches sur Internet. Avec
les billets gratuits que mon père obtenait grâce à son
métier de pilote, mes grands-parents m'emmenaient en

voyage chaque fois qu'ils étaient libres, les jours fériés et pendant les vacances. Popo avait fait une liste des endroits que nous devions connaître après l'Europe et avant de mourir. C'est ainsi que nous avons visité les îles Galápagos, l'Amazonie, la Cappadoce et le Machu Picchu, mais jamais le Chili, comme c'eût été logique. Le peu d'intérêt de Nini pour son pays est inexplicable, car elle défend ardemment ses habitudes chiliennes et elle est toujours émue lorsque, en septembre, elle accroche le drapeau tricolore à son balcon. Je crois qu'elle cultive une idée poétique du Chili et craint d'affronter la réalité, à moins qu'il n'y ait ici quelque chose dont elle ne veuille pas se souvenir.

Mes grands-parents étaient des voyageurs expérimentés et aguerris. Dans les albums de photos, nous apparaissons tous les trois dans des lieux exotiques, toujours vêtus de la même façon, parce que nous avions réduit nos effets au strict minimum et que nos bagages à main étaient toujours prêts, un par personne, ce qui nous permettait de partir en une demi-heure lorsque se présentait l'occasion ou le caprice. Un jour, mon Popo et moi étions en train de lire un article sur les gorilles dans un *National Geographic*, leur régime végétarien, leur docilité et leur sens de la famille ; Nini, qui passait dans le salon avec un vase de fleurs dans les mains, a lancé à la légère que nous devrions aller les voir. « Bonne idée », a répondu Popo. Il a pris le téléphone, appelé mon père, trouvé les billets et le lendemain nous nous envolions pour l'Ouganda avec nos petites valises rompues aux voyages.

Popo était invité à des séminaires et des conférences, et s'il le pouvait il nous emmenait, car Nini avait toujours peur qu'il arrive un malheur et que nous soyons séparés. Le Chili est un cil entre la cordillère des Andes et les profondeurs du Pacifique, avec des centaines de volcans dont la lave, pour certains, est encore tiède ; ils peuvent se réveiller à tout moment et faire sombrer le territoire dans la mer. Cela explique que ma grand-mère chilienne s'attende toujours au pire, qu'elle soit préparée aux situations d'urgence et avance dans la vie avec un fatalisme salutaire, sans oublier l'appui de quelques saints catholiques de sa préférence et les vagues conseils de l'horoscope.

Je manquais souvent les cours, parce que je voyageais avec mes grands-parents et m'ennuyais à l'école ; seules mes bonnes notes et la flexibilité de la méthode italienne m'empêchaient d'être renvoyée. Je ne manquais pas de ressources : je feignais une crise d'appendicite, une migraine, une laryngite et, si ça ne marchait pas, des convulsions. Il était facile de tromper mon grand-père, mais Nini utilisait des méthodes drastiques pour me soigner, une douche glacée ou une cuillerée d'huile de foie de morue, sauf lorsqu'il lui convenait que je manque, par exemple lorsqu'elle m'emmenait manifester contre la guerre du moment, coller des affiches pour la défense des animaux de laboratoire ou nous enchaîner à un arbre pour enquiquiner les entreprises du bois. Sa détermination pour m'inculquer une conscience sociale a toujours été héroïque.

Plus d'une fois, Popo a dû venir nous récupérer au commissariat. La police de Berkeley est indulgente, elle a l'habitude des manifestations pour la défense de toutes les nobles causes existantes, des fanatiques pleins de bonnes intentions capables de camper pendant des mois sur la place publique, des étudiants décidés à occuper l'université pour la Palestine ou les droits des nudistes, des génies distraits qui ignorent les feux rouges, des mendiants qui ont eu les plus hautes distinctions dans une autre vie, des drogués en quête du paradis, et enfin de tous les citoyens vertueux, intolérants et pugnaces qui existent dans cette ville de cent mille habitants, où presque tout est permis à condition de respecter les bonnes manières. Nini et Mike O'Kelly oublient souvent les bonnes manières dans leur passion pour défendre la justice, mais lorsqu'ils sont arrêtés ils ne se retrouvent jamais dans une cellule et le sergent Walczak va personnellement leur acheter des cappuccinos.

J'avais dix ans quand mon père s'est remarié. Il ne nous avait jamais présenté aucune de ses amoureuses et défendait tellement les avantages de la liberté que nous ne nous attendions pas à le voir y renoncer. Un jour, il a déclaré qu'il allait amener une amie à dîner et Nini, qui lui avait cherché une fiancée en secret pendant des années, s'est préparée pour faire bonne impression à cette femme, tandis que je me préparais pour l'attaquer. Une activité frénétique s'est emparée de la maison : Nini a engagé une entreprise de nettoyage qui a laissé l'air saturé d'une odeur de lessive et de gardénias, et elle s'est compliqué la vie avec une recette marocaine de poulet à la cannelle qui a fini en dessert. Popo a enregistré une sélection de ses morceaux préférés pour qu'il y ait une musique d'ambiance, de la musique de dentiste selon moi.

Mon père, que nous n'avions pas vu depuis deux ou trois semaines, s'est présenté le soir dit avec Susan, une blonde mal fagotée au visage criblé de taches de rousseur qui nous a surpris, parce que nous pensions qu'il aimait les filles sexy, comme Marta Otter avant qu'elle succombe à la maternité et à la vie domestique à Odense. Par sa simplicité, Susan a séduit mes grands-parents en quelques minutes, mais pas moi ; je lui ai fait si mauvais accueil que Nini m'a entraînée par un bras à la cuisine sous prétexte de servir le poulet et elle m'a promis quelques bonnes claques si je ne changeais pas d'attitude. Après le dîner, Popo a commis l'inimaginable : il a invité Susan à la tour astronomique, où il n'emmenait jamais personne à part moi, et ils y sont restés un long moment à observer le ciel, tandis que ma grand-mère et mon père me reprochaient mon insolence.

Quelques mois plus tard, mon père et Susan se marièrent au cours d'une cérémonie toute simple, à la plage. Ce n'était plus à la mode depuis au moins dix ans, mais c'est ce que voulait la mariée. Popo aurait préféré quelque chose de plus confortable, mais Nini était à son affaire. Un ami de Susan, qui avait obtenu par courrier une licence de l'Église universelle, célébra la noce. Ils m'obligèrent à y assister, mais je refusai de présenter les alliances et de m'habiller en fée, comme le prétendait ma grand-mère. Mon père portait un costume blanc style Mao qui ne correspondait ni à sa personnalité ni à ses sympathies politiques ; Susan, une tunique vaporeuse et une couronne de fleurs sylvestres, également passées de mode. Les personnes présentes, debout dans le sable, leurs chaussures à la main, supportèrent pendant une demi-heure la bruine et les conseils mielleux de l'officiant. Il y eut ensuite une réception au yacht-club de la même plage et les convives dansèrent et burent jusqu'à plus de minuit, tandis que je restais enfermée dans la Volkswagen de mes grands-parents, ne montrant mon nez que lorsque le bon O'Kelly arriva dans son fauteuil roulant pour m'apporter un morceau de gâteau.

Mes grands-parents auraient voulu que les nouveaux mariés habitent avec nous, car nous avions plus d'espace que nécessaire, mais mon père loua dans le même quartier une petite maison qui tenait dans la cuisine de sa mère, car il ne pouvait s'offrir quelque chose de mieux. Les pilotes travaillent beaucoup, gagnent peu et sont toujours fatigués ; ça n'a rien d'une profession enviable. Une fois qu'ils furent installés, mon père décida que je devais vivre avec eux et mes colères ne l'attendrirent pas plus qu'elles n'effrayèrent Susan, qui à première vue m'avait paru facile à intimider. C'était une femme d'humeur égale, toujours prête à rendre service, mais sans la compassion agressive de Nini, qui le plus souvent insulte même les bénéficiaires.

Je comprends aujourd'hui que Susan a dû se charger de la tâche ingrate d'éduquer une gamine élevée par des personnes âgées, gâtée et maniaque, qui ne tolérait que les aliments blancs – riz, pop-corn, pain de mie, bananes – et passait ses nuits éveillée. Au lieu de m'obliger à manger selon des méthodes traditionnelles, elle me préparait du blanc de dinde à la crème Chantilly, du chou-fleur accompagné de glace à la noix de coco et d'autres associations audacieuses, jusqu'à ce que je passe bientôt du blanc au beige – *hummus*, quelques céréales, café au lait – et de là à des couleurs ayant plus de personnalité, comme certains tons de vert, d'orange et de rouge, à condition que ce ne soit pas de la betterave. Elle ne pouvait pas avoir d'enfants et a tenté de compenser cette carence en gagnant mon affection, mais je l'ai affrontée avec l'obstination d'une mule. Je laissais mes affaires chez mes grands-parents et n'allais chez mon père que pour dormir, avec un sac à main, mon réveille-matin et le livre que j'étais en train de lire. Je passais des nuits d'insomnie, tremblant de peur, la tête sous les couvertures. Comme mon père n'aurait toléré aucune insolence, j'ai opté pour une politesse hautaine, inspirée des majordomes des films anglais.

Mon seul foyer était la grande maison bariolée, où je me rendais chaque jour quand je sortais de l'école pour faire mes devoirs et jouer, priant pour que Susan oublie de venir me chercher en rentrant de San Francisco après son travail, mais ce n'est jamais arrivé : ma belle-mère avait un sens pathologique des responsabilités. C'est ainsi qu'a passé le premier mois, jusqu'à ce qu'elle ramène un chien pour vivre avec nous à la maison. Elle travaillait au Département de Police de San Francisco et dressait des chiens à détecter les bombes, une spécialité très valorisée à partir de 2001, lorsque a débuté la paranoïa du terrorisme. Mais à l'époque où elle avait épousé mon père, ses rudes compagnons se moquaient d'elle, car personne n'avait posé de bombe en Californie depuis des temps immémoriaux.

Chaque animal travaillait avec une seule personne tout au long de sa vie, et tous deux en venaient à si bien se compléter qu'ils devinaient leurs pensées. Susan sélectionnait le chiot le plus vif de la nichée et la personne la plus adéquate pour l'associer au chien, quelqu'un qui aurait grandi avec des animaux. J'avais juré de pousser ma belle-mère à bout, mais j'ai rendu les armes devant Alvy, un labrador de six ans, plus intelligent et plus sympathique que le meilleur des êtres humains. Susan m'a appris ce que je sais sur les animaux et, violant les règles fondamentales du manuel, elle me permettait de dormir avec Alvy. Ainsi m'a-t-elle aidée à lutter contre l'insomnie.

La présence silencieuse de ma belle-mère a fini par être si naturelle et nécessaire dans la famille qu'on avait du mal à se rappeler comment était la vie avant elle. Quand mon père voyageait, autrement dit la plupart du temps, Susan m'autorisait à passer la nuit dans la maison magique de mes grands-parents, où ma chambre restait intacte. Susan aimait beaucoup Popo, elle allait avec lui voir des films suédois des années cinquante non sous-titrés, en noir et blanc – il fallait deviner les dialogues –, et écouter du jazz dans des caves enfumées. Avec Nini, qui n'est pas une personne docile, elle utilisait la même méthode d'entraînement que pour ses chiens : affection et fermeté, punition et récompense. Avec affection elle lui fit savoir qu'elle l'aimait et qu'elle était à sa disposition, avec fermeté elle lui interdit d'entrer dans sa maison par la fenêtre pour inspecter la propreté et de donner en cachette des bonbons à sa petite-fille ; elle la punissait en disparaissant pendant quelques jours quand Nini l'accablait de cadeaux, de mises en garde et de plats chiliens, et elle la récompensait en l'emmenant en promenade dans la forêt quand tout allait bien. Elle appliquait le même système avec son mari comme avec moi.

Ma gentille marâtre ne s'est pas interposée entre mes grands-parents et moi, même si elle a sans doute été choquée par la manière incohérente dont ils m'élevaient. Il est certain qu'ils m'ont trop gâtée, mais ce n'a pas été la cause de mes problèmes, comme le pensaient les psychologues auxquels j'ai eu affaire dans mon adolescence. Nini m'a éduquée à la chilienne : abondance de nourriture et d'affection, règles claires et quelques claques, pas beaucoup. Une fois, je l'ai menacée de la dénoncer à la police pour abus de mineurs et elle m'a donné un tel coup avec la louche pour servir la soupe que j'ai eu un œuf sur la tête. Cela a coupé court à mon initiative.

J'ai assisté à un *curanto*, le repas typique de Chiloé, abondant et généreux, une cérémonie à laquelle participe toute la communauté. Les préparatifs ont commencé de bonne heure le matin, car les barques de l'écotourisme arrivent avant midi. Les femmes ont coupé des tomates, des oignons, de l'ail, de la coriandre pour l'assaisonnement, et par un procédé fastidieux elles ont préparé le *milcao* et les *chapaleles*, des pâtes à base de pommes de terre, de farine, de graisse et de rillons de porc, très mauvaises selon moi, tandis que les hommes creusaient un grand trou, mettaient au fond un tas de pierres sur lesquelles ils ont allumé un feu. Une fois le bois consumé, les pierres étaient brûlantes, ce qui a coïncidé avec l'arrivée des barques. Les guides ont fait visiter le village aux touristes, leur donnant ainsi l'occasion d'acheter des étoffes tissées, des colliers de coquillages, de la confiture de myrte, de la liqueur d'or, des sculptures en bois, de la crème à la bave d'escargot pour les taches de vieillesse, des petits bouquets de lavande, bref, le peu que nous avons, et ensuite ils les ont rassemblés autour du trou fumant, sur la plage. Les cuisiniers du *curanto* ont posé des marmites en terre sur les pierres pour recevoir les bouillons, qui sont aphrodisiaques comme on sait, puis ils ont posé par couches les *chapaleles* et le *milcao*, le cochon, l'agneau, le poulet, des coquillages, du poisson, des légumes et autres délices que je n'ai pas retenus, ils ont recouvert de torchons blancs mouillés, d'immenses feuilles de *nalca*[1], d'un sarrau qui dépassait du trou à la manière d'une jupe, et enfin de sable. La cuisson a duré un peu plus d'une heure, et tandis que dans le secret de la chaleur les ingrédients se transformaient en sucs et parfums intimes, les visiteurs se distrayaient en photographiant la fumée, en buvant du *pisco* et en écoutant Manuel Arias.

Les touristes appartiennent à plusieurs catégories : des Chiliens du troisième âge, des Européens en vacances, des Argentins d'allures diverses et des routards d'origine incertaine. Parfois arrive un groupe d'Asiatiques ou d'Américains avec des cartes, des guides et des livres sur la flore et la faune qu'ils consultent avec le plus grand sérieux. Tous, sauf les routards qui préfèrent fumer de la marijuana derrière les arbres, apprécient la chance qui leur est donnée d'entendre un écrivain publié, un homme capable d'éclairer les mystères de l'archipel en anglais ou en espagnol, selon les cas. Manuel n'est pas toujours ennuyeux ; sur son sujet, il sait se montrer amusant pendant un moment pas trop long. Il parle aux visiteurs de l'histoire, des légendes et des coutumes de Chiloé, il les avertit que les îliens sont prudents, qu'il faut gagner leur confiance peu à peu, avec respect, de

---

1. *Nalca* : mot mapuche qui désigne le pangue ou gunnère du Chili (*Gunnera chilensis*), dont les feuilles ont plus d'un mètre de long et 50 cm de large.

même qu'il faut s'adapter peu à peu et avec respect à la nature agreste, aux hivers implacables, aux caprices de la mer. Lentement, très lentement. Chiloé n'est pas pour les personnes pressées.

Les gens viennent à Chiloé avec l'idée de remonter le temps et ils sont déçus par les villes de la Grande Île, mais dans notre îlot ils trouvent ce qu'ils cherchent. Nous n'avons évidemment pas l'intention de les tromper, mais le jour du *curanto*, des bœufs et des moutons apparaissent par hasard à proximité de la plage, un plus grand nombre de filets et de bateaux sèchent sur le sable, les gens portent leurs plus vieux bonnets et ponchos, et il ne viendrait à l'idée de personne d'utiliser son téléphone portable en public.

Les spécialistes savaient exactement à quel moment les trésors culinaires étaient cuits dans le trou, ils ont enlevé le sable avec des pelles, délicatement soulevé le sarrau, les feuilles de *nalca* et les torchons blancs. Un nuage de vapeur contenant les délicieux arômes du *curanto* est alors monté vers le ciel. Il s'est produit un silence plein d'expectative, puis une clameur d'applaudissements. Les femmes ont sorti les morceaux et elles les ont servis dans des assiettes en carton avec de nouvelles tournées de *pisco sour*, la boisson traditionnelle du Chili, capable de faire tomber un cosaque. À la fin, nous avons dû aider plusieurs touristes à regagner les barques.

Mon Popo aurait aimé cette vie, ce paysage, cette abondance de fruits de mer, cette paresse du temps. Il n'a jamais entendu parler de Chiloé, sinon il l'aurait mis sur sa liste des lieux à visiter avant de mourir. Mon

Popo... comme il me manque ! C'était un ours, grand, fort, lent et doux, avec la chaleur d'un poêle, une odeur de tabac et d'eau de Cologne, une voix grave et un rire tellurique, des mains énormes pour me soutenir. Il m'emmenait à des matches de football et à l'opéra, répondait à mes questions sans fin, brossait mes cheveux et faisait l'éloge de mes interminables poèmes épiques, inspirés des films de Kurosawa que nous allions voir ensemble. Nous montions dans la grosse tour de la maison scruter la voûte noire du ciel dans le télescope, cherchant sa planète furtive, une étoile verte que nous n'avons jamais trouvée. « Promets-moi que tu t'aimeras toujours autant que je t'aime, Maya », me répétait-il, et je le lui promettais sans savoir ce que signifiait cette phrase étrange. Il m'aimait sans conditions, m'acceptait telle que je suis, avec mes limites, mes manies et mes défauts, me félicitait même lorsque je ne le méritais pas, contrairement à Nini qui pense qu'il ne faut pas applaudir aux efforts des enfants, parce qu'ils s'y habituent et vivent très mal, plus tard, le fait que personne ne les louange. Popo me pardonnait tout, il me consolait, riait quand je riais, il était mon meilleur ami, mon complice et mon confident, j'étais sa seule petite-fille et la fille qu'il n'avait pas eue. « Dis-moi que je suis l'amour de tes amours, Popo », lui demandais-je pour faire bisquer Nini. « Tu es l'amour de nos amours, Maya », me répondait-il diplomatiquement, mais j'étais sa préférée, j'en suis sûre ; ma grand-mère ne pouvait rivaliser avec moi. Mon Popo était incapable de choisir ses propres vêtements, c'est Nini qui s'en chargeait, mais quand j'ai eu treize ans il m'a acheté mon premier soutien-gorge, parce qu'il avait remarqué que je me bandais avec une écharpe et que je me tenais penchée pour cacher ma poitrine. La timidité m'empêchait d'en parler à Nini ou à Susan, mais j'ai trouvé normal d'essayer des soutiens-gorge devant mon Popo.

La maison de Berkeley a été mon univers : les soirées à regarder des feuilletons à la télévision avec mes grands-parents, les déjeuners sur la terrasse les dimanches d'été, les fois où mon père arrivait et où nous dînions ensemble tandis que Maria Callas chantait sur de vieux disques en vinyle, le bureau, les livres, les parfums de la cuisine. La première partie de mon existence s'est écoulée sans problèmes dignes d'être mentionnés au milieu de cette petite famille, mais à seize ans les forces catastrophiques de la nature, comme les appelle Nini, m'ont chamboulé le sang et troublé le jugement.

J'ai fait tatouer sur mon poignet droit l'année où mon Popo est mort : *2005*. En février nous avons appris qu'il était malade, en août nous lui avons dit adieu, en septembre j'ai eu dix-sept ans et ma famille s'est émiettée.

Le jour inoubliable où mon Popo a commencé à mourir, j'étais restée à l'école pour la répétition d'une pièce de théâtre – rien de moins qu'*En attendant Godot*, le professeur d'art dramatique était une femme ambitieuse –, et ensuite je suis rentrée à pied chez mes grands-parents. Quand je suis arrivée, il faisait nuit. En entrant, j'ai appelé et allumé les lampes, surprise par le silence et le froid, car c'était l'heure la plus accueillante dans notre maison ; alors elle était tiède, il y avait de la musique et dans l'air flottaient les arômes des marmites de Nini. À cette heure, Popo lisait dans le fauteuil de son bureau et Nini faisait la cuisine en écoutant les informations à la radio, mais je n'ai rien trouvé de tel ce soir-là. Mes grands-parents étaient dans le salon, assis tout près l'un de l'autre sur le divan que Nini avait tapissé en suivant les conseils d'une revue. Ils avaient rapetissé et pour la première fois j'ai remarqué leur âge ; la rigueur du temps les avait jusqu'alors épargnés. J'avais vécu avec eux jour après jour, année après année, sans me rendre compte des changements, mes grands-parents étaient aussi immuables et éternels que les montagnes. Je ne sais si je les avais vus avec les seuls yeux de l'âme ou s'ils ont vieilli au cours de ces heures-là. Je n'avais pas remarqué non plus que mon grand-père avait perdu du poids ces derniers mois, que ses vêtements étaient devenus trop larges, et qu'à côté de lui ma Nini ne paraissait plus aussi minuscule qu'autrefois.

« Qu'est-ce qui se passe ici ? » et mon cœur a fait un bond dans le vide, car j'avais deviné avant qu'ils n'aient le temps de me répondre. Nidia Vidal, cette guerrière invincible, était brisée, les yeux gonflés d'avoir pleuré. Popo m'a fait signe de venir m'asseoir auprès d'eux, il m'a prise dans ses bras en me serrant contre sa poitrine et il m'a expliqué que depuis quelque temps il ne se sentait pas bien, qu'il avait mal à l'estomac ; on lui avait fait des examens et le médecin venait de lui confirmer les résultats. Alors m'a échappé en un cri : « Qu'est-ce que tu as, Popo ? — Quelque chose au pancréas », a-t-il dit et le gémissement viscéral de sa femme m'a fait comprendre que c'était un cancer.

Vers neuf heures Susan est arrivée pour dîner, comme elle le faisait souvent, et elle nous a trouvés serrés sur le divan, tremblants. Elle a allumé le chauffage, commandé une pizza par téléphone, appelé mon père à Londres pour lui annoncer la mauvaise nouvelle, puis elle s'est assise avec nous, tenant la main de son beau-père, en silence.

Nini a tout abandonné pour soigner son mari : la bibliothèque, les contes, les manifestations dans la rue, le Club des Criminels, et elle a laissé refroidir le four qu'elle avait tenu chaud tout au long de mon enfance. Le cancer, cet ennemi sournois, a attaqué mon Popo sans un signal d'alarme avant qu'il soit bien avancé. Nini a emmené son mari à l'hôpital universitaire de Georgetown, à Washington, où se trouvent les meilleurs spécialistes, mais cela n'a servi à rien. On lui a dit qu'il serait inutile de l'opérer et Popo a refusé de se soumettre à un bombardement chimique pour prolonger sa vie de seulement quelques mois. J'ai étudié sa maladie sur Internet et dans les livres que j'ai dénichés à la bibliothèque, et j'ai ainsi appris que sur quarante-trois mille cas annuels aux États-Unis, environ trente-sept mille sont incurables, que cinq pour cent des patients répondent au traitement et que pour ces derniers l'espérance de vie est de cinq ans au maximum ; en résumé, seul un miracle pouvait sauver mon grand-père.

Pendant la semaine que mes grands-parents ont passée à Washington, l'état de Popo s'est tellement détérioré que nous avons eu du mal à le reconnaître quand nous sommes allés les attendre à l'aéroport avec mon père et Susan. Il avait encore maigri, traînait les pieds, était plié en deux, avait les yeux jaunes et la peau terne, couleur de cendre. À petits pas d'invalide il est arrivé jusqu'à la camionnette de Susan, transpirant à cause de l'effort, et dans la maison il n'a pas eu la force de monter l'escalier, nous avons dû lui préparer un lit dans son bureau au rez-de-chaussée, où il a dormi jusqu'à ce qu'on apporte un lit d'hôpital. Nini dormait blottie contre lui, comme un chat.

Avec la même passion qu'elle mettait à défendre les causes politiques et humanitaires perdues, ma grand-mère a affronté Dieu pour défendre son mari, d'abord par des supplices, des prières et des promesses, puis par des malédictions et des menaces de devenir athée. « Que gagne-t-on à se battre contre la mort, Nidia ? Tôt ou tard, c'est elle qui a le dernier mot », se moquait Popo. La science traditionnelle s'étant déclarée incompétente, elle a eu recours aux soins alternatifs : les plantes, les cristaux, l'acupuncture, les chamans, les massages de l'aura et une fillette de Tijuana, stigmatisée et faiseuse de miracles. Son mari a supporté ces excentricités avec bonne humeur, comme il l'avait fait depuis qu'il la connaissait. Au début, mon père et Susan ont essayé de protéger mes grands-parents des nombreux charlatans qui ont tout de suite perçu la possibilité d'exploiter Nini, mais ils ont fini par admettre que ces recours désespérés la tenaient occupée tandis que les jours passaient.

Dans les dernières semaines, je ne suis pas allée en classe. Je me suis installée dans la grande maison magique avec l'intention d'aider Nini, mais j'étais plus déprimée que le malade et elle a dû s'occuper de nous deux.

Susan a été la première à oser mentionner l'*Hospice*. « Ça, c'est pour les mourants et Paul ne va pas mourir ! »

s'est exclamée Nini. Peu à peu, cependant, elle a dû céder. Carolyn, une bénévole aux manières douces, très expérimentée, est venue nous expliquer ce qui allait se passer et de quelle manière son association pouvait nous aider, sans que cela ne coûte rien, aussi bien pour le confort du malade, pour nous apporter une consolation spirituelle ou psychologique, que pour prendre en charge les formalités médicales et l'enterrement.

Mon Popo a insisté pour mourir chez lui. Les étapes se sont succédé dans l'ordre et selon les échéances que Carolyn avait décrits, mais elles m'ont prise au dépourvu, car moi aussi, comme Nini, j'espérais une intervention divine qui changerait le cours du malheur. La mort arrive aux autres, pas à ceux que nous chérissons et encore moins à mon Popo, qui était le centre de ma vie, la force de gravité qui ancrait le monde ; sans lui je ne tiendrais pas debout, la moindre brise m'emporterait. « Tu m'avais juré que tu ne mourrais jamais, Popo ! — Non, Maya, je t'ai dit que je serais toujours auprès de toi et je tiendrai ma promesse. »

Les bénévoles de l'*Hospice* ont installé le lit d'hôpital devant la grande baie du salon, afin que la nuit mon grand-père imagine les étoiles et la lune qui l'éclairaient, car il ne pouvait les voir à cause des branches des pins. Ils lui ont posé un cathéter sur la poitrine, pour lui administrer ses médicaments sans le piquer, et ils nous ont montré comment le déplacer, comment lui faire sa toilette et changer ses draps sans le sortir du lit. Carolyn venait souvent le voir, elle s'entendait avec le médecin, l'infirmier et la pharmacie ; elle s'est plus d'une fois chargée des achats à l'épicerie, quand personne dans la famille n'avait la force de le faire.

Mike O'Kelly nous rendait visite lui aussi. Il arrivait dans son fauteuil roulant électrique qu'il conduisait comme une voiture de course, souvent accompagné de deux ou trois de ses voyous repentis à qui il faisait sortir les poubelles, passer l'aspirateur, balayer la cour et effectuer d'autres tâches domestiques, tandis qu'il prenait le thé à la cuisine avec Nini. Ils étaient restés éloignés quelques mois, après s'être querellés lors d'une manifestation sur l'avortement que O'Kelly, catholique pratiquant, rejetait catégoriquement, mais la maladie de mon grand-père les avait réconciliés. Ces deux-là ont beau se trouver parfois à des extrêmes idéologiques opposés, ils ne peuvent rester fâchés, parce qu'ils s'aiment trop et ont beaucoup de choses en commun.

Si Popo était éveillé, Blanche-Neige bavardait un moment avec lui. Ils n'avaient pas noué une véritable amitié, je crois qu'ils étaient un peu jaloux l'un de l'autre. Un jour j'ai entendu O'Kelly parler de Dieu à mon Popo et je me suis sentie obligée de l'avertir qu'il perdait son temps, parce que mon grand-père était agnostique. «En es-tu certaine, fillette? Paul a passé sa vie à observer le ciel avec un télescope. Comment n'aurait-il pas aperçu Dieu?» m'a-t-il répondu, mais il n'a pas essayé de sauver son âme contre sa volonté. Lorsque le médecin a prescrit la morphine et que Carolyn nous a fait savoir que nous aurions toute la quantité nécessaire, car le malade avait le droit de mourir sans souffrance et dans la dignité, O'Kelly s'est abstenu de nous prévenir contre l'euthanasie.

Le moment inéluctable est arrivé où Popo n'a plus eu de force et où il a fallu ralentir le défilé des amis et des élèves qui venaient lui rendre visite. Il a toujours été coquet et, malgré sa faiblesse, il se souciait de son aspect, même si nous étions les seuls à le voir. Il nous demandait de le tenir propre, rasé, et d'aérer la chambre, il craignait de nous heurter avec les misères de sa maladie. Il avait les yeux éteints et enfoncés, les mains semblables à des pattes d'oiseaux, les lèvres gercées, la peau émaillée de bleus, qui pendait sur les os ; mon grand-père était le squelette d'un arbre brûlé, mais il pouvait encore écouter de la musique et se souvenir. « Ouvrez la fenêtre pour qu'entre la joie », nous demandait-il. Parfois il était tellement absent que sa voix était à peine audible, mais il y avait de meilleurs moments, alors nous remontions l'appui du lit pour le redresser et nous bavardions. Il voulait me transmettre ses expériences et sa sagesse avant de s'en aller. Il n'a jamais perdu sa lucidité.

« Tu as peur, Popo ? lui ai-je demandé.

— Non, mais j'ai de la peine Maya. Je voudrais vivre vingt ans de plus avec vous, m'a-t-il répondu.

— Que peut-il bien y avoir de l'autre côté, Popo ? Tu crois qu'il y a une vie après la mort ?

— C'est possible, mais pas prouvé.

— L'existence de ta planète ne l'est pas non plus et pourtant tu y crois, lui ai-je rappelé, et il s'est mis à rire, heureux.

— Tu as raison, Maya. Il est absurde de ne croire qu'à ce qu'on peut prouver.

— Tu te souviens quand tu m'as emmenée à l'observatoire voir une comète, Popo ? Cette nuit-là, j'ai vu Dieu. Il n'y avait pas de lune, le ciel était noir et plein de diamants, et quand j'ai regardé dans le télescope j'ai clairement distingué la queue de la comète.

— De la glace sèche, de l'ammoniac, du méthane, du fer, du magnésium et...

— C'était un voile de mariée, et derrière il y avait Dieu, lui ai-je affirmé.

— Comment était-il ?

— Comme une toile d'araignée lumineuse, Popo. Tout ce qui existe est relié par les fils de cette toile d'araignée. Je ne peux pas te l'expliquer. Quand tu mourras, tu vas voyager comme cette comète et je m'accrocherai à ta queue.

— Nous serons de la poussière sidérale.

— Oh non, Popo !

— Ne pleure pas, fillette, parce que tu me fais pleurer moi aussi, et après ta Nini va se mettre à pleurer et nous ne finirons jamais de nous consoler. »

Durant ses derniers jours de vie, il ne pouvait plus avaler que quelques petites cuillerées de yaourt et des gorgées d'eau. Il ne parlait presque pas, mais il ne se plaignait pas non plus ; il passait les heures à flotter dans un demi-sommeil de morphine, cramponné à la main de sa femme ou à la mienne. Je ne suis pas sûre qu'il savait où il était, mais je savais qu'il nous aimait. Nini a continué à lui raconter des histoires jusqu'à la fin, alors qu'il ne les comprenait plus, mais le rythme de sa voix le berçait. Elle lui racontait l'histoire de deux amoureux qui se réincarnaient à différentes époques, vivaient des aventures, mouraient et se retrouvaient dans d'autres vies, toujours réunis.

Je murmurais des prières de mon invention à la cuisine, aux toilettes, dans la tour, dans le jardin, partout où je pouvais me cacher, et je suppliais le Dieu de Mike O'Kelly d'avoir pitié de nous, mais il restait lointain et muet. J'étais couverte d'éruptions cutanées, mes cheveux tombaient et je me rongeais les ongles jusqu'au sang ; Nini m'enveloppait les doigts de toile adhésive et m'obligeait à dormir avec des gants. Je ne pouvais imaginer la vie sans mon grand-père, mais je ne supportais pas non plus sa lente agonie et j'ai fini par prier pour qu'il meure vite et cesse de souffrir. S'il me l'avait demandé, je lui aurais administré plus de morphine pour l'aider à mourir, c'était très facile, mais il ne l'a jamais fait.

Je dormais tout habillée sur le divan du salon, un œil ouvert, veillant, et c'est ainsi que j'ai su avant tout le monde que le moment des adieux était arrivé. J'ai couru réveiller Nini, qui avait pris un somnifère pour se reposer un peu, et j'ai appelé mon père et Susan au téléphone, qui sont arrivés en dix minutes.

En chemise de nuit, ma grand-mère s'est glissée dans le lit de son mari et elle a posé la tête sur sa poitrine, comme ils avaient toujours dormi. Debout de l'autre côté du lit de mon Popo, je me suis penchée moi aussi sur sa poitrine, qui autrefois était forte et assez large pour toutes les deux, mais qui battait à peine. La respiration de mon Popo était devenue imperceptible et pendant quelques instants très longs il a semblé qu'elle avait complètement cessé, mais tout à coup il a ouvert les yeux, promené son regard sur mon père et Susan, qui l'entouraient en pleurant sans bruit, il a péniblement soulevé sa grande main et l'a posée sur ma tête. « Quand je trouverai la planète, je lui donnerai ton nom, Maya », ont été ses derniers mots.

Au cours des trois années qui ont passé depuis la mort de mon grand-père, j'ai très rarement parlé de lui. Cela m'a créé plus d'un problème avec les psychologues de l'Oregon qui voulaient m'obliger à « résoudre mon deuil », ou une banalité de ce genre. Il y a des gens comme ça, des gens qui croient que tous les deuils se ressemblent et qu'il existe des formules et des délais pour les surmonter. La philosophie stoïcienne de ma Nini est plus appropriée dans ces cas : « Il faut souffrir, serrons les dents », disait-elle. Une douleur comme celle-là, une douleur de l'âme, ne passe pas avec des remèdes, des thérapies ou des vacances ; une douleur comme celle-là, on la subit simplement, jusqu'au bout, sans que rien ne puisse l'atténuer, comme il se doit. J'aurais mieux fait de suivre l'exemple de Nini au lieu de nier ma souffrance et de faire taire le hurlement que j'avais en travers de la poitrine. En Oregon, on m'a prescrit des antidépresseurs que je ne prenais pas, car ils me rendaient idiote. On me surveillait, mais je savais comment tromper tout le monde : je collais la pilule avec ma langue contre un chewing-gum dissimulé dans ma bouche, pour la recracher intacte quelques minutes plus tard. Ma tristesse était ma compagne, je ne voulais pas m'en guérir comme d'un simple rhume. Je ne voulais pas non plus partager mes souvenirs avec ces thérapeutes bien intentionnés, parce que tout ce que j'aurais pu leur dire de mon grand-père était banal. Pourtant, dans cette île chilote, il ne se passe pas un jour sans que je raconte une anecdote de mon Popo à Manuel Arias. Mon Popo et cet homme sont bien différents, mais ils ont tous deux une qualité de grand arbre et avec eux je me sens protégée.

Je viens d'avoir un rare moment de communion avec Manuel, comme ceux que j'avais avec mon Popo. Je l'ai trouvé en train de regarder le coucher de soleil par la grande fenêtre et je lui ai demandé ce qu'il faisait.

«Je respire.

— Moi aussi je respire. Je ne parle pas de ça.

— Jusqu'à ce que tu m'interrompes, Maya, je respirais, sans plus. Vois comme il est difficile de respirer sans penser.

— Cela s'appelle la méditation. Nini passe son temps à méditer, elle dit qu'ainsi elle sent Popo à côté d'elle.

— Et toi, tu le sens?

— Avant non, parce que j'étais glacée à l'intérieur, je ne sentais rien. Mais maintenant il me semble que Popo se promène dans les parages, qu'il va et vient...

— Qu'est-ce qui a changé?

— Mais tout, Manuel. D'abord je suis sobre, et en plus ici c'est calme, il y a du silence et de l'espace. Cela me ferait du bien de méditer, comme Nini, mais je ne peux pas, je pense tout le temps, j'ai la tête pleine d'idées. Tu crois que c'est mal?

— Ça dépend des idées.

— Je ne suis pas Avicenne, comme dit ma grand-mère, mais il m'arrive d'avoir de bonnes idées.

— Lesquelles par exemple?

— À ce moment précis je ne saurais pas te répondre, mais dès que j'aurai une idée géniale je te le dirai. Tu penses trop à ton livre, mais tu n'accordes pas de pensées à des choses plus importantes, par exemple à la vie déprimante que tu avais avant mon arrivée. Et qu'adviendra-t-il de toi quand je m'en irai? Pense un peu à l'amour, Manuel. Tout le monde a besoin d'un amour.

— Eh bien! Quel est le tien? a-t-il demandé en riant.

— Moi je peux attendre, j'ai dix-neuf ans et la vie devant moi; toi tu en as quatre-vingt-dix et tu peux mourir dans cinq minutes.

« — Je n'ai que soixante-douze ans, mais il est vrai que je peux mourir dans cinq minutes. C'est une bonne raison pour éviter l'amour, ce serait un manque de courtoisie de laisser une pauvre femme veuve.

— Selon ce critère, tu es foutu.

— Assieds-toi ici avec moi, Maya. Un vieux mourant et une jolie jeune fille vont respirer ensemble. À condition que tu puisses te taire un moment, bien sûr. »

C'est ce que nous avons fait jusqu'à la tombée de la nuit. Et mon Popo nous a accompagnés.

À la mort de mon grand-père, je me suis retrouvée sans boussole et sans famille : mon père vivait dans les airs, Susan avait été envoyée en Irak avec Alvy pour détecter les bombes et Nini s'est assise pour pleurer son mari. Nous n'avions même pas de chiens. Susan amenait en général les chiennes pleines à la maison, elles restaient jusqu'à ce que les chiots aient trois ou quatre mois, puis elle les emmenait pour les dresser ; c'était un drame de s'attacher à eux. Les chiots auraient été d'une grande consolation lorsque ma famille s'est éparpillée. Sans Alvy et sans les chiots, je n'ai eu personne avec qui partager ma peine.

Mon père vivait d'autres amours et il laissait une traînée impressionnante de traces, comme s'il voulait absolument que Susan le sache. À quarante et un ans, il essayait d'en paraître trente, payait une fortune pour sa coupe de cheveux et ses vêtements de sport, soulevait des haltères et se faisait bronzer aux ultraviolets. Il était plus beau que jamais, les tempes grisonnantes lui donnaient un air distingué. Susan, au contraire, lasse de passer sa vie à attendre un mari qui n'atterrissait jamais tout à fait, toujours sur le départ ou chuchotant dans son portable avec d'autres femmes, s'était abandonnée à l'usure de l'âge ; elle avait grossi, s'habillait comme un homme et portait des lunettes ordinaires achetées par douzaines à la pharmacie. Elle a sauté sur l'occasion de cette mission en Irak pour échapper à cette relation humiliante. La séparation a été un soulagement pour tous les deux.

Mes grands-parents s'étaient vraiment aimés. La passion née en 1976 entre cette exilée chilienne, dont la valise était toujours prête, et l'astronome américain de passage à Toronto a gardé sa fraîcheur pendant trois décennies. À la mort de Popo, Nini est restée inconsolable et confuse, elle n'était plus elle-même. Elle s'est également retrouvée sans ressources, car en quelques mois les frais de la maladie avaient consumé ses économies. Elle n'avait que la pension de son mari, mais celle-ci n'était pas suffisante pour entretenir le galion à la dérive qu'était sa demeure. Sans me donner seulement deux jours de préavis, elle loua la maison à un commerçant indien qui la remplit de parents et de marchandises, et s'en alla vivre dans une pièce au-dessus du garage de mon père. Elle se sépara de la plus grande partie de ses biens, à l'exception des messages d'amour que son mari lui avait laissés de-ci de-là pendant leurs années de vie commune, mes dessins, mes poèmes et diplômes, et les photographies, preuves irréfutables du bonheur qu'elle avait partagé avec Paul Ditson II. Laisser cette grande maison où elle avait été si pleinement aimée fut un second deuil. Pour moi, ce fut le coup de grâce, j'eus le sentiment d'avoir tout perdu.

Nini était tellement isolée dans son deuil qu'elle ne me voyait pas, alors que nous vivions sous le même toit.

Un an auparavant c'était une femme jeune, énergique, joyeuse et curieuse, avec ses cheveux en bataille, ses sandales de moine et ses longues jupes, toujours occupée, toujours en train de porter secours, d'inventer ; c'était maintenant une veuve d'âge mûr au cœur brisé. Serrant dans ses bras l'urne qui contenait les cendres de son mari, elle me dit que le cœur se brise comme un vase, parfois avec une fêlure silencieuse, d'autres fois en se réduisant en miettes. Sans même s'en rendre compte, elle élimina peu à peu les couleurs de ses vêtements et en vint au deuil sévère, elle cessa de teindre ses cheveux et prit dix ans en peu de temps. Elle s'éloigna de ses amis, y compris de Blanche-Neige qui ne put l'intéresser à aucune des manifestations contre le gouvernement Bush, alors que l'attrait d'être arrêtés aurait auparavant été irrésistible. Elle se mit à se moquer de la mort.

Mon père fit le compte des somnifères que sa mère consommait, du nombre de fois où elle accrochait sa Volkswagen, laissait le robinet du gaz ouvert et faisait des chutes spectaculaires, mais il n'intervint que lorsqu'il découvrit qu'elle dépensait le peu d'argent qui lui restait pour communiquer avec son mari. Il la suivit à Oakland et la fit sortir d'une caravane peinte de symboles astraux où une voyante gagnait sa vie en mettant des personnes en contact avec leurs défunts, qu'il s'agisse de parents ou d'animaux domestiques. Nini se laissa emmener chez un psychiatre qui commença par la recevoir deux fois pas semaine et la bourra de pilules. Elle «ne résolut pas son deuil» et continua à pleurer mon Popo, mais la dépression paralysante dans laquelle elle était plongée s'estompa.

Ma grand-mère sortit bientôt de sa caverne au-dessus du garage et se pencha sur le monde, étonnée de constater que celui-ci ne s'était pas arrêté. En peu de temps le nom de Paul Ditson II s'était effacé, déjà sa petite-fille elle-même ne parlait plus de lui. Je m'étais recroquevillée dans une carapace de scarabée et ne permettais à personne de m'approcher. Je devins une étrangère, provocante et renfrognée, qui ne répondait pas lorsqu'on lui adressait la parole, j'apparaissais en coup de vent à la maison, je n'aidais pas aux tâches ménagères, et à la moindre contrariété je m'en allais en claquant la porte. Le psychiatre fit comprendre à Nini que je souffrais d'un mélange d'adolescence et de dépression, et il lui recommanda de m'inscrire dans un groupe de deuil pour des jeunes, mais je ne voulus pas en entendre parler. Dans les nuits les plus sombres, quand j'étais complètement désespérée, je sentais la présence de mon Popo. Ma tristesse l'appelait.

Nini avait dormi trente ans sur la poitrine de son mari, bercée par la rumeur rassurante de sa respiration ; elle avait vécu dans le confort, protégée par la chaleur de cet homme bon qui aimait ses extravagances d'horoscopes et de décoration hippie, son extrémisme politique et sa cuisine exotique, qui supportait avec bonne humeur ses caprices, ses emportements sentimentaux et ses prémonitions subites, capables de modifier les meilleurs plans de la famille. Alors qu'elle avait le plus besoin de consolation, son fils était absent et sa petite-fille se transformait en bête sauvage.

Sur ce réapparut Mike O'Kelly qui, ayant subi une autre opération du dos, avait passé plusieurs semaines dans un centre de rééducation. « Tu ne m'as pas rendu visite une seule fois, Nidia, et tu ne m'as pas non plus appelé au téléphone », lui dit-il en guise de salut. Il avait perdu dix kilos et s'était laissé pousser la barbe, je le reconnus à peine, il semblait plus âgé et n'avait plus l'air d'être le fils de Nini. « Que puis-je faire pour que tu me pardonnes, Mike ? » le pria-t-elle, penchée sur son fauteuil roulant. « Prépare donc des galettes pour mes gamins », répliqua-t-il. Nini dut les faire seule, car je me déclarai fatiguée des délinquants repentis de Blanche-Neige et autres nobles causes dont je me fichais éperdument. Nini leva la main pour me donner une gifle, bien méritée au demeurant, mais je saisis son poignet au vol. « Si jamais tu t'avises de me frapper, tu ne me reverras jamais, compris ? » Elle comprit.

Ce fut la secousse dont ma grand-mère avait besoin pour se remettre debout et avancer. Elle reprit son travail à la bibliothèque, bien qu'elle ne fût plus capable d'inventer quoi que ce soit et se contentât de répéter les histoires d'autrefois. Elle faisait de longues promenades dans la forêt et se mit à fréquenter le Centre zen. Elle n'a aucun talent pour la sérénité, mais dans la quiétude forcée de la méditation elle invoquait Popo et il venait, telle une douce présence, s'asseoir à côté d'elle. Je l'ai accompagnée une seule fois à la cérémonie dominicale du *zendo*, où j'ai supporté de mauvais gré une causerie dont le sens m'a complètement échappé, sur des moines qui balayaient le monastère. En voyant Nini dans la position du lotus au milieu de bouddhistes au crâne rasé et aux tuniques couleur calebasse, j'ai pu imaginer combien elle était seule, mais ma compassion n'a duré qu'un instant. Un peu plus tard, alors que nous partagions le thé vert et les brioches bio avec les autres participants, de nouveau je la détestais, comme je détestais le monde entier.

On ne m'a pas vue pleurer après l'incinération de mon Popo, lorsqu'on nous a remis ses cendres dans une urne en céramique; je n'ai plus mentionné son nom et n'ai dit à personne qu'il m'apparaissait.

J'allais à Berkeley High, le seul lycée public de la ville et l'un des meilleurs du pays, trop grand avec ses trois mille quatre cents élèves: trente pour cent de Blancs, trente pour cent de Noirs, le reste étant constitué de Latinos, d'Asiatiques et de métis. À l'époque où Popo fréquentait Berkeley High, c'était un zoo, les directeurs tenaient à peine un an avant de déclarer forfait, épuisés, mais de mon temps l'enseignement était excellent; le niveau des étudiants était très inégal, il y avait de l'ordre et de la propreté, sauf dans les cabinets, dégoûtants en fin de journée, et cela faisait cinq ans que le directeur occupait son poste. On disait que le directeur venait d'une autre planète, car rien ne pénétrait sa peau de pachyderme. Nous avions arts appliqués, musique, théâtre, sports, langues, religions comparées, politique, des laboratoires de sciences, des programmes sociaux, des ateliers en tout genre et la meilleure éducation sexuelle, qui était donnée à tous, y compris aux musulmans et aux chrétiens fondamentalistes, qui ne l'appréciaient pas toujours. Nini a publié une lettre dans *The Berkeley Daily Planet* proposant que le groupe LGBTI (lesbiennes, gays, bisexuels, transsexuels et incertains) ajoute un H à son sigle afin d'inclure les hermaphrodites. Telles étaient les initiatives typiques de ma grand-mère qui avaient le don de me rendre nerveuse, parce qu'elles prenaient leur envol et nous finissions par manifester dans la rue avec Mike

O'Kelly. Ils s'arrangeaient toujours pour m'entraîner avec eux.

Les élèves appliqués fleurissaient à Berkeley High, ensuite ils allaient directement dans les universités les plus prestigieuses, comme Popo, boursier à Harvard grâce à ses bonnes notes et ses performances au baseball. Les étudiants médiocres flottaient en essayant de passer inaperçus et les paresseux restaient à la traîne ou intégraient des programmes spéciaux. Ceux qui posaient des problèmes, les drogués et les voyous, finissaient dans la rue, ils étaient expulsés ou partaient d'eux-mêmes. Les deux premières années j'avais été une bonne élève, et sportive, mais en l'espace de trois mois je me suis retrouvée dans la dernière catégorie, mes notes ont chuté à pic, je me battais, volais, fumais de la marijuana et m'endormais en classe. Inquiet, M. Harper, mon professeur d'histoire, a eu un entretien avec mon père, qui ne pouvait rien faire. Il s'est contenté d'un sermon édifiant et m'a confiée aux psys du Centre de Santé, qui m'ont posé quelques questions ; mais lorsqu'ils ont établi que je n'étais ni anorexique ni n'avais tenté de me suicider, ils m'ont laissée tranquille.

Berkeley High est un campus ouvert, incrusté au milieu de la ville, où il a été facile de me perdre dans la foule. J'ai commencé à manquer systématiquement, je sortais déjeuner et ne revenais pas l'après-midi. Nous avions une cafétéria où n'allaient que les idiots, il n'était pas *cool* d'y être vu. Nini était contre les hamburgers et les pizzas des échoppes du quartier, aussi insistait-elle pour que je déjeune à la cafétéria, où la nourriture était biologique, délicieuse et pas chère, mais je ne l'ai jamais écoutée. Nous, les élèves, nous réunissions au Park, une place proche, à cinquante mètres de la préfecture de police, où régnait la loi de la jungle. Les parents protestaient contre la culture de drogue et d'oisiveté de cet endroit, la presse publiait des articles, les policiers se promenaient sans intervenir et les professeurs s'en lavaient les mains, car c'était en dehors de leur juridiction.

Dans le Park nous nous divisions en groupes, séparés par classes sociales et couleurs. Ceux qui fumaient de la marijuana et ceux qui patinaient avaient chacun leur secteur, les Blancs en occupaient un autre, la bande des Latinos restait à la périphérie en défendant son territoire imaginaire par des menaces rituelles, et au centre s'installaient les vendeurs de drogues. À un angle se mettaient les boursiers du Yémen, qui avaient fait la une parce qu'ils avaient été agressés par des jeunes afro-américains armés de battes de base-ball et de canifs. À un autre angle se trouvait Stuart Peel, toujours seul parce qu'il avait mis une gamine de douze ans au défi de traverser l'autoroute en courant et qu'elle avait été renversée par deux ou trois voitures; elle avait survécu, mais s'était retrouvée invalide, défigurée, et l'auteur de la plaisanterie le payait de l'ostracisme: personne ne lui adressait plus la parole. Aux élèves se mêlaient des «punks d'égout» avec leurs cheveux verts, leurs piercings et leurs tatouages, des mendiants avec leurs chariots remplis à ras bord et leurs chiens obèses, plusieurs alcooliques, une folle qui montrait son derrière et d'autres personnages habitués de la place.

Quelques gamins fumaient, buvaient de l'alcool dans des bouteilles de Coca-Cola, pariaient; la marijuana et les pilules circulaient sous le nez des policiers, mais la

plus grande partie des élèves consommaient leur goûter et retournaient à l'école à la fin de la récréation de
quarante-cinq minutes. Moi, je n'étais pas parmi ces
derniers, j'assistais aux cours juste ce qu'il fallait pour
savoir de quoi il était question.

L'après-midi, nous, les adolescents, occupions le
centre de Berkeley, nous déplaçant en meutes devant
le regard méfiant des passants et des commerçants.
Nous passions en traînant les pieds, avec nos téléphones portables, nos écouteurs, nos sacs à dos, nos
chewing-gums, nos blue-jeans déchirés, notre langage
codé. Comme chacun, je désirais par-dessus tout faire
partie du groupe et être aimée ; il n'y avait pas pire
sort que d'être exclu, comme Stuart Peel. Cette année
de mes seize ans, je me sentais différente des autres,
tourmentée, rebelle et furieuse contre le monde entier.
Je n'essayais plus de me perdre dans le troupeau, mais
de me faire remarquer ; je ne voulais pas être acceptée, mais redoutée. Je me suis éloignée de mes amies
habituelles, ou celles-ci se sont éloignées de moi, et j'ai
formé un trio avec Sarah et Debbie, les filles qui avaient
la plus mauvaise réputation de l'école, ce qui est beaucoup dire, car à Berkeley High il y avait quelques cas
pathologiques. Nous formions un club exclusif, nous
étions des sœurs intimes, nous nous racontions même
nos rêves, nous étions toujours ensemble ou connectées
grâce à nos portables, nous partagions les vêtements, le
maquillage, l'argent, la nourriture, les drogues. Nous
ne pouvions concevoir une existence séparée, notre
amitié durerait le reste de notre vie et rien ni personne
ne s'interposerait entre nous.

Je me suis transformée à l'intérieur et à l'extérieur. Il
me semblait que j'allais exploser, j'avais trop de chair,

pas assez d'os et de peau, mon sang bouillait, je ne me supportais plus. Je craignais de me réveiller d'un cauchemar kafkaïen changée en blatte. J'examinais mes défauts, mes grandes dents, mes jambes musclées, mes oreilles protubérantes, mes cheveux raides, mon nez court, cinq boutons sur le visage, mes ongles rongés, ma mauvaise tenue, je me trouvais trop blanche, trop grande et trop maladroite. Je me sentais horrible, mais à certains moments je percevais le pouvoir de mon nouveau corps de femme, un pouvoir dont je ne savais quoi faire. Je me fâchais quand les hommes me regardaient dans la rue ou m'offraient de me déposer, quand mes compagnons me touchaient ou qu'un professeur s'intéressait trop à ma conduite ou à mes notes, sauf l'irréprochable M. Harper.

L'école n'avait pas d'équipe féminine de football, aussi je jouais dans un club ; un jour, l'entraîneur m'a fait faire des flexions sur le terrain jusqu'à ce que les autres filles soient parties, et ensuite il m'a suivie dans la douche, il m'a tripotée partout sur le corps, et comme je n'ai pas réagi il a cru que j'aimais ça. Honteuse, je ne l'ai raconté qu'à Sarah et Debbie, en leur faisant jurer de garder le secret, j'ai arrêté de jouer et n'ai plus jamais remis les pieds au club.

Les changements de mon corps et de mon caractère ont été aussi soudains qu'une glissade sur la glace et je ne me suis pas rendu compte que j'allais m'écraser tête la première. J'ai commencé à côtoyer le danger avec une détermination d'hypnotisée ; bientôt je menais une double vie, mentais avec une habileté incroyable et affrontais ma grand-mère, la seule autorité de la maison depuis que Susan était partie à la guerre, avec des cris et des claquements de porte. Mon père avait opportunément disparu, j'imagine qu'il avait multiplié par deux le nombre de ses heures de vol afin d'éviter les disputes avec moi.

Avec Sarah et Debbie j'ai découvert la pornographie d'Internet, comme tous mes camarades de lycée, et nous répétions les mines et postures des femmes à l'écran, avec des résultats discutables dans mon cas, car je me trouvais ridicule. Ma grand-mère a commencé à se douter de quelque chose et elle s'est lancée dans une campagne frontale contre l'industrie du sexe, qui dégradait et exploitait les femmes ; rien de nouveau, car elle m'avait emmenée avec Mike O'Kelly à une manifestation contre la revue *Playboy* quand Hugh Hefner avait eu l'idée folle de venir visiter Berkeley. J'avais neuf ans, si je me souviens bien.

Mes amies étaient mon monde, je ne pouvais partager mes idées et mes sentiments qu'avec elles, elles seules voyaient les choses de mon point de vue et m'approuvaient, personne d'autre ne comprenait notre humour ou nos goûts. Ceux de Berkeley High étaient des gamins, nous étions persuadées que personne n'avait des vies aussi compliquées que les nôtres. Sous le prétexte des viols et des coups supposés de son beau-père, Sarah passait son temps à voler de façon compulsive, tandis que Debbie et moi restions aux aguets pour la couvrir et la protéger. Ce qui est certain, c'est que Sarah vivait seule avec sa mère et qu'elle n'avait jamais eu de beau-père, mais ce psychopathe imaginaire était aussi présent dans nos conversations qu'une personne de chair et d'os. Mon amie ressemblait à une sauterelle, tout en coudes, genoux, clavicules et autres os protubérants, et elle avait toujours des paquets de friandises qu'elle dévorait d'un trait avant de courir aux toilettes enfoncer ses doigts dans sa gorge. Elle était tellement sous-alimentée qu'elle s'évanouissait et sentait la mort, pesait trente-sept kilos, huit de plus que mon sac à dos avec des livres ; son objectif était d'arriver à vingt-cinq et de disparaître à tout jamais. Quant à Debbie, qu'on frappait vraiment chez elle et qu'un oncle avait violée, elle était une fan des films d'horreur et éprouvait une attirance morbide pour les choses d'outre-tombe, les zombies, le vaudou, Dracula et les possessions démoniaques ; elle avait acheté *L'Exorciste*, un très vieux film qu'elle nous passait à tout bout de champ, car elle avait peur de le regarder seule. Sarah et moi avons adopté son style gothique, le noir le plus strict, y compris le vernis à ongles, la pâleur sépulcrale, des clés, des croix et des têtes de mort en guise de bijoux, le cynisme languide des vampires d'Hollywood à l'origine de notre sobriquet : les vampires.

Nous rivalisions toutes les trois dans un concours de mauvaise conduite. Nous avions instauré un système de points pour délits impunis, qui consistaient principalement à détruire les biens d'autrui, vendre de la marijuana, de l'ecstasy, du LSD et des médicaments volés, barbouiller les murs de l'école à la bombe, falsifier des chèques, commettre des larcins dans les magasins. Nous notions nos prouesses dans un carnet et à la fin du mois, nous comptions les points ; la gagnante remportait une bouteille de vodka, de la plus forte et moins chère, KU:L, une vodka polonaise qu'on aurait pu utiliser pour diluer la peinture. Mes amies se vantaient de promiscuité, d'infections vénériennes et d'avortements, comme s'il s'agissait de médailles d'honneur, mais je n'ai assisté à rien de cela dans la période que nous avons partagée. En comparaison, mon hypo-crisie paraissait honteuse, raison pour laquelle je me suis empressée de perdre ma virginité, ce que j'ai fait avec Rick Laredo, l'idiot le plus idiot de la planète.

Je me suis adaptée aux habitudes de Manuel Arias avec une souplesse et un tact qui surprendraient ma grand-mère, car elle me considère toujours comme une petite merdeuse, un terme qui peut être de semonce ou d'affection, selon le ton, mais exprime plus souvent le reproche. Elle ne sait pas combien j'ai changé, combien je suis devenue adorable. « On apprend à coups de bâton, la vie enseigne » est un autre de ses dictons, qui dans mon cas s'est avéré exact.

À sept heures du matin, Manuel Arias ravive le feu du poêle pour chauffer l'eau de la douche et les serviettes, ensuite arrive Eduvigis ou sa fille Azucena pour nous servir un superbe petit déjeuner : des œufs de ses poules, du pain de son four, du lait de sa vache, moussant et tiède. Le lait a une odeur particulière, qui au début me répugnait et maintenant me ravit : une odeur d'étable, d'herbe, de bouse fraîche. Eduvigis aimerait que je déjeune au lit, « comme une demoiselle » – c'est encore ainsi qu'on fait au Chili dans certaines maisons où il y a des *nanas*, comme on désigne le service domestique –, mais je ne le fais que le dimanche, le seul jour où je me lève tard, car Juanito, son petit-fils, vient et nous lisons au lit avec Fakine à nos pieds. Nous en sommes à la moitié du premier tome d'Harry Potter.

L'après-midi, quand j'ai terminé mon travail avec Manuel, je vais au village au pas de course ; les gens me regardent surpris et plus d'un m'a demandé où je m'en vais si pressée. J'ai besoin d'exercice si je ne veux pas m'arrondir, je mange pour tout ce que j'ai jeûné l'an dernier. Le régime chilote contient trop de glucides, mais on ne voit nulle part des obèses, ce doit être à cause de l'effort physique, ici il faut beaucoup bouger. Azucena Corrales est un peu grosse pour ses treize ans, mais je n'ai pas pu la convaincre de venir courir avec moi, elle a honte : « Que vont penser les gens ? » dit-elle. Cette gamine mène une vie très solitaire, car il y a peu de jeunes dans le village, seulement quelques pêcheurs, une demi-douzaine d'adolescents oisifs hébétés sous l'effet de la marijuana, le garçon du cyber-café, où on sert du Nescafé et où la connexion Internet est capricieuse ; j'essaie d'ailleurs d'y aller le moins possible pour éviter la tentation du courrier électronique. Dans cette île, les seules personnes qui vivent hors de toute communication sont doña Lucinda et moi, elle du fait de son âge et moi parce que je suis une fugitive. Les autres habitants du village disposent de téléphones portables et des ordinateurs du cybercafé.

Je ne m'ennuie pas. Ce qui m'étonne, vu qu'autrefois je m'ennuyais même devant des films d'action. Je me suis habituée aux heures vides, aux longues journées, à l'oisiveté. Je n'ai pas besoin de grand-chose pour me distraire, la routine du travail de Manuel, les très mauvais romans de la tante Blanca, les habitants de l'île et les enfants qui se promènent en bandes, sans surveillance. Juanito Corrales est mon chouchou, il ressemble à une marionnette avec son corps maigre, sa grosse tête et ses yeux noirs qui voient tout. Il passe pour un esprit lent parce qu'il ouvre rarement la bouche, mais il est très éveillé ; il s'est tout de suite rendu compte que personne ne prête attention aux dires d'autrui, c'est pourquoi il ne dit rien. Je joue au football avec les garçons, mais je n'ai pas réussi à intéresser les filles, en partie parce que les garçons refusent de jouer avec elles, mais aussi parce qu'on n'a jamais vu une équipe féminine de football par ici. La tante Blanca et moi avons décidé que cela doit changer et dès la rentrée scolaire, en mars, lorsque nous aurons les enfants sous la main, nous nous en occuperons.

Les habitants du village m'ont ouvert leurs portes, mais c'est une façon de parler, vu que les portes sont toujours ouvertes. Comme mon espagnol s'est amélioré, nous pouvons bavarder tant bien que mal. Les Chilotes ont un accent très marqué, ils utilisent des mots et des tournures grammaticales qui ne figurent dans aucun texte et, d'après Manuel, proviennent du vieux castillan, car Chiloé a longtemps été isolé du reste du pays. Le Chili est devenu indépendant de l'Espagne en 1810, mais Chiloé, le dernier bastion espagnol dans le cône sud de l'Amérique, ne l'a été qu'en 1826.

Manuel m'avait avertie que les Chilotes sont méfiants, mais ce n'est pas l'expérience que j'en ai : avec moi ils sont très aimables. Ils m'invitent chez eux, nous nous asseyons devant le poêle pour bavarder et boire le maté, une infusion d'herbe verte et amère, servie dans une calebasse qui passe de main en main, tous utilisant la même pipette. Ils me parlent de leurs maladies et des maladies des plantes, qui peuvent être provoquées par la jalousie d'un voisin. Plusieurs familles sont fâchées à cause de commérages ou de soupçons de sorcellerie ; je ne comprends pas comment ils font pour être encore ennemis, étant donné que nous sommes environ trois cents personnes et que nous vivons dans un espace réduit, comme des poulets dans un poulailler. Aucun secret ne peut être gardé dans cette communauté, qui est un peu comme une grande famille, divisée, rancunière, obligée de cohabiter et de se prêter main-forte en cas de besoin.

Nous parlons des pommes de terre – il y en a cent variétés ou « qualités », des rouges, des violettes, des noires, des blanches, des jaunes, des rondes, des longues, des pommes de terre et encore des pommes de terre –, de la nécessité de les planter en lune décroissante mais surtout pas le dimanche, de rendre grâces à Dieu quand on les plante et quand on récolte la première, enfin de chanter pour elles lorsqu'elles dorment sous terre. Doña Lucinda, avec ses cent neuf ans bien sonnés, d'après leur calcul, est l'une de celles qui chantent au moment de la récolte : « Chilote, soigne ta pomme de terre, soigne ta pomme de terre, Chilote, que personne ne vienne de l'extérieur pour te la prendre, Chilote. » Ils se plaignent des saumoneries, coupables de bien des maux, et des fautes du gouvernement, qui promet beaucoup et ne fait pas grand-chose, mais ils s'accordent sur le fait que Michelle Bachelet est le meilleur président qu'ils aient eu, bien que ce soit une femme. Nul n'est parfait.

Manuel est loin d'être parfait ; il est sec, austère, il lui manque une bedaine accueillante et une vision poétique pour comprendre l'univers et le cœur humain, comme mon Popo, mais je l'ai pris en affection, je ne peux le nier. Je l'aime autant que Fakine, et pourtant Manuel ne fait pas le moindre effort pour gagner l'estime de qui que ce soit. Son plus gros défaut, c'est l'obsession de l'ordre, cette maison ressemble à une caserne militaire, parfois je laisse exprès mes affaires par terre ou les assiettes sales dans la cuisine, pour lui apprendre à se détendre un peu. Nous ne nous disputons pas à proprement parler, mais nous avons de gros conflits. Aujourd'hui, par exemple, je n'avais rien à me mettre, car j'ai oublié de faire ma lessive, alors j'ai attrapé deux ou trois de ses affaires qui séchaient devant le poêle. J'ai pensé que si d'autres personnes peuvent emporter ce qu'elles veulent de cette maison, je peux emprunter une chose qu'il n'utilise pas.

« La prochaine fois que tu mettras mes caleçons, je te prie de me le demander, m'a-t-il dit sur un ton qui ne m'a pas plu.

— Qu'est-ce que tu es maniaque, Manuel ! On dirait que tu n'en as pas d'autres, lui ai-je répondu sur un ton qui ne lui a sans doute pas plu.

— Moi je ne prends jamais tes affaires, Maya.

— Parce que je n'ai rien ! Le voilà ton foutu caleçon ! »

Et j'ai commencé à enlever mon pantalon pour le lui rendre, mais il m'a arrêtée, épouvanté.

« Non, non ! Je t'en fais cadeau, Maya. »

Et moi, comme une idiote, je me suis mise à pleurer. Évidemment, je ne pleurais pas à cause de ça, qui sait seulement pourquoi je pleurais, peut-être parce que j'allais bientôt avoir mes règles ou parce que la nuit dernière je m'étais souvenue de la mort de mon Popo et que j'avais été triste toute la journée. Popo m'aurait serrée dans ses bras et deux minutes plus tard nous aurions ri ensemble, mais Manuel a commencé à tourner en rond en se grattant le crâne et en donnant des coups de pied dans les meubles, comme s'il n'avait jamais vu quelqu'un pleurer. Finalement, il a eu la brillante idée de me préparer un Nescafé au lait condensé ; cela m'a un peu calmée et nous avons pu parler. Il m'a dit d'essayer de le comprendre, que cela fait vingt ans qu'il n'a pas vécu avec une femme, qu'il a ses habitudes bien ancrées, que l'ordre est important dans un espace aussi réduit que celui de cette maison et que la cohabitation serait plus facile si nous respections les sous-vêtements de chacun. Pauvre homme.

« Écoute, Manuel, j'en connais un rayon en matière de psychologie, vu que j'ai passé plus d'un an coincée entre des fous et des thérapeutes. J'ai étudié ton cas et ce que tu as, c'est que tu as peur.

— De quoi ? » Et il a souri.

« Je ne sais pas, mais je peux faire une enquête. Laisse-moi t'expliquer : ce problème de l'ordre et du territoire est la manifestation d'une névrose. Regarde l'histoire que tu as faite pour un misérable caleçon ; par contre tu n'as pas dit un mot quand un inconnu a emporté ton matériel de musique. Tu essaies de tout contrôler, en particulier tes émotions, pour te sentir en sécurité, mais n'importe quel bêta sait qu'il n'y a aucune sécurité en ce monde, Manuel.

— Je vois. Continue...

— Tu parais détaché et serein, comme Siddhârtha, mais moi tu ne me la fais pas : je sais qu'à l'intérieur tu vas mal. Tu sais qui était Siddhârtha, non ? Le Bouddha.

— Oui, le Bouddha.

— Ne te moque pas. Les gens croient que tu es savant, que tu as atteint la paix spirituelle ou une idiotie de ce genre. Dans la journée, tu es le comble de l'équilibre et de la tranquillité, comme Siddhârtha, mais je t'entends la nuit, Manuel. Tu cries et tu gémis dans ton sommeil. Que caches-tu de si terrible ? »

Là s'est arrêtée notre séance de thérapie. Il a enfilé son bonnet et sa veste, a lancé un sifflement à Fakine pour qu'il l'accompagne et il est parti marcher, naviguer ou se plaindre de moi à Blanca Schnake. Il est revenu très tard. Je n'aime pas rester seule le soir dans cette maison pleine de chauves-souris !

L'âge, comme les nuages, est imprécis et changeant. Par moments Manuel porte les années qu'il a vécues et à d'autres, en fonction de la lumière et de son état d'âme, je peux voir le jeune homme encore caché sous sa peau. Lorsqu'il est penché sur le clavier dans l'éclat bleuté et cru de l'écran de son ordinateur, il paraît très vieux, mais lorsqu'il dirige son bateau, il ne fait pas plus de cinquante ans. Au début je remarquais ses rides, les poches et le bord rougi de ses yeux, les veines des mains, les dents tachées, les os du visage sculpté au ciseau, la toux et le raclement de gorge du matin, le geste las lorsqu'il enlève ses lunettes et frotte ses paupières, à présent je ne fais plus attention à ces détails, mais à sa délicate virilité. Il est séduisant. Je suis sûre que Blanca Schnake est de mon avis, j'ai bien vu comment elle le regarde. Je viens de dire que Manuel est séduisant ! Mon Dieu, il est plus vieux que les pyramides ; la vie dissolue que j'ai menée à Las Vegas m'a laissé le cerveau comme un chou-fleur, il n'y a pas d'autre explication.

D'après Nini, le plus sexy chez une femme, ce sont ses hanches, parce qu'elles indiquent sa capacité de reproduction, et chez un homme ce sont les bras, parce qu'ils indiquent sa capacité pour le travail. Qui sait d'où elle a tiré cette théorie, mais j'admets que les bras de Manuel sont sexy. Ils ne sont pas musclés, comme ceux d'un jeune homme, ils sont fermes, avec des poignets épais et de grosses mains, inattendues chez un écrivain, des mains de marin ou de maçon, à la peau craquelée et aux ongles sales de graisse de moteur, d'essence, de bois, de terre. Ces mains coupent des tomates et de la coriandre ou écaillent un poisson avec une grande délicatesse. Je l'observe en cachette, parce qu'il me tient à une certaine distance, je crois qu'il a peur de moi, mais je l'ai examiné par-derrière. Je voudrais toucher ses cheveux drus en brosse et approcher mon nez de ce creux qu'il a à la base de la nuque et que nous avons tous, je suppose. Quelle peut être son odeur ? Il ne fume pas et ne met pas d'eau de Cologne, comme mon Popo, dont le parfum est la première chose que je perçois quand il vient me voir. Les vêtements de Manuel sentent comme les miens et comme tout dans cette maison : la laine, le bois, les chats, la fumée du poêle.

Si je tente de fouiller le passé ou les sentiments de Manuel, il se met sur la défensive, mais tante Blanca m'a raconté certaines choses et j'en ai découvert d'autres en archivant ses dossiers. Il est sociologue, en plus d'anthropologue, je ne sais pas trop la différence, et je suppose que cela explique sa passion contagieuse pour l'étude de la culture des Chilotes. J'aime travailler et voyager dans d'autres îles avec lui, j'aime vivre dans sa maison, j'aime sa compagnie. J'apprends beaucoup ; quand je suis arrivée à Chiloé, ma tête était une caverne vide, mais en peu de temps elle s'est mise à se remplir.

Blanca Schnake contribue elle aussi à mon éducation. Sur cette île, sa parole fait loi, ici elle commande davantage que les deux carabiniers de la prison. Enfant,

Blanca a été interne dans une école de religieuses ; ensuite elle a vécu quelque temps en Europe où elle a étudié la pédagogie ; elle est divorcée et a deux filles, l'une à Santiago, l'autre en Floride, mariée et mère de deux enfants. Sur les photographies qu'elle m'a montrées, ses filles ressemblent à des mannequins et ses petits-enfants à des chérubins. Elle dirigeait un lycée à Santiago et il y a quelques années elle a demandé à être mutée à Chiloé, parce qu'elle voulait vivre à Castro, près de son père, mais elle s'est retrouvée dans cette île minuscule. D'après Eduvigis, Blanca a eu un cancer du sein et elle s'en est remise grâce aux soins d'une *machi*, mais Manuel m'a expliqué que c'était après une double mastectomie et une chimiothérapie ; désormais, elle est en rémission. Elle vit derrière l'école, dans la meilleure maison du village, reconstruite et agrandie, que lui a achetée son père avec un seul chèque. Les fins de semaine, elle va le voir à Castro.

Don Lionel Schnake, considéré comme une personne illustre à Chiloé, est très aimé pour sa générosité, qui semble illimitée. « Plus mon père donne, plus ses investissements lui rapportent, c'est pourquoi je ne me prive pas de lui demander », m'a expliqué Blanca. Pendant la réforme agraire de 1971, le gouvernement de Salvador Allende a exproprié la propriété des Schnake à Osorno pour la donner aux paysans qui y avaient vécu et travaillé pendant des décennies. Schnake n'a pas perdu son énergie à cultiver la haine ou à saboter le gouvernement, comme d'autres dans la même situation ; il a regardé autour de lui, en quête de nouveaux horizons et d'opportunités. Il se sentait jeune et pouvait recommencer à zéro. Il s'est installé à Chiloé et a monté un commerce de produits de la mer pour approvisionner les meilleurs restaurants de Santiago. Il a survécu aux avatars politiques et économiques de l'époque, et plus tard à la concurrence des bateaux de pêche japonais et de l'industrie du saumon. En 1976, le gouvernement militaire lui a rendu ses terres et il les a données à ses enfants, qui les ont relevées de la ruine où elles avaient été laissées, mais lui est resté à Chiloé, parce que après une première crise cardiaque il avait décidé que son salut serait d'adopter le pas traînant des Chilotes. « À quatre-vingt-cinq ans bien vécus, mon cœur marche mieux qu'une horloge suisse », m'a dit don Lionel, que j'ai connu dimanche, lorsque je lui ai rendu visite avec Blanca.

En apprenant que j'étais la *gringuita* de Manuel Arias, don Lionel m'a serrée fort dans ses bras. « Dis à cet ingrat de communiste de venir me voir, il ne s'est pas pointé depuis le Nouvel An et j'ai pour lui un bon brandy grande réserve. » C'est un patriarche au teint coloré, avec une grosse moustache et quatre mèches blanches sur le crâne ; corpulent, bon vivant, expansif, il rit à gorge déployée de ses propres plaisanteries et sa table est toujours ouverte à un visiteur impromptu. C'est ainsi que j'imagine Millalobo, cet être mythique qui séquestre les demoiselles pour les emporter dans son royaume sous la mer. Ce Millalobo au nom allemand se déclare victime des femmes en général – « Je ne peux rien refuser à ces ravissantes personnes ! » – et de sa fille en particulier, qui l'exploite. « Blanca est plus quémandeuse qu'un Chilote, elle est toujours en train de mendier pour son école. Sais-tu quelle est la dernière chose qu'elle m'a demandée ? Des préservatifs ! C'était ce qui manquait dans ce pays, des préservatifs pour les mioches ! » m'a-t-il dit dans un éclat de rire.

118

Don Lionel n'est pas le seul à ne rien pouvoir refuser à Blanca. Sur l'une de ses suggestions, plus de vingt volontaires se sont réunis pour peindre et restaurer l'école ; cela s'appelle une *minga* : plusieurs personnes participent gratuitement à un travail, en sachant qu'elles trouveront de l'aide le jour où elles en auront besoin. C'est la loi sacrée de la réciprocité : aujourd'hui pour toi, demain pour moi. C'est ainsi qu'on récolte les pommes de terre, qu'on répare les toits et qu'on raccommode les filets ; c'est ainsi qu'a été transporté le réfrigérateur de Manuel.

Rick Laredo n'avait pas terminé ses études secondaires et il passait son temps à battre le pavé avec d'autres mauvais garçons, il vendait de la drogue à de jeunes enfants, volait des objets sans valeur ; en milieu de journée il rôdait dans le Park pour voir ses anciens camarades de Berkeley High et, si l'occasion se présentait, traficoter avec eux. Bien qu'il ne l'eût jamais admis, il voulait réintégrer le troupeau de l'école, d'où il avait été expulsé pour avoir posé le canon de son revolver sur l'oreille de M. Harper. Il faut reconnaître que le professeur avait eu une attitude des plus nobles, il était même intervenu pour qu'on ne renvoie pas Laredo, mais celui-ci avait creusé sa tombe en insultant le directeur et les membres de la commission. Rick Laredo apportait le plus grand soin à son apparence, avec ses impeccables chaussures de marque blanches, son débardeur pour exhiber ses muscles et ses tatouages, ses cheveux hérissés à la gomina comme un porc-épic et tant de chaînes et de bracelets qu'il aurait pu rester collé à un aimant. Son jean était immense et lui tombait au-dessous des hanches, il marchait comme un chimpanzé. Il comptait si peu qu'il n'intéressait ni la police ni Mike O'Kelly.

Quand j'ai décidé de remédier à ma virginité, j'ai donné rendez-vous à Laredo, sans explications, dans le parking vide d'un cinéma, à une heure creuse, avant la première séance. De loin je l'ai vu se promener en cercles avec son déhanchement provocateur, tenant d'une main son pantalon, tellement bouffant qu'on aurait dit qu'il portait des couches, une cigarette dans l'autre, excité et nerveux, mais quand je me suis approchée il a feint l'indifférence réglementaire des machos de son acabit. Il a lâché son mégot et m'a regardée de haut en bas avec une moue moqueuse. « Dépêche-toi, je dois prendre le bus dans dix minutes », lui ai-je annoncé en enlevant mon pantalon. Son sourire de supériorité s'est effacé ; peut-être s'attendait-il à quelque préambule. « Tu m'as toujours plu, Maya Vidal », a-t-il dit. Ce crétin sait au moins comment je m'appelle, ai-je pensé.

Laredo a écrasé son mégot par terre, il m'a prise par un bras et a voulu m'embrasser, mais j'ai tourné la tête : cela n'entrait pas dans mon plan et Laredo avait une haleine de moteur. Il a attendu que j'enlève mon pantalon et m'a aussitôt écrasée sur le sol. Il s'est démené pendant une minute ou deux, m'enfonçant ses colliers et ses fétiches dans la poitrine, sans imaginer qu'il le faisait avec une novice, puis il s'est écroulé sur moi comme un animal mort. Je l'ai repoussé avec rage, me suis essuyée avec mon slip, que j'ai laissé dans le parking, ai remis mon pantalon, attrapé mon sac et suis partie en courant. Dans l'autobus, j'ai remarqué la tache sombre entre mes jambes et les larmes qui mouillaient mon chemisier.

Le lendemain, Rick Laredo était planté dans le Park avec un CD de rap et un petit paquet de marijuana pour « sa copine ». Le malheureux m'a fait pitié et je n'ai pas eu le cœur de le renvoyer en me moquant de lui, comme il seyait à un vampire. J'ai échappé à la surveillance de Sarah et Debbie et l'ai invité chez un glacier où j'ai acheté un cornet à trois boules pour chacun, pistache, vanille, raisins secs au rhum. Tandis que nous léchions la glace, je l'ai remercié de l'intérêt qu'il me portait et du service qu'il m'avait rendu dans le parking, et j'ai essayé de lui expliquer qu'il n'y aurait pas de deuxième fois, mais le message n'a pas pénétré son crâne de primate. Je n'ai pu me débarrasser de Rick Laredo avant des mois, jusqu'à ce qu'un accident inattendu l'efface de ma vie.

Tous les matins, je sortais de chez moi sous l'aspect de quelqu'un qui va à l'école, mais à mi-chemin je rejoignais Sarah et Debbie dans un Starbucks, où les employés nous donnaient un *latte* en échange de faveurs indécentes dans les toilettes, je me déguisais en vampire et partais faire la foire avant de rentrer à la maison dans l'après-midi, le visage propre et l'air d'une collégienne. Ma liberté a duré plusieurs mois, jusqu'à ce que Nini arrête de prendre des antidépresseurs, qu'elle revienne dans le monde des vivants et remarque des signes qu'elle n'avait pas perçus auparavant, car son regard était tourné vers l'intérieur : l'argent disparaissait de son sac, mes horaires ne correspondaient à aucun emploi du temps connu, j'avais l'allure et l'attitude d'une racoleuse, j'étais devenue rusée et menteuse. Mes vêtements sentaient la marijuana et mon haleine une odeur suspecte de pastilles à la menthe. Elle n'avait pas encore appris que je n'allais pas en classe. M. Harper avait parlé une fois à mon père, sans résultats apparents, mais il n'avait pas eu l'idée d'appeler ma grand-mère. Les tentatives de Nini pour communiquer avec moi rivalisaient avec le bruit de la musique assourdissante de mes écouteurs, avec le téléphone portable, l'ordinateur et la télévision.

Le plus indiqué pour le bien-être de Nini aurait été d'ignorer ces signaux alarmants et de vivre en paix avec moi, mais le désir de me protéger et sa longue habitude de démêler les mystères des romans policiers l'ont poussée à enquêter. Elle a commencé par ma penderie et les numéros enregistrés sur mon téléphone. Dans un sac, elle a trouvé des paquets de préservatifs et un sachet en plastique contenant deux pastilles jaunes de marque Mitsubishi qu'elle n'a pas réussi à identifier. Elle les a mises distraitement dans sa bouche et en quinze minutes en a constaté les effets. Sa vue et sa raison se sont brouillées, elle claquait des dents, ses os se sont ramollis et ses peines se sont envolées. Elle a mis un disque de musique de son temps et s'est lancée dans une danse endiablée, puis elle est sortie se rafraîchir dans la rue où elle a continué à danser, tout en enlevant ses vêtements. Deux voisins l'ont vue tomber à terre et sont accourus en hâte pour la couvrir d'une serviette. Ils s'apprêtaient à appeler le SAMU quand je suis arrivée ; j'ai reconnu les symptômes et les ai convaincus de m'aider à la porter à l'intérieur de la maison.

Nous n'avons pas réussi à la soulever, elle était devenue un bloc de granit, et nous avons dû la traîner jusqu'au divan du salon. J'ai expliqué à ces bons samaritains que ce n'était pas grave, que ma grand-mère avait régulièrement ces crises qui disparaissaient toutes seules. Je les ai aimablement poussés vers la porte, puis j'ai couru réchauffer le café du petit déjeuner et chercher une couverture, car Nini claquait des dents. Quelques minutes plus tard, elle était en feu. Au cours des trois heures suivantes, j'ai alterné couverture et serviettes mouillées à l'eau froide, jusqu'à ce que sa température se régule.

Ce fut une longue nuit. Le lendemain, ma grand-mère était aussi abattue qu'un boxeur vaincu, mais elle avait toute sa lucidité et se souvenait parfaitement de ce qui s'était passé. Elle n'a pas cru l'histoire selon laquelle une amie m'avait confié ces pastilles pour les lui garder et que, dans mon innocence, j'ignorais qu'il s'agissait d'ecstasy. Le malheureux voyage lui a donné de nouvelles prétentions ; l'occasion était venue pour elle de pratiquer ce qu'elle avait appris au Club des Criminels. Elle a découvert dix autres pilules Mitsubishi au milieu de mes chaussures et vérifié avec O'Kelly que chacune coûtait le double de mon argent de poche de la semaine.

Ma grand-mère s'y connaissait un peu en ordinateurs, car elle s'en servait à la bibliothèque, mais elle était loin d'être une experte. C'est pourquoi elle a eu recours à Norman, un génie de la technologie, voûté et myope comme une taupe à vingt-six ans, à force de vivre le nez collé sur les écrans, et que Mike O'Kelly emploie en certaines occasions à des fins illicites. Quand il s'agit d'aider ses garçons, Blanche-Neige n'a jamais eu scrupule à visiter clandestinement les archives électroniques d'avocats, de procureurs, de juges et de policiers. Norman peut accéder à tout ce qui laisse une trace, aussi infime soit-elle, depuis les documents secrets du Vatican jusqu'aux photos des membres du Congrès américain en train de batifoler avec des prostituées. Sans sortir de la chambre qu'il occupe chez sa mère, il pourrait extorquer, voler sur des comptes bancaires et frauder à la Bourse ; mais il n'a aucun penchant criminel, sa passion est purement théorique.

Norman n'était pas disposé à perdre son précieux temps avec l'ordinateur et le portable d'une gamine de seize ans, mais il a mis son habileté de *hacker* à la disposition de Nini et de O'Kelly, et il leur a montré comment violer les mots de passe, lire des messages privés, et récupérer dans l'éther ce que je croyais avoir détruit. En un week-end, ce couple à vocation de détectives a accumulé assez d'informations pour confirmer les pires craintes de Nini et la laisser anéantie : sa petite-fille buvait tout ce qui lui tombait sous la main, du genièvre au sirop pour la toux, elle fumait de la marijuana, dealait de l'ecstasy, de l'acide et des tranquillisants, volait des cartes de crédit et avait mis sur pied un commerce imaginé à partir d'un programme de télévision, où des agents du FBI se faisaient passer sur Internet pour des fillettes impubères afin d'attraper des vicieux.

L'aventure a commencé avec une annonce que nous, les vampires, avons choisie parmi des centaines d'autres :

Papa cherche fille : homme d'affaires blanc, 54 ans, paternel, sincère, affectueux, cherche fillette de toute race, petite, douce, très désinhibée et à l'aise dans le rôle de fille à son petit papa, pour plaisir mutuel, simple, direct, pour une nuit, et si davantage, je peux être généreux. Réponses sérieuses seulement, ni blagues ni homosexuels. Indispensable envoyer photo.

Nous lui avons envoyé une photo de Debbie, la plus petite des trois, à treize ans, sur une bicyclette, et fixé rendez-vous dans un hôtel de Berkeley que nous connaissions parce que Sarah y avait travaillé en été.

Debbie se débarrassa de ses hardes noires et de son maquillage sépulcral, puis elle se présenta, un verre d'alcool dans l'estomac pour se donner du courage, déguisée en fillette vêtue d'une jupe d'écolière, d'un chemisier blanc, de chaussettes, avec des rubans dans les cheveux. L'homme sursauta en constatant qu'elle était plus âgée que sur la photo, mais il n'était pas en situation de réclamer, vu qu'il avait dix ans de plus que l'âge indiqué dans l'annonce. Il expliqua à Debbie que son rôle consistait à être obéissante, et que le sien était de lui donner des ordres et de lui appliquer quelques châtiments, mais sans intention de lui faire mal, il s'agissait simplement de la corriger, car tel est le devoir d'un bon père. Et quelle est l'obligation d'une gentille petite fille ? D'être tendre envers son papa. Comment t'appelles-tu ? Peu importe, pour moi tu seras Candy. Viens Candy, assieds-toi ici, sur les genoux de ton petit papa, et dis-lui si aujourd'hui ton ventre a bougé, c'est très important, fillette, c'est la base de la santé. Debbie fit savoir qu'elle avait soif et il commanda par téléphone une boisson gazeuse et un sandwich. Tandis qu'il décrivait les bienfaits d'un lavement, elle gagna du temps en examinant la pièce, feignant une curiosité enfantine en suçant son pouce.

Pendant ce temps, Sarah et moi attendions dans le parking de l'hôtel les dix minutes dont nous étions convenues, puis Rick Laredo monta à l'étage et frappa à la porte. « Service de chambre ! » annonça-t-il selon les instructions que je lui avais données. Dès qu'on lui ouvrit, il fit irruption dans la chambre, son revolver à la main.

Laredo, que nous avions surnommé le psychopathe parce qu'il se vantait de torturer des animaux, avait des muscles et un attirail de voyou pour s'imposer, mais l'arme ne lui avait servi qu'à mettre aux abois la clientèle de gamins à qui il vendait de la drogue et à obtenir qu'on l'expulse de Berkeley High. En entendant notre plan d'extorsion de pédophiles, il avait pris peur, car un tel forfait ne faisait pas partie de son petit répertoire, mais il voulait impressionner les vampires et passer pour courageux. Il se prépara à nous aider et, pour se donner du courage, prit de la tequila et du crack. Lorsqu'il ouvrit la porte de la chambre d'un coup de pied et entra avec une expression de détraqué et ses cliquetis de talons, de clés et de chaînes, visant à deux mains comme il l'avait vu au cinéma, le petit papa frustré s'effondra dans l'unique fauteuil, recroquevillé comme un fœtus. Sur les nerfs, Laredo hésita et oublia l'étape suivante, mais Debbie avait meilleure mémoire.

La victime n'a sans doute pas compris la moitié de ce qu'elle lui disait, parce qu'il sanglotait de frayeur, mais certains mots – crime fédéral, pornographie enfantine, tentative de viol sur mineure, années de prison – eurent l'effet attendu. Contre un pourboire de deux cents dollars en liquide il pouvait s'éviter ces problèmes, lui dirent-ils. Le type jura sur ce qu'il avait de plus sacré qu'il ne les avait pas et cela altéra tellement Laredo qu'il l'aurait peut-être descendu si Debbie n'avait pas eu l'idée de m'appeler sur mon portable ; c'était moi le cerveau de la bande. Sur ces entrefaites, on frappa de nouveau à la porte et cette fois c'était un serveur de l'hôtel qui apportait une limonade et un sandwich. Debbie reçut le plateau sur le seuil et signa la note, cachant le spectacle d'un homme en caleçon qui gémissait dans le fauteuil et d'un autre vêtu de cuir noir qui lui mettait un revolver dans la bouche.

Je suis montée dans la chambre du petit papa et j'ai pris la situation en main, grâce au calme que m'avait procuré un joint de marijuana. J'ai fait signe à l'homme de s'habiller et l'ai assuré qu'il ne lui arriverait rien s'il se montrait coopératif. J'ai bu la limonade, donné deux coups de dent dans le sandwich, puis ordonné à la victime de nous accompagner sans broncher, car il n'avait pas intérêt à faire un scandale. J'ai pris le malheureux par le bras et nous avons descendu les quatre étages par l'escalier, Laredo sur nos talons, car dans l'ascenseur nous risquions de tomber sur quelqu'un. Nous l'avons poussé à l'intérieur de la Volkswagen de ma grand-mère, que je lui avais empruntée sans rien lui demander et que je conduisais sans permis, et nous l'avons emmené à un guichet automatique où il a retiré l'argent de sa rançon. Il nous a remis les billets, nous sommes montés dans la voiture et nous nous sommes tirés de là sans tarder. L'homme est resté dans la rue, soupirant de soulagement et, je suppose, guéri du vice de jouer au papa. Toute l'opération avait duré trente-cinq minutes et la décharge d'adrénaline avait été aussi extraordinaire que les cinquante dollars que chacun de nous a empochés.

Ce qui a le plus choqué Nini, c'est mon absence de scrupules. Dans les messages, qui allaient et venaient au rythme d'une centaine par jour, elle n'a pas trouvé un soupçon de remords ou de crainte des conséquences, seulement une insolence de scélérate-née. À l'époque, nous avions réitéré cette sorte d'extorsion à trois reprises, et nous n'avions pas continué parce que nous étions fatiguées de Rick Laredo, de son revolver, de son amour assommant de caniche et de ses menaces de me tuer ou de nous dénoncer si je n'acceptais pas d'être sa petite amie. C'était un exalté, il pouvait perdre la tête d'un moment à l'autre et assassiner quelqu'un dans un accès de fureur. De plus, il exigeait un pourcentage plus important, car si les choses tournaient mal il serait jeté en prison pour plusieurs années, alors que nous serions jugées en tant que mineures. « C'est moi qui ai le plus important, le flingue », a-t-il avancé. « Non Rick, le plus important, c'est moi qui l'ai : le cerveau », lui ai-je répondu. Il a posé le canon de l'arme sur mon front, mais je l'ai écarté d'un doigt et nous, les trois vampires, nous lui avons tourné le dos et sommes parties en nous esclaffant. Ainsi s'est terminé notre commerce rentable avec les pédophiles, mais je ne me suis pas débarrassée de Laredo, qui a continué à me supplier avec une telle insistance que j'ai fini par le détester.

Au cours d'une autre inspection de ma chambre, Nini a trouvé d'autres drogues, des sacs de cachets ainsi qu'une grosse chaîne en or dont elle n'a pu élucider la provenance dans les messages interceptés. Sarah l'avait volée à sa mère et je la gardais cachée pendant que nous cherchions la manière de la vendre. La mère de Sarah était pour nous une source généreuse de revenus, parce qu'elle travaillait dans une entreprise, gagnait beaucoup d'argent et aimait dépenser ; en outre elle voyageait, rentrait tard chez elle, il était facile de la tromper et elle ne s'apercevait de rien quand quelque chose disparaissait. Elle se vantait d'être la meilleure amie de sa fille et de ce que celle-ci lui racontait tout, mais en réalité elle ne se doutait pas de la vie que menait Sarah, elle ne s'était même pas rendu compte qu'elle était sous-alimentée et anémiée. Parfois elle nous invitait chez elle pour boire de la bière et fumer de la marijuana, parce que c'était plus sûr que de fumer dans la rue, comme elle disait. J'avais du mal à comprendre que Sarah propage le mythe d'un beau-père cruel en ayant une mère aussi enviable ; comparée à cette dame, ma grand-mère était un monstre.

Ma Nini perdit le peu de tranquillité qu'elle avait, convaincue que sa petite-fille finirait dans les rues de Berkeley, parmi les drogués et les mendiants, ou en prison avec les jeunes délinquants que Blanche-Neige n'avait pu sauver. Elle avait lu qu'une partie du cerveau met du temps à se développer, ce qui explique pourquoi les adolescents sont désaxés et l'inutilité de chercher à les raisonner. Elle en conclut que j'étais bloquée à l'âge de la pensée magique, comme elle-même l'avait été lorsqu'elle essayait de communiquer avec l'esprit de mon Popo et était tombée entre les mains de la voyante d'Oakland. O'Kelly, son loyal ami et confident, tenta de la calmer avec l'argument que j'étais entraînée par le tsunami des hormones, comme cela arrive chez les adolescents, mais que j'étais une fille honnête et que je finirais par m'en sortir, pourvu qu'ils puissent me protéger de moi-même et des dangers du monde, en attendant que la nature implacable ait accompli son cycle. Nini fut d'accord, parce qu'au moins je n'étais pas boulimique, comme Sarah, ni ne me coupais avec des lames de rasoir, comme Debbie ; je n'étais pas non plus enceinte, pas plus que je n'avais l'hépatite ou le sida.

Grâce aux indiscrètes communications téléphoniques des vampires et à l'habileté diabolique de
Norman, Blanche-Neige et ma grand-mère avaient
appris cela et bien d'autres choses. Nini se débattit
entre l'obligation de tout raconter à mon père, avec des
répercussions imprévisibles, et le désir de m'aider sans
rien dire, comme le suggérait Mike, mais elle n'eut pas
à prendre de décision, car la tempête des événements
la balaya et la mit hors jeu.

Parmi les personnes importantes de cette île il y
a les deux carabiniers – les *pacos*, ou gendarmes –,
Laurencio Cárcamo et Humilde Garay, chargés de
l'ordre, avec lesquels j'ai noué des rapports amicaux
parce que je dresse leur chien. Autrefois, les gens
avaient peu de sympathie pour les *pacos*, parce qu'ils
avaient agi avec brutalité pendant la dictature, mais
dans la démocratie que connaît le pays depuis vingt
ans, ils ont peu à peu retrouvé la confiance et l'estime
des citoyens. Sous la dictature, Laurencio Cárcamo
était un enfant et Humilde Garay n'était pas né.
Sur les affiches officielles du Corps des carabiniers
du Chili, les hommes en uniforme apparaissent en
compagnie de superbes bergers allemands, mais ici
nous avons un toutou bâtard baptisé Livingston en
l'honneur du plus célèbre footballeur chilien, aujour-
d'hui à la retraite. Le chiot vient d'avoir six mois, l'âge
idéal pour entreprendre son éducation, mais je crains
qu'il n'apprenne avec moi qu'à s'asseoir, tendre la patte
et faire le mort. Les carabiniers m'ont demandé de lui
apprendre à attaquer et à trouver des cadavres, mais la
première chose demande de l'agressivité et la seconde

de la patience, deux caractéristiques opposées. Forcés de choisir, ils ont opté pour la recherche de corps, vu qu'ici il n'y a personne à attaquer alors que des gens disparaissent dans les décombres des tremblements de terre.

La méthode, que je n'ai jamais pratiquée mais lue dans un manuel, consiste à mouiller un chiffon avec de la cadavérine, une substance fétide qui a l'odeur de la viande en décomposition, à le donner à sentir au chien avant de le cacher et de lui demander de le trouver. « Cette histoire de cadavérine risque d'être compliquée. On ne pourrait pas utiliser des tripes de poulet pourries ? » a suggéré Humilde Garay, mais quand nous l'avons fait, le chien nous a conduits tout droit dans la cuisine d'Aurelio Ñancupel, à la Taverne du Petit Mort. Je tente diverses méthodes improvisées, sous le regard jaloux de Fakine, qui par principe n'aime pas les autres animaux. Sous ce prétexte, j'ai passé des heures dans la prison à boire du café instantané en écoutant les fascinantes histoires de ces hommes au service de la patrie, comme ils se définissent.

La prison est une maisonnette en ciment peinte en blanc et vert foncé, les couleurs de la police, entourée d'une clôture décorée de rangées de coquillages. Les carabiniers ont une drôle de façon de parler, ils disent négatif et positif au lieu de « non, non » et « oui, oui » comme les Chilotes, moi il m'appelle « dame » et Livingston, lui aussi au service de la patrie, « chien ». Laurencio Cárcamo, le plus gradé, a été muté dans un village perdu de la province de Última Esperanza, où il a dû amputer la jambe d'un homme pris dans un éboulement. « Avec une scie, dame, et sans anesthésie, tout ce qu'on avait, c'était de l'eau-de-vie. »

Humilde Garay, qui paraît le plus apte à être le compagnon de Livingston, est très beau, il ressemble à cet acteur qui tient le rôle de Zorro au cinéma... zut, j'ai oublié son nom. Un bataillon de femmes lui court après, aussi bien des touristes de passage, qui restent bouche bée en sa présence, que des gamines opiniâtres qui ne viennent du continent que pour le voir ; mais Humilde Garay a deux bonnes raisons d'être sérieux : d'abord il porte l'uniforme, et ensuite il est évangéliste. Manuel m'avait raconté que Garay avait sauvé des alpinistes argentins qui s'étaient perdus dans les Andes. Les donnant pour morts, les équipes de sauveteurs se préparaient à abandonner les recherches quand Garay était intervenu, marquant simplement un point sur la carte avec son crayon ; on avait envoyé un hélicoptère et trouvé les alpinistes à l'endroit indiqué, à moitié congelés mais toujours vivants. «Positif, dame, la localisation des présumées victimes de la république sœur était parfaitement signalée sur la carte Michelin», m'a-t-il répondu lorsque je lui ai posé la question, et il m'a montré une coupure de presse de l'année 2007 avec la nouvelle et une photo du colonel qui lui avait donné l'ordre : «Si le sous-officier en service actif Humilde Garay Ranquileo peut découvrir de l'eau dans le sous-sol, il peut sûrement trouver cinq Argentins à la surface», déclare celui-ci. Quand les carabiniers ont besoin de creuser un puits dans n'importe quelle partie du pays, ils consultent par radio Garay, qui marque sur une carte le lieu exact et la profondeur où se trouve l'eau, puis envoie une photocopie de la carte par fax. Il faut que je note ces histoires, parce qu'un jour elles serviront de matière première à Nini pour ses récits.

Ces deux carabiniers chiliens me rappellent le sergent Walczak de Berkeley : comme lui, ils sont tolérants vis-à-vis des faiblesses humaines. Les deux cellules de la prison, une pour les dames et une autre pour les messieurs, comme l'indiquent les écriteaux sur les grilles, sont principalement utilisées pour héberger les ivrognes lorsqu'il pleut et qu'il n'y a aucun moyen de les ramener chez eux.

Les trois dernières années de ma vie – entre mes seize et mes dix-neuf ans – ont été si explosives qu'elles ont failli détruire Nini, qui a résumé tout cela en une phrase : « Je me réjouis que ton Popo ne soit plus de ce monde pour voir ce que tu es devenue, Maya. » J'ai été à deux doigts de lui répondre que si mon Popo était encore de ce monde, je ne serais pas devenue ce que je suis, mais je me suis tue à temps ; il n'était pas juste de le rendre responsable de ma conduite.

Un jour de novembre 2006, quatorze mois après sa mort, on appela de l'hôpital du comté à quatre heures du matin pour notifier à la famille Vidal que la mineure Maya Vidal était arrivée aux urgences en ambulance et qu'elle se trouvait à ce moment au bloc opératoire. Ma grand-mère était seule à la maison ; avant de partir en courant à l'hôpital elle parvint à joindre O'Kelly pour lui demander de localiser mon père. Je m'étais enfuie pendant la nuit pour assister à une *rave* dans une usine désaffectée où m'attendaient Sarah et Debbie. Je n'avais pas pu prendre la Volkswagen parce que Nini avait eu un nouvel accrochage et que sa voiture était en réparation, c'est pourquoi j'avais utilisé ma vieille bicyclette, un peu rouillée et dont les freins étaient déficients.

Nous connaissions le gardien à la porte, un type d'aspect patibulaire à la cervelle de poulet, qui nous a laissées entrer sans s'inquiéter de notre âge. L'usine vibrait sous le grondement de la musique et le déchaînement de la foule : des pantins désarticulés dont certains dansaient ou sautaient tandis que d'autres, cloués à terre dans un état catatonique, marquaient le rythme avec leur tête. Boire à en perdre la boule, fumer ce qu'on ne pouvait s'injecter, forniquer avec celui qu'on avait sous la main, sans inhibitions, c'est de cela qu'il s'agissait. L'odeur, la fumée et la chaleur étaient si intenses qu'on devait aller dehors pour respirer. En arrivant, je me suis mise dans l'ambiance avec un cocktail de mon invention – genièvre, vodka, whisky, tequila, Coca-Cola – et une pipe de marijuana mélangée à de la cocaïne et quelques gouttes de LSD, qui m'ont frappée comme de la dynamite. J'ai bientôt perdu de vue mes amies, qui se sont fondues dans la masse frénétique. J'ai dansé seule, j'ai continué à boire, je me suis laissé tripoter par plusieurs garçons. Je ne me souviens pas des détails ni de ce qui s'est passé ensuite. Deux jours plus tard, quand l'effet des calmants qu'on m'avait administrés à l'hôpital a commencé à se dissiper, j'ai appris qu'une voiture m'avait renversée en sortant de la *rave*, complètement droguée, sur ma bicyclette sans phares ni freins. J'ai valsé dans les airs et suis retombée à plusieurs mètres de distance, dans des arbustes au bord de la route. En essayant de m'éviter, le chauffeur de la voiture était allé s'écraser contre un poteau et il souffrait d'une commotion cérébrale.

Je suis restée douze jours à l'hôpital avec un bras cassé, la mâchoire démise et le corps en flammes, parce que j'avais atterri sur une touffe de lierre vénéneux, puis encore vingt jours enfermée chez moi, avec des broches et des vis métalliques dans l'os, surveillée par ma grand-mère et Blanche-Neige, qui prenait la relève pendant quelques heures pour qu'elle se repose. Ma Nini a pensé que l'accident avait été un recours désespéré de mon Popo pour me protéger. « La preuve, c'est que tu es toujours vivante et que tu ne t'es pas cassé la jambe, sinon tu ne pourrais plus jouer au football », m'a-t-elle dit. Dans le fond, je crois que ma grand-mère était reconnaissante d'être déchargée du devoir de dire à mon père ce qu'elle avait appris sur moi ; la police s'en était chargée.

Nini n'est pas allée travailler pendant toutes ces semaines et elle s'est installée à côté de moi avec un zèle de gardien de prison. Lorsque Sarah et Debbie ont fini par venir me rendre visite – elles n'avaient pas osé se montrer après l'accident –, Nini les a jetées dehors en criant comme une poissonnière, mais elle a eu pitié de Rick Laredo, qui est arrivé avec un petit bouquet de tulipes flétries et le cœur brisé. J'ai refusé de le voir et elle a dû l'écouter égrener ses chagrins pendant plus de deux heures dans la cuisine. « Ce garçon t'envoie un message, Maya : il m'a promis qu'il n'a jamais torturé d'animaux et il te supplie de lui donner une nouvelle chance », m'a-t-elle dit ensuite. Ma grand-mère est faible envers ceux qui ont des peines d'amour. « S'il revient, Nini, dis-lui que même s'il est végétarien et se consacre au sauvetage des thons, je ne veux plus jamais le revoir », lui ai-je répondu.

Les sédatifs pour calmer la douleur et la frayeur d'avoir été découverte ont anéanti ma volonté et j'ai confessé à Nini tout ce qu'elle a voulu savoir au cours d'interminables interrogatoires, même si elle était déjà au courant, car grâce aux leçons de Norman, ce rongeur, ma vie n'avait plus de secrets.

« Je ne crois pas que tu aies un mauvais naturel, Maya, ni que tu sois complètement stupide, bien que tu fasses ton possible pour le paraître, a soupiré Nini. Combien de fois avons-nous parlé du danger des drogues ? Comment as-tu pu te livrer à l'extorsion sur des hommes avec un revolver !

— C'étaient des vicieux, des pervers, des pédophiles, Nini. Ils méritaient qu'on leur en fasse baver. Bon, on ne les faisait pas exactement baver, mais tu me comprends.

— Et toi, qui es-tu pour faire justice de ta propre main ? Batman ? Ils auraient pu te tuer !

— Il ne m'est rien arrivé, Nini...

— Mais comment peux-tu dire qu'il ne t'est rien arrivé ? Regarde dans quel état tu es ! Que vais-je faire de toi, Maya ? »

Et elle s'est mise à pleurer.

« Pardonne-moi, Nini. Ne pleure pas, je t'en prie. Je te jure que j'ai compris la leçon. L'accident m'a fait voir les choses clairement.

— Je ne te crois pas. Jure-le-moi sur la mémoire de Popo ! »

Mon repentir était sincère, j'étais réellement effrayée, mais ça ne m'a servi à rien, car dès que le médecin m'a laissée sortir, mon père m'a emmenée dans une institution en Oregon, où échouaient les adolescents indomptables. Je ne l'ai pas suivi de bon gré, il a dû recruter un policier ami de Susan pour me séquestrer, un mastodonte ayant l'aspect d'un *moai* de l'île de

Pâques, qui l'a aidé dans cette tâche ignoble. Nini s'est cachée pour ne pas me voir traînée comme un animal à l'abattoir, hurlant que personne ne m'aimait, que tout le monde m'avait rejetée, pourquoi ne me tuait-on pas une fois pour toutes, avant que je le fasse moi-même ?

On m'a gardée prisonnière à l'académie de l'Oregon jusqu'au début du mois de juin 2008, avec cinquante-six autres jeunes rebelles, drogués, suicidaires, anorexiques, bipolaires, expulsés de l'école et d'autres qui n'entraient simplement dans aucune de ces catégories. J'ai décidé de saboter toute tentative de rédemption tandis que j'échafaudais des plans sur la manière de me venger de mon père qui m'avait enfermée dans cet antre de désaxés, de Nini qui l'avait permis, et du monde entier qui me tournait le dos. La vérité, c'est que je me suis retrouvée là par décision de la juge chargée de statuer sur l'affaire de l'accident. Mike O'Kelly la connaissait et il avait intercédé en ma faveur avec une telle éloquence qu'il avait réussi à l'émouvoir ; sinon, j'aurais fini dans une institution, et non dans la prison fédérale de San Quentin comme m'en avait menacée ma grand-mère à grands cris au cours de l'une de ses colères. Elle est très excessive. Une fois, elle m'avait emmenée voir un film atroce dans lequel on exécutait un assassin à San Quentin. « Pour que tu voies ce qui arrive quand on viole la loi, Maya. On commence par voler des crayons de couleur à l'école et on finit sur la chaise électrique », m'avait-elle mise en garde à la sortie. Depuis, c'est devenu une plaisanterie familiale, mais cette fois elle me l'a redit sérieusement.

Considérant mon jeune âge et l'absence d'antécédents judiciaires, la juge, une dame asiatique plus lourde qu'un sac de sable, m'a donné à choisir entre un programme de désintoxication ou la prison pour jeunes délinquants, comme l'exigeait le chauffeur de la voiture qui m'avait renversée ; ayant compris que l'assurance de mon père ne le dédommagerait pas aussi magnifiquement qu'il l'espérait, l'homme voulait me punir. La décision n'a pas été la mienne mais celle de mon père, qui l'a prise sans me consulter. Heureusement, le système éducatif de Californie payait ; autrement, ma famille aurait dû vendre la maison pour financer ma réhabilitation, qui coûtait soixante mille dollars par an ; les parents de certains pensionnaires venaient leur rendre visite en jet privé.

Mon père s'est soumis à la décision de la Cour avec soulagement, parce que sa fille lui brûlait les mains comme du charbon ardent et qu'il voulait se débarrasser de moi. Il m'a emmenée trépignante en Oregon, avec trois pilules de Valium dans le corps qui n'ont servi à rien, il en aurait fallu le double pour avoir un effet sur une personne comme moi, qui en temps normal carburais au cocktail de Vicodin et de champignons mexicains. L'ami de Susan et lui m'ont sortie de la maison en me traînant, ils m'ont portée à bout de bras jusqu'à l'avion, puis m'ont conduite de l'aéroport à l'institution thérapeutique dans une voiture de location par une route interminable à travers les bois. Je m'attendais à une camisole de force et à des électrochocs, mais l'académie était un aimable ensemble de constructions en bois, au milieu d'un parc. Elle ne ressemblait en rien à un asile d'aliénés.

La directrice nous a reçus dans son bureau en compagnie d'un jeune barbu, qui s'est avéré être l'un des psychologues. On les aurait dits frère et sœur : tous deux avaient les cheveux couleur d'étoupe attachés en une queue-de-cheval, un jean délavé, un chandail gris et des bottes, l'uniforme du personnel de l'académie ; ils se distinguaient ainsi des internes, qui portaient des tenues extravagantes. Ils m'ont traitée comme une amie en visite et non comme la gamine échevelée et braillarde qui était arrivée traînée par deux hommes. « Tu peux m'appeler Angie, et lui c'est Steve. Nous allons t'aider, Maya. Tu verras comme le programme est facile », s'est exclamée la femme avec enthousiasme. J'ai vomi les noix de l'avion sur sa moquette. Mon père l'a avertie que rien ne serait facile avec sa fille, mais le dossier contenant mes antécédents était posé sur son bureau et elle avait probablement vu des cas bien pires. « La nuit tombe et le chemin de retour est long, monsieur Vidal. Il vaut mieux que vous preniez congé. Ne vous inquiétez pas, Maya est entre de bonnes mains », lui a-t-elle dit. Il s'est précipité vers la porte, pressé de s'en aller, mais je me suis jetée sur lui et accrochée à ses basques en le suppliant de ne pas me laisser, je t'en prie papa, je t'en prie. Angie et Steve m'ont retenue sans force excessive, tandis que mon père et le *moai* s'enfuyaient à toutes jambes.

Finalement vaincue par la fatigue, j'ai cessé de me débattre et me suis écroulée par terre, pelotonnée comme un chien. Ils m'ont laissée là un bon moment, ont nettoyé le vomi et lorsque j'ai arrêté de hoqueter et de renifler ils m'ont donné un verre d'eau. « Je n'ai pas l'intention de rester dans cet asile de fous !

Je m'enfuirai à la première occasion ! » leur ai-je crié avec le peu de voix qu'il me restait, mais je n'ai pas opposé de résistance lorsqu'ils m'ont aidée à me lever et m'ont emmenée parcourir le lieu. Dehors la nuit était très froide, mais à l'intérieur il faisait chaud, le bâtiment était confortable avec ses longues galeries couvertes, ses vastes espaces, ses hauts plafonds aux poutres apparentes, ses baies vitrées couvertes de buée, sa fragrance de bois, sa simplicité. Il n'y avait ni barreaux ni cadenas. Ils m'ont montré une piscine couverte, un gymnase, une salle polyvalente avec des fauteuils, une table de billard et une grande cheminée où brûlaient de gros troncs. Les internes étaient rassemblés dans la salle à manger autour de tables rustiques, décorées de petits bouquets de fleurs, un détail qui m'a frappée, car le climat n'était pas favorable à la culture des fleurs. Deux petites Mexicaines boulottes et souriantes portant un tablier blanc servaient derrière la grande table du buffet. L'ambiance était familiale, détendue, bruyante. La délicieuse odeur de haricots et de viande rôtie a chatouillé mes narines, mais j'ai refusé de manger ; je n'avais aucune intention de me mêler à cette populace.

Angie a pris un verre de lait, une petite assiette de galettes, et elle m'a guidée vers un dortoir, une pièce simple, avec quatre lits, des meubles en bois clair, des tableaux d'oiseaux et de fleurs. La seule évidence que quelqu'un dormait là, c'étaient les photos de famille sur les tables de chevet. J'ai frémi en pensant au genre de cinglés qui vivaient dans une telle propreté. Ma valise et mon sac à dos étaient sur l'un des lits, ouverts et visiblement inspectés. J'allais dire à Angie que je ne dormirais avec personne, mais je me suis souvenue que je m'en irais le lendemain matin, et que ce n'était pas la peine de faire un esclandre pour une seule nuit.

J'ai enlevé mon pantalon et mes chaussures et je me suis couchée sans me laver, sous le regard attentif de la directrice. «Je n'ai pas de marques de piqûres ni de coupures aux poignets», l'ai-je défiée en lui montrant mes bras. «Je m'en réjouis, Maya. Dors bien», a répondu Angie avec naturel; elle a laissé le lait et les galettes sur la table de chevet, puis elle est sortie sans fermer la porte.

J'ai dévoré la légère collation en regrettant quelque chose de plus consistant, mais j'étais épuisée et en quelques minutes j'ai sombré dans un sommeil de mort. Je me suis réveillée aux premières lueurs de l'aube, qui s'insinuaient entre les volets de la fenêtre, affamée et confuse. En voyant dans les autres lits les silhouettes des filles endormies, je me suis souvenue de l'endroit où je me trouvais. Je me suis habillée en vitesse, j'ai pris mon sac à dos et ma grosse veste, et je suis sortie sur la pointe des pieds. J'ai traversé le hall, me suis dirigée vers une grande porte qui semblait ouvrir sur l'extérieur, et je me suis retrouvée dans l'une des galeries couvertes, entre deux bâtiments.

La gifle de l'air frais m'a arrêtée net. Le ciel était orangé et la terre couverte d'une fine couche de neige, ça sentait le pin et le feu de bois. À quelques mètres de là, une famille de cerfs m'observait, mesurant le danger, les narines fumantes, les queues tremblantes. Deux faons portant les taches des nouveau-nés se tenaient précairement sur leurs pattes fines, tandis que la mère surveillait, les oreilles aux aguets. La biche et moi nous sommes regardées dans les yeux un instant éternel, attendant la réaction de l'autre, immobiles, jusqu'à ce qu'une voix dans mon dos nous fasse sursauter, alors les cervidés sont partis au trot. «Ils viennent boire. Il y a aussi des carcajous, des renards et des ours.»

C'était le barbu qui m'avait reçue la veille, engoncé dans une parka de skieur, avec des bottes et un bonnet en cuir fourré. «Nous nous sommes vus hier, je ne sais pas si tu t'en souviens. Je suis Steve, l'un des conseillers. Le petit déjeuner ne sera pas prêt avant deux heures, mais j'ai du café», et il a avancé sans regarder en arrière. Je l'ai suivi machinalement dans la salle de détente, où se trouvait la table de billard, et j'ai attendu sur la défensive tandis qu'il mettait le feu aux bûches dans la cheminée avec du papier journal, puis servait deux tasses de café au lait d'un thermos. «Cette nuit est tombée la première neige de la saison», a-t-il commenté en éventant le feu avec son bonnet.

Tante Blanca a dû se rendre à Castro en urgence, parce que son père a eu une crise de tachycardie inquiétante, provoquée par le Concours de Popotins sur la plage. Blanca dit que le Millalobo n'est en vie que parce que le cimetière lui paraît ennuyeux. Les images de la télévision auraient pu être fatales à un cardiaque : des jeunes filles vêtues de strings invisibles agitant le derrière devant une horde masculine, qui dans son enthousiasme lançait des bouteilles et attaquait la presse. À la Taverne du Petit Mort, les hommes haletaient devant l'écran et les femmes, bras croisés, crachaient par terre. Que penseraient Nini et ses amies féministes d'un pareil concours? C'est une fille aux cheveux décolorés et au cul de négresse qui a gagné, sur la plage de Pichilemu, allez donc savoir où ça se trouve. «À cause de cette traînée, mon père a failli être expédié dans l'autre monde », a commenté Blanca quand elle est revenue de Castro.

Je suis chargée de former une équipe junior de football, tâche facile, vu que dans ce pays les enfants apprennent à taper dans un ballon dès qu'ils peuvent se tenir debout. J'ai déjà une équipe sélectionnée, une autre en réserve et une féminine, qui a provoqué une vague de plaisanteries, bien que personne ne s'y soit ouvertement opposé, car il aurait eu affaire à tante Blanca. Nous voulons que notre sélection participe au championnat scolaire de la Fête nationale, en septembre. Nous avons plusieurs mois devant nous pour nous entraîner, mais nous ne pouvons le faire sans chaussures de sport, et comme aucune famille n'a assez d'argent pour cette dépense, Blanca et moi sommes allées rendre une visite de courtoisie à don Lionel Schnake, déjà remis du choc provoqué par les postérieurs de l'été.

Nous l'avons attendri avec deux bouteilles de la plus fine liqueur d'or, que Blanca prépare avec de l'eau-de-vie, du sucre, du petit-lait et des épices, et nous lui avons exposé l'importance d'occuper les enfants à des activités sportives, si on ne veut pas qu'ils se fourrent dans des embrouilles. Don Lionel s'est dit pleinement d'accord. De là à mentionner le football, il n'a fallu qu'un autre petit verre de liqueur d'or, et il a promis de nous offrir onze paires de chaussures des tailles correspondantes. Nous avons dû lui expliquer qu'il en fallait onze pour le Caleuche, l'équipe masculine, onze pour la Pincoya, l'équipe féminine, et six paires de rechange. Lorsqu'il a eu connaissance du coût, il nous a fait un sermon sur la crise économique, les saumoneries, le chômage, ajoutant que sa fille était un puits sans fond et qu'elle allait le tuer d'un infarctus à réclamer toujours plus, et où a-t-on vu que des chaussures de football sont une priorité dans le système éducatif déficient de ce pays ?

À la fin, il s'est épongé le front, a avalé un quatrième petit verre de liqueur d'or et nous a fait le chèque. Nous avons commandé les chaussures à Santiago le jour même et nous sommes allées les récupérer une semaine plus tard à l'autobus d'Ancud. Tante Blanca les garde sous clé pour que les enfants ne les utilisent pas tous les jours et elle a décrété que celui dont les pieds grandiront sera éliminé de l'équipe.

Automne

Avril, mai

Les réparations de l'école sont terminées. C'est là que la population se réfugie en cas d'urgence, parce que c'est le bâtiment le plus sûr avec l'église, dont la fragile structure en bois est soutenue par Dieu, comme on en a eu la preuve en 1960 lorsque a été enregistré le plus fort tremblement de terre dans le monde : 9,5 sur l'échelle de Richter. La mer est montée et elle a failli engloutir le village, mais les vagues se sont arrêtées à la porte de l'église. Pendant les dix minutes qu'a duré le séisme, les lacs se sont rétrécis, des îles entières ont disparu, la terre s'est ouverte, le chemin de fer, les ponts et les routes ont été noyés. Le Chili est sujet aux catastrophes, inondations, sécheresses, tempêtes, tremblements de terre et vagues capables de déposer un bateau au centre de la place. La population a une philosophie résignée à ce sujet, considérant que ce sont des épreuves envoyées par Dieu, mais elle devient nerveuse lorsque ne survient aucun malheur pendant trop de temps. Ma Nini est ainsi, elle s'attend toujours à ce que le ciel lui tombe sur la tête.

Notre école est prête pour le prochain courroux de la nature ; elle est le centre social de l'île, c'est là que se réunissent le cercle des femmes, le groupe des artisans et celui des Alcooliques Anonymes, auquel je suis allée une fois ou deux, parce que je l'avais promis à Mike O'Kelly, mais j'étais la seule femme au milieu de quatre ou cinq hommes qui n'osaient pas ouvrir la bouche devant moi. Je crois que je n'en ai pas besoin, voilà plus de quatre mois que je suis sobre. À l'école on regarde des films, on règle les conflits mineurs qui ne méritent pas l'intervention des carabiniers et on discute d'affaires en suspens, comme les semailles, les récoltes, le prix des pommes de terre et des fruits de mer ; c'est là que Liliana Treviño fait les vaccins et enseigne les bases de l'hygiène que les femmes âgées écoutent d'un air amusé : « Pardon, mademoiselle Liliana, comment pouvez-vous, à nous, nous apprendre à soigner ! » disent-elles. Les accoucheuses assurent avec raison que les pilules d'un flacon sont suspectes, quelqu'un s'enrichit grâce à elles, aussi préfèrent-elles les remèdes qu'elles préparent elles-mêmes, car ils sont gratuits, ou les sachets d'homéopathie. C'est à l'école qu'on nous a expliqué le programme de contraception du gouvernement, qui a terrifié plusieurs grands-mères, et encore à l'école que les carabiniers nous ont donné des instructions contre les poux, au cas où il y aurait une épidémie, comme cela arrive tous les deux ans. Il suffit que je pense aux poux pour que la tête me démange, je préfère les puces, car elles restent sur Fakine et les chats.

Les ordinateurs de l'école sont précolombiens, mais bien entretenus, et je les utilise pour tout ce dont j'ai besoin, sauf pour le courrier électronique. Je me suis habituée à vivre sans communication. À qui écrirais-je ? Je n'ai pas d'amis. Je reçois des nouvelles de Nini et de Blanche-Neige, parce qu'ils envoient des messages codés à Manuel, mais j'aimerais leur raconter mes impressions de cet étrange exil ; ils ne peuvent imaginer Chiloé, c'est un endroit où il faut vivre.

Je suis restée à l'académie de l'Oregon en attendant qu'il fasse moins froid pour m'enfuir, mais dans ces forêts l'hiver s'installe pour un bon bout de temps, avec sa beauté cristalline de glace et de neige, ses ciels parfois bleus et innocents, d'autres fois plombés et tourmentés. Quand les jours ont rallongé, que la température a remonté et qu'ont commencé les activités de plein air, je me suis remise à échafauder des plans de fugue, mais c'est alors que sont arrivées les vigognes, deux bêtes sveltes aux oreilles dressées et aux cils de jeune fille, cadeau onéreux du père reconnaissant de l'un des élèves diplômés l'année précédente. Angie m'a confié le soin des vigognes, arguant que personne n'était mieux qualifié que moi pour s'occuper de ces animaux délicats, puisque j'avais grandi avec les chiens renifleurs de bombes de Susan. J'ai dû remettre ma fuite à plus tard, car les vigognes avaient besoin de moi.

Avec le temps, je me suis adaptée à l'emploi du temps de sport, d'art et de thérapie, mais je ne me suis fait aucun ami, car le système décourageait l'amitié ; au mieux, nous, les pensionnaires, étions complices pour certaines bêtises. Sarah et Debbie ne me manquaient pas, comme si en changeant d'ambiance et de circonstances mes amies avaient perdu leur importance. Je pensais à elles avec envie, vivant leur vie sans moi, et à la manière dont tout Berkeley High devait cancaner sur l'expulsion de Maya Vidal, internée dans un asile de fous. Peut-être une autre fille m'avait-elle remplacée dans le trio des vampires. À l'académie, j'ai appris le jargon psychologique et la manière de naviguer entre les règles, qu'on n'appelait pas règles mais accords. Par le premier des nombreux accords signés sans aucune intention de les respecter, je me suis engagée, comme les autres élèves, à renoncer à l'alcool, aux drogues, à la violence et au sexe. Il n'y avait aucun moyen d'enfreindre les trois premières interdictions, mais mes camarades s'arrangeaient pour pratiquer la quatrième, malgré la surveillance constante des conseillers et des psychologues. Quant à moi, je me suis abstenue.

Pour éviter les problèmes, il était très important de paraître normale, mais la définition de la normalité fluctuait. Si je mangeais beaucoup je souffrais d'anxiété, si je mangeais peu j'étais anorexique ; si je préférais la solitude j'étais dépressive, mais n'importe quelle amitié faisait naître les soupçons ; si je ne participais pas à une activité je me rendais coupable de sabotage, et si je participais beaucoup je voulais attirer l'attention. « Des coups de bâton parce que tu rames, des coups de bâton parce que tu ne rames pas », voilà un autre des dictons de ma Nini.

Le programme reposait sur trois questions concises : qui es-tu ? Que veux-tu faire de ta vie ? Comment comptes-tu y arriver ? Mais les méthodes thérapeutiques étaient moins évidentes. Une fille qui avait été violée s'est vue obligée de danser, habillée en soubrette française, devant les autres élèves ; un garçon aux penchants suicidaires a dû monter en haut de la tour de surveillance forestière pour voir s'il se jetait dans le vide, et un autre souffrant de claustrophobie était régulièrement enfermé dans un placard. On nous soumettait à des pénitences – des rituels de purification – et à des séances collectives au cours desquelles nous devions jouer nos traumatismes afin de les dépasser. J'ai refusé de jouer la mort de mon grand-père et mes camarades ont dû le faire à ma place, jusqu'à ce que le psychologue de service me déclare guérie ou incurable, je ne me souviens plus. Lors de longues thérapies de groupe nous confessions – partagions – des souvenirs, des rêves, des désirs, des craintes, des intentions, des fantaisies, nos secrets les plus intimes. Mettre notre âme à nu, telle était la finalité de ces marathons. Les téléphones portables étaient interdits, les appels contrôlés, la correspondance, la musique, les livres et les films censurés, pas question de courrier électronique ni de visites surprises.

J'ai reçu la première visite de ma famille trois mois après mon arrivée à l'académie. Pendant que mon père discutait de mes progrès avec Angie, j'ai emmené ma grand-mère visiter le parc et voir les vigognes, dont j'avais paré les oreilles de rubans. Ma Nini m'avait apporté une petite photo plastifiée de mon Popo sur laquelle on le voyait seul, environ trois ans avant sa mort, son chapeau sur la tête et sa pipe à la main, souriant à l'objectif. C'était Mike O' Kelly qui l'avait prise à la Noël de mes treize ans, lorsque j'avais offert à mon grand-père sa planète perdue : une balle verte marquée de cent numéros, correspondant à autant de cartes ou illustrations de ce qui devait exister sur sa planète, selon ce que nous avions imaginé ensemble. Le cadeau lui avait beaucoup plu, c'est pourquoi il souriait comme un enfant sur la photo.

« Ton Popo est toujours avec toi. Ne l'oublie pas, Maya, m'a dit ma grand-mère.

— Il est mort, Nini !

— Oui, mais tu le portes en toi, même si tu ne le sais pas encore. Au début, Maya, j'avais tellement de chagrin que j'ai cru l'avoir perdu pour toujours, mais maintenant je peux presque le voir.

— Tu n'as plus de chagrin ? Quelqu'un comme toi ! lui ai-je répondu, fâchée.

— J'ai du chagrin, mais je l'ai accepté. Je vais beaucoup mieux.

— Félicitations. Moi je vais de plus en plus mal dans cet asile d'imbéciles. Sors-moi de là, Nini, avant que je devienne complètement folle.

— Ne le prends pas au tragique, Maya. C'est bien plus agréable que je ne croyais, il y a de la compréhension et de l'amabilité.

— Parce que vous êtes en visite !

— Tu veux dire que lorsque nous ne sommes pas là on te maltraite ?

— On ne nous frappe pas, mais on pratique la torture psychologique, Nini. On nous prive de nourriture et de sommeil, on affaiblit nos défenses et ensuite on nous fait un lavage de cerveau, on nous enfonce des choses dans la tête.

— Quelles choses ?

— Des avertissements terrifiants sur les drogues, les maladies vénériennes, les prisons, les hôpitaux psychiatriques, les avortements, on nous traite comme des crétins. Ça te paraît peu ?

— Ça me paraît trop. Je vais dire deux mots à cette bonne femme. Comment elle s'appelle déjà ? Angie ? Elle va apprendre qui je suis !

— Non ! me suis-je exclamée en la retenant.

— Comment ça non ! Tu crois que je vais permettre qu'on traite ma petite-fille comme un prisonnier de Guantanamo ? »

Et la mafia chilienne est partie à grands pas vers le bureau de la directrice. Quelques minutes plus tard, Angie m'a appelée.

« Maya, veux-tu bien répéter devant ton père ce que tu as raconté à ta grand-mère.

— Quoi donc ?

— Tu sais très bien de quoi je parle », a insisté Angie sans élever la voix.

Mon père n'a pas paru impressionné et il s'est contenté de me rappeler la décision de la juge : la réhabilitation ou la prison. Je suis restée en Oregon.

À la deuxième visite, deux mois plus tard, Nini s'est dite ravie : elle avait enfin retrouvé sa petite-fille, a-t-elle affirmé, sans maquillage de Dracula ni manières de dévergondée, elle m'a trouvé bonne mine et en pleine forme. C'était à cause des huit kilomètres que je courais chaque jour. On me le permettait parce que j'aurais beau courir, je n'irais pas loin. Ils ne se doutaient pas que je m'entraînais pour m'enfuir.

J'ai raconté à Nini comment nous, les pensionnaires, nous moquions des épreuves psychologiques et des thérapeutes, si transparents dans leurs intentions que même le plus novice pouvait les manipuler, et inutile de parler du niveau de l'enseignement, à la fin on nous donnerait un diplôme d'ignorants à accrocher au mur. Nous en avions assez des documentaires sur le réchauffement des pôles et les ascensions de l'Everest, nous avions besoin de savoir ce qui se passait dans le monde. Elle m'a informée qu'il ne se passait rien qui fût digne d'être raconté, il n'y avait que des mauvaises nouvelles sans solution, le monde allait à sa fin, mais si lentement qu'il durerait jusqu'à ce que j'obtienne mon bac. « Je suis impatiente que tu reviennes à la maison, Maya. Tu me manques tellement ! » a-t-elle soupiré en caressant mes cheveux teints de plusieurs couleurs inexistantes dans la nature, avec les teintures qu'elle-même m'envoyait par la poste.

Malgré l'arc-en-ciel de mes cheveux, elle me trouvait discrète comparée à certains de mes camarades. Pour compenser les innombrables restrictions et nous donner une fausse sensation de liberté, on nous laissait expérimenter avec les vêtements et les cheveux selon la fantaisie de chacun, mais nous ne pouvions ajouter d'autres piercings et tatouages à ceux déjà existants. J'avais un anneau d'or dans le nez et mon tatouage *2005*. Un garçon qui avait traversé une brève étape néonazie avant d'opter pour la méthamphétamine portait une croix gammée marquée au fer rouge sur le bras droit, et un autre s'était tatoué *fuck* sur le front.

«Il a une vocation de mec foutu, Nini. On nous a interdit de mentionner son tatouage. Le psychiatre dit que ça peut le traumatiser.

— Lequel est-ce, Maya?

— Cet efflanqué là-bas, avec un rideau de cheveux jusqu'aux yeux.»

Et Nini est allée lui dire de ne pas s'inquiéter, car il existait à présent un rayon laser pour effacer le mot oiseux qu'il avait sur le front.

Manuel a profité du bref été pour recueillir des informations, car ensuite, pendant les heures sombres de l'hiver, il a l'intention de terminer son livre sur la magie à Chiloé. Nous nous entendons très bien, du moins c'est mon impression, même s'il rouspète encore après moi de temps en temps. Je n'y fais pas attention. Je me souviens qu'à notre première rencontre, je l'avais trouvé bourru, mais au long de ces mois passés côte à côte, j'ai découvert qu'il fait partie de ces types généreux qui ont honte de l'être; il ne fait aucun effort pour être aimable et prend peur quand quelqu'un lui témoigne de l'affection, c'est pourquoi il a un peu peur de moi. Deux de ses livres précédents ont été publiés en Australie, en grand format avec des photographies en couleurs, et celui-ci sera semblable, grâce à l'aide du Conseil de la Culture et à plusieurs entreprises de tourisme. Les éditeurs ont commandé les illustrations à un peintre connu de Santiago, qui va être bien embarrassé quand il va devoir créer certains des êtres terrifiants de la mythologie chilote. J'espère que Manuel va me donner plus de travail, je pourrais ainsi lui rétribuer son hospitalité ; sinon, je vais être endettée jusqu'à la fin de mes jours. Le pire, c'est qu'il ne sait pas déléguer ; il me charge des tâches les plus simples, et ensuite il perd du temps à vérifier ce que j'ai fait. Il doit croire que je suis tarée. Le comble, c'est qu'il a dû me donner de l'argent, car je suis arrivée sans rien. Il m'a assuré que ma grand-mère lui avait fait un virement bancaire pour le rembourser, mais je ne le crois pas, les solutions simples ne sont pas dans le caractère de Nini ; elle aurait plutôt l'idée de m'envoyer une pelle pour déterrer des trésors. Ici il y a des trésors cachés par les pirates d'autrefois, tout le monde le sait. La nuit de la Saint-Jean, le 24 juin, on voit des lumières sur la plage, signe qu'un trésor y est enterré. Malheureusement, les lumières se déplacent, ce qui égare les cupides, et il se peut en outre que la lumière soit un leurre des sorciers. Personne n'est encore devenu riche en creusant pendant la nuit de la Saint-Jean.

Le climat change rapidement et Eduvigis m'a tricoté un bonnet chilote. Doña Lucinda, la centenaire, a teint la laine avec des plantes, des écorces et des fruits de l'île. Cette petite vieille est une experte, personne n'obtient des couleurs aussi résistantes que les siennes, des tons de marron, rouge, gris, noir et un vert caca d'oie qui me va très bien. Avec très peu d'argent, j'ai pu me procurer des vêtements chauds et des chaussures, car l'humidité a pourri mes bottes roses. Au Chili tout le monde a de quoi se vêtir décemment : on vend partout des vêtements usagés ou qui proviennent de soldes américains ou chinois, où il m'arrive de trouver des choses à ma taille.

J'ai le plus grand respect pour la *Cahuilla*, la barque de Manuel, d'apparence si chétive et pourtant si brave de cœur. Elle nous a emmenés au galop dans le golfe d'Ancud et après l'hiver nous irons plus au sud, dans le golfe de Corcovado, en faisant du cabotage le long de la côte de la Grande Île. La *Cahuilla* est lente, mais sûre dans ces eaux calmes ; les grosses tempêtes ont lieu en pleine mer, dans le Pacifique. Les vieilles personnes qui connaissent les légendes habitent dans les îles et villages reculés. Les anciens vivent de la terre, de l'élevage et de la pêche, dans des petites communautés, où la fanfare du progrès n'est pas encore arrivée.

Manuel et moi partons de bonne heure et si la distance est faible nous essayons de revenir avant la tombée de la nuit, mais s'il faut plus de trois heures nous dormons sur place, car seuls les bateaux de la Marine et le *Caleuche*, le bateau fantôme, naviguent la nuit. D'après les anciens, tout ce qui existe sur la terre existe aussi sous l'eau. Il y a des villes immergées dans la mer, dans les lacs, les fleuves et les mares, c'est là que vivent les *pigüichenes*, des créatures au caractère détestable, capables de provoquer des houles et des courants traîtres. Il faut faire très attention dans les endroits humides, nous a-t-on avertis, mais c'est un conseil inutile sur cette terre où la pluie ne cesse de tomber, où partout règne l'humidité. Parfois nous rencontrons des anciens bien disposés à nous raconter ce que leurs yeux ont vu, et nous rentrons à la maison avec un trésor d'enregistrements qu'il est ensuite bien difficile de déchiffrer, car ces gens ont leur propre manière de parler. Au début de la conversation, ils évitent le thème de la magie, ce sont des histoires de vieux, disent-ils, plus personne n'y croit ; peut-être craignent-ils les représailles des « hommes de l'art », comme on appelle les sorciers, ou alors ils ne désirent pas contribuer à leur réputation de superstitieux, mais avec de l'habileté et de la *chicha* de pomme, Manuel leur tire les vers du nez.

Nous avons eu la plus grosse tempête à ce jour, elle est arrivée à pas de géant, en rogne contre le monde. Les éclairs, les coups de tonnerre se sont déchaînés, et un vent démentiel a foncé sur nous, décidé à envoyer la maison naviguer dans la pluie. Les trois chauves-souris se sont détachées des poutres et elles ont commencé à tourner dans la salle, tandis que j'essayais de les chasser à coups de balai et que le Chat-Bête leur donnait en vain des coups de griffes dans la lumière vacillante des bougies. Le générateur est en panne depuis plusieurs jours et nous ne savons pas quand viendra le *maestro chasquilla*, s'il vient, on ne sait jamais, personne n'est à l'heure dans ces contrées. Au Chili on appelle *maestro chasquilla* un type capable de réparer à peu près n'importe quoi avec une pince et du fil de fer, autrement dit un « homme à tout faire », mais il n'y en a pas un seul dans cette île et il faut faire appel à ceux de l'extérieur, qui se font attendre comme des dignitaires. Le bruit de la tempête est assourdissant : rochers qui roulent, tanks de guerre, trains qui déraillent, hurlements de loups, et brusquement une clameur venant du fond de la terre. « Ça tremble, Manuel ! », mais lui, imperturbable, lisait avec sa lampe de mineur sur le front, « ce n'est que le vent, jeune fille, quand la terre tremble les casseroles tombent ».

Sur ce est arrivée Azucena Corrales, dégoulinante d'eau, couverte d'un poncho en plastique et chaussée de bottes de pêcheur, pour demander de l'aide, car son père était au plus mal. Avec la rage de la tempête, il n'y avait pas de réseau pour le téléphone portable et marcher jusqu'au village était impossible. Manuel a passé un imperméable, un bonnet, et enfilé des bottes, il a pris la lanterne et s'est préparé à sortir. Je suis partie derrière lui, je n'allais pas rester seule avec les chauves-souris et la tourmente.

La maison des Corrales est proche, mais il nous a fallu un siècle pour parcourir cette distance dans l'obscurité, trempés par la cataracte du ciel, nous enfonçant dans la boue et luttant contre le vent qui nous poussait en sens contraire. J'ai cru par moments que nous étions perdus, mais bientôt la lueur jaune de la fenêtre des Corrales est apparue.

La maison, plus petite que la nôtre et très délabrée, tenait à peine debout au milieu du tambourinage des planches détachées, mais à l'intérieur on était à l'abri. À la lumière de deux lanternes de paraffine, j'ai pu voir un désordre de vieux meubles, des paniers de laine à filer, des amas de pommes de terre, des marmites, des paquets, du linge en train de sécher sur un fil, des seaux pour les gouttières du toit et même des cages avec des lapins et des poules, qui ne pouvaient rester dehors par une nuit pareille. Dans un coin, il y avait un autel avec une bougie allumée devant une vierge en plâtre et une image du père Hurtado, le saint des Chiliens. Les murs étaient décorés de calendriers, de photographies encadrées, de cartes postales, de publicités pour l'écotourisme et du *Manuel d'alimentation pour la personne âgée*.

Carmelo Corrales avait été un homme robuste, charpentier et constructeur de bateaux, mais il était détruit par l'alcool et le diabète qui minaient depuis longtemps son organisme. Au début il n'avait pas prêté attention aux symptômes, puis sa femme l'avait soigné avec de l'ail, de la pomme de terre crue et de l'eucalyptus, et quand Liliana Treviño l'avait obligé à se rendre à l'hôpital de Castro, il était déjà bien tard. D'après Eduvigis, l'intervention des docteurs avait aggravé son état. Corrales n'avait pas modifié son mode de vie, il avait continué à boire et à abuser de sa famille jusqu'à ce qu'on l'ampute d'une jambe, en décembre de l'an passé. Il ne peut plus attraper ses petits-enfants pour leur donner des coups de ceinture, mais Eduvigis a toujours un œil au beurre noir et cela n'attire l'attention de personne. Manuel m'a conseillé de ne pas poser de questions, parce que ce serait embarrassant pour Eduvigis, la violence domestique est une chose dont on ne parle pas.

On avait approché le lit du malade du poêle à bois. Les histoires que j'avais entendues sur Carmelo Corrales, sur ses bagarres quand il se saoulait et sur la manière dont il maltraitait sa famille m'avaient fait imaginer un gros homme abominable, mais dans ce lit se trouvait un vieillard inoffensif, décharné et osseux, les paupières mi-closes, la bouche ouverte, respirant avec un ronflement de moribond. Je pensais qu'on injectait toujours de l'insuline aux diabétiques, mais Manuel lui a donné quelques cuillerées de miel, et avec ça et les prières d'Eduvigis, le malade a réagi. Azucena nous a préparé une tasse de thé, que nous avons bue en silence, attendant que la tempête se calme.

Vers quatre heures du matin, Manuel et moi sommes rentrés dans notre maison, déjà froide car le poêle était éteint depuis un moment. Il est allé chercher le bois pendant que j'allumais les bougies et faisais chauffer de l'eau et du lait sur le réchaud de paraffine. Je tremblais sans m'en rendre compte, non tant de froid qu'en raison de la tension de la nuit, de la bourrasque, des chauves-souris, du mourant et de quelque chose que j'ai senti chez les Corrales et que je ne saurais expliquer, quelque chose de maléfique, comme de la haine. S'il est vrai que les maisons s'imprègnent de ce qui est vécu entre leurs murs, dans celle des Corrales il y a de la méchanceté.

Manuel a rapidement allumé le feu, nous avons enlevé nos vêtements mouillés, enfilé nos pyjamas, de grosses chaussettes, et nous nous sommes emmitouflés dans des couvertures chilotes. Nous avons bu debout, tout contre le poêle, lui sa deuxième tasse de thé et moi mon verre de lait, puis il a vérifié les persiennes, au cas où elles auraient cédé sous le vent, préparé ma bouillotte d'eau chaude qu'il a laissée dans ma chambre avant de se retirer dans la sienne. Je l'ai entendu aller aux toilettes et revenir, puis se mettre au lit. Je suis restée à écouter les derniers grognements de la tourmente, les coups de tonnerre qui s'éloignaient et le vent qui commençait à s'essouffler.

J'ai élaboré différentes stratégies pour vaincre la peur de la nuit, mais aucune n'est efficace. Depuis mon arrivée à Chiloé je suis saine de corps et d'esprit, mais mon insomnie s'est aggravée et je ne veux pas recourir aux somnifères. Mike O'Kelly m'a avertie que la dernière chose que retrouve un drogué, c'est un sommeil normal. En fin de journée, j'évite la caféine et les stimulations inquiétantes, tels les films ou les livres comportant des scènes de violence, qui viennent ensuite me tourmenter pendant la nuit. Avant de me coucher, je prends un verre de lait tiède avec du miel et de la cannelle, la potion magique que me donnait mon Popo quand j'étais petite, et la tisane calmante d'Eduvigis : un mélange de tilleul, sureau, menthe et violette, mais quoi que je fasse, bien que je me couche le plus tard possible et que je lise jusqu'à ce que mes paupières se ferment, je ne peux tromper l'insomnie, elle est implacable. J'ai passé bien des heures de ma vie éveillée, autrefois je comptais les moutons, maintenant je compte les cygnes à col noir ou les dauphins à ventre blanc. Je passe des heures dans l'obscurité, une, deux, trois heures du matin, à écouter la respiration de la maison, le murmure des fantômes, les griffures de monstres sous mon lit, craignant pour ma vie. Les ennemis de toujours m'attaquent : douleurs, pertes, vexations, culpabilité. Allumer la lumière équivaut à m'avouer vaincue, je ne dormirai plus le reste de la nuit, car avec la lumière non seulement la maison respire, mais elle bouge aussi, palpite, des protubérances et des tentacules apparaissent, les fantômes prennent des contours visibles, les monstres s'emballent. Celle-là allait être l'une de ces nuits sans fin, j'avais connu trop de stimulations et très tard. J'étais ensevelie sous une montagne de couvertures, regardant passer les cygnes, quand j'ai entendu Manuel se débattre dans son sommeil dans la pièce d'à côté, comme je l'avais entendu d'autres fois.

Quelque chose provoque ces cauchemars, quelque chose qui a un rapport avec son passé et peut-être avec le passé de ce pays. J'ai découvert certaines choses sur Internet, qui peuvent être significatives, mais j'avance à l'aveuglette, sans pistes véritables et sans aucune certitude. Tout a commencé quand j'ai voulu faire des recherches sur le premier mari de Nini, Felipe Vidal, et que par ricochet je suis tombée sur le coup d'État militaire de 1973, qui a changé l'existence de Manuel. J'ai trouvé deux ou trois articles publiés par Felipe Vidal sur Cuba dans les années soixante – il était l'un des rares journalistes chiliens à avoir écrit sur la révolution –, et d'autres reportages de lui sur différents endroits du monde ; apparemment il voyageait souvent. Il a disparu quelques mois après le coup d'État, c'est la dernière chose à son sujet qui apparaît sur Internet. Il était marié et avait un fils, mais les noms de la femme et de l'enfant ne sont pas cités. J'ai demandé à Manuel où exactement il avait connu Felipe Vidal et il m'a sèchement répondu qu'il n'avait pas envie de parler de ça, mais j'ai le pressentiment que les histoires de ces deux hommes sont liées d'une manière ou d'une autre.

Au Chili, beaucoup de gens ont refusé de croire aux atrocités commises sous la dictature militaire, jusqu'à ce qu'apparaisse l'évidence irréfutable dans les années quatre-vingt-dix. D'après Blanca, plus personne ne peut nier que des abus ont été commis, mais il y en a encore qui les justifient. On ne peut aborder ce sujet devant son père et le reste de la famille Schnake, pour qui le passé est enterré, les militaires ont sauvé le pays du communisme, ils ont remis de l'ordre, éliminé les subversifs et établi la libre économie de marché qui a apporté la prospérité et obligé les Chiliens, paresseux par nature, à travailler. Les atrocités ? Dans la guerre, elles sont inévitables, et c'était une guerre contre le communisme.

De quoi Manuel pouvait-il bien rêver cette nuit-là ? De nouveau j'ai senti les présences néfastes de ses cauchemars, des présences qui m'avaient déjà effrayée auparavant. Finalement je me suis levée et, tâtant les murs, je suis allée dans sa chambre où arrivait la lueur du poêle, à peine suffisante pour deviner les contours des meubles. Je n'étais jamais entrée dans cette pièce. Nous avons étroitement cohabité, il m'a secourue quand j'ai eu une colite – rien de plus intime que cela –, nous nous sommes croisés aux toilettes, et il m'a même vue nue lorsque je sors de la douche, distraite, mais sa chambre est un territoire interdit, où seuls le Chat-Bête et le Chat-Lettré entrent sans invitation. Pourquoi l'ai-je fait ? Pour le réveiller et pour qu'il ne souffre plus, pour tromper l'insomnie et dormir avec lui. Rien d'autre que cela, mais je savais que je jouais avec le feu, c'est un homme et je suis une femme, même s'il a cinquante-deux ans de plus que moi.

J'aime regarder Manuel, porter son vieux chandail, sentir son savon dans la salle de bains, entendre sa voix. J'aime son ironie, son assurance, sa compagnie silencieuse, j'aime qu'il n'ait pas conscience de l'affection que les gens lui portent. Je n'éprouve aucune attirance pour lui, rien de tel, mais une immense tendresse, impossible à exprimer avec des mots. La vérité, c'est que je n'ai pas grand monde à aimer : ma Nini, mon père, Blanche-Neige, deux personnes que j'ai laissées à Las Vegas, aucune en Oregon hormis mes vigognes, et quelques-unes que je commence à trop aimer dans cette île. Je me suis approchée de Manuel, sans essayer de ne pas faire de bruit, je me suis introduite dans son lit et accrochée à son dos, les pieds entre les siens et le nez sur sa nuque. Il n'a pas bougé, mais j'ai su qu'il s'était réveillé, parce qu'il est devenu un bloc de marbre. « Détends-toi, je veux juste respirer avec toi », c'est tout ce qu'il m'est venu à l'idée de lui dire. Nous sommes restés ainsi, comme un vieux couple, enroulés dans la chaleur des couvertures et nos chaleurs unies, respirant. Et je me suis profondément endormie, comme du temps où je dormais entre mes deux grands-parents.

Manuel m'a réveillée à huit heures avec une tasse de café et du pain grillé. La tempête s'était dissipée, laissant l'air nettoyé, avec une odeur fraîche de bois mouillé et de sel. Ce qui s'était passé la veille paraissait être un mauvais rêve dans la lumière matinale qui baignait la maison. Manuel était rasé, les cheveux humides, habillé comme à l'accoutumée : pantalon difforme, pull à col roulé, gilet effiloché aux coudes. Il m'a donné le plateau et s'est assis à côté de moi.

« Pardon. Je ne pouvais pas dormir et tu faisais un cauchemar. Je suppose que c'était idiot de ma part de venir dans ta chambre... lui ai-je dit.

— D'accord.

— Ne me fais pas cette tête de vieille fille, Manuel. N'importe qui pourrait penser que j'ai commis un crime irréparable. Je ne t'ai pas violé ni rien de semblable.

— Il ne manquerait plus que ça, m'a-t-il répondu sérieusement.

— Je peux te poser une question personnelle ?

— Ça dépend.

— Je te regarde et je vois un homme, bien que tu sois vieux. Mais toi, tu me traites exactement comme tes chats. Tu ne me vois pas comme une femme, n'est-ce pas ?

— Je te vois toi, Maya. Voilà pourquoi je te demande de ne pas revenir dans mon lit. Plus jamais. C'est clair ?

— Très clair. »

Dans cette île bucolique de Chiloé, mon agitation passée me paraît incompréhensible. Je ne sais ce qu'était ce picotement intérieur qui autrefois ne me laissait pas en paix, car je sautais constamment d'une idée à l'autre, cherchant toujours quelque chose sans savoir ce que je cherchais ; je n'arrive pas à me souvenir des pulsions et des sentiments de ces trois dernières années, comme si cette Maya Vidal d'alors était une autre personne, une inconnue. J'en ai fait la remarque à Manuel dans l'une de nos rares conversations un peu intimes, quand nous sommes seuls, que dehors il pleut, qu'il y a une panne de courant et qu'il ne peut se réfugier dans ses livres pour échapper à mon bavardage ; il m'a dit que l'adrénaline est une drogue, qu'on s'habitue à vivre dans l'excitation, qu'on ne peut se passer du mélodrame, car en fin de compte il est plus intéressant que la normalité. Il a ajouté qu'à mon âge personne ne désire la paix de l'esprit, que je suis dans l'âge de l'aventure, et que cet exil à Chiloé est une pause mais ne peut devenir une forme de vie pour quelqu'un comme moi. « Si je comprends bien, tu insinues que plus tôt je quitterai ta maison mieux ce sera, c'est ça ? » lui ai-je demandé. « Mieux pour toi, Maya, pas pour moi », m'a-t-il répondu. Je le crois, car le jour où je partirai cet homme se sentira plus seul qu'un mollusque.

Il est vrai que l'adrénaline est une drogue. En Oregon, il y avait quelques garçons fatalistes très à l'aise dans leur malheur. Le bonheur est savonneux, il glisse entre les doigts, mais on peut s'accrocher aux problèmes, ils ont une poignée, ils sont âpres, durs. À l'académie, j'avais mon propre roman-fleuve russe : j'étais mauvaise, impure et nuisible, je décevais et blessais ceux qui m'aimaient, déjà ma vie était fichue. Dans cette île, au contraire, je me sens presque toujours bonne, comme si en changeant de paysage j'avais également changé de peau. Ici personne ne connaît mon passé, sauf Manuel ; les gens ont confiance en moi, ils pensent que je suis une étudiante en vacances venue aider Manuel dans son travail, une fille naïve et saine qui nage dans la mer glacée et joue au football comme un garçon, une *gringa* un peu nunuche. Je ne veux pas les décevoir.

Parfois, dans mes heures d'insomnie, je sens la piqûre de la culpabilité pour tout ce que j'ai fait, mais elle se dissipe au lever du jour avec l'odeur du bois dans le poêle, la patte de Fakine qui me gratte pour que je le sorte dans le jardin et le raclement de gorge de Manuel qui se rend aux toilettes. Je me réveille, je bâille, je m'étire dans mon lit et soupire, satisfaite. Il n'est pas indispensable que je m'agenouille et batte ma coulpe, ni que je paie mes erreurs avec des larmes et du sang. D'après ce que disait mon Popo, la vie est une tapisserie que l'on brode jour après jour avec des fils de toutes les couleurs, certains épais et de couleur sombre, d'autres fins et lumineux, tous les fils sont utiles. Les bêtises que j'ai faites sont déjà sur la tapisserie, elles sont ineffaçables, mais je ne vais pas les porter jusqu'à ma mort. Ce qui est fait est fait, je dois regarder en avant. À Chiloé, il n'y a pas de combustible pour allumer des bûchers de désespoir. Dans cette maison de cyprès, le cœur s'apaise.

En juin 2008, j'ai terminé le programme de l'académie de l'Oregon, où j'avais été enfermée si longtemps. Quelques jours plus tard, j'allais pouvoir sortir par la grande porte, ne regrettant que les vigognes et Steve, le conseiller préféré de la gent féminine. J'étais vaguement amoureuse de lui, comme les autres filles, mais trop orgueilleuse pour l'admettre. Certaines s'étaient glissées jusqu'à sa chambre dans le secret de la nuit et avaient été aimablement renvoyées dans leur lit ; Steve était un champion du refus. Enfin la liberté. J'allais pouvoir me réinsérer dans le monde des êtres normaux, me gaver de musique, de films et de livres interdits, ouvrir un compte sur Facebook, la dernière mode des réseaux sociaux, dont nous rêvions tous à l'académie. J'ai juré que jamais je ne remettrais les pieds dans l'État de l'Oregon le reste de mon existence.

Pour la première fois depuis des mois, j'ai de nouveau pensé à Sarah et Debbie, me demandant ce qu'elles étaient devenues. Avec un peu de chance, elles auraient terminé le lycée et seraient en train de chercher du travail, car il était peu probable qu'elles aillent à la fac, elles n'aimaient pas les études. Debbie avait toujours été très mauvaise en classe et Sarah avait trop de problèmes ; si elle ne s'était pas guérie de sa boulimie, elle se trouvait sûrement au cimetière.

Un matin, Angie m'a invitée à faire une promenade au milieu des pins, chose assez suspecte car ce n'était pas son genre, et elle m'a annoncé qu'elle était satisfaite de mes progrès, que j'avais fait le travail toute seule, l'académie l'avait seulement facilité, et que maintenant j'allais pouvoir entrer à l'université, même si mon cursus avait sans doute quelques lacunes. « Des océans, pas des lacunes », l'ai-je interrompue. Elle a toléré l'impertinence avec un sourire et m'a rappelé que sa mission n'était pas d'apporter des connaissances, cela, n'importe quel établissement scolaire pouvait le faire, mais quelque chose de beaucoup plus délicat : donner aux jeunes les instruments émotionnels leur permettant d'atteindre leur potentiel maximal.

« Tu as mûri, Maya, et c'est le plus important.

— Tu as raison, Angie. À seize ans mon projet de vie était d'épouser un vieux millionnaire, de l'empoisonner et d'hériter de sa fortune, alors qu'aujourd'hui mon projet est d'élever des vigognes pour les vendre. »

Elle n'a pas trouvé ça drôle. Après avoir un peu tourné autour du pot, elle m'a proposé de rester à l'académie en tant qu'animateur sportif et assistante à l'atelier d'art pendant l'été ; ensuite, en septembre, je pourrais entrer directement à l'université. Elle a ajouté que mon père et Susan étaient en instance de divorce, comme nous le savions déjà, et que mon père avait été affecté sur une ligne à destination du Moyen-Orient.

« Ta situation est compliquée, Maya, car tu as besoin de stabilité dans cette phase de transition. Ici tu as été protégée, mais à Berkeley il te manquerait une structure. Il ne convient pas que tu te retrouves dans la même atmosphère.

— Je vivrai avec ma grand-mère.

— Ta mamie n'a plus l'âge de...

— Tu ne la connais pas, Angie ! Elle a plus d'énergie que Madonna. Et arrête de l'appeler mamie, car son surnom, c'est don Corleone, comme le Parrain. Ma Nini m'a élevée en me donnant des tapes sur le crâne, que veux-tu de plus comme structure ?

— Nous n'allons pas discuter de ta grand-mère, Maya. Deux ou trois mois de plus ici peuvent être décisifs pour ton avenir. Penses-y avant de me donner une réponse. »

J'ai alors compris que mon père avait passé un accord avec elle. Lui et moi n'avons jamais été proches, dans mon enfance il a pratiquement toujours été absent, il s'est débrouillé pour se tenir à distance, tandis que ma Nini et mon Popo bataillaient avec moi. Quand mon grand-père est mort et que les choses ont mal tourné entre nous, il m'a placée en internat dans l'Oregon, et il s'en est lavé les mains. Maintenant il volait vers le Moyen-Orient, parfait pour lui. Pourquoi m'avait-il mise au monde ? Il aurait dû être plus prudent dans sa relation avec la princesse de Laponie, puisque aucun des deux ne voulait d'enfants. J'imagine qu'à cette époque les préservatifs existaient déjà. Tout cela m'a traversé l'esprit à la manière d'une bourrasque et je suis rapidement arrivée à la conclusion qu'il était inutile de le provoquer ou d'essayer de négocier avec lui, car il est têtu comme un âne quand il a quelque chose en tête ; j'allais devoir trouver une autre solution. J'avais dix-huit ans et légalement, il ne pouvait pas m'obliger à rester à l'académie, voilà pourquoi il avait eu recours à la complicité d'Angie, dont l'opinion avait le poids d'un diagnostic. Si je me rebellais, cela serait interprété comme un problème de comportement, et avec la signature du psychiatre résident on pouvait me retenir de force, ici ou dans un programme similaire. J'ai accepté la proposition d'Angie avec une telle promptitude que quelqu'un de moins sûr de son autorité aurait trouvé cela suspect, et j'ai immédiatement commencé à me préparer pour ma fugue ajournée.

Dans la deuxième semaine de juin, peu après ma promenade dans les pins avec Angie, un élève qui fumait dans le gymnase a provoqué un incendie. Le mégot oublié a brûlé un petit matelas et le feu a atteint le toit avant que l'alarme ne résonne. Rien d'aussi dramatique et d'aussi drôle ne s'était produit à l'académie depuis sa fondation. Tandis que les instructeurs et les jardiniers raccordaient les tuyaux, les jeunes en ont profité pour s'éparpiller dans une célébration de sauts et de cris, libérant l'énergie accumulée pendant des mois d'introspection ; quand les pompiers et les policiers sont enfin arrivés, ils se sont trouvés devant un tableau hallucinant confirmant l'idée générale que c'était un asile de fous. L'incendie a pris de l'ampleur, menaçant les forêts environnantes, et les pompiers ont demandé le renfort d'un petit avion. Cela a augmenté l'euphorie fantasque des garçons, qui couraient sous les jets de mousse chimique, sourds aux ordres des autorités.

C'était une matinée magnifique. Avant que le nuage de fumée de l'incendie n'assombrisse le ciel, l'air était tiède et propre, idéal pour m'enfuir. Je devais commencer par mettre les vigognes en lieu sûr, car dans la confusion tout le monde les avait oubliées, et j'ai perdu une demi-heure à essayer de les faire bouger; elles avaient les pattes entravées par la frayeur à cause de l'odeur de roussi. Finalement, j'ai eu l'idée de mouiller deux T-shirts et de leur en couvrir la tête, et ainsi j'ai réussi à les tirer vers le court de tennis, où je les ai laissées attachées et encapuchonnées. Ensuite je suis allée dans ma chambre, j'ai fourré l'indispensable dans mon sac à dos – la photo de mon Popo, quelques vêtements, deux barres énergétiques et une bouteille d'eau –, mis mes meilleures chaussures et couru en direction du bois. Cela n'a pas été le résultat d'une impulsion, j'attendais cette occasion depuis des siècles, mais le moment venu je suis partie sans un plan raisonnable, sans papiers, sans argent ni carte, avec l'idée folle de m'évaporer pendant quelques jours et de donner à mon père une frayeur inoubliable.

Angie a tardé quarante-huit heures avant d'appeler ma famille, car il était normal que les pensionnaires disparaissent de temps en temps; ils s'en allaient par la route en faisant du stop jusqu'au village le plus proche, à trente kilomètres de là, goûtaient à la liberté puis revenaient de leur plein gré, parce qu'ils n'avaient nulle part où aller, ou alors la police les ramenait. Ces escapades étaient si routinières, en particulier parmi les nouveaux arrivants, qu'elles étaient considérées comme une preuve de santé mentale. Seuls les plus abouliques et les plus déprimés se résignaient docilement à la captivité. Quand les pompiers ont confirmé que l'incendie n'avait fait aucune victime, mon absence n'a pas été un motif d'inquiétude particulière, mais le lendemain matin, alors qu'il ne restait que cendres de l'excitation provoquée par l'incendie, on a commencé à me chercher dans le village et à organiser des battues pour ratisser les bois. À ce moment, j'avais plusieurs heures d'avance.

Je ne sais pas comment j'ai pu m'orienter sans boussole dans cet océan de pins et arriver en faisant des zigzags à la route qui relie les États. J'ai eu de la chance, il n'y a pas d'autre explication. Mon marathon a duré des heures, je suis partie le matin, j'ai vu arriver le crépuscule, puis la nuit. Je me suis arrêtée deux ou trois fois, trempée de sueur, pour boire et grignoter les barres énergétiques, et j'ai continué à courir jusqu'à ce que la nuit m'oblige à m'arrêter. Je me suis blottie entre les racines d'un arbre pour passer la nuit, priant mon Popo de barrer le chemin aux ours ; il y en avait beaucoup dans la région et ils étaient insolents, ils venaient parfois à l'académie chercher de la nourriture, sans s'inquiéter de la proximité des humains. Nous les observions par les fenêtres, sans que personne n'ose les chasser, tandis qu'ils renversaient les poubelles. La communication avec mon Popo, éphémère comme l'écume, avait connu de sérieuses vicissitudes pendant mon séjour à l'académie. Dans les premiers temps après sa mort il m'apparaissait, j'en suis sûre ; je le voyais sur le seuil d'une porte, dans la rue sur le trottoir d'en face, derrière la vitre d'un restaurant. Impossible de le confondre, aucun homme, noir ou blanc, ne ressemble à mon Popo, personne n'est aussi élégant, ni aussi théâtral, avec sa pipe, ses lunettes en or et son Borsalino. Ensuite, dans ma débâcle de drogue et d'alcool, de bruit de plus en plus assourdissant, j'avais l'esprit troublé et je ne l'ai pas revu, mais en certaines occasions je crois qu'il était tout près ; je pouvais sentir ses yeux fixés sur mon dos. D'après Nini, il faut être très calme, silencieux, dans un espace vide et net, sans horloge, pour apercevoir les esprits. «Comment veux-tu entendre ton Popo si tu as toujours tes écouteurs sur les oreilles ?» me disait-elle.

Cette nuit-là, seule dans la forêt, j'ai de nouveau connu la peur irrationnelle des nuits d'insomnie de mon enfance, les mêmes monstres que dans la grande maison de mes grands-parents sont revenus m'attaquer. Seules l'étreinte et la chaleur d'un autre être m'aidaient à dormir, quelqu'un de plus grand et de plus fort que moi : mon Popo, un chien renifleur de bombes. «Popo, Popo», l'ai-je appelé, le cœur battant à tout rompre dans ma poitrine. J'ai fermé les paupières et me suis bouché les oreilles pour ne pas voir les ombres mouvantes ni entendre les sons mena-çants. Je me suis endormie un moment, qui a dû être très bref, et je me suis réveillée en sursaut à cause d'un éclat de lumière entre les troncs d'arbres. J'ai un peu tardé à me situer et à deviner que ce pouvaient être les phares d'un véhicule, et que j'étais près d'une route ; alors je me suis levée d'un bond en poussant un cri de soulagement, et je me suis mise à courir.

Les cours ont commencé depuis plusieurs semaines et j'ai maintenant un emploi d'institutrice, mais non rémunéré. Je vais payer son hospitalité à Manuel Arias grâce à une formule de troc compliquée. Je travaille à l'école de la tante Blanca et elle, au lieu de me payer directement, donne à Manuel du bois, du papier pour écrire, de l'essence, de la liqueur d'or et autres amabilités, par exemple des films qu'on ne montre pas dans le village parce qu'ils ne sont pas sous-titrés en espagnol ou parce qu'ils sont « répugnants ». Ce n'est pas elle qui applique la censure, mais un comité de voisins pour qui « répugnants » sont les films américains dans lesquels il y a trop de scènes de sexe. Cet adjectif ne s'applique pas aux films chiliens, où l'on voit les acteurs s'ébattre nus en poussant des hurlements sans que le public de cette île en soit troublé.

Le troc est une partie importante de l'économie de l'archipel, on échange du poisson contre des pommes de terre, du pain contre du bois, des poulets contre des lapins, et de nombreux services sont payés par des produits. Le docteur imberbe du bateau ne touche pas d'argent, parce qu'il est employé par le Service national de santé, mais ses patients le paient tout de même avec des poules ou des étoffes tissées. Personne ne donne un prix aux choses, mais tous connaissent la juste valeur et gardent les comptes en mémoire. Le système fonctionne de façon fluide et élégante, on ne mentionne ni la dette, ni ce qu'on donne, ni ce qu'on reçoit. Celui qui n'est pas né ici ne pourrait jamais maîtriser la complexité et la subtilité du troc, mais j'ai appris à rétribuer les nombreuses tasses de maté et de thé que l'on m'offre dans le village. Au début, je ne savais pas comment m'y prendre, car je n'ai jamais été aussi pauvre qu'aujourd'hui, même lorsque je mendiais, mais je me suis rendu compte que les gens sont reconnaissants que j'occupe les enfants ou que j'aide doña Lucinda à teindre sa laine et à la mettre en pelote. Doña Lucinda est si vieille que personne ne se rappelle plus à quelle famille elle appartient, mais les habitants s'en occupent à tour de rôle ; elle est l'arrière-arrière-grand-mère de l'île et toujours active : elle chante pour les pommes de terre et vend de la laine.

Il n'est pas indispensable de payer la faveur directement au créditeur, on peut le faire par ricochet, comme le font Blanca et Manuel pour mon travail à l'école. Le ricochet peut être double ou triple : Liliana Treviño procure de la glucosamine à Eduvigis Corrales pour son arthrite, celle-ci tricote des chaussettes de laine pour Manuel Arias et lui échange ses exemplaires du *National Geographic* à la librairie de Castro contre des revues féminines qu'il donne à Liliana Treviño quand elle arrive avec le médicament d'Eduvigis ; la ronde continue ainsi et tout le monde est content. En ce qui concerne la glucosamine, je dois préciser qu'Eduvigis la prend à contrecœur, pour ne pas froisser l'infirmière, car la seule cure infaillible pour soigner l'arthrite, ce sont les frictions d'orties associées aux piqûres d'abeilles. Avec des remèdes aussi draconiens, il n'est pas étonnant que les gens d'ici soient tellement usés. En plus, le vent et le froid abîment les os et l'humidité pénètre les articulations ; le corps se fatigue à ramasser les pommes de terre dans la terre et les fruits de mer dans la mer, le cœur sombre dans la mélancolie parce que les enfants partent au loin. La bière et le vin combattent les peines pendant un certain temps, mais la fatigue finit toujours par l'emporter. Ici la vie n'est pas facile, et pour beaucoup la mort est une invitation au repos.

Mes journées sont devenues plus intéressantes depuis que l'école a commencé. Avant j'étais la *gringuita*, mais maintenant que j'enseigne aux enfants je suis la tante Gringa. Au Chili, les adultes reçoivent le titre d'oncle ou tante, même s'ils ne le méritent pas. Par respect, je devrais dire oncle à Manuel, mais quand je suis arrivée je ne le savais pas et maintenant il est trop tard. Je prends racine dans cette île, je ne l'aurais jamais imaginé.

En hiver nous entrons en classe vers neuf heures du matin, cela dépend de la lumière et de la pluie. Je vais à l'école en courant, accompagnée par Fakine, qui me laisse à la porte puis retourne à la maison où il est à l'abri. La journée commence par la levée du drapeau chilien et, tous en rang, nous chantons l'hymne national – *Pur, Chili, est ton ciel azuré, pures aussi les brises qui te traversent...* – et tout de suite après tante Blanca nous donne le programme de la journée. Le vendredi, elle nomme les récompensés et les punis, puis elle nous remonte le moral par un discours édifiant.

J'enseigne aux enfants les bases de l'anglais, la langue de l'avenir comme le pense tante Blanca, à l'aide d'un texte de 1952 dans lequel les avions sont à hélices et les mères de famille, toujours blondes, font la cuisine perchées sur des talons hauts. Je leur apprends aussi à utiliser les ordinateurs, qui fonctionnent très bien lorsqu'il y a de l'électricité, et je suis l'entraîneuse officielle des équipes de football, même si n'importe lequel de ces gamins joue mieux que moi. Il y a une véhémence olympique dans notre équipe masculine, le Caleuche, parce que j'ai parié avec don Lionel Schnake, lorsqu'il nous a offert les chaussures, que nous gagnerions le championnat scolaire en septembre et que si nous perdions je me raserais la tête, ce qui serait une humiliation insupportable pour mes footballeurs. La Pincoya, l'équipe féminine, est très médiocre et je préfère ne pas en parler.

Le Caleuche a refusé Juanito Corrales, surnommé le Nain parce qu'il est chétif, même s'il court comme un lièvre et n'a pas peur des coups de ballon. Les enfants se moquent de lui et le frappent chaque fois qu'ils peuvent. L'élève le plus ancien est Pedro Pelanchugay, qui a redoublé plusieurs classes ; tout le monde s'accorde à dire qu'il ferait mieux de gagner sa vie en allant à la pêche avec ses oncles au lieu de gaspiller le peu de cervelle qu'il a à apprendre des chiffres et des lettres qui ne lui serviront pas à grand-chose. C'est un Indien huilliche, massif, brun, têtu et patient, un gentil garçon, mais personne ne prend le risque de lui manquer de respect, car lorsqu'il finit par perdre patience il fonce comme un tracteur. Tante Blanca l'a chargé de protéger Juanito. « Pourquoi moi ? » a-t-il demandé en regardant ses pieds. « Parce que tu es le plus fort. » Puis elle a appelé Juanito et lui a ordonné d'aider Pedro à faire ses devoirs. « Pourquoi moi ? » a bredouillé l'enfant, qui ouvre rarement la bouche. « Parce que tu es le plus malin. » Grâce à ce jugement de Salomon, elle a résolu le problème de l'abus contre l'un et des mauvaises notes de l'autre, et en plus elle a forgé une solide amitié entre les garçons, qui par convenance mutuelle sont devenus inséparables.

À midi j'aide à servir le déjeuner que fournit le ministère de l'Éducation : poulet ou poisson, pommes de terre, légumes, dessert et un verre de lait. Tante Blanca dit que pour certains enfants chiliens c'est le seul repas de la journée, mais ce n'est pas le cas sur cette île ; nous sommes pauvres, mais la nourriture ne manque pas. Mon service prend fin après le déjeuner ; alors je rentre à la maison pour travailler deux heures avec Manuel, puis je suis libre le reste de l'après-midi. Le vendredi, la tante Blanca récompense les trois élèves qui ont eu la meilleure conduite au cours de la semaine en leur remettant un petit papier jaune signé par elle ; il permet de se baigner dans le jacuzzi, autrement dit le tonneau en bois rempli d'eau chaude de l'oncle Manuel. À la maison, nous donnons aux enfants récompensés une tasse de chocolat et des galettes confectionnées par mes soins, nous les faisons se savonner sous la douche et ils peuvent ensuite jouer dans le jacuzzi jusqu'à la tombée de la nuit.

Cette nuit dans l'Oregon m'a laissé une marque indélébile. Je me suis enfuie de l'académie et j'ai couru toute la journée dans la forêt sans avoir de plan, sans autre pensée dans la tête que le désir de blesser mon père et de me débarrasser des thérapeutes et de leurs séances de groupe, j'en avais assez de leur gentillesse mielleuse et de l'insistance obscène qu'ils mettaient à sonder mon esprit. Je voulais être normale, rien de plus.

Le passage fugace d'un véhicule m'a réveillée et j'ai couru, trébuchant sur des arbustes, des racines, écartant les branches des pins, mais lorsque j'ai enfin rejoint la route qui se trouvait à moins de cinquante mètres, les lumières avaient disparu. La lune éclairait la ligne jaune qui divisait la route. J'ai calculé que d'autres voitures allaient passer, car il était encore relativement tôt, et je ne me suis pas trompée ; j'ai bientôt entendu le bruit d'un moteur puissant et vu de loin l'éclat des phares qui en s'approchant ont révélé un camion gigantesque, dont chaque roue était aussi haute que moi, avec deux drapeaux flottant sur le châssis. Je me suis mise en travers de la route en faisant des signes désespérés avec les bras. Surpris par cette vision inattendue, le chauffeur a freiné brusquement, mais j'ai dû très vite m'écarter parce que l'énorme masse du camion a continué à rouler par inertie sur une vingtaine de mètres avant de s'arrêter complètement. J'ai couru vers le véhicule. Le chauffeur a passé sa tête par la vitre et il m'a éclairée de haut en bas avec une torche électrique, m'étudiant, se demandant si cette fille pouvait être l'appât d'une bande d'assaillants ; ce ne serait pas la première fois que cela arriverait à un transporteur. En constatant qu'il n'y avait personne d'autre dans les environs et voyant ma tête de méduse avec des mèches couleur sorbet, il a été rassuré. Il en a certainement conclu que j'étais une junkie inoffensive, une de ces idiotes droguées. Il m'a fait un signe, a ôté la sécurité de la porte de droite et j'ai grimpé dans la cabine.

Vu de près, l'homme était aussi impressionnant que son véhicule, grand, robuste, des biceps d'haltérophile, avec un débardeur sans manches et une queue-de-cheval anémique dépassant de sa casquette de base-ball, la caricature du macho brut, mais je ne pouvais plus reculer. Contrastant avec son aspect menaçant, il y avait un chausson de bébé suspendu au rétroviseur et deux images religieuses. « Je vais à Las Vegas », m'a-t-il informée. Je lui ai dit que j'allais en Californie, ajoutant que Las Vegas m'allait aussi, vu que personne ne m'attendait en Californie. Ce fut ma seconde erreur ; la première avait été de monter dans ce camion.

L'heure qui a suivi s'est écoulée dans un monologue animé du chauffeur qui exsudait l'énergie, comme s'il avait été galvanisé aux amphétamines. Il passait les interminables heures de conduite à communiquer avec d'autres chauffeurs pour échanger des blagues et des commentaires sur le temps, l'asphalte, le base-ball, leurs véhicules et les restaurants routiers, tandis qu'à la radio les prédicateurs évangélistes prophétisaient à pleins poumons la seconde venue du Christ. Il fumait sans arrêt, transpirait, se raclait la gorge, buvait de l'eau. Dans la cabine, l'air était irrespirable. Il m'a offert des chips d'un sac qu'il avait sur le siège et une canette de Coca-Cola, mais il ne m'a pas demandé mon nom ni pourquoi je me trouvais en pleine nuit sur un chemin désolé. En revanche il m'a parlé de lui : il s'appelait Roy Fedgewick, il était du Tennessee, avait fait l'armée, jusqu'à ce qu'il ait un accident et qu'on le réforme. À l'hôpital orthopédique où il avait passé plusieurs semaines, il avait rencontré Jésus. Il a continué à parler en citant des passages de la Bible tandis que j'essayais en vain de me détendre, la tête appuyée contre ma vitre, le plus loin possible de son cigare ; j'avais des crampes dans les jambes et un fourmillement désagréable sur la peau à cause de la course forcée de la journée.

Quelque huit cents kilomètres plus loin, Fedgewick a dévié du chemin et il s'est arrêté devant un motel. Un panneau aux lettres bleues, dont plusieurs petites ampoules étaient grillées, en indiquait le nom. Il n'y avait aucun signe d'activité, une rangée de chambres, un distributeur de boissons gazeuses, une cabine téléphonique, un camion et deux voitures paraissant être là depuis le commencement des temps.

« Je conduis depuis six heures du matin. On va passer la nuit ici. Descends, m'a annoncé Fedgewick.

— Je préfère dormir dans votre camion, si vous n'y voyez pas d'inconvénient », lui ai-je dit, pensant que je n'avais pas d'argent pour une chambre.

L'homme a tendu le bras par-dessus moi pour ouvrir le coffre intérieur, il a sorti un flacon d'un quart de litre de whisky et un revolver semi-automatique. Il a pris un sac de toile, est descendu, il a fait le tour, a ouvert ma portière et m'a ordonné de descendre, ça vaudrait mieux pour moi.

« On sait tous les deux pourquoi on est ici, petite salope. Tu croyais que le voyage était gratuit ? »

Je lui ai obéi par instinct ; pourtant, dans le cours d'autodéfense de Berkeley High, on nous avait appris qu'en pareilles circonstances le mieux est de se jeter à terre et de crier comme une folle, sans jamais collaborer avec l'agresseur. Je me suis rendu compte que l'homme boitait et qu'il était plus petit et plus gros qu'il le paraissait assis, j'aurais pu m'enfuir en courant et il n'aurait pas pu me rejoindre, mais le revolver m'a arrêtée. Fedgewick a deviné mes intentions, il m'a fermement saisie par un bras et portée presque à bout de bras vers le guichet de la réception, qui était protégé par une vitre épaisse et des barreaux, il a passé plusieurs billets par un trou, reçu la clé, demandé une caisse de six bières et une pizza. Je n'ai pas réussi à voir l'employé ni à lui faire un signe, car le camionneur s'était arrangé pour interposer sa carcasse.

La serre du gros homme pressant mon bras, j'ai marché jusqu'au numéro 32 et nous sommes entrés dans une chambre qui sentait fort l'humidité et la créosote, avec un lit double, du papier à rayures sur les murs, un téléviseur, un radiateur électrique et un appareil à air conditionné qui bloquait l'unique fenêtre. Fedgewick m'a ordonné de m'enfermer dans le cabinet de toilette en attendant qu'on apporte les bières et la pizza. Le cabinet de toilette consistait en une douche aux robinets oxydés, un lavabo, des W.-C. d'une propreté douteuse et deux serviettes élimées ; il n'y avait pas de verrou à la porte et seulement une petite lucarne pour la ventilation. J'ai parcouru ma cellule d'un regard angoissé et compris que je n'avais jamais été dans une situation aussi critique. Mes aventures précédentes étaient une plaisanterie comparées à ceci, elles avaient eu lieu en territoire connu, avec mes amies, tandis que Rick Laredo surveillait l'arrière-garde, et avec la certitude qu'en cas d'urgence je pourrais me réfugier dans les jupes de ma grand-mère.

Le camionneur a reçu la commande, échangé deux phrases avec l'employé, il a fermé la porte et m'a appelée pour manger avant que la pizza refroidisse. Je ne pouvais rien avaler, j'avais la gorge nouée. Fedgewick n'a pas insisté. Il a cherché quelque chose dans son sac, est allé au cabinet, sans fermer la porte, est revenu dans la pièce avec sa braguette ouverte et un verre en plastique contenant un doigt de whisky. « Tu es nerveuse ? Avec ça tu te sentiras mieux », a-t-il dit en me tendant le verre. J'ai refusé d'un signe de tête, incapable de parler, mais il m'a attrapée par la nuque et m'a mis le verre dans la bouche. « Bois-le sale chienne, ou tu veux que je te le fasse avaler de force ? » Je l'ai avalé, en toussant et larmoyant ; cela faisait plus d'un an que je n'avais pas bu une goutte d'alcool et j'avais oublié combien il brûlait.

Mon ravisseur s'est assis sur le lit pour regarder une comédie à la télévision tout en vidant trois bières et engloutissant les deux tiers de la pizza, riant, éructant. Il semblait m'avoir oubliée, tandis que j'attendais debout dans un coin, adossée contre le mur, nauséeuse. La chambre bougeait, les meubles changeaient de forme, l'énorme masse de Fedgewick se confondait avec les images de la télévision. Incapable de tenir sur mes jambes, j'ai dû m'asseoir par terre, luttant contre le désir de fermer les yeux et de m'abandonner. J'étais incapable de penser, mais je comprenais que j'étais droguée : le whisky du verre en plastique. Lassé de la comédie, l'homme a éteint la télé et il s'est approché pour évaluer mon état. Ses gros doigts ont relevé ma tête, c'était une pierre que mon cou ne soutenait plus. Son haleine répugnante m'est arrivée en plein visage. Fedgewick s'est assis sur le lit, il a aligné de la cocaïne sur la table de chevet avec une carte de crédit, et a aspiré à fond, avec plaisir, la poudre blanche. Puis il s'est tourné vers moi et m'a ordonné de me déshabiller tandis qu'il frottait son entrejambe avec le canon du revolver, mais je n'ai pas pu bouger. Il m'a soulevée du sol et m'a déshabillée à coups de patte. J'ai essayé de résister, mais mon corps ne répondait pas, j'ai essayé de crier, mais ma voix ne sortait pas. J'ai peu à peu sombré dans un épais bourbier, sans air, étouffant, agonisant.

Au cours des heures qui ont suivi, à moitié inconsciente, je n'ai rien su des pires brimades, mais à un moment mon esprit est revenu de loin et j'ai observé la scène, dans la chambre sordide du motel, comme sur un écran en noir et blanc : la forme féminine longue et mince, inerte, ouverte en croix, le minotaure marmottant des obscénités et revenant maintes fois à l'assaut, les taches sombres sur le drap, le ceinturon, l'arme, la bouteille. Flottant dans l'air, j'ai enfin vu Fedgewick s'écrouler sur le ventre, épuisé, satisfait, bavant, et se mettre aussitôt à ronfler. J'ai fait un effort surhumain pour me réveiller et suis revenue dans mon corps douloureux, mais je pouvais à peine ouvrir les yeux et encore moins penser. Me lever, appeler à l'aide, m'enfuir étaient des mots qui n'avaient aucun sens, ils se formaient comme des bulles de savon et disparaissaient dans le coton de mon cerveau engourdi. De nouveau, j'ai plongé dans une miséricordieuse obscurité.

Je me suis réveillée à trois heures moins dix du matin, d'après ce qu'indiquait le réveil fluorescent sur le guéridon, la bouche sèche, les lèvres fendues, tourmentée par une soif de désert. En essayant de me redresser, je me suis aperçue que j'étais immobilisée, car Fedgewick avait attaché mon poignet gauche à la tête du lit avec des menottes. J'avais la main enflée et le bras rigide, le même bras que je m'étais cassé lors de l'accident de vélo. La panique que je ressentais a un peu éclairci l'épaisse brume de la drogue. J'ai bougé avec prudence, essayant de me situer dans la pénombre. La seule lueur provenait de l'éclairage bleu du panneau du motel, qui filtrait entre les rideaux crasseux, et du reflet vert des chiffres lumineux du réveil. Le téléphone ! Je l'ai découvert en me retournant pour voir l'heure, il était à côté du réveil, tout proche.

De ma main libre, j'ai tiré sur le drap et essuyé l'humidité visqueuse sur mon ventre et mes cuisses, puis je me suis tournée sur la gauche et lentement, péniblement, je me suis laissée glisser sur le sol. La secousse des menottes sur le poignet m'a arraché un gémissement et le grincement des ressorts du lit a résonné comme le coup de frein d'un train. À genoux sur le tapis rugueux, le bras tordu dans une position impossible, j'ai attendu, terrifiée, la réaction de mon ravisseur, mais au-dessus du bruit assourdissant de mon propre cœur, j'ai entendu ses ronflements. Avant d'oser prendre le téléphone, j'ai attendu cinq minutes, pour m'assurer qu'il était toujours étalé de tout son long dans le sommeil profond de l'ébriété. Je me suis recroquevillée par terre, aussi loin que me le permettaient les menottes, et j'ai composé le 911 pour demander du secours, amortissant ma voix avec un oreiller. Il n'y avait pas de ligne extérieure. Le combiné de la chambre communiquait uniquement avec la réception ; pour appeler à l'extérieur, il fallait utiliser le téléphone public de la cabine ou un portable, et celui du camionneur était hors de ma portée. J'ai appelé la réception et entendu sonner onze fois avant qu'une voix masculine à l'accent indien réponde. « On m'a séquestrée, aidez-moi, aidez-moi… », ai-je murmuré, mais l'employé a raccroché sans me donner le temps d'en dire davantage. J'ai essayé une seconde fois, avec le même résultat. Désespérée, j'ai étouffé mes sanglots dans l'oreiller crasseux.

Plus d'une demi-heure s'est écoulée avant que je me souvienne du revolver que Fedgewick avait utilisé comme un jouet pervers, métal froid dans la bouche, dans le vagin, goût de sang. Il fallait que je le trouve, c'était mon seul espoir. J'ai dû faire des contorsions de cirque pour grimper sur le lit avec une main menottée et je n'ai pu éviter le rebond du matelas sous mon poids. Le camionneur a émis quelques soufflements de taureau, il s'est tourné sur le dos et sa main est tombée sur ma hanche avec le poids d'une brique, me paralysant, mais très vite il s'est remis à ronfler et j'ai pu respirer. Le réveil indiquait trois heures vingt-cinq, le temps se traînait, le jour ne se lèverait pas avant plusieurs heures. J'ai compris que je vivais mes derniers instants, Fedgewick ne me laisserait jamais en vie, je pouvais l'identifier et décrire son véhicule, s'il ne m'avait pas encore tuée, c'est qu'il avait l'intention de continuer à abuser de moi. L'idée que j'étais condamnée, que j'allais mourir assassinée et qu'on ne retrouverait jamais mes restes dans ces forêts m'a donné un courage inespéré. Je n'avais rien à perdre.

J'ai écarté la lourde main de Fedgewick de ma hanche avec brusquerie et je me suis retournée pour l'affronter. Son odeur m'a frappée : haleine de fauve, sueur, alcool, sperme, pizza rance. J'ai distingué le visage bestial de profil, le thorax énorme, les muscles renflés de l'avant-bras, le sexe velu, la jambe aussi épaisse qu'un tronc et j'ai ravalé le vomi qui me montait à la gorge. De ma main libre, j'ai commencé à palper sous son oreiller à la recherche du revolver. Je l'ai trouvé presque tout de suite, il était à ma portée, mais écrasé par la grosse tête de Fedgewick, qui devait avoir une grande confiance en son pouvoir et en ma résignation de victime pour l'avoir laissé là. J'ai respiré à fond, fermé les yeux, saisi le canon avec deux doigts et commencé à le tirer millimètre par millimètre, sans déplacer l'oreiller. Enfin, j'ai réussi à extraire le revolver, qui s'est avéré plus lourd que prévu, et je l'ai tenu contre ma poitrine, tremblant sous l'effort et l'anxiété. La seule arme que j'avais vue était celle de Rick Laredo

186

et je n'y avais jamais touché, mais je savais l'utiliser, le cinéma me l'avait appris.

J'ai visé Fedgewick à la tête, c'était sa vie ou la mienne. Je pouvais à peine soulever l'arme d'une seule main, je tremblais, le corps tordu, affaiblie par la drogue, mais ce serait un tir à bout portant, je ne pouvais pas le rater. J'ai mis le doigt sur la détente et j'ai hésité, aveuglée par le battement assourdissant de mes tempes. J'ai calculé avec une clarté absolue que je n'aurais pas d'autre occasion d'échapper à cet animal. Je me suis obligée à bouger l'index, j'ai senti la légère résistance de la détente et hésité à nouveau, anticipant le coup de feu, le recul de l'arme, l'horrible explosion d'os, de sang et de morceaux de cervelle. Maintenant, il faut que ce soit maintenant, ai-je murmuré, mais je n'ai pas pu le faire. J'ai essuyé la sueur qui coulait sur mon visage et me troublait la vue, j'ai séché ma main sur le drap et repris l'arme, mis le doigt sur la détente et visé. À deux reprises j'ai répété ce geste, sans pouvoir tirer. J'ai regardé le réveil : trois heures et demie. Finalement j'ai laissé le revolver sur l'oreiller, à côté de l'oreille de mon bourreau endormi. J'ai tourné le dos à Fedgewick et me suis recroquevillée, nue, tuméfiée, pleurant de frustration à cause de mes scrupules, et de soulagement d'avoir échappé à l'horreur irréversible de tuer.

Roy Fedgewick s'est réveillé au petit matin en éructant et s'étirant, sans une trace d'ébriété, loquace et de bonne humeur. Voyant le revolver sur l'oreiller, il l'a pris, l'a posé sur sa tempe et a appuyé sur la détente. « Poum ! Tu pensais quand même pas qu'il était chargé, non ? » a-t-il dit en éclatant de rire. Il s'est levé, nu, soupesant à deux mains son érection matinale, a réfléchi un instant, mais renoncé à l'impulsion. Il a rangé l'arme dans son sac et, sortant une clé de la poche de son pantalon, il a ouvert les menottes et m'a libérée. « Si tu savais comme ces menottes m'ont servi, les femmes les adorent. Comment tu te sens ? » m'a-t-il demandé en me caressant la tête d'un geste paternel. Moi, je ne pouvais croire que j'étais encore vivante. J'avais dormi deux heures comme anesthésiée, sans rêves. J'ai frotté mon poignet et ma main, pour rétablir la circulation.

« Allons déjeuner, c'est le repas le plus important de la journée. Avec un bon petit déjeuner je peux conduire vingt heures d'affilée », m'a-t-il annoncé depuis le cabinet où il était assis, une cigarette aux lèvres. Peu après, je l'ai entendu se doucher et se brosser les dents, puis il est revenu dans la chambre, s'est habillé en fredonnant et de nouveau allongé sur le lit, chaussé de ses bottes de cow-boy imitation peau de lézard, pour regarder la télévision. J'ai doucement bougé mes os engourdis, je me suis levée avec la maladresse d'une vieille, je suis allée à la salle de bains en titubant et j'ai fermé la porte. La douche chaude m'est tombée dessus comme un baume. Je me suis lavé les cheveux avec le shampooing du motel et frotté le corps avec fureur pour tenter d'effacer les infamies de la nuit à l'aide du savon. J'avais des contusions et des égratignures sur les jambes, les seins et la taille ; la main et le poignet droits étaient déformés par l'enflure. Je sentais une douleur généralisée de brûlure dans le vagin et l'anus, un filet de sang coulait entre mes jambes ; j'ai fait une compresse avec du papier toilette, j'ai enfilé ma culotte et j'ai fini de m'habiller. Le camionneur a mis deux cachets dans sa bouche et les a avalés avec une demi-bouteille de bière, puis il m'a offert ce qu'il restait dans la bouteille, la dernière, et deux autres cachets. «Prends-les, c'est des aspirines, ça fait passer la gueule de bois. Aujourd'hui nous serons à Las Vegas. Tu as intérêt à continuer avec moi, petite, maintenant que tu as payé le voyage», m'a-t-il dit. Il a pris son sac, vérifié qu'il n'avait rien laissé et il est sorti de la chambre. Je l'ai suivi, sans forces, jusqu'au camion. Le ciel commençait à peine à s'éclaircir.

Un peu plus tard, nous nous sommes arrêtés dans un restaurant pour voyageurs de passage où il y avait déjà d'autres poids lourds et une caravane. À l'intérieur, l'odeur de lard grillé et de café a réveillé ma faim, je n'avais mangé que deux barres énergétiques et une poignée de chips en un peu plus de vingt heures. Le chauffeur est entré dans la salle, débordant de bonhomie, blaguant avec les autres clients qu'apparemment il connaissait, faisant la bise à la serveuse et saluant dans un espagnol mâchonné les deux Guatémaltèques qui étaient à la cuisine. Il a commandé un jus d'orange, des œufs, des saucisses, des crêpes, du pain grillé et du café pour deux, tandis que j'embrassais d'un coup d'œil le sol de linoléum, les ventilateurs au plafond, les piles de petits pains au lait sous la cloche de verre sur le comptoir. Lorsqu'ils ont apporté le repas, Fedgewick a pris mes deux mains par-dessus la table, il a théâtralement incliné la tête et fermé les yeux. «Merci, Seigneur, pour ce petit déjeuner nourrissant et cette belle journée. Bénissez-nous Seigneur, et protégez-nous pour le reste du voyage. Amen.» J'ai observé sans espoir les hommes qui mangeaient bruyamment aux autres tables, la femme qui servait le café avec ses cheveux teints et son air fatigué, les Indiens millénaires qui retournaient les œufs et les tranches de lard dans la cuisine. Il n'y avait personne à qui avoir recours. Que pouvais-je leur dire ? Que j'avais fait du stop et qu'on m'avait fait payer la faveur dans un motel, que j'étais une idiote et que je méritais mon sort. J'ai incliné la tête comme le camionneur et j'ai prié en silence : « Ne me lâche pas, Popo, prends soin de moi. » Puis j'ai dévoré mon petit déjeuner jusqu'à la dernière miette.

Par sa position sur la carte, si loin des États-Unis et si près de rien, le Chili est à l'écart de la route habituelle des narcotrafiquants, mais les drogues sont tout de même arrivées jusqu'ici, comme dans le reste du monde. On voit quelques gamins perdus dans les nuages ; j'en ai rencontré un sur le ferry, quand j'ai traversé le canal de Chacao pour venir à Chiloé, un désespéré qui en était déjà à la phase des êtres invisibles : il entendait des voix, parlait seul, gesticulait. La marijuana est à la portée de n'importe qui, elle est plus commune et moins chère que les cigarettes, on la propose au coin des rues ; la *pasta* ou crack circule plutôt chez les pauvres, qui inhalent aussi de l'essence, de la colle, des dissolvants pour vernis et autres poisons ; pour ceux qui aiment la variété, il existe des hallucinogènes de toutes sortes, la cocaïne, l'héroïne et ses dérivés, les amphétamines et un menu complet de médicaments sur le marché noir, mais sur notre petite île il y a moins de choix, seulement de l'alcool pour qui en veut, de la marijuana et du crack pour les jeunes. « Tu dois faire très attention avec les enfants, *gringuita*, pas de drogue à l'école », m'a ordonné Blanca Schnake, et elle s'est mise en devoir de m'expliquer comment détecter les symptômes chez les élèves. Elle ne sait pas que je suis une experte.

Alors que nous surveillions la récréation, Blanca m'a commenté que Azucena Corrales n'est pas venue en classe et elle craint qu'elle abandonne les études comme ses frères aînés, dont aucun n'a terminé l'école. Elle ne connaît pas la mère de Juanito, parce qu'elle était déjà partie quand elle-même est arrivée dans l'île, mais elle sait que c'était une fille brillante, qui s'est retrouvée enceinte à quinze ans, qu'elle est partie après avoir accouché et n'est jamais revenue. Maintenant elle vit à Quellón, dans le sud de la Grande Île, où se trouvait la plus grande partie des saumoneries avant que sévisse le virus qui a tué les poissons. À l'époque de l'abondance du saumon, Quellón était une sorte de Far West, une terre d'aventuriers et d'hommes seuls qui se chargeaient de faire la loi, et de femmes de petite vertu à l'esprit entreprenant, capables de gagner en une semaine ce qu'un ouvrier gagne en une année. Les femmes les plus sollicitées étaient les Colombiennes, appelées travailleuses sexuelles itinérantes par la presse et négresses au gros cul par les clients reconnaissants.

« Azucena était une bonne élève, comme sa sœur, mais elle est brusquement devenue sauvage et s'est mise à éviter tout le monde. Je ne sais pas ce qui a pu lui arriver, m'a dit la tante Blanca.

— Elle n'est pas venue non plus faire le ménage à la maison. La dernière fois que je l'ai vue, c'est pendant la nuit de la tempête, quand elle est venue chercher Manuel parce que Carmelo Corrales allait très mal.

— Manuel me l'a raconté. Carmelo Corrales avait une crise d'hypoglycémie, chose assez fréquente chez les diabétiques alcooliques, mais lui donner du miel a été une décision risquée de la part de Manuel ; ça aurait pu le tuer. Imagine-toi la responsabilité !

— De toute façon, il était déjà à moitié mort, tante Blanca. Manuel est d'un sang-froid admirable. Tu as remarqué qu'il ne se met jamais en colère, pas plus qu'il ne s'inquiète ?

— C'est à cause de la bulle qu'il a dans le cerveau», m'a informée Blanca.

En fait, il y a une dizaine d'années, on a découvert que Manuel souffre d'un anévrisme qui peut exploser à tout moment. Et moi qui l'apprends seulement ! D'après Blanca, Manuel s'est installé à Chiloé pour y vivre ses jours dans ce paysage superbe, dans la paix et le silence, pour faire ce qu'il aime, écrire et étudier.

«L'anévrisme équivaut à une sentence de mort, cela l'a rendu détaché, mais pas indifférent. Manuel profite pleinement de son temps, *gringuita*. Il vit dans le présent, heure après heure, et il est bien plus réconcilié avec l'idée de la mort que moi qui vis aussi avec une bombe à retardement dans le corps. D'autres passent des années à méditer dans un monastère sans atteindre cet état de paix que connaît Manuel.

— Je vois que toi aussi tu crois qu'il est comme Siddhârtha.

— Comme qui ?

— Personne.»

J'imagine que Manuel Arias n'a jamais connu un grand amour comme celui de mes grands-parents, c'est pourquoi il se satisfait de son existence de loup solitaire. La bulle dans le cerveau lui sert d'excuse pour éviter l'amour. N'a-t-il pas des yeux pour voir Blanca ? *Houessou !* comme dirait Eduvigis, on croirait que j'essaye de le mettre en ménage avec Blanca.

Ce romantisme pernicieux est le résultat des romans à l'eau de rose que je lis en ce moment. La question inévitable est celle-ci : pourquoi Manuel a-t-il accepté de recevoir chez lui une fille comme moi, une inconnue, une personne d'un autre monde qui a des habitudes douteuses, et en plus fugitive ; comment se peut-il que son amitié avec ma grand-mère, qu'il n'a pas vue depuis plusieurs dizaines d'années, pèse davantage dans la balance que son indispensable tranquillité.

« Manuel était préoccupé par ta venue, m'a dit Blanca quand je lui ai posé la question. Il pensait que tu allais chambouler sa vie, mais il n'a pas pu refuser cette faveur à ta grand-mère, parce que lorsqu'il a été relégué, en 1975, quelqu'un lui a offert un abri.

— Ton père.

— Oui. À l'époque, aider ceux que pourchassait la dictature était risqué, on a averti mon père, il a perdu des amis et des parents, même mes frères se sont fâchés pour cette raison. Lionel Schnake offrant son hospitalité à un communiste ! Mais lui, il disait que si dans ce pays on ne pouvait pas aider son prochain, mieux valait partir très loin. Mon père se croit invulnérable, il disait que les miliciens n'oseraient pas le toucher. Dans ce cas, l'arrogance de sa classe lui a servi à faire le bien.

— Et maintenant Manuel paie don Lionel en m'aidant moi. La loi chilote de la réciprocité par ricochet.

— C'est ça !

— Les craintes de Manuel à mon sujet étaient parfaitement justifiées, tante Blanca. Je suis arrivée comme un taureau lâché, pour casser ses verres.

— Mais cela lui a fait beaucoup de bien ! m'a-t-elle interrompue. Je trouve qu'il a changé, *gringuita*. Il est plus détendu.

193

« — Détendu ? Il est plus serré qu'un nœud de marin. Je crois qu'il traverse une dépression.

— C'est son caractère, *gringuita*. Il n'a jamais été un pitre. »

Le ton et le regard perdu de Blanca m'ont montré combien elle l'aime. Elle m'a raconté que Manuel avait trente-neuf ans lorsqu'il avait été relégué à Chiloé et vivait chez don Lionel Schnake. Il était traumatisé par plus d'une année passée en prison, par la relégation, la perte de sa famille, de ses amis, de son travail, tout, alors que pour elle c'était une époque merveilleuse : elle avait été élue reine de beauté et préparait son mariage. Le contraste entre les deux était très cruel. Blanca ne savait presque rien de l'hôte de son père, mais elle était attirée par son air tragique et mélancolique ; en comparaison, les autres hommes, y compris son fiancé, lui paraissaient falots. La veille du départ de Manuel pour l'exil, juste au moment où la famille Schnake fêtait la restitution du terrain exproprié d'Osorno, elle s'était rendue dans la chambre de Manuel pour lui offrir un peu de plaisir, quelque chose de mémorable qu'il pourrait emporter en Australie. Blanca avait fait l'amour avec son fiancé, un ingénieur reconnu, d'une famille riche, partisan du gouvernement militaire, catholique, le contraire de Manuel et parfait pour une jeune fille comme elle, mais ce qu'elle avait vécu avec Manuel cette nuit-là avait été bien différent. L'aube les avait trouvés dans les bras l'un de l'autre, aussi tristes que deux orphelins.

« Le cadeau, c'est lui qui me l'a fait. Manuel m'a changée, il m'a apporté une autre vision du monde. Il ne m'a pas raconté ce qui s'était passé lorsqu'il avait été emprisonné, il n'en parle jamais, mais j'ai ressenti sa souffrance dans ma propre chair. Peu après, j'ai rompu avec mon fiancé et je suis partie en voyage », m'a dit Blanca.

Au cours des vingt années suivantes elle avait eu de ses nouvelles, car Manuel n'avait jamais cessé d'écrire à don Lionel ; ainsi avait-elle été au courant de ses divorces, de son séjour en Australie, puis en Espagne, de son retour au Chili en 1998. Elle était alors mariée et avait deux filles adolescentes.

« Mon mariage battait de l'aile, mon mari était l'un de ces infidèles chroniques, élevé pour être servi par les femmes. Tu as pu constater combien ce pays est machiste, Maya. Mon mari m'a quittée quand j'ai eu mon cancer ; il n'a pas supporté l'idée de coucher avec une femme qui n'avait plus de seins.

— Et que s'est-il passé entre Manuel et toi ?

— Rien du tout. Nous nous sommes retrouvés ici à Chiloé, tous deux bien abîmés par la vie.

— Tu l'aimes, n'est-ce pas ?

— Ce n'est pas si simple...

— Alors tu devrais le lui dire, l'ai-je interrompue. Si tu crois qu'il va faire le premier pas, tu peux toujours attendre.

— À tout moment le cancer peut revenir, Maya. Aucun homme ne veut se charger d'une femme qui en est atteinte.

— Et à tout moment la foutue bulle de Manuel peut exploser, tante Blanche. Il n'y a pas de temps à perdre.

— Ne viens pas fourrer ton nez là-dedans ! La dernière chose dont nous avons besoin, c'est d'une *gringa* entremetteuse », m'a-t-elle avertie, alarmée.

Je crains, si je n'y fourre pas mon nez, qu'ils meurent de vieillesse sans avoir résolu cette histoire. Plus tard, quand je suis arrivée à la maison, j'ai trouvé Manuel assis dans son fauteuil devant la fenêtre, en train de réviser des pages détachées, une tasse de thé sur la petite table, le Chat-Bête à ses pieds et le Chat-Lettré pelotonné sur le manuscrit. La maison sentait le sucre, Eduvigis avait fait de la confiture d'abricot avec les derniers fruits de la saison. La confiture refroidissait dans une rangée de pots récupérés de différentes tailles, prêts pour l'hiver, quand s'achève l'abondance et que la terre s'endort, comme elle dit. Manuel m'a entendue entrer et il m'a fait un vague signe de la main, mais il n'a pas levé les yeux de ses papiers. Ah Popo ! Je ne pourrais pas supporter qu'il arrive quelque chose à Manuel, prends soin de lui, qu'il n'aille pas mourir lui aussi. Je me suis approchée sur la pointe des pieds et je l'ai serré dans mes bras par-derrière, une étreinte affligée. Je n'ai plus peur de Manuel depuis cette nuit où je me suis glissée dans son lit sans y être invitée ; maintenant je lui prends la main, je l'embrasse, je picore dans son assiette – il déteste ça –, je pose ma tête sur ses genoux quand nous lisons, je lui demande de me gratter le dos et il le fait, un peu gêné. Il ne m'adresse plus de reproches quand j'utilise ses vêtements et son ordinateur ou quand je corrige son livre, la vérité c'est que j'écris mieux que lui. J'ai plongé le nez dans ses cheveux drus et mes larmes lui sont tombées dessus comme des petits cailloux.

« Il se passe quelque chose ? m'a-t-il demandé, surpris.

— Il se passe que je t'aime, lui ai-je avoué.

— Pas de baisers, demoiselle. Un peu de respect pour ce vieillard », a-t-il marmonné.

Après mon copieux petit déjeuner en compagnie de Roy Fedgewick, j'ai voyagé dans son camion le reste de la journée avec la musique country, les prédicateurs évangélistes de la radio et son interminable monologue que j'écoutais à peine, car je somnolais à cause de la gueule de bois due à la drogue et la fatigue de cette nuit terrible. J'ai eu deux ou trois occasions de m'enfuir et il n'aurait pas essayé de me retenir, il avait perdu tout intérêt pour moi, mais je n'en ai pas eu la force, je sentais mon corps mou et mon esprit confus. Nous nous sommes arrêtés dans une station-service et je suis allée aux toilettes tandis qu'il achetait des cigarettes. J'avais mal quand j'urinais et je saignais encore un peu. J'ai pensé rester dans ces toilettes jusqu'à ce que le camion de Fedgewick se fût éloigné, mais la fatigue et la peur de tomber entre les mains d'un autre scélérat m'ont fait écarter cette idée. Je suis revenue tête basse vers le véhicule, je me suis blottie dans mon coin et j'ai fermé les yeux. Nous sommes arrivés à Las Vegas à la tombée de la nuit, et je me sentais alors un peu mieux.

Fedgewick m'a laissée en plein Boulevard – le *Strip* –, le cœur de Las Vegas, avec dix dollars de pourboire, parce que je lui rappelais sa fille, comme il me l'a assuré, et pour le prouver il m'a montré une fillette blonde d'environ cinq ans sur son portable. En partant, il m'a caressé la tête et m'a dit au revoir avec un « Dieu te bénisse, chérie ». Je me suis aperçue qu'il n'avait peur de rien et partait la conscience tranquille ; cette rencontre avait été une parmi tant d'autres semblables et pour lesquelles il se tenait prêt avec son revolver, ses menottes, de l'alcool et de la drogue. Dans quelques minutes, il m'aurait oubliée. À un moment, dans son monologue, il m'avait laissé entendre que des douzaines d'adolescents, garçons et filles, s'étaient enfuis de chez eux et s'offraient aux transporteurs sur les routes ; c'était toute une culture de prostitution enfantine. La seule chose positive qu'on pouvait dire de lui, c'est qu'il avait pris ses précautions pour que je ne lui transmette pas de maladie. Je préfère ignorer les détails de ce qui s'est passé cette nuit-là au motel, mais je me souviens que le matin des préservatifs jonchaient le sol. J'avais eu de la chance, il m'avait violée avec des préservatifs.

À cette heure-là, l'air était frais à Las Vegas, mais l'asphalte avait conservé la chaleur sèche des heures précédentes. Je me suis assise sur un banc, endolorie par les excès des dernières heures et accablée par la débauche de lumières de cette ville irréelle, surgie comme par enchantement dans la poussière du désert. Une fête incessante animait les rues du désert : circulation, autobus, limousines, musique ; des gens partout : des vieux en shorts et chemises hawaïennes, des femmes mûres coiffées de chapeaux texans, vêtues de jeans brodés de paillettes et arborant un bronzage chimique, des touristes ordinaires et des miséreux, beaucoup d'obèses. Ma décision de punir mon père restait ferme, je le rendais responsable de tous mes malheurs, mais je voulais appeler ma grand-mère. En cette ère des portables, il est quasi impossible de trouver un téléphone public. Dans la seule cabine en bon état que j'ai trouvée, l'opératrice n'a pas pu ou pas voulu faire un appel en PCV.

Je suis allée faire de la monnaie dans un hôtel casino, vaste citadelle de luxe avec ses palmiers transplantés des Caraïbes, ses éruptions volcaniques, ses feux d'artifice, ses cascades de couleurs et ses plages sans mer. Le déploiement de faste et de vulgarité est concentré sur quelques pâtés de maisons où abondent aussi les bordels, les bars, les tripots, les salons de massages, les salles de cinéma porno. À une extrémité du Boulevard on peut se marier en sept minutes dans une chapelle ornée de cœurs scintillants, et divorcer aussi vite à l'autre bout. C'est ainsi que je décrirais le *Strip* à ma grand-mère quelques mois plus tard, mais cette vérité est incomplète, car à Las Vegas on trouve aussi des communautés de riches dans des demeures entourées de hautes grilles, des faubourgs de la classe moyenne où les mères de famille promènent leurs petites voitures, des quartiers délabrés de mendiants et de bandits ; il y a des écoles, des églises, des musées et des parcs que je n'ai fait qu'apercevoir de loin, car je vivais la nuit. J'ai appelé à la maison qui avait été celle de mon père et de Susan, où ma Nini vivait seule à présent. Je ne savais pas si Angie l'avait déjà avertie de mon absence, bien que deux jours aient passé depuis ma disparition de l'académie. Le téléphone a sonné quatre fois et le répondeur m'a demandé de laisser un message ; je me suis alors souvenue que le jeudi ma grand-mère fait une garde de nuit en tant que volontaire à l'*Hospice*, rétribuant ainsi l'aide qu'elle a reçue quand mon Popo était à l'agonie. J'ai raccroché, je ne trouverais personne avant le lendemain matin.

Ce jour-là j'avais déjeuné très tôt, je n'avais pas voulu manger à midi avec Fedgewick et je sentais maintenant un creux à l'estomac, mais j'ai décidé de garder mes pièces de monnaie pour le téléphone. Je me suis mise à marcher dans la direction opposée aux lumières des casinos, m'éloignant de la foule, de l'éclat fantastique des annonces lumineuses, du bruit de cascade de la circulation. La ville hallucinante a disparu pour faire place à une autre, sombre et silencieuse. Errant sans but, désorientée, je suis arrivée dans une rue somnolente ; je me suis assise sur le banc d'un abribus et, appuyée sur mon sac à dos, je me suis installée pour dormir. Épuisée, j'ai sombré dans le sommeil.

Un moment plus tard, un inconnu m'a réveillée en touchant mon épaule. « Je peux t'emmener chez toi, belle endormie ? » m'a-t-il demandé sur le ton d'un dompteur de chevaux. Il était petit, très mince, le dos voûté, un visage de lièvre, les cheveux jaune paille, gras. « Chez moi ? » ai-je répété, déconcertée. Il m'a tendu la main, souriant de ses dents jaunâtres, et il s'est présenté : Brandon Leeman.

Lors de cette première rencontre, Brandon Leeman était entièrement vêtu de couleur kaki, chemise et pantalon à plusieurs poches, grosses chaussures à semelle en caoutchouc. Il avait un air rassurant de gardien de parc. Les manches longues couvraient des tatouages aux motifs d'arts martiaux et les bleus des aiguilles que je ne verrais que plus tard. Leeman avait purgé deux peines de prison et il était recherché par la police de plusieurs États, mais à Las Vegas il se sentait en sécurité et en avait fait son repaire temporaire. C'était un voleur, un trafiquant et un héroïnomane, rien dans cette ville ne le distinguait d'autres individus de son espèce. Il portait une arme par précaution et habitude, non parce qu'il était enclin à la violence, et en cas de besoin il comptait sur deux gardes du corps, Joe Martin, du Kansas, et le Chinois, un Philippin au visage marqué par la petite vérole qu'il avait connu en prison. Âgé de trente-huit ans, il en paraissait cinquante. Ce jeudi-là, il sortait du sauna, l'un des rares plaisirs qu'il s'octroyait, non par austérité, mais parce qu'il avait atteint un état de totale indifférence à tout, hormis sa dame blanche, sa neige, sa reine, son sucre brun. Il venait de se piquer et se sentait frais, prêt à entreprendre sa ronde nocturne.

Depuis son véhicule, une camionnette d'aspect funèbre, Leeman m'avait vue endormie sur mon banc. Comme il me l'a expliqué par la suite, il faisait confiance à son instinct pour juger les gens, chose très utile dans son domaine, et je lui suis apparue comme un diamant brut. Il a fait le tour du pâté de maisons, est repassé au ralenti devant moi et a confirmé sa première impression. Il a pensé que j'avais une quinzaine d'années, trop jeune pour ses projets, mais il n'était pas en mesure de se montrer exigeant, parce qu'il y avait des mois qu'il cherchait quelqu'un comme moi. Il s'est arrêté à cinquante mètres, est descendu de la voiture, a ordonné à ses acolytes de disparaître jusqu'à ce qu'il les appelle et s'est approché de l'abribus.

« Je n'ai pas encore dîné. Il y a un McDo à trois rues d'ici. Veux-tu m'accompagner ? Je t'invite », m'a-t-il proposé.

J'ai rapidement analysé la situation. La récente expérience avec Fedgewick m'avait rendue méfiante, mais il n'y avait rien à craindre de ce freluquet en tenue d'explorateur. « On y va ? » a-t-il insisté. Je l'ai suivi, un peu hésitante, mais lorsque nous avons tourné le coin de la rue, l'enseigne du McDonald's est apparue au loin et je n'ai pas résisté à la tentation ; j'avais faim. Sur le chemin nous avons bavardé et j'ai fini par lui raconter que je venais d'arriver en ville, que j'étais de passage et que j'allais repartir pour la Californie dès que j'aurais appelé ma grand-mère pour qu'elle m'envoie de l'argent.

« Je te prêterais bien mon portable pour que tu l'appelles, mais je n'ai plus de batterie, m'a dit Leeman.

— Merci, mais je ne peux pas appeler avant demain. Ce soir, ma grand-mère n'est pas chez elle. »

Dans le McDonald's, il y avait peu de clients et trois employés – une adolescente noire avec des faux ongles et deux Latinos, l'un d'eux arborant la Vierge de Guadalupe sur son T-shirt. L'odeur de graisse a stimulé mon appétit et un double hamburger accompagné de frites n'a pas tardé à me rendre en partie ma confiance en moi, la fermeté de mes jambes et la clarté de pensée. Il ne m'a plus paru aussi urgent d'appeler ma Nini.

« Las Vegas a l'air très amusant, ai-je commenté la bouche pleine.

— La Ville du Péché, c'est ainsi qu'on l'appelle. Tu ne m'as pas dit ton nom, a ajouté Leeman sans avoir touché à son plateau.

— Sarah Laredo, ai-je improvisé pour ne pas donner mon nom à un étranger.

— Qu'est-ce que tu t'es fait à la main ? m'a-t-il demandé en montrant mon poignet enflé.

— Je suis tombée.

— Parle-moi de toi, Sarah. Tu n'aurais pas fait une fugue par hasard ?

— Bien sûr que non ! me suis-je exclamée, à moitié étranglée par une frite. Je viens d'avoir mon bac et avant d'aller à la fac je voulais visiter Las Vegas, mais j'ai perdu mon portefeuille, c'est pour ça que je dois appeler ma grand-mère.

« — Je comprends. Maintenant que tu es ici, tu dois visiter la ville, c'est un Disneyworld pour adultes. Tu savais que c'est l'endroit d'Amérique qui croît le plus rapidement ? Tout le monde veut venir vivre ici. Ne change pas tes projets pour un petit désagrément, reste quelque temps. Écoute, Sarah, si le virement bancaire de ta grand-mère tarde à arriver, je peux t'avancer un peu d'argent.

— Pourquoi ? Tu ne me connais pas, ai-je répondu sur la défensive.

— Parce que je suis un type sympa. Quel âge as-tu ?

— Je vais sur mes dix-neuf ans.

— Tu fais plus jeune.

— Il paraît. »

À cet instant, deux policiers sont entrés dans le McDonald's, l'un jeune, avec des lunettes noires aux verres réfléchissants, bien qu'il fît déjà nuit, des muscles de lutteur sur le point de faire craquer les coutures de son uniforme ; l'autre d'environ quarante-cinq ans, dont l'apparence n'avait rien de remarquable. Pendant que le premier passait la commande à la fille aux faux ongles, l'autre s'est approché pour saluer Brandon Leeman, qui nous a présentés : son ami, l'inspecteur Arana, et moi j'étais sa cousine d'Arizona en visite pour quelques jours. Le policier m'a examinée, une expression inquisitrice dans ses yeux clairs ; il avait un visage ouvert, au sourire facile, la peau couleur brique à cause du soleil du désert. « Veille sur ta cousine, Leeman. Dans cette ville, une jeune fille honnête se perd facilement », a-t-il dit avant d'aller à une autre table avec son collègue.

« Si tu veux je peux t'employer pendant l'été, jusqu'à ce que tu ailles à la fac en septembre », m'a proposé Leeman.

Un éclair d'intuition m'a mise en garde contre tant de générosité, mais j'avais la nuit devant moi et je n'étais pas obligée de répondre tout de suite à cet oiseau déplumé. J'ai pensé que ce devait être l'un de ces alcooliques réhabilités qui s'occupent de sauver les âmes, un autre Mike O'Kelly, mais dépourvu du charisme de l'Irlandais. Je verrai bien ce que me réserve le sort, ai-je décidé. Dans les toilettes, je me suis lavée du mieux possible, j'ai vérifié que je ne saignais plus, j'ai mis les vêtements de rechange propres que j'avais dans mon sac, je me suis brossé les dents et, rafraîchie, je me suis préparée à visiter Las Vegas avec mon nouvel ami.

En sortant des toilettes, j'ai vu Brandon Leeman parler dans son téléphone portable. Ne m'avait-il pas dit qu'il était déchargé ? Quelle importance ? Sans doute avais-je mal compris. Nous avons marché jusqu'à son véhicule, où attendaient deux types à la mine suspecte. «Joe Martin et le Chinois, mes associés», a dit Leeman en guise de présentation. Le Chinois a pris place au volant, l'autre à côté de lui, Leeman et moi sur le siège arrière. À mesure que nous nous éloignions, j'ai commencé à m'inquiéter, nous entrions dans une zone à l'aspect lugubre, avec des maisons inoccupées ou en très mauvais état, des ordures, des groupes de jeunes oisifs devant les porches, quelques mendiants enroulés dans des sacs de couchage crasseux à côté de leurs caddies débordant de sacs remplis d'objets hétéroclites.

«Ne t'inquiète pas, avec moi tu es en sécurité, ici tout le monde me connaît, m'a rassurée Leeman, devinant que je m'apprêtais à partir en courant. Il y a de meilleurs quartiers, mais celui-ci est discret, et c'est ici que j'ai mon commerce.

— Quelle sorte de commerce ? lui ai-je demandé.

— Tu verras. »

Nous nous sommes arrêtés devant un immeuble de trois étages, décrépi, aux vitres brisées, couvert de graffitis. Leeman et moi sommes descendus de la voiture et ses associés ont continué jusqu'au parking, dans la rue de derrière. Il était trop tard pour reculer et je me suis résignée à suivre Leeman, pour ne pas paraître méfiante, ce qui pouvait provoquer une réaction préjudiciable à mon égard. Il m'a conduite vers une porte latérale – la principale était fermée – et nous nous sommes retrouvés dans un hall en état d'abandon absolu, à peine éclairé par quelques ampoules qui pendaient au bout de câbles dénudés. Il m'a expliqué qu'à l'origine l'immeuble était un hôtel, qu'il avait ensuite été divisé en appartements, mais qu'il était mal administré ; piètre explication face à la réalité.

Nous avons gravi deux volées d'escaliers sales et malodorants, et à chaque étage j'ai pu voir plusieurs portes défoncées, qui donnaient sur des pièces caverneuses. Nous n'avons rencontré personne sur le trajet, mais j'ai entendu des voix, des rires, et aperçu des ombres humaines immobiles dans ces pièces ouvertes. Plus tard, j'ai appris que les deux premiers étages étaient dévolus aux drogués, qui venaient sniffer, se piquer, se prostituer, se livrer à des trafics et mourir, mais que personne ne montait au troisième sans autorisation. La partie de l'escalier qui conduisait au dernier étage était fermée par une grille, que Leeman a ouverte avec une commande à distance, et nous sommes arrivés dans un couloir relativement propre comparé à la porcherie qu'étaient les étages inférieurs. Il a tourné le verrou d'une porte métallique et nous sommes entrés dans un appartement aux fenêtres condamnées, éclairé par de petites ampoules au plafond et la lueur bleutée d'un écran. Un appareil à air conditionné maintenait la température à un niveau supportable ; ça sentait le dissolvant de peinture et la menthe. Il y avait un canapé avec trois coussins en bon état, deux vieux matelas par terre, une longue table, quelques chaises et un énorme téléviseur dernier cri devant lequel un gamin d'une douzaine d'années mangeait du pop-corn, allongé à même le sol.

« Salaud, tu m'as laissé enfermé ! s'est exclamé le gamin sans détacher les yeux de l'écran.

— Et alors ? a répliqué Brandon Leeman.

— S'il y avait un putain d'incendie je rôtirais comme une saucisse !

— Pourquoi devrait-il y avoir un incendie ? Lui c'est Freddy, le futur roi du rap. Freddy, dis bonjour à la demoiselle. Elle va travailler avec moi. »

Freddy n'a pas levé les yeux. J'ai parcouru l'étrange logis. Il y avait peu de meubles, mais dans les pièces s'entassaient de vieux ordinateurs et d'autres machines de bureau ; dans la cuisine, qui semblait ne pas avoir été utilisée pour faire à manger, plusieurs inexplicables chalumeaux au gaz butane ; tout au long d'un couloir, des caisses et des paquets.

L'appartement communiquait avec celui d'à côté par un grand trou ouvert dans le mur, à coups de masse apparemment. « Ici c'est mon bureau et je dors là-bas », m'a expliqué Brandon Leeman. Nous sommes passés par le trou en nous baissant pour arriver dans une salle identique à la précédente, mais sans meubles. Là aussi les fenêtres étaient condamnées par des planches, et plusieurs verrous ornaient la porte qui donnait à l'extérieur. «Comme tu vois, je n'ai pas de famille», a dit l'amphitryon en montrant l'espace vide d'un geste ample. Dans l'une des pièces il y avait un grand lit défait, dans un coin s'empilaient des cartons, une valise, et devant le lit se trouvait un autre téléviseur de luxe. Dans la pièce contiguë, plus petite et aussi sale que le reste des lieux, j'ai vu un lit étroit, une commode et deux tables de chevet peintes en blanc, comme pour une petite fille.

«Si tu restes, ce sera ta chambre, m'a dit Brandon Leeman.

— Pourquoi les fenêtres sont-elles bouchées ?

— Par précaution, j'aime pas les curieux. Je t'expliquerai en quoi consiste ton travail. J'ai besoin d'une jeune fille qui présente bien, pour aller dans les hôtels et les casinos de première catégorie. Quelqu'un comme toi, qui n'éveille pas les soupçons.

— Des hôtels ?

— C'est pas ce que tu imagines. Pas question de faire concurrence à la mafia de la prostitution. C'est un négoce brutal et ici, il y a plus de putes et de maquereaux que de clients. Non, rien de tout ça, tu te contenteras de faire les livraisons là où je te l'indiquerai.

— Quelle sorte de livraisons ?

— De la drogue. Les gens de la haute apprécient qu'on les livre dans leur chambre.

— C'est très dangereux !

— Non. Les employés des hôtels touchent leur part et ferment les yeux ; ils ont intérêt à ce que les clients repartent satisfaits. Le seul problème pourrait être un agent de la brigade des mœurs, mais on n'en a jamais vu un seul, je te promets. C'est très facile et tu vas te faire un tas de fric.

— À condition que je couche avec toi...

— Oh, non ! Il y a longtemps que je ne pense plus à ça. Et si tu savais comme cela m'a simplifié la vie ! (Brandon Leeman a ri de bon cœur.) Je dois sortir. Essaie de te reposer, on peut commencer demain.

— Tu as été très aimable avec moi et je ne voudrais pas paraître ingrate, mais en fait je ne vais pas te servir. Je...

— Tu peux décider plus tard, m'a-t-il interrompue. Je ne force personne à travailler pour moi. Si tu veux t'en aller demain, c'est ton droit, mais pour le moment tu es mieux ici que dans la rue, non ? »

Je me suis assise sur le lit, mon sac à dos sur les genoux. J'avais un arrière-goût de graisse et d'oignon dans la bouche, le hamburger m'était tombé comme un roc sur l'estomac, j'avais les muscles endoloris et les os mous, je n'en pouvais plus. Je me suis rappelé ma course folle pour fuir l'académie, la violence de la nuit au motel, les heures de voyage dans le camion, étourdie par les résidus de drogue dans mon corps, et j'ai compris que j'avais besoin de reprendre des forces.

« Si tu préfères, tu peux venir avec moi, ainsi tu connaîtras mes domaines, mais je t'avertis que la nuit sera longue », m'a proposé Leeman.

Je ne pouvais pas rester là toute seule. Je l'ai accompagné jusqu'à quatre heures du matin dans sa tournée des hôtels et des casinos du *Strip*, où il remettait des petits sachets à diverses personnes, des portiers, des surveillants de voitures, des femmes et des hommes jeunes qui avaient l'apparence de touristes et l'attendaient dans l'obscurité. Le Chinois restait au volant, Joe Martin faisait le guet et Brandon Leeman distribuait ; aucun des trois n'entrait dans les établissements, parce qu'ils étaient fichés ou sous surveillance, cela faisait trop de temps qu'ils opéraient dans le même secteur. « Il ne me convient pas de faire ce travail moi-même, mais il ne me convient pas non plus d'employer des intermédiaires, ils prennent une énorme commission et ils sont peu fiables. » J'ai compris l'avantage que ce type avait à m'employer, car c'était moi que l'on voyait et qui courais les risques, mais je ne recevais pas de commission. Quel serait mon salaire ? Je n'ai pas osé le lui demander. À la fin de la tournée nous avons regagné l'immeuble délabré où Freddy, l'enfant que j'avais déjà vu, dormait sur l'un des matelas.

Brandon Leeman a toujours été franc avec moi, je ne peux alléguer qu'il m'a trompée sur le genre de commerce et le style de vie qu'il me proposait. Je suis restée avec lui en sachant exactement ce que je faisais.

Manuel me voit écrire dans mon cahier avec la concentration d'un notaire, mais il ne me demande jamais ce que j'écris. Son manque d'intérêt contraste avec ma curiosité : je veux en savoir plus sur lui, sur son passé, ses amours, ses cauchemars, je veux savoir ce qu'il ressent pour Blanca Schnake. Il ne me raconte rien ; moi, au contraire, je lui dis presque tout, parce qu'il sait écouter et ne me donne pas de conseils, il pourrait apprendre ces vertus à ma grand-mère. Je ne lui ai pas encore parlé de cette nuit honteuse avec Roy Fedgewick, mais je le ferai un jour ou l'autre.

C'est le genre de secret qui, si on le garde, finit par infester l'esprit. Je ne me sens pas coupable, la culpabilité revient au violeur, mais j'ai honte.

Hier Manuel m'a trouvée absorbée devant son ordinateur en train de lire un article sur « la caravane de la mort », une unité de l'armée qui en octobre 1973, un mois après le coup d'État militaire, a parcouru le Chili du nord au sud en assassinant les prisonniers politiques. Le groupe était sous le commandement d'un certain Arellano Stark, un général qui choisissait les prisonniers au hasard, les faisait fusiller sans autre forme de procès et ensuite dynamitait les corps, une méthode efficace pour faire régner la terreur sur la population civile et les soldats indécis. Manuel ne fait jamais référence à cette période, mais comme il m'a vue intéressée il m'a prêté un livre sur cette sinistre caravane, écrit il y a quelques années par Patricia Verdugo, une journaliste courageuse qui a enquêté sur le sujet. « Je ne sais pas si tu vas le comprendre, Maya, tu es trop jeune et de plus étrangère », m'a-t-il dit. « Ne me sous-estime pas, *compañero* », lui ai-je répondu. Il a sursauté, car plus personne n'utilise ce terme qui était en vogue du temps d'Allende et a ensuite été interdit par la dictature. Je l'ai vérifié sur un site.

Trente-six ans ont passé depuis le coup d'État et depuis vingt ans ce pays a des gouvernements démocratiques, mais il reste encore des cicatrices et, dans certains cas, des blessures ouvertes. On parle peu de la dictature, ceux qui en ont souffert essayent de l'oublier, et pour les jeunes c'est de l'histoire ancienne, mais je peux trouver toutes les informations que je veux, il y a de nombreuses pages sur Internet et il existe des livres, des articles, des documentaires, des photographies que j'ai vus à la librairie de Castro où Manuel achète ses livres. L'époque est étudiée dans des universités et elle a été analysée sous les angles les plus variés, mais il est de mauvais goût de l'évoquer en société. Les Chiliens sont encore divisés. Le père de Michelle Bachelet, la présidente, un général de brigade de l'armée de l'Air, est mort des mains de ses propres compagnons d'armes parce qu'il n'a pas voulu se plier au soulèvement, ensuite elle et sa mère ont été arrêtées, torturées et exilées, mais elle n'en parle jamais. D'après Blanca Schnake, ce pan de l'histoire chilienne est de la boue au fond d'un lac, il n'y a aucune raison de la remuer et de troubler l'eau.

La seule personne avec qui je peux en parler est Liliana Treviño, l'infirmière, qui veut bien m'aider à faire des recherches. Elle a proposé de m'accompagner chez le père Luciano Lyon, qui a écrit des essais et des articles sur la répression de la dictature. Notre projet est d'aller lui rendre visite sans Manuel, pour parler en toute confiance.

Silence. Cette maison en cyprès de las Guaitecas est habitée de longs silences. Il m'a fallu quatre mois pour m'habituer au caractère introverti de Manuel. Ma présence doit empoisonner cet homme solitaire, en particulier dans une maison sans portes, où l'espace privé dépend des bonnes manières. Il est gentil avec moi à sa manière : d'un côté il ne fait pas attention à moi ou me répond par des monosyllabes, mais de l'autre il met les serviettes à chauffer sur le poêle lorsqu'il pense que je vais prendre une douche, m'apporte mon verre de lait au lit, prend soin de moi. L'autre jour, il a perdu patience pour la première fois depuis que je le connais, parce que je suis allée jeter les filets avec deux pêcheurs ; nous avons été pris par le mauvais temps, la pluie et la mer houleuse, et nous sommes revenus très tard, trempés jusqu'aux os. Manuel nous attendait sur l'embarcadère avec Fakine et l'un des carabiniers, Laurencio Cárcamo, qui avait déjà pris contact par radio avec la Grande Île pour demander qu'on envoie un bateau de la Marine à notre recherche. « Qu'est-ce que je vais dire à ta grand-mère si tu te noies ? » m'a crié Manuel, furieux, dès que j'ai posé le pied sur la terre ferme. « Hé, calme-toi ! Je suis assez grande pour savoir ce que je fais », lui ai-je dit. « Bien sûr, c'est pour ça que tu es ici ! Parce que tu sais si bien ce que tu fais ! »

Dans la jeep de Laurencio Cárcamo, qui nous a aimablement ramenés à la maison, j'ai pris la main de Manuel et je lui ai expliqué que nous étions partis avec de bonnes prévisions météorologiques et avec l'autorisation du gouverneur maritime, personne ne s'attendait à cette tempête soudaine. En quelques minutes, le ciel et la mer avaient pris une couleur gris souris et nous avions dû remonter les filets. Nous avions navigué deux heures à l'aveuglette, parce que la nuit était tombée et que nous étions perdus. Il n'y avait pas de réseau pour les portables, voilà pourquoi je n'avais pas pu le prévenir ; ce n'avait été qu'un empêchement, nous ne courions aucun danger, le bateau était de bonne facture et les pêcheurs connaissent ces eaux. Manuel n'a daigné ni me regarder ni me répondre, mais il n'a pas non plus retiré sa main.

Eduvigis nous avait préparé du saumon avec des pommes de terre au four, une bénédiction pour moi qui avais une faim de loup ; sa mauvaise humeur s'est envolée dans le rituel du repas et l'intimité de la routine partagée. Après le dîner nous nous sommes installés sur le vieux divan, lui pour lire et moi pour écrire dans mon carnet, avec nos deux bols de café au lait condensé, doux et crémeux. Pluie, vent, coups de griffe des branches de l'arbre sur la fenêtre, bois flambant dans le poêle, ronronnement des chats, voilà ma musique à présent. La maison s'est refermée, telle une étreinte, autour de nous et des animaux.

Le jour se levait quand je suis revenue avec Brandon Leeman de ma première tournée des casinos du *Strip*. Je tombais de fatigue, mais avant d'aller au lit j'ai dû poser devant un appareil photo parce que j'avais besoin d'une photo pour ma nouvelle identité. Leeman avait deviné que je ne m'appelais pas Sarah Laredo, mais il se fichait pas mal de mon vrai nom. Enfin j'ai pu aller dans ma chambre, où je me suis couchée sur le lit sans draps, tout habillée et avec mes chaussures, écœurée par ce matelas que j'imaginais utilisé par des gens d'une hygiène douteuse. Je ne me suis réveillée qu'à dix heures. Le cabinet de toilette était aussi répugnant que le lit, mais je me suis tout de même douchée, en grelottant, parce qu'il n'y avait pas d'eau chaude et que la clim soufflait une bourrasque sibérienne. Je me suis habillée avec les mêmes vêtements que la veille, pensant que je devais trouver un endroit où laver les quelques affaires que j'avais dans mon sac, puis je me suis glissée à travers le trou dans l'autre appartement, le « bureau », où il n'y avait apparemment personne. Il était dans la pénombre, un rai de lumière filtrait entre les planches de la fenêtre, mais j'ai trouvé un interrupteur et allumé les petites ampoules du plafond. Dans le réfrigérateur, il n'y avait que des petits paquets fermés par du ruban adhésif, un flacon de ketchup à moitié vide et plusieurs yaourts périmés, couverts de poils verdâtres. J'ai parcouru les autres pièces, plus sales que celles de l'autre appartement, sans oser toucher quoi que ce soit, découvrant des flacons ouverts, des seringues, des aiguilles, des élastiques, des pipes, des tubes de verre brûlés, des traces de sang. Alors j'ai compris l'usage des chalumeaux au butane de la cuisine : j'étais bien dans un repaire de drogués et de trafiquants. Le plus prudent était de sortir de là au plus vite.

La porte métallique n'avait pas de clé, et dans le couloir il n'y avait personne non plus ; j'étais seule à l'étage, mais je ne pouvais sortir parce que la grille électrique de l'escalier était fermée. J'ai de nouveau examiné l'appartement dans tous les coins, jurant nerveusement, sans trouver la commande à distance de la grille ni un téléphone pour appeler du secours. J'ai commencé à tirer désespérément sur les planches d'une fenêtre, essayant de me rappeler à quel étage je me trouvais, mais elles étaient solidement clouées et je n'ai pas réussi à en détacher une seule. J'allais me mettre à crier quand j'ai entendu des voix et le grincement de la grille électrique dans l'escalier ; un instant plus tard Brandon Leeman est entré accompagné de ses deux associés et du petit Freddy. « Tu aimes la nourriture chinoise ? » m'a demandé Leeman en guise de salut. Je n'ai pas pu prononcer un mot à cause de la panique, mais seul Freddy s'est rendu compte de mon agitation. « Moi non plus j'aime pas qu'on me laisse enfermé », m'a-t-il dit avec un clin d'œil amical.

Brandon Leeman m'a expliqué que c'était une mesure de sécurité, personne ne devait entrer dans l'appartement en son absence, mais si je restais j'aurais ma propre commande à distance.

Les gardes du corps – ou associés comme ils préféraient qu'on les appelle – et le garçon se sont installés devant la télé pour manger directement dans les cartons avec des baguettes. Brandon Leeman s'est enfermé dans l'une des pièces pour parler un long moment à tue-tête dans son portable, puis il a annoncé qu'il allait se reposer et a disparu par le trou dans l'autre appartement. Bientôt Joe Martin et le Chinois sont partis, je suis restée seule avec Freddy et nous avons passé les heures les plus chaudes de l'après-midi à regarder la télévision et à jouer aux cartes. Freddy m'a fait une imitation parfaite de Michael Jackson, son idole.

Vers cinq heures, Brandon Leeman a réapparu et peu après le Philippin a apporté le permis de conduire d'une certaine Laura Barron, vingt-deux ans, de l'Arizona, avec ma photographie.

« Utilise-le tant que tu es ici, m'a dit Leeman.

— Qui est-ce ? ai-je demandé en examinant le permis.

— À partir de maintenant, Laura Barron, c'est toi.

— Oui, mais je ne peux rester à Las Vegas que jusqu'au mois d'août.

— Je sais. Tu ne le regretteras pas, Laura, c'est un bon boulot. Mais ça oui, personne ne doit savoir que tu es ici, ni ta famille ni tes amis. Personne. Tu comprends ?

— Oui.

— On va faire courir le bruit dans le quartier que tu es ma petite amie, ainsi on évite les problèmes. Personne n'osera t'embêter. »

Leeman a ordonné à ses associés d'acheter un matelas neuf et des draps pour mon lit, puis il m'a emmenée dans le luxueux salon de coiffure d'un club de gymnastique, où un homme portant des boucles d'oreilles et un pantalon couleur framboise a poussé des exclamations écœurées en voyant l'arc-en-ciel criard de mes cheveux ; il a diagnostiqué que la seule solution était de les couper et de les décolorer. Deux heures plus tard, le miroir m'a renvoyé l'image d'un hermaphrodite scandinave au cou trop long et aux oreilles de souris. Les produits chimiques de la décoloration avaient laissé mon cuir chevelu en feu. « Très élégant », a approuvé Brandon Leeman, et aussitôt il m'a emmenée en pèlerinage d'un *mall* à l'autre sur le Boulevard. Sa façon d'acheter était déconcertante : nous entrions dans une boutique, il me faisait essayer plusieurs vêtements et à la fin il n'en choisissait qu'un, payait avec des grosses coupures, gardait la monnaie, puis nous allions dans un autre magasin où il achetait le même article que celui qu'il m'avait fait essayer dans le précédent et que nous n'avions pas pris. Je lui ai demandé s'il ne serait pas plus simple d'acheter tout au même endroit, mais il ne m'a pas répondu.

Mon nouveau trousseau consistait en plusieurs ensembles de sport, rien de provocant ou de voyant, une robe noire toute simple, une paire de chaussures pour tous les jours et une autre dorée à talons, un peu de maquillage et deux grands sacs griffés dont la marque était bien visible et qui, d'après mes calculs, devaient coûter aussi cher que la Volkswagen de ma grand-mère. Leeman m'a inscrite dans son gymnase, celui où l'on m'avait fait une nouvelle coiffure, et il m'a conseillé de l'utiliser le plus souvent possible, vu que j'allais avoir beaucoup de temps libre dans la journée. Il payait en liquide avec des liasses de dollars attachées par des élastiques, mais personne ne trouvait cela étrange ; apparemment, les billets coulaient à flots dans cette ville. Je me suis rendu compte que Leeman payait toujours avec des billets de cent dollars, même si le prix de l'achat n'était que de dix, et je n'ai pas trouvé d'explication à cette excentricité.

Vers dix heures du soir j'ai fait ma première livraison. Ils m'ont laissée à l'hôtel Mandalay Bay. Suivant les instructions de Leeman, je me suis dirigée vers la piscine où un couple s'est approché de moi, m'identifiant grâce à la marque de mon sac ; c'était apparemment le signe de reconnaissance que Leeman leur avait communiqué. La femme, portant une longue robe de plage et un collier de perles de verre, ne m'a même pas regardée, mais l'homme, en pantalon gris, T-shirt blanc et sans chaussettes, m'a tendu la main. Nous avons bavardé une minute sur rien, je leur ai glissé le paquet en cachette, j'ai reçu deux billets de cent dollars pliés dans une brochure touristique et nous nous sommes séparés.

Dans le hall d'entrée, j'ai appelé un autre client par le téléphone interne de l'hôtel, je suis montée au dixième étage, suis passée devant un garde planté près de l'ascenseur qui ne m'a pas jeté un regard, et j'ai frappé à la bonne porte. Un homme d'une cinquantaine d'années, pieds nus et en peignoir de bain, m'a fait entrer, il a reçu le sachet, m'a payée et je me suis retirée en hâte. À la porte, j'ai croisé une vision des tropiques, une belle mulâtresse vêtue d'un corset en cuir, d'une jupe très courte et de talons aiguilles ; j'ai deviné que c'était une *escort girl*, comme on appelle aujourd'hui les prostituées de luxe. Nous nous sommes regardées de haut en bas, sans nous saluer.

Dans l'immense hall de l'hôtel, j'ai pris une profonde respiration, satisfaite de ma première mission, qui s'était révélée très facile. Leeman m'attendait dans la voiture, le Chinois au volant, pour me conduire dans d'autres hôtels. Avant minuit j'avais ramassé plus de quatre mille dollars pour mon nouveau patron.

À première vue, Brandon Leeman était différent des autres toxicomanes que j'ai connus au cours de ces mois, des gens détruits par la drogue : il avait un aspect normal, bien que fragile, mais en vivant avec lui j'ai compris combien, en réalité, il était malade. Il mangeait moins qu'un moineau, ne gardait presque rien dans l'estomac et restait parfois tellement inerte sur son lit qu'on ne savait s'il dormait, s'il était évanoui ou agonisait. Il dégageait une odeur particulière, mélange de cigarette, d'alcool et de quelque chose de toxique, comme du fertilisant. Son esprit lui faisait défaut et il le savait ; c'est pour cette raison qu'il me gardait à ses côtés, il disait qu'il faisait plus confiance à ma mémoire qu'à la sienne. C'était un animal nocturne, il passait les heures de la journée à se reposer dans l'air conditionné de sa chambre, le soir il allait au gymnase pour se faire masser, prendre un sauna ou un bain de vapeur, et la nuit il se consacrait à ses affaires. Nous nous voyions au gymnase, mais nous n'arrivions jamais ensemble et la consigne était de faire comme si nous ne nous connaissions pas ; je n'avais le droit de parler à personne, chose assez difficile, car j'y allais chaque jour et voyais toujours les mêmes têtes.

Leeman était exigeant avec son poison, comme il disait : le bourbon le plus cher et l'héroïne la plus pure, qu'il s'injectait cinq ou six fois par jour, toujours avec des aiguilles neuves. Il disposait de la quantité qu'il voulait et avait ses habitudes ; il ne tombait jamais dans l'insupportable désespoir de l'abstinence, comme d'autres pauvres âmes qui se traînaient jusqu'à sa porte au dernier degré de la nécessité. J'assistais au rituel de la dame blanche, la cuillère, la flamme d'une bougie ou d'un briquet, la seringue, l'élastique au bras ou à la jambe, admirant son habileté à piquer les veines abîmées invisibles, y compris à l'aine, à l'estomac ou au cou. Lorsque sa main tremblait trop il faisait appel à Freddy, car j'étais incapable de l'aider, l'aiguille me faisait dresser les cheveux sur la tête. Leeman utilisait l'héroïne depuis si longtemps qu'il tolérait des doses qui auraient été mortelles pour n'importe quel autre individu.

« L'héroïne ne tue pas, ce qui tue les toxicos, c'est leur style de vie, la pauvreté, la dénutrition, les infections, la saleté, les aiguilles usées, m'a-t-il expliqué.

— Alors, pourquoi ne me laisses-tu pas essayer ?

— Parce qu'une junkie ne me servirait à rien.

— Juste une fois, pour savoir comment c'est...

— Non. Contente-toi de ce que je te donne. »

Il me donnait de l'alcool, de la marijuana, des hallucinogènes et des cachets, que j'avalais les yeux fermés, sans trop me préoccuper de l'effet pourvu qu'ils altèrent ma conscience et me permettent d'échapper à la réalité, à la voix de Nini qui m'appelait, à mon corps, à l'angoisse de l'avenir. Les seules pilules que je pouvais reconnaître étaient les somnifères à cause de leur couleur orange, ces capsules bénies venaient à bout de mon insomnie chronique et m'accordaient quelques heures de repos sans rêves. Le patron me permettait d'inhaler quelques lignes de cocaïne pour me donner de l'entrain et me tenir en alerte dans le travail, mais il m'interdisait le crack, qu'il ne tolérait pas non plus chez ses gardes du corps. Joe Martin et le Chinois avaient leurs propres addictions. «Ces cochonneries sont pour les vicieux», disait Leeman avec mépris, bien qu'ils fussent ses clients les plus loyaux, ceux qu'il pouvait pressurer à mort, obliger à voler et à se prostituer, n'importe quelle dégradation pour obtenir la prochaine dose. Je ne sais plus combien de ces zombies nous entouraient, des squelettes couverts de morve et d'ulcères, agités, tremblants, en sueur, prisonniers de leurs hallucinations, des somnambules poursuivis par des voix et des bestioles qui les pénétraient par tous les orifices de leur corps.

Freddy passait par ces états, pauvre garçon ; le voir en crise me brisait le cœur. Je l'aidais parfois à approcher le chalumeau de la pipe et j'attendais, aussi anxieuse que lui, que le feu casse les cristaux jaunes avec un bruit sec, et que le petit nuage magique emplisse le tube de verre. En trente secondes Freddy planait dans un autre monde. Le plaisir, la magnificence et l'euphorie ne duraient que quelques heures, puis il agonisait de nouveau dans un abîme profond, absolu, dont il ne pouvait émerger qu'avec une autre dose. Chaque fois il lui en fallait plus pour se soutenir et Brandon Leeman, qui avait de l'affection pour lui, le lui donnait. «Pourquoi ne l'aidons-nous pas à se désintoxiquer ?» ai-je demandé un jour à Leeman. «Il est trop tard pour Freddy, le crack ne pardonne pas. C'est pour ça que j'ai dû licencier les filles qui ont travaillé pour moi avant toi», m'a-t-il répondu. J'ai compris qu'il les avait congédiées. Je ne savais pas que dans ce milieu, «licencier» a le plus souvent un sens irrévocable.

Il m'était impossible d'échapper à la vigilance de Joe Martin et du Chinois, qui étaient chargés de m'espionner et le faisaient consciencieusement. Le Chinois, une fouine furtive, ne m'adressait pas la parole et ne me regardait jamais en face, mais Joe Martin, lui, ne cachait pas ses intentions. «Prêtez-moi la fille pour une pipe, patron», l'ai-je entendu dire un jour à Brandon Leeman. «Si je ne savais pas que tu plaisantes, je te tuerais ici même pour ton insolence», a calmement répliqué celui-ci. J'en ai déduit que tant que Leeman serait le patron, ces deux crétins n'oseraient pas me toucher.

Les activités auxquelles s'adonnait cette bande n'étaient pas un mystère; contrairement à Joe Martin et au Chinois, qui selon Freddy avaient déjà tué plusieurs personnes, je ne considérais pas Brandon Leeman comme un criminel. Lui aussi était probablement un assassin, mais il n'en avait pas l'aspect. De toute façon, mieux valait ne pas le savoir, de même qu'il préférait ne rien savoir sur moi. Pour le patron, Laura Barron n'avait ni passé ni futur et ses sentiments lui importaient peu, tout ce qui comptait, c'était qu'elle lui obéît. Il me confiait certaines choses sur ses affaires, qu'il craignait d'oublier et qu'il aurait été imprudent de noter, pour que je les mémorise : l'argent qu'on lui devait et qui le lui devait, où récupérer un paquet, combien il fallait verser aux policiers, quels étaient les ordres du jour pour la bande.

Le patron était frugal, il vivait comme un moine, mais il était généreux à mon égard. Il ne m'avait assigné ni salaire fixe ni commission, mais il me payait de son rouleau inépuisable sans tenir les comptes, comme des pourboires, et il réglait directement le club et mes achats. Si je voulais plus d'argent, il m'en donnait sans dire un mot, mais très vite j'ai arrêté de lui en demander, parce que je n'avais besoin de rien et qu'en plus toutes les choses qui avaient un peu de valeur disparaissaient de l'appartement. Nous dormions séparés par un étroit couloir, qu'il n'a jamais fait mine de traverser. Pour des raisons de sécurité, il m'avait interdit d'avoir des relations avec d'autres hommes. Il disait qu'au lit la langue se délie.

À seize ans, outre le désastre avec Rick Laredo, j'avais eu quelques expériences avec des garçons qui m'avaient déçue et aigrie. La pornographie d'Internet, à laquelle tout le monde avait accès à Berkeley High, n'apprenait rien aux garçons, qui étaient d'une maladresse cocasse ; ils célébraient la promiscuité comme s'ils l'avaient inventée, le terme à la mode étant « amitié avec bénéfices », mais il était clair à mes yeux que les bénéfices ne revenaient qu'à eux. À l'académie de l'Oregon, où l'ambiance était saturée d'hormones juvéniles – nous disions que la testostérone dégoulinait sur les murs –, nous étions soumis à une étroite cohabitation et à une chasteté forcée. Cette combinaison explosive apportait un matériel inépuisable aux thérapeutes lors des sessions de groupe. Cet « accord » concernant le sexe, qui pour d'autres était pire que l'abstinence des drogues, ne me posait aucun problème, car à part Steve, le psychologue qui ne se prêtait pas aux tentatives de séduction, l'élément masculin était déplorable. À Las Vegas, je ne me suis pas rebellée contre la restriction imposée par Leeman, parce que la nuit funeste avec Fedgewick était encore trop vive dans mon esprit. Je refusais qu'on me touche.

Brandon Leeman affirmait qu'il pouvait satisfaire n'importe quel caprice de ses clients, qu'il s'agisse d'un tout jeune enfant pour un pervers ou d'un revolver automatique pour un terroriste, mais c'était pure vantardise : je n'ai jamais rien vu de tel ; uniquement du trafic de drogue et de la revente d'objets volés, des négoces de fourmi comparés à d'autres qui se pratiquaient impunément dans la ville. Dans l'appartement passaient des prostituées d'apparences diverses en quête de drogues, certaines de luxe, comme l'indiquait leur allure, d'autres au dernier stade de la misère ; certaines payaient en liquide, pour d'autres on notait le crédit et parfois, quand le patron était absent, Joe Martin et le Chinois se faisaient payer en nature. Brandon Leeman arrondissait ses revenus avec des voitures volées par une bande de mineurs qui se shootaient au crack. Il les recyclait dans un garage clandestin, changeait le numéro d'immatriculation et les vendait dans d'autres États, ce qui lui permettait aussi d'en changer toutes les deux ou trois semaines, évitant ainsi d'être identifié. Tout contribuait à faire grossir sa liasse magique de billets.

« Avec ta poule aux œufs d'or, tu pourrais avoir un *penthouse* au lieu de cette porcherie, un avion, un yacht, ce que tu voudrais... lui ai-je reproché lorsque la tuyauterie a explosé dans un jet d'eau fétide et qu'il nous a fallu utiliser les toilettes du gymnase.

— Tu veux un yacht au Nevada ? m'a-t-il demandé, surpris.

— Non ! Tout ce que je demande ce sont des toilettes décentes ! Pourquoi on ne change pas d'immeuble ?

— Celui-ci me convient.

— Alors fais venir un plombier, bon sang. Et tant que tu y es, tu pourrais embaucher quelqu'un pour le ménage. »

Il a éclaté de rire. L'idée qu'une émigrante clandestine fasse le ménage dans un réduit de délinquants et de drogués lui a paru désopilante. En fait, le nettoyage revenait à Freddy, en échange de son hébergement, mais le gamin se contentait de sortir la poubelle et de se débarrasser des preuves en les brûlant dans un bidon d'essence dans la cour. Bien que je n'aie aucune vocation pour les tâches domestiques, je devais parfois enfiler des gants en caoutchouc et utiliser du détergent, il n'y avait pas d'autre solution si je voulais vivre là, mais il était impossible de combattre le délabrement et la saleté qui envahissaient tout, telle une inexorable pestilence. J'étais la seule que cela dérangeait, les autres ne le voyaient pas. Pour Brandon Leeman, ces appartements étaient un arrangement temporaire, il allait changer de vie dès que se concrétiserait une mystérieuse affaire à laquelle il était en train de mettre la dernière main avec son frère.

Mon patron, comme il aimait qu'on l'appelle, devait beaucoup à son frère, Adam, d'après ce qu'il m'a expliqué. Sa famille était de Géorgie. Leur mère les avait abandonnés quand ils étaient petits, leur père était mort en prison, sans doute assassiné, bien que la version officielle eût été le suicide, et son frère aîné s'était occupé de lui. Adam n'avait jamais eu un travail honnête, mais il n'avait pas eu non plus de problèmes avec la justice, contrairement à son cadet qui à treize ans était déjà fiché comme délinquant. «Nous avons dû nous séparer pour que je ne fasse pas de tort à Adam avec mes problèmes», m'a avoué Brandon. D'un commun accord ils avaient décidé que le Nevada était l'endroit idéal pour lui, avec plus de cent quatre-vingts casinos ouverts jour et nuit, de l'argent en liquide passant de main en main à une vitesse vertigineuse et un bon nombre de policiers corrompus.

Adam avait remis à son frère un tas de cartes d'identité et de passeports portant différents noms, qui pourraient lui être d'une grande utilité, et de l'argent pour commencer à opérer. Aucun des deux n'utilisait de cartes de crédit. Dans un rare moment de confidence, Brandon Leeman m'a raconté qu'il ne s'était jamais marié, que son frère était son seul ami et son neveu, le fils d'Adam, sa seule faiblesse sentimentale. Il m'a montré une photo de famille sur laquelle apparaissaient le frère, robuste et bien bâti, très différent de lui, la belle-sœur dodue et le neveu, un angelot prénommé Hank. Je l'ai accompagné plusieurs fois pour choisir des jouets électroniques à l'intention de l'enfant, très chers et peu appropriés pour un petit de deux ans.

La drogue n'était qu'un amusement pour les touristes qui venaient passer un week-end à Las Vegas afin d'échapper à l'ennui et de tenter leur chance dans les casinos, mais c'était la seule consolation de prostituées, de vagabonds, de mendiants, de voleurs, de voyous et autres malheureux qui circulaient dans l'immeuble de Leeman, prêts à vendre leur dernière lueur d'humanité pour une dose. Ils arrivaient parfois sans un centime et suppliaient jusqu'à ce qu'il leur donne quelque chose, par charité ou pour les garder accros. D'autres étaient déjà aux portes de la mort et il ne valait pas la peine de les secourir, ils vomissaient du sang, avaient des convulsions, perdaient connaissance. Ceux-là, Leeman les faisait jeter dehors. Certains étaient inoubliables, comme un jeune de l'Indiana qui avait survécu à une explosion en Afghanistan et avait atterri à Las Vegas sans se souvenir seulement de son nom. « Tu perds les jambes et on te donne une médaille, tu perds la tête et on te donne rien », répétait-il comme une prière entre deux inhalations de crack ; ou Margaret, une fille de mon âge, mais le corps usé, qui m'a volé l'un des sacs de marque. Freddy l'a vue et nous avons pu le lui reprendre avant qu'elle le vende, sinon Brandon Leeman le lui aurait fait payer très cher. Un jour Margaret est arrivée à l'appartement en proie à des hallucinations et elle n'a trouvé personne pour lui porter secours, elle s'est tranché les veines avec un morceau de verre. Freddy l'a trouvée au milieu du couloir dans une flaque de sang et il s'est débrouillé pour la porter dehors, l'abandonner à une rue de là et appeler les secours par téléphone. Quand l'ambulance l'a ramassée elle était toujours en vie, mais nous n'avons pas su ce qu'elle était devenue et ne l'avons jamais revue.

Et comment pourrais-je oublier Freddy ? Je lui dois la vie. J'éprouvais l'affection d'une sœur pour ce garçon incapable de rester en place, maigre, fluet, aux yeux vitreux, au nez sale, dur à l'extérieur, doux à l'intérieur, qui pouvait encore rire et se blottir contre moi pour regarder la télévision. Je lui donnais des vitamines et du calcium pour qu'il grandisse, et j'ai acheté deux marmites et un livre de recettes pour inaugurer la cuisine, mais mes plats allaient directement à la poubelle ; Freddy avalait deux bouchées et perdait l'appétit. De temps en temps il tombait gravement malade et ne pouvait bouger de son matelas, d'autres fois il disparaissait plusieurs jours sans donner d'explications. Brandon Leeman lui fournissait des drogues, de l'alcool, des cigarettes, tout ce qu'il lui demandait. « Tu ne vois pas que tu es en train de le tuer ? » lui reprochais-je. « Je suis déjà mort, Laura, ne t'inquiète pas », nous interrompait Freddy avec bonne humeur. Il consommait toutes les substances toxiques existantes ; les immondices qu'il pouvait avaler, fumer, sniffer ou s'injecter ! Il était vraiment à moitié mort, mais il avait la musique dans le sang et pouvait tirer un rythme d'une canette de bière ou improviser des romans-fleuves en rap rimé ; son rêve était d'être découvert et de se lancer dans une carrière de star, comme Michael Jackson. « Nous allons partir ensemble pour la Californie, Freddy. Là-bas tu commenceras une nouvelle vie. Mike O'Kelly va t'aider, il a sauvé des centaines de jeunes, certains bien plus mal en point que toi ; mais si tu les voyais maintenant, tu ne le croirais pas. Ma grand-mère aussi t'aidera, elle sait comment s'y prendre. Tu vivras avec nous, qu'est-ce que tu en penses ? »

Un soir, dans l'un des salons immenses du Caesar's Palace avec ses statues et ses fontaines romaines, où j'attendais un client, je suis tombée nez à nez avec l'inspecteur Arana. J'ai essayé de m'éclipser, mais il m'avait vue et s'est approché de moi en souriant, main tendue, me demandant comment allait mon oncle. « Mon oncle ? » ai-je répété déconcertée, et alors je me suis souvenue que la première fois que nous nous étions vus, dans un McDonald's, Brandon Leeman m'avait présentée comme sa nièce de l'Arizona. Inquiète, parce que j'avais la marchandise dans mon sac, j'ai commencé à balbutier des explications qu'il ne m'avait pas demandées.

« Je ne suis ici que pour l'été, je vais bientôt partir pour entrer à l'université.

— Laquelle ? m'a demandé Arana en s'asseyant à côté de moi.

— Je ne sais pas encore…

— Tu sembles être une fille sérieuse, ton oncle doit être fier de toi. Pardon, je ne me souviens pas de ton nom…

— Laura. Laura Barron.

— Je suis heureux que tu ailles étudier, Laura. Dans mon travail, je vois des cas tragiques de jeunes qui ont du potentiel et s'égarent. Tu veux prendre quelque chose ? » Et avant que je puisse refuser il a commandé un cocktail de fruits à une serveuse vêtue d'une tunique romaine. « Je regrette, je ne peux t'accompagner avec une bière, comme je le voudrais, je suis en service.

— Dans cet hôtel ?

— Il fait partie de la ronde que je dois effectuer. »

Il m'a raconté que le Caesar's Palace avait cinq tours, trois mille trois cent quarante-huit chambres, certaines de près de cent mètres carrés, neuf restaurants de luxe, un centre commercial avec les magasins les plus raffinés du monde, un théâtre qui imitait le Colisée romain et comptait quatre mille deux cent quatre-vingt-seize fauteuils, où jouaient des célébrités. Est-ce que j'avais vu le Cirque du Soleil ? Non ? Je devais demander à mon oncle de m'y emmener, ses spectacles étaient ce qu'il y avait de mieux à Las Vegas. Bientôt est arrivée la fausse vestale romaine avec un liquide verdâtre et un verre couronné d'ananas. Je comptais les minutes, car

Joe Martin et le Chinois m'attendaient dehors, montre en main, et à l'intérieur mon client devait se promener entre colonnes et miroirs sans se douter que son contact était cette fille qui bavardait aimablement avec un policier en uniforme. Que savait Arana des activités de Brandon Leeman ?

J'ai bu le jus de fruits, trop sucré, et j'ai pris congé avec tant de hâte que cela a dû lui paraître suspect. L'inspecteur m'était sympathique, il regardait droit dans les yeux avec une expression affable, serrait la main avec fermeté et avait une attitude décontractée. Si on le regardait bien il était séduisant, malgré quelques kilos en trop ; ses dents blanches contrastaient avec sa peau bronzée, et quand il souriait ses yeux formaient deux petites fentes.

La personne la plus proche de Manuel est Blanca Schnake, mais cela ne veut pas dire grand-chose, lui n'a besoin de personne, pas même de Blanca Schnake, et il pourrait passer le reste de sa vie sans ouvrir la bouche. L'effort d'entretenir leur amitié n'incombe qu'à elle. C'est elle qui l'invite à dîner, ou alors elle arrive à l'improviste avec un plat et une bouteille de vin ; c'est elle qui l'oblige à aller à Castro voir son père, le Millalobo, qui se vexe si on ne lui rend pas visite de façon régulière ; c'est elle qui s'occupe des vêtements, de la santé et du bien-être domestique de Manuel, comme une maîtresse de maison. Moi, je suis une intruse qui est venue ruiner leur intimité ; avant mon arrivée ils pouvaient être seuls, mais à présent ils m'ont constamment entre eux. Ces Chiliens sont vraiment tolérants, aucun d'eux n'a montré des signes d'agacement concernant ma présence.

Il y a quelques jours nous avons dîné chez Blanca, comme nous le faisons souvent, parce que sa maison est beaucoup plus accueillante que la nôtre. Blanca avait mis la table avec sa plus belle nappe, des serviettes en lin amidonnées, des bougies et une corbeille contenant le pain au romarin que je lui avais apporté ; une table simple et raffinée, comme tout ce qui l'entoure. Manuel est incapable d'apprécier ces détails, qui moi me laissent bouche bée, car avant de connaître cette femme je pensais que la décoration intérieure n'était que pour les hôtels et les revues. La maison de mes grands-parents ressemblait à un marché aux puces, avec son abondance de meubles et d'objets horribles entassés sans autre critère que l'utilité ou la paresse de les jeter à la poubelle. Avec Blanca, qui sait créer une œuvre d'art avec trois hortensias bleus dans un vase en verre rempli de citrons, peu à peu mon goût s'affine. Pendant qu'ils préparaient une soupe aux fruits de mer, je suis allée dans le jardin ramasser des laitues et du basilic, avant que la lumière baisse, car la nuit tombe plus tôt maintenant. Dans quelques mètres carrés, Blanca a planté des arbres fruitiers et une grande variété de végétaux dont elle s'occupe elle-même ; on la voit toujours avec un chapeau de paille et des gants, en train de travailler dans son jardin. Dès que le printemps s'annoncera, je lui demanderai de m'aider à cultiver le terrain de Manuel, où il n'y a que des mauvaises herbes et des pierres.

À l'heure du dessert nous avons parlé de magie – le livre de Manuel est pour moi une véritable obsession – et de phénomènes surnaturels, sur lesquels je serais une autorité si j'avais prêté plus d'attention à ma grand-mère. Je leur ai raconté que j'avais grandi avec mon grand-père, un astronome rationaliste et agnostique, et ma grand-mère, entichée du tarot, aspirante astrologue, lectrice de l'aura et de l'énergie, interprète des rêves, collectionneuse d'amulettes, de cristaux et de pierres sacrées, sans oublier l'amie des esprits qui l'entourent.

« Ma grand-mère ne s'ennuie jamais, elle passe son temps à protester contre le gouvernement et à communiquer avec les morts, leur ai-je commenté.

— Quels morts ? m'a demandé Manuel.

— Mon Popo et d'autres, comme saint Antoine de Padoue, un saint qui trouve des objets perdus et des fiancés pour les célibataires.

— Il manque un fiancé à ta grand-mère, m'a-t-il répondu.

— Quelle idée tu as ! Elle est presque aussi vieille que toi.

— Ne m'as-tu pas dit que j'ai besoin de trouver l'amour ? Si tu penses que j'ai l'âge de tomber amoureux, à plus forte raison Nidia, qui a quelques années de moins que moi.

— Tu t'intéresses à ma Nini ! » me suis-je exclamée en pensant que nous pourrions vivre ensemble tous les trois ; pendant un instant j'ai oublié que sa fiancée idéale serait Blanca.

« Voilà une conclusion rapide, Maya.

— Tu devrais la prendre à Mike O'Kelly, l'ai-je informé. Il est invalide et irlandais, mais plutôt beau garçon et célèbre.

— Alors il a plus à lui offrir que moi. » Et il s'est mis à rire.

« Et toi, tante Blanca, tu crois à ces choses-là ? lui ai-je demandé.

— Je suis très pragmatique, Maya. S'il s'agit de soigner une verrue, je vais chez le dermatologue et en plus, au cas où, j'attache un cheveu à mon petit doigt et j'urine derrière un chêne.

— Manuel m'a dit que tu étais une sorcière.

— C'est vrai. Je vais rejoindre d'autres sorcières les nuits de pleine lune. Tu veux venir ? Nous nous réunissons mercredi prochain. Nous pourrions aller ensemble à Castro passer deux jours chez mon père, et je t'emmènerais à notre sabbat.

— Un sabbat ? Je n'ai pas de balai !

— À ta place j'accepterais, Maya, nous a interrompues Manuel. Cette occasion ne se présentera pas à toi deux fois. Blanca ne m'a jamais invité.

— C'est un cercle féminin, Manuel. Tu te noierais dans les œstrogènes.

— Vous me faites marcher...

— Je suis sérieuse, *gringuita*. Mais ce n'est pas ce que tu crois, rien qui ressemble à la sorcellerie du livre de Manuel, pas question de gilets en peau de mort ou d'*invuches*. Notre groupe est très fermé, comme il doit l'être pour que nous nous sentions en pleine confiance. Nous n'acceptons pas d'invités, mais avec toi nous ferions une exception.

— Pourquoi ?

— Il me semble que tu es bien seule et que tu as besoin d'amies. »

Quelques jours plus tard j'ai accompagné Blanca à Castro. Nous sommes arrivées chez le Millalobo à l'heure sacrée du thé, que les Chiliens ont copiée sur les Anglais. Blanca et son père ont une routine invariable, une vraie scène de comédie ; d'abord ils s'embrassent avec effusion, comme s'ils ne s'étaient pas vus la semaine précédente et pas parlé tous les jours au téléphone ; aussitôt après elle passe à l'attaque : « Vous êtes de plus en plus gros, et jusqu'à quand allez-vous continuer à fumer et à boire, papa, vous allez tomber raide d'un moment à l'autre. » Il lui répond par des commentaires sur les femmes qui gardent leurs cheveux blancs et s'habillent comme des prolétaires roumaines ; ensuite ils se mettent au courant des potins et rumeurs qui circulent ; puis elle lui demande de lui prêter de l'argent et il pousse de hauts cris, affirmant qu'on le ruine, qu'il finira nu comme un ver et devra se déclarer en faillite, ce qui donne lieu à cinq minutes de négociations, et enfin ils scellent l'accord avec d'autres baisers. J'en suis alors à ma quatrième tasse de thé.

À la tombée de la nuit, le Millalobo nous a prêté sa voiture et Blanca m'a emmenée à la réunion. Nous sommes passées devant la cathédrale à deux tours qui est recouverte de plaques métalliques, sur la place dont tous les bancs étaient occupés par des couples d'amoureux, nous avons laissé derrière nous la partie ancienne de la ville et les nouveaux quartiers aux vilaines maisons en béton pour emprunter un sentier sinueux et solitaire. Peu après, Blanca s'est arrêtée dans une cour où d'autres voitures étaient déjà garées et nous avons avancé vers la maison par une trace à peine visible, en nous éclairant avec sa lampe torche. À l'intérieur se trouvait un groupe de dix jeunes femmes, vêtues dans le style artisanal que porte Nini : tuniques, jupes longues ou pantalons larges en coton et ponchos, car il faisait froid. Elles m'attendaient et m'ont reçue avec cette affection spontanée des Chiliens, qui au début, lorsque je suis arrivée dans ce pays, me choquait et qui maintenant m'enchante. La maison était meublée sans prétention, il y avait un vieux chien couché sur le canapé et des jouets éparpillés sur le sol. L'hôtesse m'a expliqué que les nuits de pleine lune ses enfants allaient dormir chez leur grand-mère et que son mari en profitait pour jouer au poker avec ses copains.

Éclairées par des lampions de paraffine, nous sommes sorties par la cuisine vers une grande cour à l'arrière, où les légumes d'un potager étaient plantés dans des caisses ; il y avait aussi un poulailler, deux balançoires, une grande tente de camping et quelque chose qui à première vue ressemblait à un monticule de terre couvert d'une bâche réchappée, mais du centre sortait une fine colonne de fumée. « C'est la *ruca* », m'a dit la maîtresse de maison. Elle avait la forme ronde d'un igloo ou d'une *kiva* et seul son toit dépassait à la surface ; le reste était sous terre. Cette sorte de hutte avait été construite par les compagnons de ces femmes qui participaient parfois aux réunions, mais en ces occasions ils se rassemblaient tous sous la tente, car la *ruca* était un sanctuaire féminin. Imitant les autres, je me suis déshabillée ; certaines se sont complètement dénudées, d'autres ont gardé leur culotte. Blanca a brûlé une poignée de sauge afin de nous « purifier » avec la fumée odorante au fur et à mesure que nous entrions à quatre pattes par l'étroit tunnel.

À l'intérieur, la hutte était une coupole ronde d'environ quatre mètres de diamètre sur un mètre soixante-dix de hauteur dans sa partie la plus élevée. Au milieu brûlait un grand feu de bois et de pierres, la fumée sortait par l'unique ouverture du toit, au-dessus du foyer, et le long de la paroi s'étendait une plateforme couverte de plaids en laine où nous nous sommes assises en cercle. La chaleur était intense, mais supportable, l'air avait une odeur organique de champignons ou de levure et le peu de lumière provenait du feu. Nous disposions de quelques fruits – des abricots, des amandes, des figues – et de deux pichets de thé froid.

Ce groupe de femmes, un harem d'odalisques, offrait une vision des *Mille et une nuits*. Dans la pénombre de la hutte, on aurait dit des madones de la Renaissance, avec leurs lourdes chevelures, à l'aise dans leur corps, alanguies, abandonnées. Au Chili les classes sociales divisent les gens, comme les castes en Inde ou les races aux États-Unis, et je n'ai pas l'œil assez exercé pour les distinguer, mais ces femmes d'aspect européen devaient être d'une classe différente de celle des Chilotes aux traits indigènes que j'ai connues, qui sont en général épaisses, petites, usées par le travail et les peines. L'une d'elles était enceinte de sept ou huit mois, à en juger par la taille de son ventre, et une autre avait accouché peu auparavant, elle avait les seins gonflés et des aréoles violettes autour des mamelons. Blanca avait dénoué son chignon et ses cheveux bouclés, semblables à de l'écume, lui arrivaient aux épaules. Elle exhibait son corps de femme mûre avec le naturel de celle qui a toujours été belle, bien qu'elle n'ait pas de seins et qu'une balafre de pirate lui traverse la poitrine.

Blanca a fait tinter une clochette, il y a eu deux minutes de silence pour se recueillir, et ensuite l'une d'elles a invoqué la Pachamama, la Terre-mère, dans le ventre de laquelle nous étions réunies. Les quatre heures qui ont suivi se sont écoulées sans que nous nous en apercevions, lentement, un grand coquillage de mer passant de main en main pour nous donner la parole ; tout en buvant du thé et grignotant des fruits, nous racontions à tour de rôle ce qui se passait à ce moment dans notre vie et les douleurs charriées du passé, écoutant avec respect, sans poser de question ni donner un avis. La plupart d'entre elles venaient d'autres villes du pays, certaines pour leur travail, d'autres pour accompagner leur mari. Deux des femmes étaient des « guérisseuses » qui soignaient en utilisant diverses méthodes : les plantes, les essences aromatiques, la réflexologie, les aimants, la lumière, l'homéopathie, le mouvement de l'énergie et d'autres formes de médecine alternative, très populaires au Chili. Ici on n'a recours aux remèdes de la pharmacie que lorsque les autres n'ont pas donné de résultats. Elles ont partagé leurs histoires sans pudeur, l'une était anéantie parce qu'elle avait surpris son mari en train de faire l'amour avec sa meilleure amie, une autre ne se décidait pas à quitter un homme qui abusait d'elle, qui la maltraitait émotionnellement et physiquement. Elles ont parlé de leurs rêves, de leurs maladies, de leurs peurs et de leurs espoirs, elles ont ri, quelques-unes ont pleuré et toutes ont applaudi Blanca, parce que les derniers examens confirmaient que son cancer était toujours en rémission. Une jeune femme qui venait de perdre sa mère a demandé que l'on chante pour son âme et une autre, de sa voix d'argent, a entonné une chanson que les autres ont reprise en chœur.

À minuit passé, Blanca a suggéré que nous terminions la réunion en honorant nos ancêtres, alors chacune a nommé quelqu'un – la mère récemment décédée, une grand-mère, une marraine – et décrit ce que cette personne lui avait transmis ; pour l'une c'était le talent artistique, pour une autre un livre de recettes de médecine naturelle, pour la troisième l'amour de la science, et ainsi toutes ont dit ce qu'elles avaient à dire. J'ai été la dernière et quand mon tour est venu j'ai appelé mon Popo, mais ma voix m'a trahie et je n'ai pu raconter à ces femmes qui il était. Ensuite il y a eu une méditation en silence, les yeux clos, pour penser à l'ancêtre que nous avions invoqué, le remercier de ses dons et lui dire au revoir. Nous en étions là lorsque je me suis souvenue de la phrase que mon Popo m'avait répétée pendant des années : « Promets-moi de t'aimer toujours autant que je t'aime. » Le message a été aussi clair que s'il me l'avait dit à haute voix. Je me suis mise à pleurer et j'ai continué à pleurer la mer de larmes que je n'avais pas versée lorsqu'il était mort.

À la fin a circulé entre elles un bol en bois et chacune a eu la possibilité de mettre dedans une petite pierre. Blanca les a comptées et il y en avait autant que de femmes dans la hutte ; c'était un vote et j'avais été acceptée à l'unanimité, seule façon d'appartenir au groupe. Elles m'ont félicitée et nous avons trinqué avec du thé.

Je suis revenue très fière dans notre île et j'ai informé Manuel Arias qu'à partir de maintenant il ne devait plus compter sur moi les nuits de pleine lune.

La nuit à Castro avec les bonnes sorcières m'a fait penser à mes expériences de l'année dernière. Ma vie est très différente de celle de ces femmes et je ne sais pas si dans l'intimité de la *ruca* je pourrai un jour leur raconter tout ce qui m'est arrivé, leur raconter la rage qui me consumait alors, ce que signifiait l'urgence de l'alcool et des drogues, mon incapacité de rester calme et silencieuse. À l'académie de l'Oregon on m'avait diagnostiqué une « déficience de l'attention », l'une de ces classifications qui ressemblent à des condamnations à perpétuité, mais cet état ne s'était jamais manifesté du vivant de mon Popo, pas plus que je n'en souffre aujourd'hui. Je peux décrire les symptômes de l'addiction, mais je ne peux évoquer sa brutale intensité. Où était mon âme en ce temps-là ? À Las Vegas il y a eu des arbres, du soleil, des parcs, le rire de Freddy le roi du rap, des glaces, les comédies à la télévision, des jeunes bronzés et de la limonade à la piscine du gymnase, de la musique et des lumières dans l'éternelle nuit du *Strip* ; il y a eu des moments agréables, entre autres un mariage d'amis de Leeman et un gâteau d'anniversaire pour Freddy, mais je ne me souviens que du plaisir éphémère de me shooter et du long enfer qu'était la recherche d'une autre dose. Le monde d'alors commence à devenir une tache sur ma mémoire, bien que quelques mois seulement aient passé depuis cette époque.

La cérémonie des femmes dans le ventre de la Pachamama m'a définitivement reliée à ce fantastique Chiloé et, de façon étrange, à mon propre corps. L'année dernière je menais une existence brisée, je pensais que ma vie était finie et mon corps irrémédiablement souillé. À présent je suis entière et je ressens pour mon corps un respect que je n'ai jamais eu auparavant, lorsque je passais mon temps à m'examiner dans le miroir pour compter mes défauts. Je m'aime telle que je suis, je ne veux rien changer. Dans cette île bénie, rien n'alimente mes mauvais souvenirs, mais je fais l'effort de les écrire dans ce cahier pour que ne m'arrive pas ce qui est arrivé à Manuel : il garde ses souvenirs enfermés dans une caverne et, dès qu'il a un moment d'inattention, ils l'assaillent la nuit comme des chiens enragés.

Aujourd'hui j'ai posé cinq fleurs du jardin de Blanca Schnake sur le bureau de Manuel, les dernières de la saison ; il ne saura pas les apprécier, mais moi elles m'ont donné un bonheur tranquille. Il est naturel de s'extasier devant la couleur lorsqu'on vient du gris. L'année dernière a été une année grise pour moi. Ce bouquet minuscule est parfait : un vase en verre, cinq fleurs, un insecte, la lumière de la fenêtre. Rien d'autre. J'ai du mal à me souvenir de l'obscurité d'autrefois, rien de plus normal. Que mon adolescence a été longue ! Un voyage souterrain.

Pour Brandon Leeman, mon apparence était une partie importante de son commerce : je devais paraître innocente, simple et fraîche, comme les superbes jeunes filles employées dans les casinos. Ainsi j'inspirais confiance et je me fondais dans le paysage. Il aimait mes cheveux blancs, très courts, qui me donnaient un air presque viril. Il me faisait porter une élégante montre d'homme avec un large bracelet en cuir pour cacher le tatouage de mon poignet, que j'avais refusé d'effacer au laser, comme il le voulait. Dans les boutiques, il me demandait de défiler avec les robes qu'il avait choisies et s'amusait de mes poses exagérées de mannequin. Je n'avais pas grossi, malgré la nourriture immonde qui était mon seul aliment, et le manque d'exercice ; je ne courais plus, comme je l'avais toujours fait, car je n'avais pas envie d'avoir Joe Martin ou le Chinois sur mes talons.

Deux ou trois fois, Brandon Leeman m'a emmenée dans une suite d'un hôtel du *Strip*, il a commandé du champagne, puis a voulu que je me déshabille lentement tandis qu'il flottait avec sa dame blanche et son verre de bourbon, sans me toucher. Au début je l'ai fait timidement, mais je me suis bientôt rendu compte que c'était comme me déshabiller seule devant le miroir, car pour mon patron l'érotisme se résumait à l'aiguille et au verre. Il me répétait que j'avais beaucoup de chance d'être avec lui, que d'autres filles étaient exploitées dans les salons de massages et les bordels, sans voir la lumière du jour, et battues. Est-ce que je savais combien de centaines de milliers d'esclaves sexuelles il y avait aux États-Unis ? Certaines venaient d'Asie ou des Balkans, mais beaucoup étaient des Américaines enlevées dans la rue, dans les stations de métro et les aéroports, ou des adolescentes en fugue. On les gardait enfermées et dopées, elles devaient satisfaire trente hommes ou davantage par jour, et si elles refusaient on leur appliquait l'électricité ; ces malheureuses étaient invisibles, jetables, elles ne valaient rien ; il y avait des endroits spécialisés dans le sadisme, où les clients pouvaient torturer les filles comme ils en avaient envie, les fouetter, les violer, et même les tuer s'ils payaient assez cher. La prostitution était très rentable pour les mafias, mais c'était un hachoir à viande pour les femmes, qui ne duraient pas longtemps et finissaient toujours mal. «Ça c'est pour les scélérats, Laura, et moi j'ai le cœur tendre, me disait-il. Conduis-toi bien, ne me trahis pas. Je serais désolé que tu te retrouves dans ce milieu.»

Plus tard, quand j'ai commencé à relier des faits apparemment sans rapport, cet aspect du négoce de Brandon Leeman m'a intriguée. Je ne l'ai pas vu mêlé à la prostitution, sauf pour vendre des drogues aux femmes qui lui en demandaient, mais il avait de mystérieux pourparlers avec des souteneurs, qui coïncidaient avec la disparition de certaines filles de sa clientèle. À plusieurs reprises je l'ai vu avec des filles très jeunes, des droguées de fraîche date qu'il attirait dans l'immeuble avec ses manières aimables ; il leur faisait goûter le meilleur de ses réserves, les fournissait à crédit pendant une semaine ou deux, mais ensuite elles ne revenaient plus, elles s'évaporaient. Freddy a confirmé mes soupçons qu'elles étaient vendues aux mafias ; ainsi Brandon Leeman recevait-il une part du gâteau sans trop se salir les mains.

Les règles du patron étaient simples, et tant que je remplissais ma part du contrat il remplissait la sienne. Sa première condition était que j'évite tout contact avec ma famille ou toute autre personne de ma vie passée, ce qui m'a été facile, car seule ma grand-mère me manquait, et comme j'avais l'intention de retourner bientôt en Californie, je pouvais attendre. Il ne me permettait pas non plus de nouer de nouvelles amitiés, car la moindre indiscrétion mettait en danger le fragile échafaudage de ses affaires, comme il le disait. Une fois, le Chinois lui a raconté qu'il m'avait vue bavarder avec une femme à la porte du gymnase. Leeman m'a attrapée par le cou, il m'a pliée jusqu'à me mettre à genoux avec une habileté inusitée, car j'étais plus grande et plus forte que lui. « Idiote ! Malheureuse ! » a-t-il dit, rouge de colère, en me flanquant une paire de gifles. Cela a été une sonnette d'alarme, mais je n'ai pas compris ce qui était arrivé ; c'était l'un de ces jours, de plus en plus fréquents, où mes pensées se délitaient.

Peu après il m'a ordonné de m'habiller élégamment parce que nous allions dîner dans un nouveau restaurant italien ; j'ai supposé que c'était sa façon de se faire pardonner. J'ai mis ma robe noire et mes sandales dorées, mais je n'ai pas essayé de dissimuler sous du maquillage ma lèvre fendue et les marques sur mes joues. Le restaurant était plus agréable que je ne m'y attendais : très moderne, verre, acier et miroirs noirs, pas de nappes à carreaux ni de serveurs déguisés en gondoliers. Nous n'avons presque rien mangé, mais nous avons bu deux bouteilles de Quintessa, vendange 2005, qui ont coûté une fortune et ont eu la vertu d'arrondir les angles. Leeman m'a expliqué qu'il subissait une grande pression, qu'une opportunité s'était présentée à lui dans une affaire extraordinaire, mais dangereuse. J'ai relié cela à un récent voyage de deux jours qu'il avait fait, sans dire où il allait ni se faire accompagner de ses associés.

« Maintenant plus que jamais une brèche dans la sécurité peut être fatale, Laura, m'a-t-il dit.

— Avec cette femme, au gymnase, j'ai parlé moins de cinq minutes à propos du cours de yoga, je ne sais même pas son nom, je te le jure, Brandon.

— Ne recommence plus. Pour cette fois, je passe l'éponge, mais toi, ne l'oublie pas. Tu m'as compris ? J'ai besoin d'avoir confiance en mes employés, Laura. Je m'entends bien avec toi, tu as de la classe, j'aime ça, et tu apprends vite. Nous pouvons faire beaucoup de choses ensemble.

— Comme quoi ?

— Je te le dirai en temps voulu. Pour l'instant tu es toujours à l'essai. »

242

Ce moment tant annoncé est venu en septembre. De juin à août je flottais encore dans une nébuleuse. L'eau n'arrivait pas aux robinets de l'appartement et le frigidaire était vide, mais la drogue coulait à flots. Je ne me rendais même pas compte de l'état de confusion dans lequel je me trouvais ; avaler deux ou trois cachets avec de la vodka ou allumer un joint de marijuana étaient devenus des gestes automatiques que mon esprit n'enregistrait pas. Mon niveau de consommation était infime comparé à celui de mon entourage, je le faisais pour m'amuser, je pouvais m'arrêter à tout moment, je n'avais pas d'addiction, c'est ce que je croyais.

Je me suis habituée à la sensation de flottement, à la brume qui obscurcissait mon esprit, à l'impossibilité d'aller au bout d'une pensée ou d'exprimer une idée, à voir se volatiliser les mots du vaste vocabulaire appris avec ma Nini. Dans mes rares éclairs de lucidité me revenait le projet de retourner en Californie, mais je me disais que j'avais le temps. Le temps. Où les heures se cachaient-elles ? Elles glissaient comme du sel entre mes doigts, je vivais au rythme de l'attente, mais il n'y avait rien à attendre, juste un autre jour identique au précédent, abrutie devant la télévision avec Freddy. Mon seul travail diurne consistait à peser des poudres et des cristaux, à compter des pastilles, à fermer des sachets en plastique. Ainsi a passé le mois d'août.

À la tombée de la nuit je me secouais avec quelques lignes de cocaïne et j'allais au gymnase me tremper dans la piscine. Je me regardais avec un esprit critique dans les rangées de miroirs du vestiaire, cherchant les signes de ma mauvaise vie, mais ils ne se voyaient pas ; personne ne pouvait soupçonner les bourrasques de mon passé ni les coups de hasard de mon présent.

J'avais l'air d'une étudiante, comme Brandon Leeman le souhaitait. Une autre ligne de cocaïne, des cachets, une tasse de café noir et j'étais prête pour mon travail nocturne. Peut-être Brandon Leeman avait-il d'autres livreurs dans la journée, mais je ne les ai jamais vus. Parfois il m'accompagnait, mais dès que j'ai appris la routine et qu'il m'a fait confiance il m'envoyait seule avec ses associés.

Le bruit, les lumières, les couleurs, la folie des hôtels et des casinos, la tension des joueurs aux machines à sous et aux tapis verts, le clic-clic des fiches, les coupes décorées d'orchidées et de parasols en papier, tout cela m'attirait. Mes clients, très différents de ceux de la rue, avaient l'impudence des personnes assurées de leur impunité. Les trafiquants non plus n'avaient rien à craindre, comme si dans cette ville existait un accord tacite pour violer la loi sans en payer les conséquences. Leeman était de connivence avec plusieurs policiers, qui recevaient leur part et le laissaient tranquille. Je ne les connaissais pas et Leeman ne m'a jamais dit leurs noms, mais je savais quand et combien il fallait les payer. «Ce sont des porcs odieux, des maudits, des insatiables, il faut s'en méfier, ils sont capables de tout, ils apportent des preuves pour impliquer des innocents, ils volent des bijoux et de l'argent dans les perquisitions, gardent la moitié des drogues et des armes qu'ils confisquent, se protègent les uns les autres. Ils sont corrompus, racistes, psychopathes. C'est eux qui devraient se trouver derrière les barreaux», me disait le patron. Les malheureux qui venaient chercher de la drogue à l'immeuble étaient prisonniers de leur addiction, des pauvres d'une pauvreté absolue, d'une solitude irrémédiable ; ceux-là survivaient exposés aux poursuites, battus, cachés dans leurs trous du sous-sol comme des taupes, exposés aux coups de griffe de la loi. Pour eux il n'y avait pas d'impunité, que de la souffrance.

J'avais plus d'argent, d'alcool et de pastilles qu'il ne m'en fallait, il suffisait de les demander, mais je n'avais rien d'autre, pas de famille, pas d'amis, pas d'amant, il n'y avait même pas de soleil dans ma vie, parce que je vivais la nuit, comme les rats.

Un jour Freddy a disparu de l'appartement de Brandon Leeman et nous n'avons eu aucune nouvelle de lui jusqu'au vendredi quand, par hasard, nous avons rencontré l'inspecteur Arana, que je n'avais vu qu'en de rares occasions, mais qui chaque fois m'adressait quelques mots aimables. La conversation est tombée sur Freddy et l'inspecteur nous a glissé en passant qu'on l'avait trouvé gravement blessé. Le roi du rap s'était aventuré en zone ennemie, une bande lui avait donné une raclée et, le croyant mort, l'avait jeté dans une poubelle. Arana a ajouté pour mon information que la ville était divisée en territoires contrôlés par différentes bandes et qu'un Latino comme Freddy, même s'il était mulâtre, ne pouvait pas entrer chez les Noirs. « Le gamin a plusieurs mandats d'arrêt contre lui, mais la prison lui serait fatale. Freddy a besoin d'aide », nous a dit Arana en prenant congé.

Il ne convenait pas à Brandon Leeman d'approcher Freddy, vu que la police l'avait dans le collimateur, mais il est venu avec moi lui rendre visite à l'hôpital. Nous sommes montés au cinquième étage et avons parcouru des couloirs éclairés par une lumière fluorescente à la recherche de sa chambre ; personne ne faisait attention à nous dans les allées et venues du personnel médical, des patients et des parents, mais Leeman avançait collé aux murs, regardant par-dessus son épaule, la main dans la poche où se trouvait son revolver. Freddy était dans une salle de quatre lits, tous occupés, immobilisé par des sangles et relié à plusieurs tuyaux ; il avait le visage déformé, des côtes cassées et une main écrasée, si bien qu'on avait dû l'amputer de deux doigts. Les coups de pied lui avaient éclaté un rein et dans la poche son urine avait la couleur de la rouille.

Le patron m'a permis de tenir compagnie au garçon autant d'heures que je voulais chaque jour, à condition d'accomplir mon travail de nuit. Au début, Freddy a été dopé à la morphine, puis on a commencé à lui donner de la méthadone, car dans son état il n'aurait jamais supporté le syndrome de l'abstinence, mais la méthadone n'était pas suffisante. Il était désespéré, on aurait dit un animal pris au piège se débattant entre les sangles du lit. Dans les moments d'inattention du personnel, je m'arrangeais pour lui injecter de l'héroïne dans le tube de sérum, comme me l'avait indiqué Brandon Leeman. « Si tu ne le fais pas, il mourra. Ce qu'on lui administre, c'est comme de l'eau pour Freddy », m'a-t-il dit.

À l'hôpital, j'ai fait la connaissance d'une infirmière noire de cinquante et quelques années, volumineuse, dotée d'une grosse voix gutturale qui contrastait avec la douceur de son caractère ; elle portait le magnifique nom d'Olympia Pettiford. C'est elle qui avait reçu Freddy quand on l'avait monté du bloc opératoire au cinquième étage. « Ça me fait de la peine de le voir aussi maigre et nécessiteux, ce garçon pourrait être mon petit-fils », m'a-t-elle dit. Je n'avais noué aucun lien d'amitié avec qui que ce soit depuis que j'étais arrivée à Las Vegas, à l'exception de Freddy qui avait alors un pied dans la tombe, et pour une fois j'ai désobéi aux ordres de Brandon Leeman ; j'avais besoin de parler à quelqu'un et cette femme était irrésistible. Olympia m'a demandé quelle était ma relation avec le patient, pour simplifier je lui ai répondu que j'étais sa sœur et elle ne s'est pas étonnée qu'une Blanche aux cheveux platinés, portant des vêtements de prix, fût parente d'un gamin de couleur, toxicomane et sans doute délinquant.

L'infirmière profitait de chaque instant de liberté pour venir s'asseoir à côté de l'enfant et prier. « Freddy doit accepter Jésus dans son cœur, Jésus le sauvera », m'a-t-elle assuré. Elle avait sa propre église dans la partie ouest de la ville et m'a invitée à ses offices nocturnes, mais je lui ai expliqué qu'à cette heure je travaillais et que mon patron était très sévère. « Alors viens le dimanche, fillette. Après le service, nous les Veuves de Jésus offrons le meilleur petit déjeuner du Nevada. » Les Veuves de Jésus formaient un groupe peu nombreux, mais très actif, la colonne vertébrale de leur église. Être veuve n'était pas une condition nécessaire pour en faire partie, il suffisait d'avoir perdu un amour dans le passé. « Moi, par exemple, je suis mariée actuellement, mais j'ai eu deux hommes qui sont partis et un troisième qui est mort, si bien que techniquement je suis veuve », m'a dit Olympia.

L'assistante sociale du Service de protection de l'enfance assignée à Freddy, une femme d'âge mûr, mal payée, avait sur son bureau plus de dossiers qu'elle ne pouvait en traiter, elle était épuisée et comptait les jours qui la séparaient de sa retraite. Les enfants ne passaient pas longtemps dans le Service, elle les plaçait dans un foyer temporaire et bientôt ils revenaient, de nouveau frappés ou violés. Elle est venue voir Freddy deux ou trois fois et est restée à bavarder avec Olympia, c'est ainsi que j'ai appris le passé de mon ami.

Freddy avait quatorze ans et non douze comme je le pensais, ni seize comme il le disait. Il était né dans le quartier latino de New York, de mère dominicaine et de père inconnu. Sa mère l'avait amené au Nevada dans la voiture déglinguée de son amant, un Indien paiute, alcoolique comme elle. Ils campaient ici ou là, se déplaçant quand ils avaient de l'essence, accumulant les contraventions et laissant une traînée de dettes. Tous deux avaient rapidement disparu du Nevada, mais quelqu'un avait trouvé Freddy, âgé de sept mois, abandonné dans une station-service, atteint de dénutrition et couvert d'ecchymoses. Il avait été élevé dans des foyers de l'État, passant de main en main ; il ne restait longtemps dans aucune maison, avait des troubles du comportement, mais il allait à l'école et était bon élève. À neuf ans, il avait été arrêté pour vol à main armée, était resté plusieurs mois dans une maison de correction, puis s'était évaporé, disparaissant du Service et de la police. L'assistante sociale devait vérifier comment et où Freddy avait passé les dernières années, mais il faisait semblant de dormir ou refusait de lui répondre, craignant qu'on le place dans un programme de réhabilitation. «Je survivrais pas un seul jour, Laura, t'as pas idée de ce que c'est. Tu parles d'une réhabilitation,

248

c'est de la répression, rien d'autre ! » Brandon Leeman était d'accord sur ce point et il a fait le nécessaire pour l'empêcher.

Quand on a enlevé les sondes au gamin, qu'il a pu manger des aliments solides et se lever, nous l'avons aidé à s'habiller, emmené vers l'ascenseur caché au milieu de la foule du cinquième étage à l'heure des visites, et de là, à pas de tortue, jusqu'à la porte de l'hôpital où Joe Martin nous attendait, le moteur allumé. Je pourrais jurer qu'Olympia Pettiford était dans le couloir, mais cette femme bienveillante a fait comme si elle ne nous voyait pas.

Un médecin qui fournissait Brandon Leeman en produits pharmaceutiques pour le marché noir venait voir Freddy à l'appartement et il m'a appris à changer le pansement de sa main, afin qu'elle ne s'infecte pas. J'ai pensé profiter de ce que l'enfant était sous ma coupe pour lui supprimer les drogues, mais je n'ai pas eu la force de le voir souffrir de façon aussi horrible. À la surprise du médecin, qui s'attendait à le voir prostré pendant deux ou trois mois, Freddy s'est remis rapidement et bientôt il dansait à nouveau comme Michael Jackson avec sa main en écharpe, mais il a continué à uriner du sang.

Joe Martin et le Chinois se sont chargés de la vengeance contre la bande ennemie, d'avis qu'ils ne pouvaient laisser passer pareille insulte.

La raclée qu'a reçue Freddy dans le quartier noir m'a beaucoup affectée. Dans l'univers désarticulé de Brandon Leeman, les gens passaient et disparaissaient sans laisser de souvenirs, les uns s'en allaient, d'autres finissaient en prison ou morts, mais Freddy n'était pas l'une de ces ombres anonymes, il était mon ami. Le voir à l'hôpital respirer avec difficulté, perclus de douleurs, inconscient par moments, me faisait monter les larmes aux yeux. Je suppose que je pleurais aussi sur moi-même. Je me sentais prise au piège et je ne pouvais plus continuer à me leurrer à propos de l'addiction, car pour passer la journée il me fallait de l'alcool, des cachets, de la marijuana, de la cocaïne et d'autres drogues. Le matin, quand je me réveillais avec l'épouvantable gueule de bois de la nuit, je me jurais de me désintoxiquer, mais une demi-heure ne s'était pas écoulée que je cédais à la tentation d'un verre. Juste un doigt de vodka pour apaiser mon mal de tête, me promettais-je. La migraine persistait et la bouteille était à portée de ma main.

Je ne pouvais pas me leurrer en me répétant que j'étais en vacances, que je passais le temps en atten-dant d'entrer à l'université : je me trouvais au milieu de criminels. À la moindre inattention, je pouvais mourir ou, comme Freddy, me retrouver branchée à une demi-douzaine de tubes et de tuyaux dans un hôpital. J'étais effrayée, même si je refusais de nommer la peur, ce félin blotti au creux de mon estomac. Une voix insistante me rappelait le danger : « Tu ne le vois donc pas ? Pourquoi ne t'échappes-tu pas avant qu'il soit trop tard ? Qu'est-ce que tu attends pour appe-ler ta famille ? » Mais une autre voix acrimonieuse me répondait que personne ne se préoccupait de mon sort ; si mon Popo avait été en vie il aurait remué ciel et terre pour me retrouver, mais mon père ne s'était pas donné cette peine. « Tu ne m'as pas appelée parce que tu n'avais pas encore assez souffert, Maya », m'a dit ma Nini quand nous nous sommes revues.

Nous avons eu le pire des étés du Nevada avec une chaleur de quarante degrés, mais comme je vivais dans l'air conditionné et me déplaçais la nuit, je n'en ai pas trop souffert. Ma routine était toujours la même, le travail continuait comme d'habitude. Je n'étais jamais seule, le gymnase était le seul endroit où les associés de Brandon Leeman me laissaient tranquille, car même s'ils n'entraient pas avec moi dans les hôtels et les casinos, ils m'attendaient dehors en comptant les minutes.

À cette époque, le patron traînait une bronchite persistante qu'il qualifiait d'allergie, et je me suis aperçue qu'il avait maigri. Depuis que je le connaissais, et cela faisait peu de temps, il s'était affaibli, la peau de ses bras pendait comme de l'étoffe chiffonnée et les tatouages avaient perdu leur dessin originel, on pouvait compter ses côtes et ses vertèbres, il avait les yeux cernés, le teint hâve et se sentait très fatigué. Joe Martin l'a remarqué avant tout le monde et il a commencé à se donner de grands airs, à discuter les ordres, tandis que le silencieux Chinois ne disait rien, mais secondait l'autre en trafiquant dans le dos du patron et en embrouillant les comptes. Ils le faisaient avec un tel aplomb que Freddy et moi en parlions entre nous. « Ne dis rien, Laura, car ils te le feront payer, ces types, ils pardonnent pas », m'a-t-il avertie.

Les gorilles ne faisaient pas attention devant Freddy, qu'ils considéraient comme inoffensif, un clown, un junky au cerveau ramolli ; mais son cerveau fonctionnait mieux que celui de tous les autres, il n'y avait aucun doute là-dessus. J'essayais de convaincre le garçon qu'il pouvait s'en sortir, aller à l'école, faire quelque chose de son avenir, mais il me répondait que l'école n'avait rien à lui apprendre, qu'il apprenait à l'université de la vie, et il répétait les formules lapidaires de Leeman : « C'est trop tard pour moi. »

Début octobre, Leeman est parti dans l'Utah en avion et il est revenu au volant d'une Mustang décapotable dernier modèle, bleue, avec une bande argentée et l'intérieur noir. Il m'a appris qu'il l'avait achetée pour son frère qui, pour des raisons compliquées à expliquer, ne pouvait l'acheter en son nom. Adam, qui vivait à douze heures de route d'ici, enverrait quelqu'un la chercher dans quelques jours. Ce genre de véhicule ne pouvait rester une minute dans les rues de ce quartier sans disparaître ou être désossé, aussi Leeman l'a-t-il tout de suite garé dans l'un des deux garages de l'immeuble fermés par deux portes sûres, les autres étant des cavernes de déchets, des taudis pour toxicos de passage et fornicateurs expéditifs. Certains indigents vivaient pendant des années dans ces trous, défendant leur mètre carré contre les rats et d'autres sans-abri.

Le lendemain, Brandon Leeman a envoyé ses associés récupérer un paquet à Fort Ruby, l'un des six cents villages fantômes du Nevada qui lui servait de point de rendez-vous avec son fournisseur mexicain, et après leur départ il m'a invitée à essayer la Mustang. Le puissant moteur, l'odeur du cuir neuf, la brise dans les cheveux, le soleil sur la peau, l'immense paysage coupé en deux par la route, les montagnes sur un ciel pâle et sans nuages, tout contribuait à m'enivrer de liberté. Cette sensation contrastait avec le fait que nous sommes passés à proximité de plusieurs prisons fédérales. C'était un jour de forte chaleur et, bien que le pire de l'été soit passé, le panorama est bientôt devenu incandescent et nous avons dû remonter la capote et allumer la climatisation.

« Tu sais que Joe Martin et le Chinois me volent, non ? » m'a-t-il demandé.

J'ai préféré me taire. Ce n'était pas un sujet qu'il abordait sans avoir une idée derrière la tête ; le nier impliquait que j'étais dans la lune et une réponse affirmative équivalait à admettre que je l'avais trahi en ne l'avertissant pas.

« Ça devait arriver tôt ou tard, a ajouté Brandon Leeman. Je ne peux compter sur la loyauté de personne.

— Tu peux compter sur moi, ai-je murmuré en ayant la sensation de glisser sur de l'huile.

— Je l'espère bien. Joe et le Chinois sont deux imbéciles. Avec personne ils ne seraient mieux qu'avec moi, j'ai été très généreux avec eux.

— Que vas-tu faire ?

— Les remplacer, avant qu'eux-mêmes me remplacent. »

Nous avons gardé le silence pendant plusieurs kilomètres, mais alors que je croyais les confidences épuisées il est revenu à la charge.

« L'un des policiers réclame plus d'argent. Si je le lui donne, il va en vouloir encore plus. Qu'est-ce que tu en penses, Laura ?

— Je n'ai aucune idée là-dessus. »

Nous avons roulé encore plusieurs kilomètres sans dire un mot. Brandon Leeman, qui commençait à devenir nerveux, a quitté la route à la recherche d'un endroit isolé, mais nous nous trouvions dans un espace de terre sèche et pelée, de rochers, de buissons épineux et d'herbe rachitique. Nous sommes descendus de voiture à la vue de la circulation, nous nous sommes accroupis derrière la portière ouverte et j'ai tenu l'allume-cigare tandis qu'il chauffait le mélange. En moins d'un soupir il s'est fait une piqûre. Puis nous avons partagé une pipe de marijuana pour fêter l'espièglerie ; si une patrouille de la route nous avait arrêtés elle aurait trouvé une arme illégale, de la cocaïne, de l'héroïne, de la marijuana, du Demerol et d'autres pilules en vrac dans un sac. « Ces cochons de policiers trouveraient autre chose que nous ne pourrions pas non plus leur expliquer », a ajouté Brandon Leeman de façon énigmatique, s'étouffant de rire. Il était tellement drogué que j'ai dû conduire, alors que mon expérience au volant est des plus réduites et que le *bong* m'avait troublé la vue.

Nous sommes entrés dans Beatty, un village qui avait l'air inhabité à cette heure de l'après-midi, et nous nous sommes arrêtés pour déjeuner dans une auberge mexicaine, avec une enseigne de cow-boys, chapeaux et lassos, qui à l'intérieur était en fait un casino enfumé. Au restaurant, Leeman a demandé deux cocktails à la tequila, deux plats au hasard et la bouteille de vin rouge la plus chère de la carte. J'ai fait un effort pour manger tandis qu'il remuait le contenu de son assiette avec sa fourchette, traçant des petits chemins dans la purée de pommes de terre.

« Tu sais ce que je vais faire de Joe et du Chinois ? Puisque de toute façon je dois donner ce qu'il veut au policier, je vais lui demander de me faire une petite faveur.

— Je ne comprends pas.

— S'il veut que j'augmente sa commission, il faudra qu'il se débarrasse de ces deux hommes sans m'impliquer d'aucune façon. »

J'ai capté la signification et me suis souvenue des filles que Leeman avait employées avant moi et dont il s'était « débarrassé ». J'ai vu avec une terrifiante clarté l'abîme ouvert à mes pieds, et une fois de plus j'ai pensé m'enfuir, mais de nouveau j'ai été paralysée par la sensation que je m'enfonçais dans une mélasse épaisse, inerte, sans volonté. Je suis incapable de penser, j'ai l'impression que mon cerveau est rempli de sciure, trop de cachets, de marijuana, de vodka, je ne sais plus ce que j'ai pris aujourd'hui, je dois me désintoxiquer, marmottais-je intérieurement en avalant le deuxième verre de vin, après avoir bu la tequila.

Brandon Leeman s'était incliné sur son siège, la tête sur le dossier, les yeux mi-clos ; la lumière l'éclairait d'un côté, marquant les pommettes proéminentes, les joues creuses, les oreilles verdâtres, on aurait dit un cadavre. « Rentrons », lui ai-je proposé dans un haut-le-cœur. « Avant, j'ai quelque chose à faire dans ce maudit village. Commande-moi un café », a-t-il répliqué.

Leeman a payé en liquide, comme toujours. Nous avons quitté la fraîcheur de l'air conditionné pour la chaleur implacable de Beatty, qui d'après lui était un dépôt de déchets radioactifs et n'existait que grâce au tourisme de la Vallée de la Mort, à dix minutes de là. Il a conduit en faisant des zigzags jusqu'à un endroit où on louait des garde-meubles pour entreposer des affaires ; c'étaient des constructions aplaties, en ciment, avec des rangées de portes métalliques peintes de couleur turquoise. Il était déjà venu, car il s'est dirigé sans hésiter vers l'une des portes. Il m'a ordonné de rester dans la voiture pendant qu'il manipulait maladroitement les combinaisons des deux lourds cadenas industriels, jurant parce qu'il y voyait trouble et que depuis un certain temps ses mains tremblaient beaucoup. Quand il a réussi à ouvrir la porte il m'a fait signe de le rejoindre.

Le soleil a éclairé une petite pièce dans laquelle il n'y avait que deux grandes caisses en bois. Du coffre de la Mustang, il a sorti un sac de sport en plastique noir portant le nom de El Paso TX et nous sommes entrés dans le dépôt ; la chaleur y était étouffante. Je ne suis pas parvenue à éloigner la pensée terrifiante que Leeman pouvait me laisser enterrée vivante dans ce garde-meubles. Il m'a prise fermement par le bras et m'a regardée dans les yeux.

« Tu te souviens que je t'ai dit que nous ferions de grandes choses ensemble ?

— Oui...

— Le moment est venu. J'espère que tu ne vas pas me décevoir. »

J'ai acquiescé, effrayée par son ton menaçant et parce que je me trouvais seule avec lui dans ce four, sans autre âme qui vive. Leeman s'est accroupi, il a ouvert le sac et m'a montré son contenu. J'ai mis un moment à comprendre que ces paquets verts étaient des liasses de billets.

« Ce n'est pas de l'argent volé et personne ne le cherche, m'a-t-il dit. Ce n'est qu'un échantillon, bientôt il y en aura beaucoup plus. Tu te rends compte que je te donne une véritable preuve de confiance, non ? Tu es la seule personne honnête que je connaisse, à part mon frère. Maintenant, toi et moi sommes associés.

— Que dois-je faire ? ai-je murmuré.

— Rien, pour le moment, mais si je t'en donne l'ordre ou s'il m'arrive quelque chose, tu dois immédiatement appeler Adam et lui dire où se trouve son sac El Paso TX, tu me comprends ? Répète ce que je viens de te dire.

— Je dois appeler ton frère et lui dire où se trouve son sac.

— Son sac El Paso TX, n'oublie pas ça. Tu as des questions ?

— Et comment ton frère va-t-il ouvrir les cadenas ?

— Ça ne te regarde pas ! » a aboyé Brandon Leeman, avec une telle violence que je me suis recroquevillée, m'attendant à un coup, mais il s'est calmé, a fermé le sac, l'a posé sur l'une des caisses et nous sommes sortis.

Les faits se sont précipités à partir du jour où je suis allée avec Brandon Leeman déposer le sac dans l'entrepôt de Beatty, mais ensuite je n'ai pas pu les ordonner dans ma tête, car certains ont eu lieu simultanément et je n'ai pas assisté aux autres, je les ai appris plus tard. Deux jours après, Brandon Leeman m'a ordonné de le suivre avec une Acura récemment recyclée dans le garage clandestin, tandis qu'il conduisait la Mustang qu'il avait achetée dans l'Utah pour son frère. Je l'ai suivi sur la route 95, trois quarts d'heure dans une chaleur insupportable, dans un paysage de mirages scintillants, jusqu'à Boulder City ; ce nom ne figurait pas sur la carte mentale de Brandon Leeman, car c'est l'une des deux seules villes du Nevada où le jeu est illégal. Nous nous sommes arrêtés dans une station-service et nous avons attendu sous un soleil de plomb.

Vingt minutes plus tard, une voiture est arrivée avec deux hommes, Brandon Leeman leur a remis les clés de la Mustang, il a reçu un sac de voyage de taille moyenne et s'est installé à côté de moi dans l'Acura. La Mustang et l'autre véhicule se sont éloignés en direction du sud, tandis que nous reprenions la route par laquelle nous étions arrivés. Nous ne sommes pas passés par Las Vegas, nous avons continué vers le dépôt de Beatty, où Brandon Leeman a répété les mêmes gestes pour ouvrir les cadenas sans me laisser voir la combinaison. Il a posé le sac à côté de l'autre et refermé la porte.

«Un demi-million de dollars, Laura!»

Et il s'est frotté les mains, satisfait.

«Ça ne me plaît pas... ai-je murmuré en reculant.

— Qu'est-ce qui ne te plaît pas, chienne?»

Pâle, il m'a secouée par les bras, mais je l'ai écarté d'une secousse en pleurnichant. Ce gringalet malade, que je pouvais écraser de mes talons, m'inspirait de la terreur, il était capable de tout.

«Lâche-moi!

— Penses-y, a dit Leeman d'un ton conciliant. Tu veux continuer à mener cette vie pourrie? Mon frère et moi, nous avons tout arrangé, nous allons quitter ce maudit pays et tu vas venir avec nous.

— Où ça?

— Au Brésil. Dans deux ou trois semaines nous serons sur une plage de cocotiers. Tu ne voulais pas avoir un yacht?

— Un yacht? Quel yacht? Tout ce que je veux, c'est retourner en Californie!

— Alors comme ça, la sale merdeuse veut retourner en Californie! s'est-il moqué, menaçant.

— Je t'en prie Brandon. Je ne dirai rien à personne, je te le jure, tu peux partir tranquille avec ta famille au Brésil.»

Il s'est promené de long en large à grands pas, frappant le sol en ciment, décomposé, pendant que j'attendais, trempée de sueur, à côté de la voiture, essayant de comprendre les erreurs qui m'avaient amenée dans cet enfer de poussière et à ces sacs de billets verts.

« Je me suis trompé sur toi, Laura, tu es plus stupide que je ne pensais. Va au diable, si c'est ce que tu veux, mais pendant les deux prochaines semaines tu devras m'aider. Je compte sur toi ?

— Mais oui, Brandon, je ferai ce que tu voudras.

— Pour l'instant, tout ce que tu fais, c'est la fermer. Quand je te le dirai, tu appelleras Adam. Tu te souviens des instructions que je t'ai données ?

— Oui, je l'appelle et je lui dis où sont les deux sacs.

— Non ! Tu lui dis où sont les sacs El Paso TX. Ça et rien d'autre. Tu as compris ?

— Oui, bien sûr, je lui dirai que les sacs El Paso TX sont ici. Ne t'inquiète pas.

— Beaucoup de discrétion, Laura. Si tu dis un seul mot, tu le regretteras. Tu veux savoir exactement ce qui t'arrivera ? Je peux te donner des détails.

— Je te le jure, Brandon, je ne dirai rien à personne. »

Nous sommes revenus en silence à Las Vegas, mais j'entendais les pensées de Brandon Leeman résonner dans ma tête, semblables à des coups de cloche : il allait se « débarrasser » de moi. Comme lorsque j'étais menottée par Fedgewick au lit de ce motel sordide, j'ai été prise de nausées ; je voyais la lueur verdâtre du réveil, je sentais l'odeur, la douleur, la terreur. Il faut que je réfléchisse, il faut que je réfléchisse, j'ai besoin d'un plan... Mais comment pouvais-je réfléchir alors que j'étais intoxiquée par l'alcool et que je n'arrivais pas à me rappeler quels cachets j'avais pris, combien et à quelle heure. Nous sommes arrivés en ville à quatre heures de l'après-midi, fatigués, les vêtements collés par la sueur et la poussière, assoiffés. Leeman m'a laissée au gymnase pour que je me rafraîchisse avant la tournée nocturne et lui est parti à l'appartement. En me laissant, il a serré ma main et m'a dit de rester calme, qu'il contrôlait tout. C'est la dernière fois que je l'ai vu.

Le gymnase n'avait pas les luxes extravagants des hôtels du *Strip*, avec leurs fameux bains de lait dans des bassins en marbre et leurs masseurs aveugles de Shanghai, mais c'était le plus grand et le plus complet de la ville. Il comptait plusieurs salles d'exercice, différents appareils de torture pour gonfler les muscles et étirer les tendons, un spa qui offrait un menu à la carte de traitements de santé et de beauté, un salon de coiffure pour les personnes et un autre pour les chiens, une piscine couverte où, d'après mes calculs, pouvait tenir une baleine. Je le considérais comme mon quartier général, y disposais d'un crédit illimité et pouvais aller au spa, nager ou faire du yoga les fois, de moins en moins fréquentes, où j'en avais le courage. La plupart du temps, je restais affalée dans un fauteuil inclinable, l'esprit vide. Dans les casiers fermés à clé je rangeais mes affaires de valeur, qui dans l'appartement disparaissaient entre les mains de malheureux comme Margaret, ou même Freddy s'il en avait besoin.

En revenant de Beatty, j'ai pris une douche pour me laver de la fatigue du voyage et j'ai évacué la peur dans le sauna. Une fois propre et apaisée, ma situation m'a paru moins angoissante, j'avais deux semaines complètes devant moi, un délai suffisant pour décider de mon sort. J'ai pensé que toute action imprudente de ma part précipiterait des conséquences qui pouvaient être fatales, je devais faire plaisir à Brandon Leeman jusqu'à ce que je trouve le moyen de me libérer de lui. J'avais des frissons rien qu'à m'imaginer sur une plage brésilienne de cocotiers en compagnie de sa famille ; je devais rentrer chez moi.

Quand je suis arrivée à Chiloé, je me plaignais de ce qu'il ne se passait rien, mais je dois me rétracter, parce qu'il s'est passé quelque chose qui mérite d'être écrit à l'encre d'or et en capitales : JE SUIS AMOUREUSE ! Peut-être est-il un peu prématuré d'en parler, parce que ça date d'à peine cinq jours, mais le temps ne veut rien dire, je suis absolument sûre de mes sentiments. Comment pourrais-je me taire alors que je flotte sur un petit nuage ? L'amour est capricieux, comme dit une chanson idiote que Blanca et Manuel me chantent en chœur ; ils se moquent de moi depuis que Daniel est apparu à l'horizon. Que vais-je faire de tant de bonheur, de cette explosion dans mon cœur ?

Mieux vaut que je commence par le commencement. Je suis allée avec Manuel et Blanca dans la Grande Île voir le « halage d'une maison », sans imaginer que là, tout à coup, par hasard, allait m'arriver une chose magique, que j'allais rencontrer l'homme de ma vie, Daniel Goodrich. Un halage est une chose unique au monde, j'en ai la certitude. Cela consiste à déplacer une maison, tirée sur la mer par deux bateaux, puis à la traîner sur la terre avec six attelages de bœufs pour la poser à l'endroit voulu. Lorsqu'un Chilote s'en va vivre sur une autre île ou que son puits s'assèche et qu'il doit se déplacer de quelques kilomètres pour avoir de l'eau, il emporte sa maison, comme un escargot. À cause de l'humidité, les maisons chilotes en bois n'ont pas de fondations, ce qui permet de les remorquer en les faisant flotter et en les déplaçant sur des troncs. Le travail est réalisé par une *minga* dans laquelle voisins, parents et amis se rassemblent pour mener la tâche à bien ; les uns prêtent les barques, d'autres les bœufs, tandis que le propriétaire offre la boisson et la nourriture, mais dans ce cas la *minga* était un piège pour touristes, car la même maison va et vient sur l'eau et sur la terre pendant des mois, jusqu'à ce qu'elle tombe en ruine. Ce halage serait le dernier d'ici l'été prochain ; il y aurait alors une autre maison transhumante. L'idée est de montrer au monde à quel point les Chilotes sont dingues et de faire plaisir aux innocents qui arrivent dans les bus des agences de tourisme. Parmi ces touristes se trouvait Daniel.

Nous avions eu plusieurs jours secs et chauds, inhabituels à cette époque de l'année toujours pluvieuse. Le paysage était différent, je n'avais jamais vu un ciel aussi bleu, une telle mer d'argent, tant de lièvres dans les prairies, je n'avais jamais entendu un charivari d'oiseaux aussi joyeux dans les arbres. J'aime la pluie, elle inspire le recueillement et l'amitié, mais le soleil permet de mieux apprécier la beauté de ces îles et de ces chenaux. Par beau temps, je peux nager sans me briser les os dans l'eau glacée et me faire un peu bronzer, mais en prenant garde, car ici la couche d'ozone est si fine qu'il naît des brebis aveugles et des grenouilles difformes. C'est ce qu'on dit, je n'en ai pas encore vu.

Sur la plage, tout était prêt pour le halage : les bœufs, les cordes, les chevaux, vingt hommes pour le travail ardu et plusieurs femmes chargées de paniers de friands, de nombreux enfants, des chiens, des touristes, des gens du voisinage qui ne perdraient la fête pour rien au monde, deux carabiniers pour dissuader les voleurs et un bedeau pour la bénédiction. Au XVIIIᵉ siècle, alors que voyager était très difficile et qu'il n'y avait pas assez de prêtres pour couvrir le vaste territoire morcelé de Chiloé, les jésuites ont instauré la charge de bedeau, exercée par une personne de réputation honorable. Le bedeau s'occupe de l'église, il convoque la congrégation, dirige les enterrements, distribue la communion, bénit et, en cas d'urgence, il peut baptiser et marier.

À marée haute, la maison a avancé sur la mer en se balançant comme une ancienne caravelle, remorquée par deux bateaux et immergée jusqu'aux fenêtres. Sur la toiture flottait un drapeau chilien attaché à un mât, et deux enfants sans gilet de sauvetage se tenaient à califourchon sur la poutre faîtière. Alors qu'elle s'approchait de la plage, la caravelle a été accueillie par une ovation méritée et les hommes ont procédé à l'ancrage, attendant la marée basse. Ils avaient tout calculé pour que l'attente ne soit pas trop longue. Le temps a passé très vite dans un carnaval de friands, d'alcool, de guitares, de ballons et un concours de chanteurs ambulants qui se défiaient les uns les autres avec des vers rimés à double sens et plutôt corsés à ce qu'il m'a semblé. L'humour est la dernière chose que l'on domine dans une autre langue et j'en suis encore loin. À l'heure dite, ils ont fait glisser quelques troncs sous la maison, aligné les douze bœufs dans leurs attelages, ils les ont amarrés aux piliers de la maison avec des cordes et des chaînes ; la tâche monumentale a alors

commencé, encouragée par les cris et applaudissements des curieux, les coups de sifflet des carabiniers.

Les bœufs ont courbé l'échine, tendu chaque muscle
de leur corps imposant et sur un ordre des hommes
ils ont avancé en beuglant. La première secousse a été
hésitante, mais à la deuxième les bêtes avaient déjà
coordonné leurs efforts et elles ont avancé beaucoup
plus rapidement que je ne l'avais imaginé, entourées
par la foule, les uns devant pour ouvrir le chemin,
d'autres sur les côtés pour les exciter, d'autres poussant derrière la maison. Quelle allégresse ! Tant d'effort
partagé et tant de joie ! Je courais parmi les enfants,
criant de plaisir, Fakine à la suite entre les pattes des
bœufs. Tous les vingt ou trente mètres le halage s'arrêtait pour aligner les bêtes, faire circuler les bouteilles
de vin entre les hommes et poser pour les appareils
photo.

Cette *minga* de cirque avait été préparée pour les
touristes, mais cela n'a enlevé aucun mérite ni à la har-
diesse des hommes ni au courage des bœufs. À la fin,
quand la maison a été à sa place, face à la mer, le bedeau
lui a jeté de l'eau bénite et le public a commencé à se
disperser.

Tandis que les étrangers montaient dans leurs autobus et que les Chilotes emmenaient leurs bœufs, je me
suis assise dans l'herbe pour repenser à ce que j'avais
vu, regrettant de ne pas avoir mon carnet pour noter
les détails. À ce moment j'ai senti qu'on me regardait
et en levant les yeux j'ai rencontré ceux de Daniel
Goodrich, des yeux ronds couleur bois, des yeux de
poulain. J'ai senti un sursaut de frayeur au creux de

l'estomac, comme si un personnage de fiction s'était matérialisé, quelqu'un de connu dans une autre réalité, dans un opéra ou un tableau de la Renaissance, de ceux que j'avais vus en Europe avec mes grands-parents. N'importe qui penserait que je suis folle : un étranger se plante devant moi et ma tête se remplit de colibris ! N'importe qui sauf ma Nini. Elle, elle comprendrait, parce que c'est ainsi que ça s'est passé quand elle a rencontré mon Popo au Canada.

Ses yeux, c'est la première chose que j'ai vue, des yeux aux paupières lourdes, aux cils de femme et aux sourcils épais. Il m'a fallu près d'une minute pour apprécier le reste : grand, fort, élancé, le visage sensuel, les lèvres charnues, la peau couleur caramel. Il portait des chaussures de marcheur, avait une caméra vidéo et un grand sac à dos couvert de poussière, avec un sac de couchage roulé sur le dessus. Il m'a saluée dans un bon castillan, a posé son sac par terre, s'est assis à côté de moi et a commencé à s'éventer avec son chapeau ; il avait les cheveux courts, noirs, en boucles serrées. Il m'a tendu une main brune aux longs doigts et m'a dit son nom, Daniel Goodrich. Je lui ai offert le reste de ma bouteille d'eau, qu'il a bu en trois gorgées sans se soucier de mes miasmes.

Nous nous sommes mis à parler du halage, qu'il avait filmé sous différents angles, et je lui ai expliqué que c'était pour les touristes, mais cela n'a pas amoindri son enthousiasme. Il venait de Seattle et parcourait l'Amérique du Sud depuis cinq mois, sans plans ni buts, comme un vagabond. C'est ainsi qu'il s'est qualifié, de vagabond. Il voulait en apprendre le plus possible et pratiquer l'espagnol qu'il avait appris en classe et dans les livres, si différent de la langue parlée.

Les premiers jours dans ce pays, il n'y comprenait rien, comme cela s'était passé pour moi, parce que les Chiliens utilisent beaucoup de diminutifs, ils parlent très vite sur un ton chantant, avalent la derrière syllabe de chaque mot et aspirent les s. « Pour les âneries que disent les gens, mieux vaut ne pas les comprendre », affirme tante Blanca.

Daniel parcourt le Chili et avant d'arriver à Chiloé il a traversé le désert d'Atacama, avec ses paysages lunaires de sel et ses colonnes d'eau brûlante, visité Santiago et d'autres villes qui l'ont peu intéressé, la région des forêts, ses volcans fumants et ses lacs couleur émeraude ; il a l'intention de continuer vers la Patagonie et la Terre de Feu, pour voir les fjords et les glaciers. Manuel et Blanca, qui étaient allés faire des achats au village, sont revenus trop tôt et nous ont interrompus, mais Daniel leur a fait bonne impression et, à mon grand plaisir, Blanca l'a invité à séjourner quelques jours chez elle. Elle lui a dit que personne ne peut passer par Chiloé sans goûter un véritable *curanto*, que jeudi nous en aurons un dans notre île, le dernier de la saison touristique, le meilleur de Chiloé, et qu'il ne peut le manquer. Daniel ne s'est pas fait prier, il a eu le temps de s'habituer à l'hospitalité impulsive des Chiliens, toujours prêts à ouvrir leurs portes à n'importe quel étranger égaré qui croise leur chemin. Je crois qu'il n'a accepté que pour moi, mais Manuel m'a avertie de ne pas être prétentieuse, il dit que Daniel aurait été idiot de refuser une hospitalité et des repas gratuits.

Nous sommes partis dans la *Cahuilla* sur une mer aimable avec une brise de poupe, et nous sommes arrivés à la bonne heure pour voir les cygnes à col noir qui flottaient sur le chenal, aussi svelte et élégants que des gondoles de Venise. « En permanence passent les cygnes », a dit Blanca, qui parle comme les Chilotes. Dans la lumière du crépuscule le paysage était plus beau que jamais ; je me suis sentie fière de vivre dans ce paradis et de pouvoir le montrer à Daniel. Je le lui ai signalé d'un geste ample qui embrassait tout l'horizon. « Bienvenue dans l'île de Maya Vidal, mon ami », lui a dit Manuel avec un clin d'œil que j'ai réussi à saisir. Il peut se moquer de moi autant qu'il veut en privé, mais s'il prétend le faire devant Daniel, il va s'en mordre les doigts. Je le lui ai fait remarquer dès que nous avons été seuls.

Nous sommes montés chez Blanca, où Manuel et elle se sont mis tout de suite à la cuisine. Daniel a demandé la permission de prendre une douche, dont il avait grand besoin, et de laver quelques vêtements, tandis que je partais au trot chez nous chercher deux bonnes bouteilles de vin que le Millalobo avait offertes à Manuel. J'ai fait le trajet en onze minutes, record mondial, j'avais des ailes aux talons. Je me suis débarbouillée, maquillé les yeux, j'ai mis mon unique robe pour la première fois et fait le trajet de retour en courant, mes sandales et les bouteilles dans un sac, suivie par Fakine qui, la langue pendante, traînait sa patte raide. En tout, il m'a fallu quarante minutes ; pendant ce temps, Manuel et Blanca avaient improvisé une salade et des pâtes aux fruits de mer, qu'on appelle en Californie *tutti-mare* et ici nouilles aux rabiots, parce que ce sont les restes de la veille. Manuel m'a reçue avec un sifflement d'admiration, car il ne m'avait jamais vue qu'en pantalon et doit penser que je n'ai

267

aucun style. La robe, je l'ai achetée dans un magasin de vêtements d'occasion à Castro, mais elle est presque neuve et pas tout à fait passée de mode.

Daniel est sorti de la douche rasé de frais et la peau aussi brillante que du bois ciré, tellement beau que j'ai dû faire un effort pour ne pas trop le regarder. Nous nous sommes couverts de ponchos pour dîner sur la terrasse, car à cette époque il fait déjà froid. Daniel s'est dit très reconnaissant de l'hospitalité, car cela faisait des mois qu'il voyageait avec un budget réduit, dormant dans les endroits les plus inconfortables ou à la belle étoile. Il a su apprécier la table, le bon repas, le vin chilien et le paysage d'eau, de ciel et de cygnes. La danse nonchalante des cygnes sur la soie violette de la mer était si élégante que nous sommes restés à l'admirer en silence. Une autre bande de cygnes est arrivée de l'ouest, obscurcissant les dernières lueurs orangées du ciel avec leurs grandes ailes, et elle est passée sans s'arrêter. Ces oiseaux, d'apparence si digne et si fiers de cœur, sont dessinés pour naviguer – sur terre ils ont l'air de gros canards –, mais ils ne sont jamais aussi magnifiques qu'en vol.

Ils ont vidé à eux trois les deux bouteilles du Millalobo et moi j'ai bu de la limonade, le vin ne m'a pas manqué, enivrée que j'étais par la compagnie. Après le dessert – des pommes au four avec de la confiture de lait – Daniel a demandé avec naturel si nous voulions partager un joint de marijuana. J'ai frissonné, cette proposition n'allait pas plaire aux vieux, mais ils ont accepté et, à ma grande surprise, Blanca est allée chercher une pipe. « Ne va pas raconter ça à l'école, *gringuita* », m'a-t-elle dit d'un air de conspiration, et elle a ajouté qu'elle et Manuel fumaient de temps en temps. Il se trouve que dans cette île plusieurs familles cultivent de la marijuana de première qualité ; la meilleure est celle de doña Lucinda, la trisaïeule, qui l'exporte depuis un demi-siècle vers d'autres îles de Chiloé. « Doña Lucinda chante aux plantes, elle dit qu'il faut les séduire, comme on le fait pour les pommes de terre, parce qu'elles poussent mieux, et c'est sûrement vrai, car personne ne peut rivaliser avec son herbe », nous a raconté Blanca. Je suis vraiment distraite, j'ai été cent fois dans le patio de doña Lucinda pour l'aider à teindre sa laine et je n'ai pas remarqué les plants. En tout cas, voir ces deux visages pâles de Blanca et Manuel se passer la pipe à eau a été difficile à croire. Moi aussi j'ai fumé, je sais que je peux le faire sans que cela devienne un besoin, mais je n'ose pas goûter à l'alcool. Pas encore, peut-être plus jamais.

Je n'ai pas eu besoin de confesser à Manuel et Blanca le choc que Daniel avait produit sur moi ; ils l'ont deviné lorsqu'ils m'ont vue arriver vêtue d'une robe et maquillée, habitués qu'ils sont à mon aspect de réfugiée. Blanca, romantique par vocation, va nous faciliter les choses, car nous disposons de peu de temps. Manuel, au contraire, s'obstine dans son attitude de vieille baderne.

« Avant de mourir d'amour, Maya, tu ferais bien de vérifier si ce jeune homme agonise aussi du même mal ou s'il a l'intention de poursuivre son périple en te laissant plantée là, m'a-t-il conseillé.

— Avec une pareille prudence personne ne tomberait amoureux, Manuel. Tu ne serais pas jaloux par hasard ?

— Au contraire, Maya, je suis plein d'espoir. Peut-être Daniel t'emmènera-t-il à Seattle ; c'est la ville parfaite pour se cacher du FBI et de la mafia.

— Tu me mets à la porte ?

— Non, fillette, comment pourrais-je te mettre à la porte alors que tu es la lumière de ma triste vieillesse, a-t-il dit sur ce ton sarcastique qui m'exaspère. La seule chose qui m'inquiète, c'est que tu te casses le nez sur cette histoire d'amour. Daniel t'a-t-il laissée entrevoir ses sentiments ?

— Pas encore, mais il le fera.

— Tu sembles bien sûre de toi.

— Un coup de foudre comme celui-ci ne peut être à sens unique, Manuel.

— Non, bien sûr, c'est la rencontre de deux âmes...

— Exactement, mais toi ça ne t'est jamais arrivé, c'est pour ça que tu te moques.

— Ne parle pas de ce que tu ne sais pas, Maya.

— C'est toi qui parles de ce que tu ne sais pas ! »

Daniel est le premier Américain de mon âge que j'aie vu depuis mon arrivée à Chiloé et le seul intéressant dont je me souvienne ; les gamins du lycée, les névrotiques de l'Oregon et les vicieux de Las Vegas ne comptent pas. Nous n'avons pas le même âge, j'ai huit ans de moins, mais j'ai vécu un siècle de plus et pourrais lui donner des leçons de maturité et d'expérience du monde. Je me suis sentie bien avec lui dès le début ; nous avons des goûts semblables sur les livres, le cinéma, la musique, et nous rions des mêmes choses, à nous deux nous connaissons plus de cent blagues de fous : il en a appris la moitié à l'université, et moi j'ai appris l'autre moitié à l'académie. Pour le reste, nous sommes très différents.

Daniel a été adopté une semaine après sa naissance par un couple de Blancs aisés, libéraux et cultivés, le genre de personnes abritées sous le grand parapluie de la normalité. Il a été un étudiant moyen et un bon sportif, il a eu une existence rangée et peut envisager son avenir avec la confiance irrationnelle de celui qui n'a pas souffert. C'est un type en bonne santé, sûr de lui, amical et décontracté ; il serait agaçant s'il n'avait un esprit curieux. Il a voyagé dans l'intention d'apprendre, ce qui n'en fait pas un touriste ordinaire. Décidé à marcher sur les pas de son père adoptif, il a étudié la médecine, terminé son internat en psychiatrie au milieu de l'année dernière et, quand il rentrera à Seattle, un poste l'attend dans la clinique de réhabilitation de son père. Quelle ironie, je pourrais être l'une de ses patientes !

Le bonheur naturel de Daniel, sans emphase, comme le bonheur des chats, me fait envie. Dans son pèlerinage à travers l'Amérique latine il a côtoyé les gens les plus divers : des rupins à Acapulco, des pêcheurs dans les Caraïbes, des bûcherons en Amazonie, des cultivateurs de coca en Bolivie, des indigènes au Pérou, mais aussi des voyous, des souteneurs, des narcotrafiquants, des criminels, des policiers et des militaires corrompus. Il a flotté d'une aventure à l'autre en gardant son innocence. Moi, au contraire, tout ce que j'ai vécu m'a laissé des cicatrices, des égratignures, des meurtrissures. Cet homme a de la chance, j'espère que ce ne sera pas un problème entre nous. Il a passé la première nuit chez tante Blanca, où il a dormi dans des plumes et des draps de fil – raffinée comme elle est –, mais ensuite il s'est installé chez nous parce qu'elle a trouvé un prétexte pour se rendre à Castro et m'abandonner son invité. Daniel a installé son sac de couchage dans un coin de la salle et il y a dormi avec les chats. Chaque soir nous dînons tard, nous nous trempons dans le jacuzzi, nous bavardons, lui me raconte sa vie et son voyage, moi je lui montre les constellations du sud, je lui parle de Berkeley et de mes grands-parents, ainsi que de l'académie de l'Oregon, mais pour le moment je tais la partie concernant Las Vegas. Je ne peux pas lui en parler avant d'être en confiance, il prendrait peur. Il me semble que l'année dernière j'ai été précipitée dans un monde sombre. Tandis que j'étais sous terre, telle une graine ou un tubercule, une autre Maya Vidal luttait pour émerger ; sur moi ont poussé de fins filaments cherchant l'humidité, puis des racines semblables à des doigts cherchant la nourriture, enfin une tige persévérante et des feuilles cherchant la lumière. Maintenant je dois être en train de fleurir, c'est pourquoi je peux reconnaître l'amour. Ici, au sud du monde, la pluie rend tout fertile.

Tante Blanca est revenue dans l'île, mais malgré ses draps de fil Daniel n'a pas proposé de retourner chez elle et il est toujours à la maison. Bon signe. Nous sommes tout le temps ensemble, car je ne travaille pas, Blanca et Manuel m'ont donné quartier libre tant que Daniel est ici. Nous avons parlé d'un tas de choses, mais il ne m'a pas laissé l'occasion de lui faire des confidences. Il est beaucoup plus prudent que moi. Il m'a demandé pourquoi j'étais à Chiloé et je lui ai répondu que j'aide Manuel dans son travail et fais connaissance avec le pays, parce que ma famille est d'origine chilienne, ce qui est une demi-vérité. Je lui ai montré le village, il a filmé le cimetière, les maisons sur pilotis, notre musée pathétique et poussiéreux avec ses quatre bricoles et ses portraits à l'huile d'illustres personnages tombés dans l'oubli, doña Lucinda qui à cent neuf ans vend encore de la laine et récolte des pommes de terre et de la marijuana, les poètes du *truco* à la Taverne du Petit Mort, Aurelio Ñancupel et ses histoires de pirates et de mormons.

Manuel Arias est ravi, parce qu'il a un hôte attentif, qui l'écoute avec admiration et ne le critique pas comme je le fais. Pendant qu'ils bavardent, je compte les minutes perdues à écouter des légendes de sorciers et de monstres ; ce sont des minutes que Daniel pourrait mieux employer en tête à tête avec moi. Il doit terminer son voyage d'ici quelques semaines, il lui manque encore l'extrême sud du continent et le Brésil, quel dommage de gaspiller son temps précieux avec Manuel ! Nous avons eu des occasions de nous rapprocher, mais très peu selon moi, et il ne m'a pris la main que pour m'aider à sauter un récif. Nous sommes rarement seuls, car les commères du village nous épient et Juanito Corrales, Pedro Pelanchugay et Fakine nous suivent partout. Les grands-mères ont deviné mes sentiments pour Daniel et je crois qu'elles ont poussé un soupir collectif de soulagement, car des potins absurdes circulaient sur Manuel et moi. Les gens trouvent suspect que nous vivions ensemble alors que plus d'un demi-siècle nous sépare. Eduvigis Corrales et d'autres femmes se sont concertées pour jouer les entremetteuses, mais elles devraient être plus discrètes, car elles risquent de faire fuir le jeune homme de Seattle. Manuel et Blanca aussi conspirent.

Hier a eu lieu le *curanto* que Blanca avait annoncé et Daniel a pu le filmer de bout en bout. Les gens du village sont aimables avec les touristes, parce qu'ils achètent de l'artisanat et que les agences paient pour le *curanto*, mais lorsqu'ils s'en vont ils poussent un soupir de soulagement. Ces hordes d'étrangers qui mettent le nez dans leurs maisons et les prennent en photo comme s'ils étaient exotiques les dérangent. Avec Daniel, c'est différent, il s'agit d'un hôte de Manuel, cela lui ouvre les portes, et en plus ils le voient avec moi, raison pour laquelle ils l'ont laissé filmer ce qu'il voulait, y compris leurs intérieurs.

Cette fois, la plupart des touristes étaient du troisième âge, des retraités aux cheveux blancs qui venaient de Santiago, très joyeux malgré les difficultés de la marche dans le sable. Ils avaient apporté une guitare et ils ont chanté pendant que le *curanto* cuisait, et ils ont bu du *pisco sour* en abondance ; cela a contribué à la détente générale. Daniel s'est emparé de la guitare et il nous a charmés en jouant des boléros mexicains et des valses péruviennes, qu'il a appris au cours de son voyage ; il n'a pas une voix extraordinaire, mais il chante juste et son aspect de Bédouin a séduit les visiteurs.

Après avoir mangé tous les fruits de mer, nous avons bu les sucs du *curanto* dans les bols en terre cuite, qui sont les premières choses que l'on pose sur les pierres chaudes pour recevoir ce nectar. Impossible de décrire la saveur de ce bouillon concentré des délices de la terre et de la mer, rien ne peut être comparé à l'ivresse qu'il produit ; il coule dans les veines comme un fleuve chaud et fait bondir le cœur. De nombreuses blagues ont été faites sur son pouvoir aphrodisiaque, les petits vieux de Santiago l'ont comparé au Viagra en se tordant de rire. Ce doit être vrai, car pour la première fois de ma vie je ressens un désir impératif et accablant de faire l'amour avec quelqu'un de très concret, Daniel.

J'ai pu l'observer de près et approfondir ce qu'il pense être de l'amitié et dont je sais que cela porte un autre nom. Il est de passage, il s'en ira bientôt, il ne veut pas d'attaches, peut-être ne le reverrai-je pas, mais cette idée est tellement insupportable que je l'ai écartée. Il est possible de mourir d'amour. Manuel le dit en plaisantant, mais c'est sûr, une pression fatidique s'accumule dans ma poitrine et si elle ne s'allège pas bientôt, je vais exploser. Blanca me conseille de faire le premier pas, un conseil qu'elle ne s'applique pas à elle-même en ce qui concerne Manuel, mais je n'ose pas. C'est ridicule, à mon âge et avec mon passé, je peux bien supporter un refus. Le puis-je ? Si Daniel me repousse, je me jetterai la tête la première au milieu des saumons carnivores. Je ne suis pas laide du tout, à ce qu'on dit. Pourquoi Daniel ne m'embrasse-t-il pas ?

La proximité de cet homme que je connais à peine est toxique, terme que j'utilise avec prudence car je connais trop bien sa signification, mais je n'en trouve pas d'autre pour décrire cette exaltation des sens, cette dépendance qui ressemble tant à l'addiction. Je comprends maintenant pourquoi les amants de l'opéra et de la littérature, face à l'éventualité d'une sépara-tion, se suicident ou meurent de chagrin. Il y a de la grandeur et de la dignité dans la tragédie, voilà pour-quoi elle est source d'inspiration, mais je ne veux pas de tragédie, aussi immortelle soit-elle, je veux un bon-heur sans nuages, intime, et très discret pour ne pas provoquer la jalousie des dieux toujours si vindicatifs.

Quelles idioties je dis là ! Il n'y a aucun fondement à ces fantaisies, Daniel me traite avec la même sympathie qu'il traite Blanca, qui pourrait être sa mère. Peut-être ne suis-je pas son genre. Ou serait-il gay ?

J'ai raconté à Daniel que Blanca avait été reine de beauté dans les années soixante-dix et que certains sont persuadés qu'elle a inspiré l'un des vingt poèmes d'amour de Pablo Neruda, alors qu'en 1924, lorsqu'ils ont été publiés, elle n'était pas née. Les gens ont vraiment l'esprit mal tourné. Blanca parle rarement de son cancer, mais je crois qu'elle est venue dans cette île pour se guérir à la fois de la maladie et de la désillusion de son divorce. Le sujet de conversation le plus courant ici, ce sont les maladies, mais j'ai eu la chance de tomber sur les deux seuls Chiliens stoïques qui ne les évoquent pas, Blanca Schnake et Manuel Arias ; pour eux, la vie est difficile et se plaindre l'aggrave. Ils sont très amis depuis plusieurs années, ils ont tout en commun, sauf les secrets qu'il garde et son ambivalence à elle en ce qui concerne la dictature. Ils passent du bon temps ensemble, se prêtent des livres, cuisinent, je les trouve parfois assis à la fenêtre, silencieux, en train de regarder passer les cygnes.

« Blanca regarde Manuel avec les yeux de l'amour », m'a commenté Daniel ; je ne suis donc pas la seule à l'avoir remarqué. Cette nuit, après avoir mis des bûches dans le poêle et fermé les volets, nous sommes allés nous coucher, lui dans la salle, moi dans ma pièce. Il était déjà très tard. Blottie dans mon lit, incapable de dormir sous trois couvertures, avec mon bonnet vert caca d'oie sur la tête par peur des chauves-souris, car elles s'accrochent aux cheveux à ce que dit Eduvigis, je pouvais entendre les soupirs des planches de la maison, le crépitement du bois qui brûlait, le cri de la chouette dans l'arbre devant ma fenêtre, la respiration proche de Manuel qui s'endort dès qu'il pose la tête sur l'oreiller, et les doux ronflements de Fakine. J'ai alors pensé qu'à presque vingt ans, il n'y a que Daniel que j'aie regardé avec les yeux de l'amour.

Blanca a insisté pour que Daniel reste une semaine de plus à Chiloé, afin de se rendre dans des villages reculés, de parcourir les sentiers forestiers et de voir les volcans. Après, il pourra aller en Patagonie dans l'avion d'un ami de son père, un multimillionnaire qui a acheté un tiers du territoire de Chiloé et a l'intention de se présenter aux élections présidentielles du pays en décembre, mais je veux que Daniel reste avec moi, il a assez vagabondé. Il n'a aucun besoin d'aller en Patagonie ni au Brésil, il peut s'en retourner directement à Seattle en juin.

Personne ne peut rester dans cette île plus de quelques jours sans se faire connaître, et tous savent déjà qui est Daniel Goodrich. Les habitants du village ont été particulièrement aimables avec lui, parce qu'il leur paraît très exotique, ils apprécient qu'il parle espagnol et imaginent qu'il est mon amoureux (si au moins il l'était !). Ils ont également été impressionnés par sa participation dans l'histoire d'Azucena Corrales.

Nous étions partis en kayak à la grotte de la Pincoya, bien couverts parce qu'on était fin mai, sans nous douter de ce qui nous attendait à notre retour. Le ciel était dégagé, la mer calme et l'air très froid. Pour aller à la grotte, je prends une route différente de celle des touristes, plus dangereuse à cause des rochers, mais je la préfère parce qu'elle me permet de m'approcher des phoques. C'est ma pratique spirituelle, il n'y a pas d'autre nom pour définir le ravissement mystique que me produisent les moustaches raides de la Pincoya, comme j'ai baptisé mon amie mouillée, une femelle phoque. Sur les rochers il y a un mâle menaçant, que je dois éviter, et huit ou dix femelles avec leurs petits, qui prennent le soleil ou jouent dans l'eau au milieu des loutres de mer. La première fois, je suis restée à flotter dans mon kayak sans m'approcher, immobile, pour regarder les loutres de près, et bientôt une femelle phoque s'est mise à tourner autour de moi. Ces animaux sont maladroits sur terre, mais très gracieux et rapides dans l'eau. Elle passait sous le kayak comme une torpille, et réapparaissait à la surface, avec ses moustaches de flibustier et ses yeux noirs tout ronds, emplis de curiosité. Avec son museau, elle donnait de petits coups sur mon embarcation, comme si elle savait que d'un souffle elle pouvait m'envoyer par le fond, mais son attitude était purement joueuse. Peu à peu nous avons appris à nous connaître. J'ai commencé à lui rendre souvent visite et très vite elle nageait à ma rencontre dès qu'elle apercevait le kayak. La Pincoya aime frotter ses moustaches contre mon bras nu.

Ces moments avec cette femelle phoque sont sacrés, j'ai pour elle une tendresse aussi vaste qu'une encyclopédie, je ressens une envie folle de me jeter à l'eau et de m'ébattre avec elle. Je ne pouvais donner une plus grande preuve d'amour à Daniel qu'en l'emmenant à la grotte. La Pincoya prenait le soleil et dès qu'elle m'a vue, elle s'est jetée à l'eau pour venir me saluer, mais elle est restée à une certaine distance, examinant Daniel, et elle a fini par retourner sur les rochers, vexée que j'aie amené un étranger. Il va me falloir beaucoup de temps pour retrouver son estime.

Lorsque nous sommes revenus au village, vers une heure, Juanito et Pedro nous attendaient, impatients, sur l'embarcadère pour nous annoncer qu'Azucena avait eu une hémorragie chez Manuel, chez qui elle était allée faire le ménage. Manuel l'avait trouvée dans une mare de sang, il avait appelé les carabiniers, qui étaient venus la chercher en jeep. Juanito nous a dit que l'adolescente avait été amenée à la prison en attendant le bateau de l'ambulance.

Les carabiniers avaient installé Azucena sur le lit de la cellule des femmes, et Humilde Garay lui appliquait des serviettes humides sur le front, à défaut d'un remède plus efficace, tandis que Laurencio Cárcamo s'entretenait au téléphone avec le commissariat de Dalcahue pour demander des instructions. Daniel Goodrich s'est fait connaître comme médecin, il nous a demandé de sortir de la cellule et a examiné Azucena. Dix minutes plus tard, il est revenu nous annoncer que la petite était enceinte d'environ cinq mois. «Mais elle n'a que treize ans!» me suis-je exclamée. Je ne comprends pas que personne ne s'en soit rendu compte, ni Eduvigis, ni Blanca, et même l'infirmière; Azucena paraissait seulement un peu grosse.

Sur ce, le bateau-ambulance est arrivé et les carabiniers nous ont permis, à Daniel et moi, d'accompagner Azucena qui pleurait de frayeur. Nous sommes entrés avec elle aux urgences de l'hôpital de Castro et j'ai attendu dans le couloir, mais Daniel a fait valoir son titre de médecin et suivi le brancard au pavillon. La nuit même, ils ont opéré Azucena pour sortir l'enfant qui était mort. Il y aura une enquête pour savoir si l'avortement a été provoqué, c'est la procédure légale dans un cas comme celui-ci, et cela paraît plus important que de chercher les circonstances dans lesquelles une gamine de treize ans se retrouve enceinte, comme l'allègue Blanca Schnake, furieuse, à juste titre.

Azucena Corrales refuse de dire qui l'a mise enceinte et dans l'île circule déjà la rumeur que c'est le Trauco, un nain mythique d'une aune de hauteur, armé d'une hache, qui vit dans les trous des arbres et protège les forêts. Il peut tordre la colonne vertébrale d'un homme du regard et poursuit les filles vierges pour les engrosser. C'est sûrement le Trauco, dit-on, parce qu'on a vu des excréments jaunes près de la maison des Corrales.

Eduvigis a réagi de manière étrange, elle refuse de voir sa fille ou de connaître les détails de ce qui est arrivé. L'alcoolisme, la violence domestique et l'inceste sont les malédictions de Chiloé, en particulier dans les communautés les plus isolées, et d'après Manuel le mythe du Trauco a été inventé pour couvrir les grossesses des filles violées par leur père ou leurs frères. Je viens d'apprendre que Juanito n'est pas seulement le petit-fils de Carmelo Corrales, mais aussi son fils. La mère de Juanito, qui vit à Quellón, a été violée par Carmelo, son père, et elle a eu l'enfant à quinze ans. Eduvigis l'a élevé comme s'il était le sien, mais dans le village on connaît la vérité. Je me demande comment un invalide prostré a pu abuser d'Azucena, ça a dû se passer avant qu'on l'ampute.

Hier Daniel est parti ! Le 29 mai 2009 restera gravé dans ma mémoire comme le deuxième jour le plus triste de ma vie, le premier étant celui où mon Popo est mort. Je vais me tatouer 2009 sur l'autre poignet, pour ne jamais l'oublier. J'ai pleuré deux jours de suite, Manuel dit que je vais me déshydrater, qu'il n'a jamais vu tant de larmes et qu'aucun homme ne mérite autant de souffrance, surtout s'il n'est parti qu'à Seattle et pas à la guerre. Qu'en sait-il ? Les séparations sont très dangereuses. À Seattle il doit y avoir un million de jeunes filles bien plus belles et bien moins compliquées que moi. Pourquoi lui ai-je raconté les détails de mon passé ? À présent il va avoir le temps de les analyser, il pourra même en discuter avec son père et qui sait quelles conclusions en tireront ces deux psychiatres ? Sans doute vont-ils me taxer de toxicomane et de névrotique. Loin de moi, l'enthousiasme de Daniel va se refroidir et il risque de décider qu'il n'a aucun intérêt à se lier avec une fille de mon espèce. Pourquoi ne suis-je pas partie avec lui ? Eh bien il ne me l'a pas demandé, voilà la vérité...

Hiver

Juin, juillet, août

Si on m'avait demandé il y a quelques semaines quelle a été l'époque la plus heureuse de ma vie, j'aurais dit qu'elle appartenait au passé, que ce fut mon enfance avec mes grands-parents dans la demeure magique de Berkeley. Aujourd'hui pourtant, ma réponse serait que les jours les plus heureux, je les ai vécus fin mai avec Daniel et que, sauf catastrophe, je les vivrai à nouveau dans un futur proche. J'ai passé neuf jours en sa compagnie et pendant trois d'entre eux nous avons été seuls dans cette maison qui a une âme de cyprès. Pendant ces journées exceptionnelles, une porte s'est entrouverte pour moi, j'ai eu un aperçu de ce qu'était l'amour, et sa lumière m'a été presque insupportable. Mon Popo disait que l'amour nous rend bons. Peu importe la personne que nous aimons, que cet amour soit partagé ou que la relation soit durable. L'expérience d'aimer suffit, elle nous transforme.

Voyons si je peux décrire les seuls jours d'amour que j'ai vécus dans ma vie. Manuel Arias est parti précipitamment à Santiago pour un voyage de trois jours au sujet de son livre, a-t-il dit, mais d'après Blanca il allait voir son médecin pour un contrôle de sa bulle dans le cerveau. Moi, je crois qu'il est parti pour me laisser seule avec Daniel. Nous sommes restés complètement seuls, car Eduvigis n'est pas revenue faire le ménage après le scandale de la grossesse d'Azucena, laquelle se trouvait encore à l'hôpital de Castro, en convalescence pour une infection, et Blanca avait interdit à Juanito Corrales et Pedro Pelanchugay de nous déranger. Nous étions fin mai, les jours étaient courts, les nuits longues et glacées, un temps parfait pour l'intimité.

Manuel est parti à midi en nous laissant le soin de préparer la confiture de tomates, avant que celles-ci pourrissent. Des tomates, des tomates et encore des tomates. Des tomates en automne, où a-t-on vu ça ? Il y en a tellement dans le jardin de Blanca, et elle nous en donne une telle quantité que nous ne savons plus quoi en faire : de la sauce, du coulis, des tomates séchées, des tomates en conserve. La confiture est une solution extrême, je ne sais pas qui trouve ça bon. Avec Daniel nous en avons pelé plusieurs kilos, nous les avons coupées, pesées et mises dans les marmites après avoir enlevé les graines ; cela nous a pris plus de deux heures, mais elles n'ont pas été perdues, parce que avec la distraction des tomates nos langues se sont déliées et nous nous sommes raconté un tas de choses. Nous avons ajouté un kilo de sucre par kilo de pulpe de tomate, un peu de jus de citron, nous avons laissé cuire jusqu'à ce que ça épaississe, environ vingt minutes en remuant, puis aussitôt versé dans des bocaux bien propres que nous avons fait bouillir pendant une demi-heure ; une fois hermétiquement fermés, ils ont été prêts à être échangés contre d'autres produits, comme la gelée de coing de Liliana Treviño et la laine de doña Lucinda. Lorsque nous avons terminé, la cuisine était plongée dans la pénombre et la maison avait une délicieuse odeur de sucre et de laine.

Nous nous sommes installés devant la fenêtre pour regarder la nuit, avec un plateau contenant du pain, du fromage crémeux, du saucisson envoyé par don Lionel Schnake et du poisson fumé de Manuel. Daniel a ouvert une bouteille de vin rouge et servi un verre, mais alors qu'il allait verser le second je l'ai arrêté, il était temps de lui exposer mes raisons de ne pas y goûter et de lui expliquer qu'il pouvait boire sans s'inquiéter. Je lui ai parlé de mes addictions en général, sans m'appesantir encore sur ma vie dissolue de l'an dernier, et je lui ai déclaré que je n'ai pas besoin d'un verre pour noyer un chagrin, que cela me manque seulement dans les moments de fête, comme celui-ci devant la fenêtre, mais que cela ne nous empêchait pas de trinquer ensemble, lui avec du vin et moi avec du jus de pomme.

Je crois que je devrai toujours me garder de l'alcool ; il est plus difficile d'y résister qu'aux drogues, car c'est un produit légal, disponible, et on nous en propose partout. Si j'accepte un verre, ma volonté va se relâcher, j'aurai du mal à refuser le deuxième, et de là à l'abîme d'autrefois il n'y a que quelques gorgées. J'ai eu de la chance, ai-je dit à Daniel, car au cours des six mois que j'ai passés à Las Vegas ma dépendance n'a pas eu le temps de trop s'affirmer ; lorsque à présent la tentation surgit, je me souviens des paroles de Mike O'Kelly, qui en connaît un rayon sur le sujet, vu que c'est un alcoolique repenti : il dit que l'addiction est comme la grossesse, c'est oui ou non, il n'y a pas de moyens termes.

Enfin, après bien des détours, Daniel m'a embrassée, d'abord avec douceur, m'effleurant à peine, puis avec plus d'assurance, ses lèvres épaisses contre les miennes, sa langue dans ma bouche. J'ai senti la légère saveur du vin, la fermeté de ses lèvres, la douce intimité de son haleine, son odeur de laine et de tomate, le murmure de sa respiration, sa main chaude sur ma nuque. Il s'est écarté et m'a regardée avec une expression interrogative, alors je me suis rendu compte que j'étais rigide, les bras plaqués sur les côtés, les yeux exorbités. «Pardon», m'a-t-il dit en s'écartant. «Non! Toi, pardonne-moi!» me suis-je exclamée avec une emphase qui l'a alarmé. Comment lui expliquer qu'en réalité c'était mon premier baiser, que tout ce qui s'était passé auparavant n'avait rien à voir avec l'amour; cela faisait une semaine que j'imaginais ce baiser et à force d'en rêver voilà que je chavirais, j'avais tellement craint qu'il n'arrive jamais que j'allais me mettre à pleurer. Je ne savais comment lui dire tout cela; le plus expéditif a été de prendre sa tête entre mes mains et de l'embrasser comme lors d'une séparation tragique. À partir de cet instant, il a suffi de larguer les amarres et de partir toutes voiles dehors sur des eaux inconnues, en jetant par-dessus bord les vicissitudes du passé.

Pendant une pause, entre deux baisers, je lui ai avoué que j'avais déjà eu des relations sexuelles, mais qu'en réalité je n'avais jamais fait l'amour. «Imaginais-tu que cela t'arriverait ici, au bout du monde?» m'a-t-il demandé. «À mon arrivée, Daniel, je voyais Chiloé comme le cul du monde, mais je sais maintenant que c'est l'œil de la galaxie», lui ai-je avoué.

Le canapé défoncé de Manuel s'est avéré inadéquat, ses ressorts dépassent, il est couvert des poils bruns du Chat-Bête et de ceux orangés du Chat-Lettré, aussi avons-nous entassé les couvertures de ma chambre pour faire un nid près du poêle. «Si j'avais su que tu existais, Daniel, j'aurais écouté ma grand-mère, et j'aurais davantage pris soin de moi », ai-je admis, prête à lui réciter le chapelet de mes erreurs, mais un instant plus tard je les avais oubliées, car dans l'ampleur du désir, quelle importance cela pouvait-il avoir ? Avec des secousses brusques, je lui ai enlevé son pull-over et son T-shirt à manches longues, puis j'ai commencé à me battre avec la ceinture et la boucle de cow-boy – que les vêtements d'homme sont ennuyeux ! –, mais il a pris mes mains et m'a de nouveau embrassée. « Nous avons trois jours, ne nous pressons pas ! » a-t-il dit. J'ai caressé son torse nu, ses bras, ses épaules, parcourant la topographie inconnue de ce corps, ses vallées et ses collines, admirant sa peau lisse couleur bronze patiné, une peau d'Africain, l'architecture de ses longs os, la forme noble de sa tête, embrassant la fente du menton, les pommettes de barbare, les paupières lourdes, les oreilles innocentes, la pomme d'Adam, le long chemin du sternum, les bouts des seins semblables à des airelles, petits et violets. J'ai recommencé à m'en prendre à la ceinture et de nouveau Daniel m'a arrêtée en prétextant qu'il voulait me regarder.

Il a entrepris de me déshabiller et ça n'en finissait pas : le vieux gilet en cachemire de Manuel, une flanelle d'hiver, puis une plus fine en dessous, tellement déteinte qu'Obama n'est qu'une tache, le soutien-gorge en coton dont une bretelle est attachée par une épingle de nourrice, un pantalon acheté avec Blanca dans le magasin de vêtements d'occasion, trop court de jambes mais chaud, de grosses chaussettes et enfin la culotte blanche de collégienne que ma grand-mère avait glissée dans mon sac à Berkeley. Daniel m'a allongée dans le nid sur le dos et j'ai senti les égratignures des rudes couvertures chilotes, insupportables en d'autres circonstances, mais sensuelles à cet instant. Il m'a léchée de la pointe de sa langue comme un bonbon, me chatouillant à certains endroits, réveillant qui sait quelle bestiole endormie, commentant le contraste entre sa peau sombre et ma couleur originelle de Scandinave, visible dans sa pâleur mortelle aux endroits que n'atteint pas le soleil.

J'ai fermé les yeux et me suis abandonnée au plaisir, ondulant pour aller à la rencontre de ces doigts solennels et sages, qui jouaient de moi comme d'un violon, et ainsi, peu à peu, jusqu'à ce qu'arrive soudain l'orgasme, long, lent, soutenu, et que mon cri alarme Fakine qui s'est mis à grogner en montrant les crocs. «*It's okay, fucking dog*», et je me suis blottie dans les bras de Daniel en ronronnant, heureuse, dans la chaleur de son corps et notre odeur musquée. «Maintenant c'est mon tour», ai-je fini par lui annoncer au bout d'un bon moment ; alors il m'a permis de le dévêtir et de faire de lui tout ce que je voulais.

Nous sommes restés enfermés à la maison pendant trois jours mémorables, cadeau de Manuel ; ma dette envers ce vieil anthropophage a augmenté de façon inquiétante. Nous avions des confidences en attente et de l'amour à inventer. Nous devions apprendre à adapter nos corps, découvrir avec calme la manière de donner du plaisir à l'autre et de dormir ensemble sans nous gêner. Il manque d'expérience dans ce domaine alors que pour moi c'est naturel, parce que j'ai grandi dans le lit de mes grands-parents. Collée contre quelqu'un, je n'ai aucun besoin de compter les moutons, les cygnes ou les dauphins, en particulier si c'est quelqu'un de grand, de chaud, d'odorant, qui ronfle discrètement, car je sais ainsi qu'il est vivant. Mon lit est étroit, et comme il nous a semblé irrespectueux d'occuper celui de Manuel, nous avons posé une montagne de couvertures et d'oreillers par terre, près du poêle. Nous cuisinions, parlions, faisions l'amour ; nous regardions par la fenêtre, allions jusqu'aux rochers, écoutions de la musique, faisions l'amour ; nous prenions des bains dans le jacuzzi, transportions du bois, lisions les livres de Manuel sur Chiloé et faisions encore l'amour. Il pleuvait, ce qui ne nous incitait pas à sortir ; la mélancolie des nuages chilotes se prête à la romance.

Ces moments uniques en tête à tête m'ont offert l'exquise occasion d'apprendre, guidée par Daniel, les multiples possibilités des sens, le plaisir de se caresser sans but, la volupté de se frotter peau contre peau. Un corps d'homme permet de se distraire pendant des années : les points sensibles que l'on stimule de cette façon, d'autres qui demandent des attentions différentes, ceux qu'on ne touche pas car il suffit de souffler dessus ; chaque vertèbre a une histoire, on peut se perdre dans le vaste champ des épaules, avec leur aptitude à porter des poids et des peines, et les muscles durs des bras, faits pour soutenir le monde. Sous la peau se cachent des désirs jamais formulés, des afflictions cachées, des marques invisibles au microscope. Il existe forcément des manuels sur les baisers et leur infinie variété, les baisers de pivert, les baisers de poisson. La langue est une couleuvre audacieuse et indiscrète, et je ne fais pas ici référence aux choses qu'elle dit. Le cœur et le pénis sont mes préférés : indomptables, transparents dans leurs intentions, candides et vulnérables, il ne faut pas en abuser.

Enfin, j'ai pu raconter mes secrets à Daniel. Je lui ai parlé de Roy Fedgewick, de Brandon Leeman et des hommes qui l'ont tué ; je lui ai raconté comment j'avais distribué des drogues, comment j'avais tout perdu pour me retrouver clocharde, combien le monde est dangereux pour les femmes, comment nous devons traverser une rue solitaire si un homme arrive en sens contraire et les éviter tout à fait s'ils sont en groupe, surveiller nos arrières, regarder en coin et nous rendre invisibles. Pendant les derniers mois passés à Las Vegas, alors que j'avais tout perdu, je me suis protégée en me faisant passer pour un garçon ; le fait que je sois grande et aussi maigre qu'une planche, avec les cheveux courts et les vêtements d'homme de l'Armée du Salut, m'y a aidée. Je suppose que j'ai été sauvée plus d'une fois grâce à cela. La rue est implacable.

Je lui ai raconté les viols auxquels j'ai assisté et que je n'avais racontés qu'à Mike O'Kelly, qui a assez d'estomac pour tout avaler. La première fois, un ivrogne écœurant, un gros homme qui paraissait robuste à cause des couches de guenilles qui le couvraient, mais qui n'avait peut-être que la peau et les os, a attrapé une fille dans une impasse, pleine d'ordures, en plein jour. La cuisine d'un restaurant donnait dans la ruelle et je n'étais pas la seule à aller fouiller dans les poubelles en quête de restes pour les disputer aux chats errants. Il y avait aussi des rats, on pouvait les entendre mais je ne les ai jamais vus. La fille, une jeune droguée affamée et sale, aurait pu être moi. L'homme l'a saisie par-derrière, l'a renversée à terre sur le ventre au milieu des ordures et des flaques d'eau putréfiée, et avec un couteau il a déchiré son pantalon sur le côté. Je me trouvais à moins de trois mètres, cachée entre les poubelles, et seul le hasard a voulu que ce soit elle qui crie et pas moi. La fille ne s'est pas défendue. Il a terminé en deux ou trois minutes, a remis ses haillons en place et s'est éloigné en toussant. Pendant ces quelques minutes, j'aurais pu l'assommer d'un coup sur la nuque avec l'une des bouteilles jetées là, ç'aurait été facile et l'idée m'est venue, mais je l'ai aussitôt écartée : c'était pas mon putain de problème. Et quand l'agresseur est parti, je ne me suis pas approchée non plus pour aider la fille immobile à terre, je suis passée à côté d'elle et suis partie en vitesse, sans la regarder.

La deuxième fois, c'étaient deux hommes jeunes, sans doute des trafiquants ou des voyous, et la victime était une femme que j'avais déjà vue dans la rue, très usée, malade. Elle non plus je ne l'ai pas aidée. Ils l'ont traînée sous un passage à niveau, en riant et en se moquant, tandis qu'elle se débattait avec une fureur aussi concentrée qu'inutile. Soudain elle m'a vue. Nos regards se sont croisés pendant un instant éternel, inoubliable, et moi j'ai fait demi-tour et me suis mise à courir.

Pendant ces mois à Las Vegas, où l'argent coulait à flots, j'avais été incapable d'économiser assez pour un billet d'avion vers la Californie. Il était trop tard pour appeler Nini. Mon aventure de l'été avait viré au cauchemar et je ne pouvais pas mêler mon innocente grand-mère aux mauvais coups de Brandon Leeman. Après le sauna, je suis allée à la piscine du gymnase enveloppée dans un peignoir, j'ai commandé un soda, que j'ai allongé d'une rasade de vodka de la fiasque que j'avais toujours dans mon sac, j'ai avalé deux

tranquillisants et une autre pastille que je n'ai pas iden-
tifiée ; je consommais trop de médicaments de formes
et de couleurs différentes pour les distinguer. Je me suis
allongée sur un transat le plus loin possible d'un groupe
de jeunes attardés mentaux, qui se trempaient dans l'eau
avec leurs accompagnateurs. Dans d'autres circonstances
j'aurais joué un moment avec eux, je les avais vus souvent et c'étaient les seules personnes avec lesquelles
j'osais entrer en relation, parce qu'ils ne présentaient
pas un danger pour la sécurité de Brandon Leeman,
mais j'avais mal à la tête et j'avais envie d'être seule.

La paix bénie des pilules commençait à m'envahir
quand j'ai entendu le nom de Laura Barron dans le
haut-parleur, ce qui n'était jamais arrivé. J'ai pensé
que j'avais mal compris et je n'ai pas bougé avant le
second appel ; alors je me suis dirigée vers le téléphone
intérieur, j'ai appelé la réception qui m'a informée que
quelqu'un me cherchait et que c'était urgent. Je suis
allée dans le hall, pieds nus et en peignoir, et j'y ai
trouvé Freddy, très agité. Il m'a prise par la main et
entraînée dans un coin pour m'annoncer, complètement bouleversé, que Joe Martin et le Chinois avaient
tué Brandon Leeman.

« Ils l'ont criblé de balles, Laura !

— Mais qu'est-ce que tu racontes, Freddy !

— Il y avait du sang partout, des morceaux de cervelle... Tu dois t'enfuir, ils vont te tuer toi aussi ! a-t-il
lâché d'un coup.

— Moi ? Pourquoi moi ?

— Je t'expliquerai après, il faut qu'on parte en
vitesse, dépêche-toi. »

J'ai couru m'habiller, pris l'argent que j'avais et
rejoint Freddy, qui marchait de long en large comme

une panthère devant les regards aux aguets des employés de la réception. Nous sommes sortis dans la rue et nous sommes éloignés très vite, en essayant de ne pas trop attirer l'attention. Deux rues plus loin, nous avons réussi à arrêter un taxi. Enfin, après avoir changé trois fois de véhicule pour dépister nos poursuivants, acheté de la teinture pour les cheveux et la bouteille de genièvre la plus forte et la plus ordinaire du marché, nous avons atterri dans un motel des environs de Las Vegas. J'ai payé la nuit et nous nous sommes enfermés dans une chambre.

Tandis que je me teignais les cheveux en noir, Freddy m'a raconté que Joe Martin et le Chinois avaient passé la journée à entrer et sortir de l'appartement en parlant frénétiquement au téléphone, sans jamais faire attention à lui. «Ce matin je me suis senti mal, Laura, tu sais dans quel état je peux être parfois, mais je me suis rendu compte que ces deux salauds tramaient quelque chose et j'ai commencé à dresser l'oreille sans bouger du matelas. Ils m'ont oublié ou ont pensé que j'étais dans les vapes.» D'après les appels et les conversations, Freddy avait fini par comprendre ce qui était en train de se passer.

Les hommes avaient appris que Brandon Leeman avait payé quelqu'un pour les éliminer, mais pour une raison quelconque cette personne ne l'avait pas fait, elle les avait au contraire prévenus et leur avait donné l'ordre d'enlever Brandon Leeman et de l'obliger à révéler où il cachait son argent. D'après le ton déférent de Joe Martin et du Chinois, Freddy avait compris que le mystérieux interlocuteur était quelqu'un qui avait de l'autorité. «J'ai pas réussi à prévenir Brandon. J'avais pas de téléphone et j'ai pas eu le temps», a gémi le garçon. Brandon Leeman était comme un père pour Freddy ; il l'avait recueilli dans la rue, lui avait donné un toit, l'avait nourri et protégé sans y mettre aucune condition, il n'avait jamais essayé de le sauver, il l'acceptait avec ses vices et applaudissait à ses blagues et ses démonstrations de rap. «Il m'a surpris plusieurs fois en train de le voler, Laura, et tu sais ce qu'il faisait au lieu de me frapper ? Il me disait de le lui demander et qu'il me le donnerait.»

Joe Martin est allé attendre Leeman dans le garage de l'immeuble, où celui-ci devait garer la voiture, et le Chinois a monté la garde dans l'appartement. Freddy était resté couché sur le matelas, faisant semblant de dormir, et de là il avait entendu qu'on prévenait le Chinois que le chef approchait. Le Philippin est descendu en courant et Freddy l'a suivi à une certaine distance.

L'Acura est entrée dans le garage, Leeman a arrêté le moteur et ouvert la portière pour sortir du véhicule, mais dans le rétroviseur il a vu les ombres des deux hommes qui lui bloquaient la sortie. Il a réagi au quart de tour, impulsé par la longue habitude de la méfiance, et d'un seul geste instinctif a sorti son arme, s'est jeté à terre et a fait feu sans préavis. Mais Brandon Leeman, toujours tellement obsédé par la sécurité, ne connaissait pas son propre revolver. Freddy ne l'avait jamais vu le nettoyer ni s'entraîner à tirer, comme le faisaient Joe Martin et le Chinois, qui pouvaient démonter leurs armes et les recharger en quelques secondes. En tirant au jugé sur ces ombres dans le garage, Brandon Leeman avait précipité sa mort, même si de toute façon ils l'auraient certainement criblé de balles. Les deux tueurs avaient vidé leurs armes sur le patron, qui était coincé entre la voiture et le mur.

Freddy avait vu la boucherie, puis il était sorti en courant avant que le vacarme se dissipe et que les hommes le découvrent.

« Pourquoi crois-tu qu'ils veulent me tuer ? J'ai rien à voir avec ça, Freddy, lui ai-je dit.

— Ils croyaient que tu étais dans la voiture avec Brandon. Ils voulaient vous prendre tous les deux, ils disent que tu en sais trop. Dis-moi dans quel guêpier tu t'es fourrée, Laura.

— Mais dans aucun, j'ignore ce que ces types me veulent !

— Joe et le Chinois sont sûrement allés te chercher au gymnase, le seul endroit où tu pouvais être. Ils ont dû y arriver quelques minutes après notre départ.

— Et maintenant, je fais quoi ?

— Tu restes ici jusqu'à ce qu'on ait une idée. »

Nous avons ouvert la bouteille de genièvre et, couchés côte à côte sur le lit, nous avons bu à tour de rôle jusqu'à sombrer dans une épaisse ivresse de mort.

J'ai ressuscité des heures plus tard dans une chambre inconnue avec la sensation d'être écrasée par un pachyderme et d'avoir des aiguilles plantées dans les yeux, sans me souvenir de ce qui s'était passé. Je me suis redressée avec un immense effort, me suis laissée tomber à terre et traînée jusqu'aux toilettes, juste à temps pour me pencher au-dessus de la cuvette et vomir un interminable jet de boue d'égout. Je suis restée prostrée sur le linoléum, tremblante, la bouche amère et une griffe dans les boyaux, balbutiant entre des nau-sées sèches «je veux mourir, je veux mourir». Un long moment après, j'ai pu me mouiller le visage et me rincer la bouche, épouvantée devant l'inconnue aux cheveux noirs, aussi pâle qu'un cadavre, que je voyais dans le miroir. Je n'ai pas réussi à arriver jusqu'au lit et suis restée allongée sur le sol, gémissante.

Un peu plus tard on a frappé à la porte trois coups, qui me sont parvenus comme des coups de canon, et une voix avec un accent espagnol a crié qu'elle venait nettoyer la pièce. En m'appuyant aux murs j'ai atteint la porte, je l'ai à peine entrouverte, suffisamment pour envoyer l'employée au diable et accrocher la pancarte «ne pas déranger»; puis je suis retombée à genoux. J'ai regagné le lit à quatre pattes avec le pressentiment d'un danger imminent et funeste, que je n'arrivais pas à préciser. Je ne me rappelais pas pourquoi je me trou-vais dans cette chambre, mais je devinais que ce n'était ni une hallucination ni un cauchemar, mais quelque chose de réel et de terrible, quelque chose qui avait un rapport avec Freddy. Une couronne de fer me pressait les tempes de plus en plus fort, tandis que j'appelais Freddy avec un filet de voix. J'ai fini par me lasser de l'appeler et, désespérée, je me suis mise à le chercher sous le lit, dans la salle de bains, les toilettes, au cas où il me ferait une blague. Il n'était nulle part, mais j'ai découvert qu'il m'avait laissé un sachet de crack, une pipe et un briquet. Que c'était simple et familier !

Le crack était le paradis et la condamnation de Freddy, je l'avais vu en prendre chaque jour, mais je n'y avais jamais goûté, sur ordre du patron. Petite fille obéissante. Merde. Mes mains fonctionnaient à peine et j'étais aveuglée par le mal de tête, mais je me suis débrouillée pour introduire les cailloux dans la pipe en verre et enflammer le chalumeau, une tâche titanesque. Exaspérée, affolée, j'ai attendu des secondes interminables que les cristaux couleur de cire se consument, brûlant mes doigts et mes lèvres avec le tube ; enfin ils se sont brisés et j'ai aspiré à fond le nuage salvateur, le parfum douceâtre d'essence mentholée, alors le malaise et les prémonitions ont disparu et je me suis élevée vers la gloire, légère, gracile, un oiseau dans le vent.

Pendant un bref instant je me suis sentie euphorique, invincible, mais ensuite j'ai atterri avec fracas dans la pénombre de cette chambre. Une autre bouffée dans le tube de verre et une autre encore. Où était Freddy ? Pourquoi m'avait-il abandonnée sans dire adieu, sans une explication ? Il me restait un peu d'argent et je suis sortie d'un pas vacillant acheter une autre bouteille, puis je suis revenue m'enfermer dans ma tanière.

Entre l'alcool et le crack, j'ai flotté à la dérive pendant deux jours sans dormir ni manger ou me laver, couverte de vomi, parce que je ne parvenais pas à atteindre la salle de bains. Quand je n'ai plus eu d'alcool et de drogue, j'ai vidé le contenu de mon sac et trouvé une dose de cocaïne, que j'ai aussitôt sniffée, ainsi qu'un flacon avec trois somnifères, que j'ai décidé de rationner. J'en ai pris deux et, comme ils n'ont eu aucun effet, j'ai avalé le troisième. Je n'ai pas su si j'avais dormi ou sombré dans l'inconscience, le réveil marquait des chiffres qui ne signifiaient rien. Quel jour est-on ? Où suis-je ? Je n'en avais pas la moindre idée. J'ouvrais les yeux, je m'étouffais, mon cœur était une bombe à retardement, tic-tac-tic-tac, de plus en plus rapide, je sentais des décharges d'électricité, des secousses, des râles, puis le vide.

J'ai été réveillée par de nouveaux coups à la porte et des cris péremptoires, ceux du responsable de l'hôtel cette fois. J'ai enterré ma tête sous les oreillers en réclamant un peu de soulagement, une seule bouffée de la fumée bénie, encore une seule gorgée de n'importe quoi. Deux hommes ont forcé la porte et fait irruption dans la chambre en jurant et proférant des menaces. Ils se sont arrêtés net devant le spectacle d'une folle épouvantée, agitée, balbutiant des incohérences dans cette chambre devenue une porcherie fétide, mais ils en avaient vu d'autres dans ce motel minable et ils ont deviné de quoi il retournait. Ils m'ont obligée à m'habiller, m'ont soulevée par les bras, traînée en bas de l'escalier et poussée dans la rue. Ils ont confisqué mes seules affaires qui avaient un peu de valeur, le sac de marque et les lunettes de soleil, mais ils ont eu l'amabilité de me laisser mon permis de conduire et mon portefeuille, avec les deux dollars et quarante cents qui me restaient.

Dehors il faisait une chaleur torride et l'asphalte à moitié fondu me brûlait les pieds à travers mes escarpins, mais rien n'avait d'importance à mes yeux. Ma seule obsession était de trouver quelque chose pour calmer mon angoisse et ma peur. Je n'avais nulle part où aller ni personne à qui demander de l'aide. Je me suis rappelé que j'avais promis d'appeler le frère de Brandon Leeman, mais cela pouvait attendre, et aussi des trésors qu'il y avait dans l'immeuble où j'avais vécu ces derniers mois, une quantité de poudres magnifiques, de cristaux précieux, de pilules merveilleuses que je séparais, pesais, comptais et mettais soigneusement dans des sachets en plastique. Même le plus misérable pouvait trouver là son coin de paradis, aussi bref fût-il.

Comment n'allais-je pas tomber sur quelque chose dans les cavernes des garages, dans les cimetières du premier et du deuxième étage, comment n'allais-je pas rencontré quelqu'un qui aurait pitié de moi ; mais avec le peu de lucidité qui me restait, je me suis souvenue que m'approcher de ce quartier équivalait à un suicide.

Réfléchis, Maya, réfléchis, répétais-je à voix haute, comme je le faisais à tout moment ces derniers mois. Il y a partout des drogues dans cette putain de ville, il suffit de les chercher, clamais-je en me promenant devant le motel comme un coyote affamé, jusqu'à ce que le besoin éclaircisse mon esprit et que je puisse réfléchir.

Expulsée du motel où Freddy m'avait laissée, j'ai marché jusqu'à une station-service, demandé la clé des toilettes publiques pour me débarbouiller un peu, puis j'ai trouvé un chauffeur qui a bien voulu me laisser à quelques rues du gymnase.

J'avais les clés des casiers dans la poche de mon pantalon. Je suis restée près de la porte, attendant l'occasion d'entrer sans attirer l'attention, et quand j'ai vu s'approcher trois personnes qui discutaient, je me suis discrètement mêlée au groupe. J'ai traversé le hall de la réception et en arrivant à l'escalier je me suis trouvée nez à nez avec l'un des employés qui a hésité avant de me saluer, surpris par la couleur de mes cheveux. Je n'adressais la parole à personne au gymnase, je suppose que j'avais la réputation d'être arrogante ou stupide, mais d'autres membres me connaissaient de vue et plusieurs employés par mon nom. Je suis montée en courant jusqu'aux vestiaires et j'ai vidé mes casiers par terre avec une telle frénésie qu'une femme m'a demandé si j'avais perdu quelque chose ; j'ai lâché un chapelet d'injures parce que je n'ai rien trouvé pour me faire planer, tandis qu'elle m'observait sans dissimulation dans le miroir. « Qu'est-ce que vous regardez, madame ? » lui ai-je crié, et alors je me suis vue dans la glace et je n'ai pas reconnu cette folle aux yeux rouges, avec des taches sur la peau et un animal noir sur la tête.

J'ai tout remis pêle-mêle dans les casiers, jeté à la poubelle mes vêtements sales et le téléphone portable que m'avait donné Brandon Leeman et dont les assassins connaissaient le numéro, j'ai pris une douche rapide et me suis lavé les cheveux, en pensant que je pouvais vendre le sac de marque que j'avais encore, ce qui me permettrait de me shooter pendant plusieurs jours. J'ai enfilé ma robe noire et mis des vêtements de rechange dans un sac en plastique, mais je n'ai pas essayé de me maquiller car je tremblais des pieds à la tête, mes mains m'obéissaient à peine.

La femme était toujours là, enveloppée dans une serviette, le séchoir à la main, bien que ses cheveux soient secs, m'espionnant, se demandant si elle devait appeler la sécurité. J'ai ébauché un sourire et lui ai demandé si elle voulait acheter mon sac ; je lui ai dit que c'était un authentique Louis Vuitton et qu'il était presque neuf, qu'on m'avait volé mon portefeuille et que j'avais besoin d'argent pour retourner en Californie. Une grimace de mépris l'a enlaidie, mais elle s'est approchée pour examiner le sac, vaincue par la convoitise, avant de m'en offrir cent dollars. Je lui ai fait un doigt d'honneur et me suis éclipsée en toute hâte.

Je ne suis pas allée loin. Du haut des escaliers j'avais une vue complète de la réception et, à travers la porte en verre, j'ai aperçu la voiture de Joe Martin et du Chinois. Sans doute s'installaient-ils là chaque jour, sachant que tôt ou tard je viendrais au club, ou alors un indicateur les avait avertis de mon arrivée, auquel cas l'un d'eux devait être en train de me chercher à l'intérieur du bâtiment.

J'ai réussi à vaincre la panique qui m'avait glacée l'espace d'un instant, et j'ai reculé vers le spa qui occupait une aile de l'édifice, avec son Bouddha, ses offrandes de pétales, ses chants d'oiseaux, son parfum de vanille et ses pichets d'eau avec des rondelles de concombre. Les masseurs des deux sexes se différenciaient par leurs peignoirs turquoise du reste du personnel constitué de jeunes filles vêtues de peignoirs roses. Comme je connaissais les habitudes du spa, car c'était l'un des luxes que Brandon Leeman m'autorisait, j'ai pu me glisser dans le couloir sans être vue et entrer dans l'une des cabines. J'ai fermé la porte et allumé la lampe indiquant qu'elle était occupée. Personne ne dérangeait lorsque cette lampe rouge était allumée. Sur une table, il y avait une bouilloire avec quelques feuilles d'eucalyptus, des pierres plates pour le massage et plusieurs flacons de produits de beauté. J'ai écarté les crèmes et avalé en trois gorgées le contenu d'une bouteille de lotion, mais si elle contenait de l'alcool c'était en quantité infime et cela ne m'a pas soulagée.

Dans la cabine, j'étais à l'abri pour au moins une heure, le temps normal d'un traitement, mais bientôt j'ai senti monter l'angoisse dans cet espace clos, sans fenêtre, avec une seule sortie et cette pénétrante odeur de dentiste qui me retournait l'estomac. Je ne pouvais rester là. J'ai enfilé le peignoir qui se trouvait sur la table de massage par-dessus mes vêtements, enroulé sur ma tête une serviette-éponge à la manière d'un turban, je me suis étalé une épaisse couche de crème blanche sur le visage et j'ai jeté un coup d'œil dans le couloir. Mon cœur a fait un bond : Joe Martin était en train de parler à une employée vêtue d'un peignoir rose.

J'ai été saisie d'une envie irrésistible de me mettre à courir qui était insupportable, mais je me suis efforcée de m'éloigner dans le couloir avec le plus grand naturel en cherchant la sortie du personnel, qui ne devait pas être loin. Je suis passée devant plusieurs cabines fermées avant de tomber sur une porte plus large, que j'ai poussée pour me retrouver dans l'escalier de service. L'atmosphère y était très différente de l'aimable univers du spa : sol carrelé, murs en ciment sans peinture, lumière crue, odeur de cigarettes impossible à confondre et voix féminines sur le palier de l'étage inférieur. J'ai attendu une éternité plaquée contre le mur, sans faire un geste, mais les femmes ont enfin terminé leur cigarette et sont parties. J'ai essuyé la crème sur mon visage, laissé la serviette et le peignoir dans un coin et je suis descendue dans les entrailles du bâtiment que nous, les membres du club, ne voyions jamais. J'ai ouvert une porte au hasard et me suis retrouvée dans une grande salle traversée de tuyaux d'eau et d'air où des machines à laver et à sécher faisaient un bruit d'enfer. La sortie ne donnait pas sur la rue, comme je l'espérais, mais sur la piscine. Je suis retournée sur mes pas et me suis accroupie dans un coin, cachée par un tas de serviettes sales, dans le bruit et la chaleur insupportables de la buanderie ; je ne pourrais pas en bouger avant que Joe Martin s'avoue vaincu et s'en aille.

Les minutes passaient dans ce sous-marin assourdissant et l'urgence de me shooter a peu à peu remplacé la crainte dominante de tomber entre les mains de Joe Martin. Je n'avais rien mangé depuis plusieurs jours, j'étais déshydratée, avec un tourbillon dans la tête et des crampes d'estomac. Mes mains et mes pieds s'engourdissaient, je voyais des spirales vertigineuses de petits points de couleur, comme dans un cauchemar de LSD. J'ai perdu la notion du temps, une heure a pu passer ou même plusieurs, je ne sais pas si je me suis endormie ou si par moments je m'évanouissais. Je suppose que des employés sont entrés et sortis pour mettre du linge à laver, mais ils ne m'ont pas découverte. J'ai enfin quitté ma cachette en rampant, je me suis levée au prix d'un effort terrible et je me suis mise à avancer avec des jambes de plomb, en m'appuyant contre le mur, nauséeuse.

Dehors il faisait encore jour, il devait être six ou sept heures du soir et la piscine était bondée. C'était l'heure la plus fréquentée du club, celle où les employés de bureau arrivaient en masse. L'heure aussi où Joe Martin et le Chinois devaient se préparer pour leurs activités nocturnes, et sans doute étaient-ils partis. Je me suis laissée tomber sur un transat, aspirant la bouffée de chlore qui émanait de l'eau, sans oser faire un plongeon, car je devais être prête à courir en cas de nécessité. J'ai commandé un jus de fruits à un serveur, jurant entre mes dents parce qu'ils ne servaient que des boissons saines, pas d'alcool, et je l'ai fait mettre sur mon compte. J'ai avalé deux gorgées de ce liquide épais, mais il m'a paru si écœurant que j'ai dû le laisser. Il était inutile de perdre plus de temps, aussi ai-je décidé de courir le risque de passer devant la réception, en espérant que le mouchard qui avait averti ces scélé-rats ait fini son service. J'ai eu de la chance et suis sortie sans encombre.

Pour atteindre la rue je devais traverser le parking, qui à cette heure était rempli de voitures. J'ai vu de loin un membre du club, un quadragénaire en pleine forme, en train de ranger son sac dans le coffre et je me suis approchée, rouge d'humiliation, pour lui deman-der s'il aurait un peu de temps pour m'offrir un verre. Je ne sais où j'en avais trouvé le courage. Surpris par cette attaque frontale, l'homme a mis un moment à me classer ; s'il m'avait déjà vue il ne m'a pas reconnue, et je ne correspondais pas à l'idée qu'il se faisait d'une racoleuse. Il m'a examinée de haut en bas, a haussé les épaules, est monté dans sa voiture et s'en est allé.

J'avais commis de nombreuses imprudences dans ma courte existence, mais jusqu'à ce jour je n'étais pas tombée aussi bas. Ce qui s'était passé avec Fedgewick avait été une séquestration et un viol, et cela m'était arrivé parce que j'avais été imprudente, pas effrontée. Ceci était différent et avait un nom, que je refusais de prononcer. J'ai bientôt remarqué un autre homme, cinquante ou soixante ans, bedonnant, en bermuda, jambes blanches aux veines bleues, qui se dirigeait vers sa voiture, et je l'ai suivi. Cette fois j'ai eu plus de chance... ou moins de chance, je ne sais pas. Si celui-ci aussi m'avait repoussée, peut-être ma vie n'aurait-elle pas aussi mal tourné.

Quand je pense à Las Vegas, j'ai des nausées. Manuel me rappelle que tout cela m'est arrivé il y a seulement quelques mois et que c'est encore trop frais dans ma mémoire, il m'assure que le temps aide à guérir et qu'un jour je parlerai de cette période de ma vie avec ironie. C'est ce qu'il dit, mais ce n'est pas son cas, vu qu'il ne parle jamais de son passé. Je croyais avoir assumé mes erreurs, j'en tirais même quelque fierté, parce qu'elles m'avaient rendue plus forte, mais maintenant que je connais Daniel je voudrais avoir un passé moins intéressant pour pouvoir me présenter devant lui avec dignité. Cette fille qui a intercepté un homme bedonnant aux jambes variqueuses dans le parking du club, c'était moi ; cette fille prête à se donner pour un verre d'alcool, c'était moi, mais à présent je suis une autre. Ici, à Chiloé, j'ai une seconde chance, j'ai encore mille chances, mais parfois je ne peux faire taire la voix de la conscience qui m'accuse.

Ce vieux en bermuda a été le premier de plusieurs hommes à m'avoir maintenue à flot pendant une semaine ou deux, jusqu'à ce que je sois incapable de le faire. Me vendre de cette façon a été pire que la faim et que le supplice de l'abstinence. Jamais, ni soûle ni droguée, je n'ai pu éluder un sentiment de profonde dégradation, mon grand-père était toujours en train de me regarder, souffrant pour moi. Les hommes profitaient de ma timidité et de mon manque d'expérience. Comparée aux autres femmes qui faisaient la même chose, j'étais jeune et belle, j'aurais pu mieux gérer mon activité, mais je me donnais pour quelques verres, une pincée de poudre blanche, une poignée de cristaux jaunes. Les plus honnêtes m'ont permis de boire en vitesse dans un bar, ou m'ont offert de la cocaïne avant de m'emmener dans une chambre d'hôtel ; d'autres se sont contentés d'acheter une bouteille ordinaire et de le faire dans la voiture. Certains m'ont donné dix ou vingt dollars, d'autres m'ont jetée à la rue sans rien, j'ignorais qu'il faut se faire payer avant, et quand je l'ai appris je n'étais plus disposée à continuer sur ce chemin.

Avec un client j'ai enfin goûté à l'héroïne, directement dans la veine, et j'ai maudit Brandon Leeman de m'avoir empêchée de partager son paradis. Impossible de décrire cet instant où le liquide divin entre dans le sang. J'ai essayé de vendre le peu que j'avais, mais personne n'a été intéressé. Je n'ai obtenu que soixante dollars pour mon sac Vuitton, après avoir longuement supplié une Vietnamienne à la porte d'un salon de coiffure. Il valait vingt fois plus, mais je le lui aurais donné pour la moitié, tant mon urgence était impérieuse.

Je n'avais pas oublié le numéro de téléphone d'Adam Leeman, ni la promesse que j'avais faite à Brandon de l'appeler s'il lui arrivait quelque chose, mais je ne l'ai pas fait, parce que j'avais l'intention d'aller à Beatty et de m'emparer de la fortune contenue dans ces sacs. Mais ce plan requérait une stratégie et une lucidité dont j'étais totalement dépourvue.

On dit qu'au bout de quelques mois passés dans la rue un individu est définitivement marginalisé, parce qu'il prend des allures d'indigent, perd son identité et son réseau social. Dans mon cas ce fut plus rapide, trois semaines m'ont suffi pour toucher le fond. J'ai sombré avec une effrayante rapidité dans cette dimension misérable, violente, sordide qui existe en parallèle de la vie normale de la ville, un monde de délinquants et leurs victimes, de fous et de toxicomanes, un monde sans solidarité ni compassion, où l'on survit en écrasant les autres. J'étais toujours droguée ou à la recherche des moyens de l'être, sale, puante et hirsute, de plus en plus folle et malade. C'est à peine si je supportais deux bouchées dans l'estomac, je toussais et mon nez coulait sans arrêt, j'avais du mal à ouvrir mes paupières collées par le pus, parfois je m'évanouissais. Plusieurs piqûres se sont infectées, j'avais des plaies et des bleus sur les bras. Je passais mes nuits à errer, c'était plus sûr que de dormir, et le jour je cherchais des caves où me cacher pour me reposer.

J'ai appris que le plus sûr était d'être à la vue de tous, de mendier avec un verre en carton dans la rue, à l'entrée d'un *mall* ou d'une église ; cela chatouillait le sentiment de culpabilité des passants. Certains laissaient tomber des pièces de monnaie, mais personne ne me parlait ; la pauvreté d'aujourd'hui est comme la lèpre d'autrefois : elle répugne et fait peur.

J'évitais de m'approcher des endroits où j'avais circulé autrefois, comme le Boulevard, parce que c'étaient aussi les terrains de Joe Martin et du Chinois. Les mendiants et les drogués marquent leur territoire, comme les animaux, et ils se limitent à un rayon de quelques pâtés de maisons, mais le désespoir me conduisait à explorer différents quartiers, sans respecter les barrières raciales : les Noirs avec les Noirs, les Latinos avec les Latinos, les Asiatiques avec les Asiatiques, les Blancs avec les Blancs. Je ne restais jamais plus de quelques heures dans le même secteur. J'étais incapable d'accomplir les tâches les plus élémentaires, comme m'alimenter ou me laver, mais je me débrouillais pour trouver de l'alcool et des drogues. J'étais toujours sur le qui-vive, tel un renard traqué, je me déplaçais rapidement, je ne parlais à personne, j'avais des ennemis à chaque coin de rue.

J'ai commencé à entendre des voix et je me surprenais par moments à leur répondre, même si je savais qu'elles n'étaient pas réelles, car j'avais observé ces symptômes chez plusieurs habitants de l'immeuble de Brandon Leeman. Freddy les appelait « les êtres invisibles » et il se moquait d'eux, mais lorsqu'il allait mal ces êtres prenaient vie, tout comme les insectes, également invisibles, qui le tourmentaient souvent. Si j'apercevais une voiture noire comme celle de mes poursuivants, ou un homme d'aspect connu, je m'éclipsais en direction contraire, mais je ne perdais pas l'espoir de revoir Freddy. Je pensais à lui avec un mélange de reconnaissance et de rancune, sans comprendre pourquoi il avait disparu, pourquoi il n'était pas capable de me retrouver alors qu'il connaissait chaque recoin de la ville.

Les drogues apaisaient la faim et les multiples douleurs du corps, mais elles ne calmaient pas les crampes. Mes os étaient lourds et, à cause de la saleté, ma peau me démangeait ; une étrange éruption cutanée est apparue sur les jambes, le dos, qui saignait à force de la gratter. Soudain je me souvenais que je n'avais pas mangé depuis deux ou trois jours, alors je traînais les pieds vers un foyer de femmes ou dans la queue des pauvres à Saint-Vincent-de-Paul, où je pouvais toujours obtenir un plat chaud. Il était bien plus difficile de trouver où dormir. La nuit, la température se maintenait à vingt degrés, mais comme j'étais faible, j'avais très froid, jusqu'à ce qu'on me donne une pelisse à l'Armée du Salut. Cette généreuse organisation s'est avérée un précieux recours : il n'était pas nécessaire de se déplacer avec des sacs et un caddie volé au supermarché, comme d'autres sans-abri, car lorsque mes vêtements sentaient trop mauvais ou devenaient trop grands pour moi, je les changeais à l'Armée du Salut. J'avais maigri de plusieurs tailles, les os de mes clavicules et de mes hanches saillaient ; quant à mes jambes, autrefois si fortes, elles faisaient peine à voir. Je n'ai eu l'occasion de me peser qu'en décembre, et j'ai alors découvert que j'avais perdu treize kilos en deux mois.

Les toilettes publiques étaient des antres de délinquants et de pervers, mais il n'y avait pas d'autre solution que de se boucher le nez pour les utiliser, car ceux d'un magasin ou d'un hôtel étaient hors de ma portée. On m'aurait jetée à la rue sans ménagement. Je n'avais pas non plus accès aux toilettes des stations-service, car les employés refusaient de me prêter la clé. C'est ainsi que j'ai rapidement descendu les marches de l'enfer, comme tant d'autres êtres abjects qui survivaient dans la rue en mendiant et volant pour une poignée de crack, un peu de méthadone ou d'acide, une gorgée d'un tord-boyaux âpre et brutal. Moins l'alcool était cher, plus il était efficace, exactement ce dont j'avais besoin. J'ai passé octobre et novembre de la même façon ; je ne me rappelle pas clairement comment je survivais, mais je me souviens parfaitement de brefs instants d'euphorie, puis de la chasse odieuse pour trouver une autre dose.

Je ne me suis jamais assise à une table, si j'avais de l'argent j'achetais des *tacos*, des *burritos* ou hamburgers mexicains que je vomissais ensuite dans d'interminables nausées, à quatre pattes dans la rue, l'estomac en feu, la bouche défoncée, des plaies sur les lèvres et le nez, rien de propre ni d'aimable, du verre brisé, des cafards, des poubelles, pas un visage dans la foule pour me sourire, pas une main tendue pour m'aider, le monde entier était peuplé de trafiquants, de junkies, de souteneurs, de voleurs, de criminels, de putains et de fous. Mon corps n'était qu'une douleur. Je détestais ce foutu corps, je détestais cette foutue vie, je détestais manquer de cette foutue volonté de me sauver, je détestais mon âme pourrie, mon destin de merde.

À Las Vegas, j'ai passé des journées entières sans échanger un salut, sans recevoir un mot ou un geste d'un autre être humain. La solitude, cette griffe glacée sur la poitrine, m'a anéantie de telle façon que je n'ai pas pensé à la solution toute simple de prendre un téléphone et d'appeler chez moi, à Berkeley. Cela aurait suffi, un coup de téléphone ; mais à cette époque j'avais perdu l'espoir.

Au début, quand je pouvais encore courir, je faisais le tour des cafés et des restaurants qui avaient des tables en terrasse pour les fumeurs, et si quelqu'un oubliait un paquet de cigarettes sur la table je me précipitais et l'emportais, afin de l'échanger contre du crack. J'ai utilisé toutes les substances toxiques qui existent dans la rue, sauf le tabac, bien que j'en aime l'odeur, parce qu'il me rappelle mon Popo. Je volais aussi des fruits dans les supermarchés ou des barres de chocolat dans les kiosques de la gare, mais de même que je n'ai pu me faire au triste métier de prostituée, je n'ai pu apprendre à voler. Freddy, lui, était un expert, il disait avoir commencé à voler alors qu'il portait encore des couches, et il m'a fait plusieurs démonstrations pour m'apprendre ses astuces. Il m'expliquait que les femmes ne font pas très attention à leurs sacs, qu'elles les accrochent aux chaises, les laissent dans les magasins pendant qu'elles choisissent ou essayent une robe, les posent par terre dans le salon de coiffure, les portent à l'épaule dans les autobus ; autrement dit, elles passent leur temps à demander qu'on les débarrasse de ce problème. Freddy avait des mains invisibles, des doigts magiques et la grâce silencieuse d'une Chita. « Fais bien attention, Laura, ne me quitte pas des yeux », me mettait-il au défi. Nous entrions dans une galerie marchande, il étudiait les gens, en quête de sa victime, se promenait avec son portable à l'oreille, faisant mine d'être absorbé dans une conversation animée, s'approchait d'une femme distraite, prenait son portemonnaie dans son sac avant que je puisse le voir, puis il s'éloignait calmement, parlant toujours au téléphone. Avec la même élégance, il pouvait crocheter la serrure de n'importe quelle voiture ou entrer dans un grand magasin et sortir par une autre porte cinq minutes plus tard, avec deux flacons de parfum ou des montres.

J'ai essayé de mettre les leçons de Freddy en pratique, mais je manquais de naturel, mes nerfs me lâchaient et mon aspect misérable me rendait suspecte ; dans les magasins on me surveillait et dans la rue les gens s'écartaient de moi, je sentais le caniveau, j'avais les cheveux gras et une expression désespérée.

À la mi-octobre le climat a changé, il a commencé à faire froid la nuit et j'étais malade, j'urinais à chaque instant avec une douleur aiguë et brûlante, qui ne disparaissait qu'avec les drogues. C'était une cystite. Je l'ai reconnue parce que j'en avais déjà eu une, à seize ans, et je savais qu'on la soigne rapidement avec un antibiotique, mais aux États-Unis un antibiotique sans ordonnance médicale est plus difficile à obtenir qu'un kilo de cocaïne ou un pistolet automatique. J'avais du mal à marcher, à me tenir droite, mais je n'ai pas osé aller aux urgences de l'hôpital, car on m'aurait posé des questions et il y avait toujours des policiers de garde.

Je devais trouver un endroit sûr pour passer la nuit et j'ai décidé d'essayer un asile pour indigents, qui s'est en fait avéré être un hangar mal aéré avec des rangées serrées de lits de camp, où étaient hébergés une vingtaine de femmes et beaucoup d'enfants. J'ai été étonnée de constater que très peu de ces femmes s'étaient comme moi résignées à la misère ; seules quelques-unes parlaient seules comme les fous ou cherchaient la bagarre, les autres paraissaient intègres. Celles qui avaient des enfants étaient plus décidées, plus actives, plus propres et même joyeuses, elles s'occupaient de leurs petits, préparaient les biberons, faisaient des lessives ; j'en ai vu une qui lisait un livre du docteur Seuss à une fillette d'environ quatre ans, qui le connaissait par cœur et le récitait avec sa mère. Tous les gens de la rue ne sont pas schizophrènes ou mauvais, comme on le croit, ils sont simplement pauvres, vieux ou sans emploi, la majorité sont des femmes avec des enfants, qui ont été abandonnées ou ont fui différentes formes de violence.

Sur le mur de l'auberge il y avait une affiche avec une phrase qui s'est gravée en moi pour toujours : « La vie sans dignité ne vaut pas la peine. » Dignité ? J'ai soudain compris avec une terrifiante certitude que j'étais devenue une droguée et une alcoolique. Je suppose qu'il me restait une braise de dignité enfouie sous les cendres, suffisante pour ressentir un trouble aussi violent qu'un coup de poing dans la poitrine. Je me suis mise à pleurer devant l'affiche et mon chagrin a dû être immense, car l'une des conseillères s'est approchée de moi, elle m'a emmenée dans son petit bureau, m'a donné un verre de thé froid et m'a aimablement demandé comment je m'appelais, quelle substance j'utilisais et à quelle fréquence, quand j'en avais pris pour la dernière fois, si j'avais reçu un traitement, et si elle pouvait avertir quelqu'un.

Je connaissais par cœur le numéro de téléphone de ma grand-mère, ça je ne l'avais pas oublié, mais l'appeler signifiait la tuer de douleur et de honte, cela signifiait aussi ma désintoxication obligatoire et l'abstinence. Pas question. « Tu as de la famille ? » m'a demandé la conseillère avec insistance. J'ai éclaté de rire, comme cela m'arrivait à chaque instant, et je lui ai répondu par des mots grossiers. Elle m'a laissée vider mon sac sans perdre son calme, puis m'a autorisée à passer la nuit à l'auberge, violant le règlement, car l'une des conditions pour être acceptée était de ne pas utiliser de drogues ou d'alcool.

Il y avait des jus de fruits, du lait et des biscuits pour les enfants, du café et du thé à toute heure, des toilettes, le téléphone et des machines à laver, inutiles pour moi, car je n'avais que les vêtements que je portais, ayant perdu le sac en plastique qui contenait mes maigres affaires. J'ai pris une très longue douche, la première depuis plusieurs semaines, savourant le plaisir de l'eau chaude sur la peau, le savon, la mousse dans les cheveux, l'odeur délicieuse du shampooing. J'ai dû ensuite me rhabiller avec la même robe immonde. Je me suis enroulée sur mon lit de camp, appelant dans un murmure ma Nini et mon Popo, les priant de venir me serrer dans leurs bras, comme avant, de me dire que tout irait bien, de ne pas m'inquiéter, qu'ils veillaient sur moi, dodo l'enfant do, dors mon soleil, endors-toi mon trésor. Dormir a toujours été mon problème depuis ma naissance, mais j'ai pu me reposer malgré l'air raréfié et les ronflements des femmes. Certaines criaient dans leur sommeil.

Près de mon lit de camp s'était installée une mère avec ses deux enfants, un nourrisson et une jolie fillette de deux ou trois ans. C'était une jeune femme blanche, dodue, au visage criblé de taches de rousseur, apparemment sans toit depuis peu, car elle semblait encore avoir un but, un projet. Lorsque nous nous étions croisées dans la salle de bains, elle m'avait souri, la petite fille était restée à m'observer avec ses yeux bleus tout ronds et elle m'avait demandé si j'avais un chien. « Avant j'en avais un, il s'appelait Toni », m'a-t-elle dit. Quand la femme avait changé les couches du bébé, j'avais vu un billet de cinq dollars dans une poche de son sac et je n'avais plus réussi à me l'enlever de la tête. À l'aube, lorsque enfin le silence s'est fait dans le dortoir et que la femme dormait paisiblement, ses enfants serrés entre ses bras, je me suis glissée jusqu'à son lit, j'ai fouillé dans son sac et je lui ai volé le billet. Puis je suis revenue sournoisement me coucher, la queue entre les jambes, comme une chienne.

De toutes les erreurs et tous les péchés que j'ai commis dans ma vie, c'est celui que je pourrai le moins me pardonner. J'ai volé quelqu'un de plus nécessiteux que moi, une mère qui aurait utilisé ce billet pour acheter de la nourriture à ses enfants. Cela n'a pas de pardon. Sans honnêteté, on est désarmé, on perd son humanité, son âme.

À huit heures du matin, après un café et un pain au lait, la conseillère qui m'avait reçue à mon arrivée m'a donné un papier avec les coordonnées d'un centre de réhabilitation. « Adresse-toi à Michelle, c'est ma sœur, elle t'aidera », m'a-t-elle dit. Je suis sortie en courant sans la remercier et j'ai jeté le papier dans une poubelle. Les cinq dollars bénis me suffisaient pour une dose de quelque chose de pas cher et d'efficace. Je n'avais nul besoin de la compassion d'une Michelle.

Le jour même j'ai égaré la photo de mon Popo, que Nini m'avait donnée à l'académie de l'Oregon et que j'avais toujours sur moi. J'ai vu cela comme un signe effroyable : il signifiait que mon Popo m'avait vue voler ces cinq dollars, qu'il était déçu, qu'il était parti et que plus personne ne veillait sur moi. Peur, angoisse, me cacher, fuir, mendier, tout cela confondu dans un seul cauchemar, des jours et des nuits semblables.

Parfois m'assaille le souvenir de ces jours dans la rue, une scène surgit devant moi comme un flash et me laisse tremblante. D'autres fois je me réveille en sueur avec des images dans la tête, aussi vives que si elles étaient réelles. Dans le rêve je me vois courir, nue, criant sans voix, dans un labyrinthe de ruelles étroites qui s'enroulent comme des serpents, des immeubles aux portes et fenêtres aveugles, pas une âme à qui demander du secours, le corps brûlant, les pieds en sang, de la bile dans la bouche, seule. À Las Vegas, je me croyais condamnée à une solitude irrémédiable, qui avait commencé à la mort de mon grand-père. Comment pouvais-je alors imaginer qu'un jour je serais ici, dans cette île de Chiloé, isolée, cachée au milieu d'étrangers et très loin de tout ce qui m'est familier, et que je ne me sentirais pas seule ?

Quand j'ai fait la connaissance de Daniel, je voulais lui faire bonne impression, effacer mon passé et recommencer sur une page blanche, inventer une meilleure version de moi-même, mais dans l'intimité de l'amour partagé, j'ai compris que cela n'est ni possible ni opportun. La personne que je suis est le résultat de mes expériences antérieures, y compris de mes erreurs drastiques. Me confesser à lui a été une bonne expérience, j'ai vérifié la vérité de ce qu'affirme Mike O'Kelly : que les démons perdent leur pouvoir quand nous les tirons des profondeurs où ils se terrent et les regardons en face en pleine lumière. Mais je me demande à présent si j'aurais dû le faire. Je crois que j'ai épouvanté Daniel et que pour cette raison il ne me porte pas la même passion que j'éprouve pour lui, sans doute se méfie-t-il de moi, c'est naturel. Une histoire comme la mienne effraierait le plus valeureux. Mais il est vrai aussi que lui-même provoquait mes confidences. Il a été très facile de lui raconter jusqu'aux épisodes les plus humiliants, parce qu'il m'écoutait sans me juger, je suppose que cela fait partie de sa formation. N'est-ce pas là ce que font les psychiatres ? Écouter et se taire. Il ne m'a jamais posé de questions sur ce qui s'était passé, il me demandait ce que je ressentais au moment où je le racontais, et je lui décrivais la brûlure de ma peau, les palpitations dans ma poitrine, le poids du rocher qui m'écrasait. Il me demandait de ne pas rejeter ces sensations, de les accepter sans les analyser ; si j'avais le courage de le faire, elles s'ouvriraient une à une comme des boîtes et mon esprit pourrait se libérer.

« Tu as beaucoup souffert, Maya, non seulement à cause de ce qui t'est arrivé dans ton adolescence, mais également de l'abandon de ton enfance, m'a-t-il dit.

— Abandon ? Il n'y a pas eu d'abandon, je t'assure. Tu n'imagines pas tout ce que mes grands-parents m'ont laissée faire.

— Oui, mais ta mère et ton père t'ont abandonnée.

— C'est ce que disaient les thérapeutes de l'Oregon, mais mes grands-parents...

— Un jour ou l'autre, tu devras revoir cela en thérapie, m'a-t-il interrompue.

— Vous, les psychiatres, vous résolvez tout par la thérapie !

— Il est inutile d'enterrer les blessures psychologiques, il faut les élucider pour qu'elles cicatrisent.

— Daniel, je me suis gavée de thérapie en Oregon, mais si c'est ce qu'il me faut, toi tu pourrais m'aider. »

Sa réponse a été plus raisonnable que romantique, il a dit que c'était un projet de longue haleine et qu'il devait partir bientôt, de plus, il ne peut y avoir de relations sexuelles entre un patient et son thérapeute.

« Alors je vais demander à mon Popo de m'aider.

— Bonne idée. » Et il s'est mis à rire.

À l'époque malheureuse de Las Vegas, mon Popo est venu me voir une seule fois. J'avais trouvé de l'héroïne si peu chère que j'aurais dû me douter qu'elle n'était pas sûre. J'avais entendu parler de toxicomanes morts empoisonnés par les cochonneries avec lesquelles les drogues sont parfois coupées, mais j'en avais trop besoin et je n'ai pas pu résister. Je l'ai sniffée dans des toilettes publiques infectes. Je n'avais pas de seringue pour me l'injecter, peut-être cela m'a-t-il sauvée. Dès que je l'ai inhalée, j'ai senti des ruades de mule dans les tempes, mon cœur s'est emballé et en moins d'une minute j'ai été enveloppée dans un manteau noir, suffoquant, incapable de respirer. Je me suis écroulée par terre, dans les quarante centimètres entre la cuvette et le mur, sur des papiers utilisés, dans des vapeurs d'ammoniaque.

J'ai vaguement compris que j'étais en train de mourir et, loin d'en être effrayée, j'ai été envahie par un grand soulagement. Je flottais dans une eau noire, de plus en plus profondément, plus détachée, comme dans un rêve, heureuse de tomber doucement au fond de cet abîme liquide et de mettre fin à la honte, m'en aller, m'en aller de l'autre côté, échapper à la farce qu'était ma vie, à mes mensonges et mes justifications, à cet être indigne, malhonnête et lâche que j'étais, cet être qui rejetait la faute de sa propre stupidité sur mon père, ma grand-mère et le reste de l'univers, cette malheureuse qui à dix-neuf ans avait déjà brûlé tous ses vaisseaux et était en ruine, prisonnière, perdue, ce squelette couvert d'éruptions cutanées et de poux que j'étais devenue, cette misérable qui se vendait pour un verre d'alcool, qui volait une mère indigente ; tout ce que je voulais, c'était échapper pour toujours à Joe Martin et au Chinois, à mon corps, à mon existence pourrie.

Alors que j'étais déjà partie, de très loin j'ai entendu crier, « Maya, Maya, respire ! Respire ! Respire ! » J'ai hésité un bon moment, confuse, désirant m'évanouir de nouveau pour ne pas avoir à prendre de décision, essayant de m'échapper et de partir comme une flèche vers le néant, mais j'étais attachée à ce monde par cette grosse voix péremptoire qui m'appelait. Respire, Maya ! Instinctivement, j'ai ouvert la bouche, avalé de l'air et commencé à inhaler avec des soupirs brefs, tel un agonisant. Peu à peu, avec une épouvantable lenteur, je suis revenue du dernier rêve. Il n'y avait personne avec moi, mais dans la mince fente entre la porte du cabinet et le sol j'ai pu voir des chaussures d'homme de l'autre côté et je les ai reconnues. Popo ? C'est toi, Popo ? Il n'y a pas eu de réponse. Les mocassins anglais sont restés un instant au même endroit, puis ils se sont éloignés sans bruit. Je suis restée assise là, respirant de façon entrecoupée, avec des tremblements dans les jambes, qui ne m'obéissaient pas, l'appelant, Popo, Popo.

Daniel n'a pas du tout été surpris que mon grand-père m'ait rendu visite et il n'a pas essayé de me donner une explication rationnelle de ce qui s'était passé, comme l'aurait fait n'importe lequel des nombreux psychiatres que j'ai connus. Il n'a même pas eu l'un de ces regards moqueurs que me lance Manuel Arias quand je deviens ésotérique, comme il dit. Comment ne serais-je pas amoureuse de Daniel, qui en plus d'être beau est sensible ? Il est surtout beau. Il ressemble au *David* de Michel-Ange, mais il a une couleur beaucoup plus séduisante. À Florence, mes grands-parents avaient acheté une réplique miniature de la statue. Dans la boutique, on leur a offert un *David* avec une feuille de figuier, mais moi, ce que j'aimais le plus, c'était ses parties génitales ; je n'avais vu un sexe d'homme que dans le livre d'anatomie de mon Popo, jamais en vrai. Mais je m'égare, je reviens à Daniel, qui pense que la moitié des problèmes du monde trouverait une solution si chacun de nous avait un Popo inconditionnel, au lieu d'un super ego exigeant, parce que les meilleures qualités fleurissent grâce à la tendresse.

Comparée à la mienne, la vie de Daniel Goodrich a été un rêve, mais lui aussi a connu son lot de chagrins.

C'est un type sérieux dans ses projets, qui très jeune savait déjà quel serait son chemin, contrairement à moi qui vais à la dérive. Son attitude d'enfant riche est trompeuse, de même que son sourire trop facile, le sourire d'un homme content de lui et du monde. Cet air d'éternel satisfait est étrange, car au cours de ses études de médecine, de sa pratique dans les hôpitaux et de ses voyages, à pied et sac à l'épaule, il a dû voir beaucoup de pauvreté et de souffrance. Si je n'avais pas dormi avec lui, je penserais que lui aussi, comme Manuel, est un aspirant Siddhârtha, débranché de ses émotions.

L'histoire des Goodrich pourrait faire un roman. Daniel sait que son père biologique était noir et sa mère blanche, mais il ne les connaît pas et n'a pas eu envie de les rechercher, parce qu'il adore la famille dans laquelle il a grandi. Robert Goodrich, son père adoptif, est anglais, de ceux qui ont un titre de *sir*, même s'il ne l'utilise pas, car aux États-Unis ce serait un sujet de moquerie. Pour preuve une photo en couleurs sur laquelle on le voit saluer la reine Élisabeth II, avec une magnifique décoration accrochée à un ruban orange. C'est un psychiatre de grand renom, qui a publié deux livres et été anobli pour ses mérites dans la science.

Le *sir* anglais a épousé Alice Wilkins, une jeune violoniste américaine de passage à Londres, il l'a suivie aux États-Unis et le couple s'est installé à Seattle, où il a ouvert sa propre clinique, tandis qu'elle intégrait l'orchestre symphonique. Lorsqu'ils ont appris qu'Alice ne pouvait pas avoir d'enfants, après beaucoup d'hésitations, ils ont adopté Daniel. Quatre ans plus tard, de façon inespérée, Alice est tombée enceinte. Au début ils ont cru que c'était une grossesse nerveuse, mais il a bientôt été évident qu'il n'en était rien et, à terme, Alice a donné le jour à la petite Frances. Au lieu d'être jaloux de l'arrivée d'une rivale, Daniel s'est pris pour sa sœur d'un amour absolu et exclusif, qui n'a fait qu'augmenter avec le temps et qui était pleinement partagé par la fillette. Robert et Alice partageaient le même goût pour la musique classique, qu'ils ont inculquée à leurs deux enfants, le penchant pour les cockers spaniels, qu'ils ont toujours eus, et les sports de montagne qui allaient provoquer le malheur de Frances.

Daniel avait neuf ans et sa sœur cinq quand leurs parents se sont séparés et que Robert Goodrich est parti vivre à dix pâtés de maisons de distance avec Alfons Zaleski, le pianiste de l'orchestre où Alice jouait aussi, un Polonais talentueux aux manières brusques, à la carcasse de bûcheron, avec une crinière indomptable et un humour vulgaire, qui contrastait notablement avec l'ironie toute britannique et la finesse de sir Robert Goodrich. Daniel et Frances ont reçu une explication poétique sur l'ami excentrique de leur père et ils ont gardé l'idée qu'il s'agissait d'un arrangement temporaire, mais dix-neuf ans ont passé et les deux hommes sont toujours ensemble. Pendant tout ce temps, Alice, élevée au rang de premier violon de l'orchestre, a continué à jouer avec Alfons Zaleski et ils sont restés les bons amis qu'ils ont toujours été, car le Polonais n'a jamais tenté de lui enlever son mari, seulement de le partager.

Alice a gardé la maison avec la moitié des meubles et deux des cockers spaniels, tandis que Robert s'installait avec son amoureux dans une maison semblable du même quartier, avec le reste des meubles et le troisième chien. Daniel et Frances ont grandi en allant et venant entre les deux foyers avec leurs valises, une semaine dans l'un, la suivante dans l'autre. Ils ont toujours fréquenté la même école, où la situation de leurs parents n'attirait pas l'attention, ils passaient les fêtes et les anniversaires avec leur père et leur mère et pendant un certain temps ils ont cru que la nombreuse famille Zaleski, qui arrivait en masse de Washington le jour de Thanksgiving, était des acrobates de cirque, car c'était l'une des nombreuses histoires inventées par Alfons pour gagner l'estime des enfants. Il aurait pu s'épargner cette peine, car Daniel et Frances l'aiment pour d'autres raisons : il a été une mère pour eux. Le Polonais les adore, il leur consacre plus de temps que leurs vrais parents ; c'est un type joyeux et bon vivant qui leur fait des démonstrations de danses folkloriques russes, en pyjama et avec la décoration de sir Robert autour du cou.

Les Goodrich se sont séparés sans se donner la peine d'un divorce en bonne et due forme et ils se portent la même amitié. Ils sont unis par les centres d'intérêt qu'ils partageaient avant l'apparition d'Alfons Zaleski, sauf l'alpinisme, qu'ils n'ont plus pratiqué après l'accident de Frances.

Daniel a brillamment terminé ses études secondaires alors qu'il venait tout juste d'avoir dix-sept ans, et il fut accepté à l'université pour étudier la médecine ; mais son immaturité était si évidente qu'Alfons l'a convaincu d'attendre un an et de s'endurcir un peu entre-temps. « Tu es un gamin, Daniel, comment veux-tu être médecin alors que tu ne sais même pas te moucher. » Malgré la ferme opposition de Robert et Alice, le Polonais l'a envoyé au Guatemala dans un programme d'étudiants afin qu'il devienne un homme et apprenne l'espagnol.

Daniel a vécu neuf mois dans un village du lac Atitlán, avec une famille indigène qui cultivait le maïs et tressait des cordes de sisal, sans envoyer de nouvelles ; il est revenu couleur pétrole, ses cheveux emmêlés formant un arbuste impénétrable, avec des idées de guérillero et parlant le quiché. Après cette expérience, étudier la médecine lui a paru un jeu d'enfants.

Peut-être le triangle cordial des Goodrich et de Zaleski se serait-il défait une fois partis les deux enfants qu'ils avaient élevés ensemble, mais la nécessité de veiller sur Frances les a unis plus que jamais. Frances dépend entièrement d'eux.

Il y a neuf ans, Frances Goodrich a fait une chute fracassante alors que toute la famille, sauf le Polonais, faisait de l'escalade dans les montagnes de la Sierra Nevada ; elle s'est brisé plus d'os qu'il n'est possible d'en compter et, après treize opérations compliquées et d'incessants exercices, elle peut à peine bouger. Daniel a décidé d'étudier la médecine en voyant sa sœur en morceaux dans un lit de l'unité de soins intensifs, et il a opté pour la psychiatrie parce qu'elle le lui a demandé.

La jeune fille a été plongée dans un coma profond pendant trois longues semaines. Ses parents ont envisagé l'idée irrévocable de débrancher l'appareil respiratoire, parce qu'elle avait eu une hémorragie cérébrale et, selon les pronostics des médecins, elle demeurerait dans un état végétatif, mais Alfons Zaleski ne l'a pas permis. Il avait le pressentiment que Frances était suspendue dans les limbes, mais que si on ne la lâchait pas elle allait revenir. La famille se relayait pour rester jour et nuit à l'hôpital, lui parlant, la caressant, l'appelant, et au moment où elle a enfin ouvert les yeux, un samedi à cinq heures du matin, c'était Daniel qui se trouvait auprès d'elle. Frances ne pouvait pas parler, parce qu'elle avait une trachéotomie, mais il a traduit ce que ses yeux lui exprimaient et il a annoncé à tout le monde que sa sœur était très contente de vivre et qu'il valait mieux abandonner l'idée miséricordieuse de l'aider à mourir. Ils avaient grandi unis comme des jumeaux, se connaissaient mieux qu'eux-mêmes et n'avaient pas besoin de mots pour se comprendre.

L'hémorragie n'avait pas abîmé le cerveau comme on le craignait, elle n'avait provoqué qu'une perte temporaire de mémoire ; elle s'est mise à loucher et a perdu l'audition d'une oreille, mais Daniel s'est rendu compte que quelque chose d'essentiel avait changé. Auparavant, sa sœur ressemblait à son père : elle était rationnelle, logique, elle avait un penchant pour la science et les mathématiques, mais depuis l'accident, d'après ce qu'il m'a expliqué, elle pense avec son cœur. Il dit que Frances devine les intentions et les états d'âme des gens, qu'il est impossible de lui cacher quelque chose ou de la tromper, et qu'elle a des étincelles de prémonition si avérées qu'Alfons Zaleski l'entraîne à deviner les numéros gagnants du Loto. Son imagination, sa créativité, son intuition se sont développées de façon spectaculaire. « L'esprit est beaucoup plus intéressant que le corps, Daniel. Tu devrais être psychiatre, comme papa, et chercher à savoir pourquoi j'ai un tel enthousiasme pour la vie alors que d'autres personnes en parfaite santé se suicident », lui a dit Frances quand elle a pu parler.

Le courage auquel elle faisait autrefois appel dans des sports à risques lui a servi à supporter la souffrance ;

elle a juré de recouvrer la santé. Pour le moment, sa vie est entièrement occupée par la rééducation physique qui lui prend de nombreuses heures chaque jour, son étonnante vie sociale sur Internet et ses études ; cette année elle va avoir son diplôme d'histoire de l'art. Elle vit avec sa curieuse famille. Les Goodrich et Zaleski ont décidé qu'il était plus pratique de vivre sous le même toit avec les cockers spaniels, qui sont maintenant au nombre de sept, et ils ont emménagé dans une grande maison de plain-pied où Frances peut se déplacer plus facilement dans son fauteuil roulant. Zaleski a pris plusieurs cours pour aider Frances dans ses exercices, et plus personne ne se souvient exactement de la relation qui existe entre les Goodrich et le pianiste polonais ; peu importe, ce sont trois personnes excellentes qui s'estiment et s'occupent d'une fille, trois personnes qui aiment la musique, les livres et le théâtre, collectionnent les vins et partagent les mêmes chiens et les mêmes amis.

Frances ne peut se peigner ou se brosser les dents toute seule, mais elle bouge les doigts et utilise son ordinateur, ce qui lui permet de se connecter avec l'université et le monde entier. Nous sommes allés sur Internet et Daniel m'a montré le Facebook de sa sœur, où elle a mis plusieurs photos d'elle avant et après l'accident : une fille au visage d'écureuil, avec des taches de rousseur, rousse, délicate et joyeuse. Sur sa page il y a plusieurs commentaires, des photos et des vidéos du voyage de Daniel.

« Frances et moi sommes très différents, m'a-t-il dit. Je suis plutôt calme et sédentaire alors qu'elle, c'est une poudrière. Quand elle était petite, elle voulait être exploratrice et son livre préféré était *Naufrages et Commentaires*, d'Álvar Núñez Cabeza de Vaca, un aventurier espagnol du XVᵉ siècle. Elle aurait aimé aller aux confins de la terre, au fond des océans, sur la lune. Mon voyage en Amérique du Sud est une idée à elle, c'est le projet qu'elle avait et ne pourra jamais réaliser. Je dois donc voir avec ses yeux, écouter avec ses oreilles et filmer avec sa caméra. »

Je craignais, et crains toujours, que mes confidences aient effrayé Daniel, qu'il me prenne pour une déséquilibrée et me rejette, mais j'ai dû tout lui raconter, on ne peut rien construire de solide sur des mensonges et des omissions. D'après Blanca, avec qui j'en ai parlé jusqu'à l'en fatiguer, chaque personne a le droit d'avoir ses secrets, et cet empressement que j'ai à m'exhiber sous le jour le moins favorable est une forme d'orgueil. J'y ai pensé aussi. L'orgueil consisterait à vouloir que Daniel m'aime malgré mes problèmes et mon passé. Nini disait qu'on aime inconditionnellement ses enfants et ses petits-enfants, pas son conjoint. Manuel garde le silence à ce sujet, mais il m'a prévenue contre l'imprudence de tomber amoureuse d'un inconnu qui vit si loin. Quel autre conseil pouvait-il me donner ? Lui, il est comme ça : il ne prend aucun risque en matière de sentiments, il préfère la solitude de sa tanière, où il se sent en sécurité.

En novembre de l'an passé, ma vie à Las Vegas était tellement hors de contrôle et j'étais si malade que je confonds les détails. J'étais vêtue comme un homme, la capuche de ma grosse veste sur les yeux, la tête enfoncée dans les épaules, je me déplaçais rapidement, sans jamais regarder en face. Pour me reposer je me collais contre un mur, de préférence pelotonnée dans une encoignure, une bouteille cassée à la main qui, le cas échéant, m'aurait servi à me défendre. J'ai cessé de demander de la nourriture au foyer pour femmes et commencé à fréquenter celui des hommes ; j'attendais pour me mettre à la fin de la queue, prenais mon assiette et l'avalais en vitesse dans un coin. Chez ces hommes, un regard direct pouvait être interprété comme une agression, un mot de trop était dangereux, c'étaient des êtres anonymes, invisibles, sauf les vieux, qui n'avaient plus tout à fait leur tête et venaient là depuis des années ; c'était leur territoire et personne ne les embêtait. Je passais pour l'un des nombreux jeunes drogués qui échouaient là, poussés par la marée de la misère humaine. Mon aspect de vulnérabilité était tel que parfois quelqu'un qui avait encore une lueur de compassion me saluait d'un « *hi buddie !* ». Je ne répondais pas, ma voix m'aurait trahie.

Le trafiquant qui m'échangeait des cigarettes contre du crack achetait aussi des appareils électroniques, CD, DVD, iPods, téléphones portables et jeux vidéo, mais il n'était pas facile d'en trouver. Pour voler ce genre de choses, il faut beaucoup d'audace et de rapidité, ce qui me faisait défaut. Freddy m'avait expliqué sa méthode. Il faut d'abord faire une visite de reconnaissance pour repérer les sorties et les caméras de surveillance ; puis attendre que le magasin soit plein et les employés occupés, ce qui arrive en particulier lors des liquidations, des fêtes, au début et au milieu du mois, c'est-à-dire les jours de paie. C'est bien en théorie, mais si le besoin est impérieux, impossible d'attendre le moment propice.

Le jour où l'inspecteur Arana m'a surprise avait été un tourment permanent. Je n'avais rien trouvé et cela faisait des heures que je souffrais de crampes, que je tremblais à cause de l'abstinence et restais pliée en deux par la douleur de la cystite, qui s'était aggravée et ne se calmait plus qu'avec de l'héroïne ou des médicaments très chers au marché noir. Je ne pouvais continuer une heure de plus dans cet état et j'ai fait exactement le contraire de ce que Freddy m'avait conseillé : désespérée, je suis entrée dans un magasin d'électronique que je ne connaissais pas, dont le seul avantage était l'absence d'un garde armé à la porte comme il y en avait ailleurs, sans m'occuper des employés ou des caméras, cherchant à tort et à travers le secteur des jeux. Mon attitude et mon aspect ont dû attirer l'attention. L'ayant trouvé, j'ai pris un jeu de guerre japonais que Freddy aimait bien, je l'ai caché sous mon T-shirt et me suis précipitée vers la sortie. L'alarme s'est déclenchée avec un bruit strident dès que je me suis approchée de la porte.

Je me suis mise à courir avec une surprenante énergie, étant donné l'état lamentable dans lequel je me trouvais, avant que les employés aient le temps de réagir. J'ai continué à courir, d'abord au milieu de la rue en évitant les voitures, puis sur le trottoir en poussant les gens et leur criant des obscénités pour les écarter de mon chemin, jusqu'à ce que je comprenne que personne ne me poursuivait. Je me suis arrêtée, haletante, à bout de souffle, un coup de lance dans les poumons, une douleur sourde sur le côté et dans la vessie, l'humidité chaude de l'urine entre les jambes, et je me suis laissée tomber assise sur le trottoir, serrant la boîte japonaise dans mes bras.

Quelques instants plus tard, deux mains lourdes et fermes m'ont saisie aux épaules. En me retournant, je me suis trouvée face à des yeux clairs dans un visage bronzé. C'était Arana, que je n'ai pas reconnu tout de suite, parce qu'il n'était pas en uniforme et que, sur le point de m'évanouir, j'y voyais trouble. En y réfléchissant bien, il est étonnant qu'Arana ne m'ait pas trouvée plus tôt. Le monde des mendiants, voleurs, prostituées et drogués se limite à quelques quartiers que la police connaît bien et surveille, de même qu'elle tenait à l'œil les foyers pour indigents où les affamés atterrissent tôt ou tard. Vaincue, j'ai tiré le jeu vidéo de mon T-shirt et le lui ai remis.

Le policier m'a soulevée de terre par un bras et il a dû me soutenir, car je ne tenais pas sur mes jambes. « Viens avec moi », m'a-t-il dit avec plus de gentillesse que je ne m'y attendais. « Je vous en prie... ne m'arrêtez pas, je vous en prie... », ai-je lâché précipitamment. « Je ne vais pas t'arrêter, du calme. » Il m'a emmenée vingt mètres plus loin, à *La Taquería*, un restaurant mexicain où les serveurs ont voulu m'empêcher d'entrer, mais ils ont cédé quand Arana leur a révélé son identité. Je me suis écroulée sur un siège, la tête entre les bras, secouée de tremblements incontrôlables.

Je ne sais pas comment Arana m'a reconnue. Il ne m'avait vue qu'en de rares occasions et la ruine qu'il avait devant lui ne ressemblait guère à la fille saine dont les cheveux étaient des petites plumes platinées, vêtue à la mode, qu'il avait connue. Il s'est aussitôt rendu compte que ce n'était pas de nourriture dont j'avais le plus besoin, et en m'aidant, comme une invalide, il m'a emmenée aux toilettes. Il a jeté un coup d'œil pour s'assurer que nous étions seuls, m'a mis quelque chose dans la main et poussée doucement à l'intérieur, tandis qu'il montait la garde devant la porte. De la poudre blanche. Je me suis mouchée avec du papier hygiénique, impatiente, pressée, et j'ai sniffé la drogue, qui m'est montée au front tel un couteau glacé. Aussitôt j'ai été envahie par ce soulagement prodigieux que connaît tout junky, j'ai cessé de trembler et de gémir, mon esprit s'est éclairci.

Je me suis mouillé le visage et j'ai essayé de mettre un peu d'ordre dans mes cheveux avec mes doigts, sans reconnaître dans le miroir ce cadavre aux yeux rougis et aux mèches grasses de deux couleurs. Je ne supportais pas ma propre odeur, mais il était inutile de me laver puisque je ne pouvais pas changer de vêtements. Arana m'attendait dehors, bras croisés, appuyé contre le mur. «J'ai toujours sur moi quelque chose pour les urgences comme celles-ci», et il m'a souri de ses petits yeux semblables à deux fentes.

Nous sommes retournés à la table, l'officier m'a acheté une bière, qui m'est tombée dans l'estomac comme de l'eau bénite, et il m'a obligée à manger quelques bouchées de sandwich mexicain au poulet avant de me donner deux pastilles. Ce devait être un analgésique très fort, car il a insisté sur le fait que je ne pouvais pas les prendre l'estomac vide. En moins de dix minutes j'étais ressuscitée.

«Quand ils ont tué Brandon Leeman je t'ai cherchée pour identifier le corps et signer une déclaration. Ce n'était qu'une formalité, car il n'y avait aucun doute sur son identité. Ç'a été un règlement de comptes typique entre trafiquants, m'a-t-il dit.

— On sait qui a fait ça, inspecteur?

— Nous en avons une idée, mais il manque des preuves. Ils lui ont mis onze balles et plus d'un a dû entendre les coups de feu, mais personne ne collabore avec la police. Je pensais que tu étais retournée dans ta famille, Laura. Que sont devenus tes projets d'aller à l'université ? Je n'aurais jamais imaginé te trouver dans cet état.

— J'ai eu peur, inspecteur. Quand j'ai appris qu'on l'avait tué, je n'ai pas osé retourner à l'appartement et je me suis cachée. Je n'ai pas pu appeler ma famille et je me suis retrouvée dans la rue.

— Et droguée à ce que je vois. Tu as besoin...

— Non ! l'ai-je interrompu. Je vais bien, je vous assure, je n'ai besoin de rien. Je vais rentrer chez moi, on va m'envoyer de l'argent pour l'autobus.

— Tu me dois quelques explications, Laura. Ton prétendu oncle ne s'appelait pas Brandon Leeman, ni aucun des noms qui apparaissaient sur la demi-douzaine de fausses cartes d'identité qu'il avait en sa possession. Il a été identifié comme Hank Trevor, avec deux condamnations de prison à Atlanta.

— Il ne m'en a jamais parlé.

— Il ne t'a jamais parlé non plus de son frère Adam ?

— Il se peut qu'il l'ait mentionné, je ne m'en souviens pas. »

Le policier a commandé une autre bière pour chacun et m'a ensuite raconté qu'Adam Trevor était l'un des meilleurs faussaires au monde. À quinze ans il était entré dans une imprimerie de Chicago où il avait appris le métier de l'encre et du papier, et il avait ensuite développé une technique pour falsifier des billets si parfaits qu'ils passaient l'épreuve du stylo détecteur et de la lampe à ultraviolets. Il les vendait quarante ou cinquante centimes le dollar aux mafias de Chine, d'Inde et des Balkans, qui les mélangeaient à de vrais billets avant de les introduire dans le flux du marché. Le commerce des faux billets, l'un des plus lucratifs au monde, exige une totale discrétion et du sang-froid.

«Brandon Leeman, ou plutôt Hank Trevor, n'avait ni le talent ni l'intelligence de son frère, c'était un délinquant sans envergure. La seule chose que les frères avaient en commun, c'était leur penchant criminel. Pourquoi se casser les reins dans un travail honorable alors que la délinquance est plus rentable et plus amusante ? Ils n'avaient pas tort, n'est-ce pas Laura ? Je t'avoue que j'ai une certaine admiration pour Adam Trevor, c'est un artiste, et il n'a jamais fait de mal à personne, sauf au gouvernement américain.»

Il m'a expliqué que la règle essentielle d'un faussaire n'est pas de dépenser son argent mais de le vendre le plus loin possible, en effaçant les pistes qui pourraient mener à l'auteur ou à l'imprimerie. Adam Trevor a violé cette règle et remis une somme à son frère, qui au lieu de la garder, comme il en avait certainement reçu l'ordre, s'était mis à la dilapider à Las Vegas. Arana a ajouté qu'il avait vingt-cinq ans d'expérience dans la police et qu'il savait très bien ce que trafiquait Brandon Leeman et ce que je faisais pour lui, mais il ne nous avait pas arrêtés parce que des junkies comme nous n'étions pas importants ; si on arrêtait tous les drogués et trafiquants du Nevada, il n'y aurait pas assez de cellules où les mettre. Mais quand Leeman a mis de faux billets en circulation, il est entré dans une autre catégorie, très au-dessus de la sienne. S'il ne l'avait pas arrêté tout de suite, c'était pour découvrir l'origine des billets à travers lui.

«Je le surveillais depuis des mois dans l'espoir qu'il me conduise à Adam Trevor. Imagine ma frustration quand ils l'ont tué. Je te cherchais parce que tu sais où ton amant gardait l'argent qu'il recevait de son frère.

— Ce n'était pas mon amant ! l'ai-je interrompu.

— Ça revient au même. Je veux savoir où il a mis l'argent et comment localiser Adam Trevor.

— Si je savais où trouver cet argent, vous croyez que je serais dans la rue ? »

Une heure avant je le lui aurais dit sans hésiter, mais la drogue, les cachets, les bières et un petit verre de tequila m'avaient temporairement libérée de l'angoisse et je me suis rappelé que je ne devais pas me mêler de cette affaire. J'ignorais si les billets du dépôt de Beatty étaient faux, authentiques ou un mélange des deux, mais en tout cas je n'avais pas intérêt à ce qu'Arana fasse le lien entre ces sacs et moi. Comme le conseillait Freddy, le plus sûr est de se taire. Brandon Leeman était mort brutalement, ses assassins couraient toujours, le policier avait mentionné les mafias et toute information que je soufflerais provoquerait la vengeance d'Adam Trevor.

« Comment pouvez-vous imaginer que Brandon Leeman allait me confier une chose pareille, inspecteur ? Moi, j'étais juste la fille chargée des commissions. Joe Martin et le Chinois étaient ses associés, ils participaient à ses affaires et ils l'accompagnaient partout, pas moi.

— Ils étaient associés ?

— C'est ce que je crois, mais je n'en suis pas sûre, parce que Brandon Leeman ne me racontait rien. Jusqu'à présent je ne savais même pas qu'il s'appelait Hank Trevor.

— C'est-à-dire que Joe Martin et le Chinois savent où est l'argent.

— C'est à eux qu'il faudrait le demander. Le seul argent que je voyais, c'était les pourboires que me donnait Brandon.

— Et celui que tu touchais pour lui dans les hôtels. »

Il a continué à m'interroger pour vérifier les détails de la cohabitation dans l'antre de délinquance qu'était l'immeuble de Brandon Leeman et je lui ai répondu avec prudence, sans mentionner Freddy ni lui fournir de piste sur les sacs d'El Paso TX. J'ai essayé d'impliquer Joe Martin et le Chinois, pensant que s'ils étaient arrêtés j'en serais débarrassée, mais Arana n'a pas paru intéressé par eux. Nous avions fini de manger depuis un moment, il était près de cinq heures de l'après-midi et dans le modeste restaurant mexicain ne restait qu'un serveur qui attendait que nous partions. Comme s'il n'en avait pas assez fait pour moi, l'inspecteur Arana m'a offert dix dollars et donné son numéro de portable, afin que nous restions en contact et que je l'appelle si j'avais des ennuis. Il m'a avertie que je devais le prévenir avant de quitter la ville et m'a conseillée d'être prudente, parce que certains quartiers de Las Vegas étaient très dangereux, surtout la nuit. Comme si je ne le savais pas. Au moment de nous quitter, j'ai eu l'idée de lui demander pourquoi il ne portait pas l'uniforme et il m'a confié qu'il collaborait avec le FBI : la falsification des billets est un crime fédéral.

Les précautions qui m'avaient permis de me cacher à Las Vegas ont été inutiles face à la Force du Destin, comme dirait mon grand-père en faisant référence à l'un de ses opéras favoris de Verdi. Mon Popo acceptait l'idée poétique du destin – comment expliquer

336

autrement qu'il eût rencontré la femme de sa vie à Toronto ? –, mais il était moins fataliste que ma grand-mère pour qui le destin est aussi sûr et concret que l'héritage génétique. Le destin et les gènes déterminent ce que nous sommes, on ne peut les changer ; si la combinaison est virulente, on est foutus, mais dans le cas contraire il est possible d'exercer un certain contrôle sur sa propre existence, à condition que la carte astrologique soit favorable. Comme elle me l'expliquait, nous venons au monde avec certaines cartes en main et nous faisons notre jeu ; avec les mêmes cartes, une personne peut sombrer et une autre se dépasser. « C'est la loi de la compensation, Maya. Si ton destin est de naître aveugle, tu n'es pas obligée d'aller jouer de la flûte dans le métro, tu peux développer ton odorat et devenir dégustatrice de vins. » Un exemple typique de ma grand-mère.

Selon la théorie de Nini, je suis née prédestinée à l'addiction, allez savoir pourquoi, car elle n'est pas dans mes gènes : ma grand-mère ne boit pas d'alcool, mon père ne prend qu'un verre de vin blanc de temps en temps et ma mère, la princesse de Laponie, m'a fait bonne impression la seule fois où je l'ai vue. Il est vrai qu'il était onze heures du matin et qu'à cette heure tout le monde est à peu près sobre. Toujours est-il que parmi mes cartes figure celle de l'addiction, mais avec de la volonté et de l'intelligence je pourrais imaginer des coups de maître pour la tenir sous contrôle. Cependant, les statistiques sont pessimistes, il y a plus d'aveugles dégustateurs de vins que de toxicomanes réhabilités. Si je tiens compte d'autres crocs-en-jambe que m'a faits le destin, comme d'avoir rencontré Brandon Leeman, mes possibilités de mener une vie normale étaient minimes avant l'intervention opportune d'Olympia Pettiford. C'est ce que j'ai dit à ma Nini et elle m'a répondu qu'on peut toujours tricher aux cartes. C'est ce qu'elle a fait en m'envoyant dans cette île de Chiloé : elle a triché aux cartes.

Le jour où j'ai rencontré Arana, quelques heures plus tard, Joe Martin et le Chinois m'ont enfin trouvée à quelques rues du restaurant mexicain où le lieutenant m'avait secourue. Je n'ai pas vu la redoutable camionnette noire ni ne les ai entendus s'approcher avant qu'ils soient sur moi, car j'avais dépensé les dix dollars en drogues et j'étais shootée. Ils m'ont attrapée à eux deux, m'ont soulevée à bout de bras et mise de force dans le véhicule, tandis que je criais et donnais des coups de pied de désespoir. Quelques personnes se sont arrêtées à cause du scandale, mais aucune n'est intervenue ; qui aurait l'idée de s'en prendre à deux dangereux gangsters qui enlèvent une clocharde hystérique ? J'ai essayé de me jeter de la voiture en marche, mais Joe Martin m'a paralysée d'un coup sur la nuque.

Ils m'ont emmenée à l'immeuble que je connaissais bien, le quartier général de Brandon Leeman où ils étaient à présent les patrons, et malgré mon étourdissement j'ai pu me rendre compte qu'il était encore plus délabré : les obscénités barbouillées sur les murs s'étaient multipliées, de même que les ordures et les vitres brisées, il y avait une odeur d'excréments. À eux deux ils m'ont montée au troisième étage, ils ont ouvert la grille et nous sommes entrés dans l'appartement, qui était vide. « Maintenant tu vas chanter, maudite pute », m'a menacée Joe Martin à deux centimètres de mon visage, pressant mes seins avec ses grosses pattes de singe. « Tu vas nous dire où Leeman a planqué l'argent ou je te brise les os un à un. »

338

À cet instant, le portable du Chinois a sonné, celui-ci a prononcé deux ou trois phrases avant de dire à Joe Martin qu'il serait toujours temps de me briser les os ; ils avaient l'ordre de partir, on les attendait. Ils m'ont bâillonnée avec un chiffon dans la bouche et du ruban adhésif, m'ont jetée sur l'un des matelas, attaché les chevilles et les poignets avec un câble électrique, puis le lien des chevilles avec celui des bras, si bien que je me suis retrouvée pliée en arrière. Ils sont partis après m'avoir avertie une fois de plus de ce qu'ils me feraient à leur retour, et je suis restée seule, sans pouvoir crier ni bouger, les chevilles et les poignets sciés par le câble, la nuque raidie par le coup, asphyxiée par le chiffon dans ma bouche, effrayée par ce qui m'attendait aux mains de ces assassins et parce que l'effet de l'alcool et des drogues commençait à se dissiper. J'avais dans la bouche le chiffon et un arrière-goût de *fajitas* au poulet du déjeuner. J'essayais de contrôler l'envie de vomir qui me remontait dans la gorge et m'aurait étouffée.

Combien de temps suis-je restée sur ce matelas ? Impossible de le savoir avec certitude, mais j'ai eu la sensation que c'étaient plusieurs jours, bien que cela ait pu être moins d'une heure. J'ai bientôt commencé à trembler violemment et à mordre le chiffon, déjà trempé de salive, pour ne pas l'avaler. À chaque secousse le câble des attaches s'incrustait davantage. La peur et la douleur m'empêchaient de penser, je manquais d'air et je me suis mise à prier pour que Joe Martin et le Chinois reviennent, afin de leur dire tout ce qu'ils voulaient savoir, de les emmener moi-même à Beatty pour voir s'ils pouvaient briser les cadenas du dépôt à coups de revolver ; et si ensuite ils me tiraient une balle dans la tête, ce serait préférable à mourir suppliciée comme un animal. Je me fichais complètement de cet argent maudit, pourquoi n'avais-je pas fait confiance à l'inspecteur Arana, pourquoi, pourquoi ? Aujourd'hui, des mois plus tard, à Chiloé, avec le calme de la distance, je comprends que c'était une manière de me faire avouer, il n'était pas nécessaire de me briser les os, le tourment de l'abstinence suffisait. C'était sûrement l'ordre qui avait été donné au Chinois sur le portable.

Dehors, le soleil s'était couché, la lumière ne filtrait plus entre les planches de la fenêtre et à l'intérieur l'obscurité était totale, tandis que de plus en plus malade je continuais à prier pour que les assassins reviennent. La Force du Destin. Ce n'est pas Joe Martin et le Chinois qui ont allumé la lumière et se sont penchés sur moi, mais Freddy, si maigre et si agité que je ne l'ai pas reconnu tout de suite. « Merde, Laura, merde, merde », marmottait-il tandis qu'il essayait de m'enlever le bâillon d'une main tremblante. Enfin il a tiré le chiffon et j'ai pu aspirer une immense bouffée d'air et me remplir les poumons, avec des haut-le-cœur et des quintes de toux. Freddy, Freddy, béni sois-tu Freddy. Il n'a pas pu me libérer, les nœuds s'étaient fossilisés et il n'avait qu'une main ; l'autre, à laquelle manquaient deux doigts, n'avait jamais retrouvé sa mobilité. Il est allé chercher un couteau à la cuisine et a commencé à batailler avec le câble jusqu'à ce qu'il réussisse à le couper et, au bout de minutes éternelles, à me libérer. J'avais des blessures sanglantes aux chevilles et aux poignets, mais je ne les ai remarquées que plus tard, à ce moment j'étais dominée par l'angoisse de l'abstinence, trouver une autre dose était la seule chose qui m'importait.

J'ai inutilement essayé de me lever ; j'étais secouée de spasmes convulsifs, incapable de contrôler mes membres. « Merde, merde, merde, il faut que tu sortes d'ici, merde, Laura, merde », répétait le garçon comme une litanie. Freddy est retourné à la cuisine et revenu avec une pipe, un chalumeau et une poignée de crack. Il l'a allumée et me l'a mise dans la bouche. J'ai inhalé à fond et cela m'a redonné un peu de force. « Comment allons-nous sortir d'ici, Freddy ? » ai-je murmuré ; mes dents claquaient. « En marchant, c'est la seule façon. Mets-toi debout, Laura », a-t-il répondu.

Et nous sommes sortis de la façon la plus simple, par la porte principale et en marchant. Freddy avait la commande à distance pour ouvrir la grille et nous nous sommes glissés par l'escalier dans l'obscurité, collés au mur, lui me soutenant par la taille, moi appuyée sur ses épaules. Il était si petit ! Mais son cœur vaillant compensait largement sa fragilité. Peut-être quelques-uns des fantômes des étages inférieurs nous ont-ils vus et ont-ils dit à Joe Martin et au Chinois que Freddy m'avait sauvée, je ne le saurai jamais. Si personne ne le leur a dit, ils l'ont de toute façon deviné, qui d'autre aurait risqué sa vie pour me secourir ?

Nous avons traversé deux rues dans l'ombre des maisons, en nous éloignant de l'immeuble. Freddy a essayé d'arrêter plusieurs taxis, mais nous devions avoir un aspect lamentable et en nous voyant ils poursuivaient leur chemin. Il m'a emmenée à un arrêt d'autobus et nous sommes montés dans le premier qui est passé, sans savoir où il allait ni prêter attention aux mines dégoûtées des passagers, aux regards du chauffeur dans le rétroviseur. Je sentais l'urine, j'étais hirsute, j'avais des traces de sang sur les bras et les chaussures. On aurait pu nous obliger à descendre ou avertir la police, mais là aussi nous avons eu de la chance, personne ne l'a fait.

Nous sommes descendus à la dernière station ; Freddy m'a emmenée dans des toilettes publiques où je me suis lavée comme j'ai pu, ce qui était peu, car mes vêtements et mes cheveux étaient crasseux, et ensuite nous sommes montés dans un autre autobus, puis un autre, tournant dans Las Vegas pendant des heures pour brouiller les pistes. À la fin, Freddy m'a emmenée dans un quartier noir où je n'étais jamais allée, mal éclairé, aux rues désertes à cette heure, avec des maisons humbles de petits employés et d'ouvriers, des porches avec des chaises en osier, des cours pleines de vieux meubles, des voitures cabossées. Après la terrible raclée qu'il avait reçue pour être entré dans un quartier qui n'était pas le sien, il fallait beaucoup de courage à Freddy pour me conduire ici, mais il ne semblait pas inquiet, comme s'il avait souvent déambulé dans ces rues.

Nous sommes arrivés devant une maison que rien ne distinguait des autres et Freddy a appuyé plusieurs fois sur la sonnette, avec insistance. Enfin nous avons entendu une grosse voix : « Qui ose déranger si tard ! » Une ampoule s'est allumée sous le porche, la porte s'est entrouverte et un œil nous a examinés. « Béni soit le Seigneur, c'est bien toi, Freddy ? »

C'était Olympia Pettiford dans un peignoir en peluche rose, l'infirmière qui avait pris soin de Freddy à l'hôpital quand on l'avait tabassé, la douce géante, la madone des abandonnés, la femme splendide qui dirigeait sa propre église des Veuves de Jésus. Olympia a ouvert sa porte en grand et m'a accueillie dans son giron de déesse africaine, « pauvre petite, pauvre petite ». Elle m'a portée dans ses bras jusqu'au canapé du salon et m'a étendue là avec la délicatesse d'une mère pour son nouveau-né.

Dans la maison d'Olympia Pettiford j'ai complètement plongé dans l'horreur du syndrome de l'abstinence, pire que n'importe quelle douleur physique, dit-on, mais moindre que la douleur morale de me sentir indigne ou celle, terrible, de perdre quelqu'un d'aussi tendrement aimé que mon Popo. Je ne veux pas penser à ce que ce serait de perdre Daniel... Le mari d'Olympia, Jeremiah Pettiford, un véritable ange, et les Veuves de Jésus, des femmes noires d'âge mûr, patientes, autoritaires et généreuses, se sont relayées pour me soutenir dans les pires moments : quand je claquais tellement des dents que je pouvais à peine parler pour réclamer une gorgée, une seule gorgée de quelque chose de fort, n'importe quoi pour survivre ; quand les tremblements et les tiraillements me martyrisaient et que le poulpe de l'angoisse me pressait les tempes et me serrait de ses mille tentacules ; quand je transpirais, me débattais, luttais et essayais de m'enfuir, ces Veuves merveilleuses m'ont attachée, bercée, consolée, elles ont prié et chanté pour moi et ne m'ont pas laissée seule un instant.

« J'ai foutu ma vie en l'air, je n'en peux plus, je veux mourir », ai-je sangloté à un moment, quand j'ai pu articuler autre chose que des insultes, des supplications et des malédictions. Olympia m'a saisie par les épaules et elle m'a obligée à la regarder dans les yeux, à fixer le regard, à prêter attention, à l'écouter : «Qui t'a dit que ça allait être facile, fillette ? Tiens bon. Personne n'en meurt. Je t'interdis de désirer la mort, c'est un péché. Remets-toi entre les mains de Jésus et tu vivras honnêtement les soixante-dix ans que tu as devant toi. »

Olympia Pettiford s'est débrouillée pour me trouver un antibiotique, qui a mis fin à l'infection urinaire, et du Valium pour m'aider à supporter les symptômes de l'abstinence. J'imagine qu'elle les a subtilisés à l'hôpital avec la conscience tranquille, parce qu'elle comptait sur le pardon de Jésus. D'après ce qu'elle m'a expliqué, la cystite avait atteint les reins, mais ses piqûres en sont venues à bout en quelques jours et elle m'a donné un flacon de cachets à prendre au cours des deux semaines suivantes. Je ne me rappelle pas combien de temps j'ai agonisé à cause de l'abstinence, peut-être deux ou trois jours, mais ils m'ont semblé un mois.

J'ai peu à peu émergé du puits pour réapparaître à la surface. J'ai pu avaler de la soupe et de la bouillie d'avoine avec du lait, me reposer et dormir à certains moments ; le réveil se moquait de moi et une heure s'étirait comme une semaine. Les Veuves m'ont baignée, elles m'ont coupé les ongles et épouillée, elles ont soigné les blessures infectées des aiguilles et des câbles qui m'avaient ouvert les poignets et les chevilles, elles m'ont fait des massages avec de l'huile pour bébé afin d'amollir les croûtes, m'ont trouvé des vêtements propres et surveillée pour éviter que je saute par la fenêtre et parte chercher de la drogue. Lorsque à la fin j'ai pu tenir debout et marcher sans aide, elles m'ont emmenée à leur église, un hangar peint en bleu pâle, où se réunissaient les membres de la petite congrégation. Il n'y avait pas de jeunes, tous étaient des Afro-Américains, des femmes pour la plupart, et j'ai appris que les quelques hommes qui en faisaient partie n'étaient pas nécessairement veufs. Jeremiah et Olympia Pettiford, vêtus de tuniques en satin violet avec des rabats jaunes, ont conduit un service pour rendre grâces à Jésus en mon nom. Ces voix ! Ils chantaient avec tout leur corps, en se balançant comme des palmiers, les bras levés vers le ciel, joyeux, si joyeux que leurs chants m'ont nettoyée à l'intérieur.

Olympia et Jeremiah n'ont rien voulu savoir à mon sujet, même pas mon nom, il leur a suffi que Freddy m'amène à leur porte pour m'accueillir. Ils ont deviné que je fuyais quelque chose et préféré ne pas savoir quoi, au cas où quelqu'un leur poserait des questions compromettantes. Ils priaient chaque jour pour Freddy, demandant à Jésus qu'il se désintoxique et accepte aide et amour, « mais Jésus met parfois du temps à répondre, car il reçoit trop de demandes », m'ont-ils expliqué. Moi non plus je n'arrivais pas à m'enlever Freddy de la tête, j'avais peur qu'il tombe entre les mains de Joe Martin et du Chinois, mais Olympia faisait confiance à sa débrouillardise et à son incroyable capacité de survivre.

Une semaine plus tard, alors que les symptômes de l'infection avaient disparu et que je pouvais être à peu près calme sans Valium, j'ai demandé à Olympia d'appeler ma grand-mère en Californie, car j'étais incapable de le faire moi-même. Il était sept heures du matin quand Olympia a composé le numéro que je lui avais donné et Nini a répondu tout de suite, comme si elle était restée assise six mois près du téléphone, à attendre. « Votre petite-fille est prête à rentrer chez elle, venez la chercher. »

Onze heures plus tard, une camionnette rouge s'est arrêtée devant la maison des Pettiford. Ma Nini a appuyé le doigt sur la sonnette avec l'impatience de l'affection et moi je suis tombée dans ses bras, devant le regard satisfait des maîtres de maison, de plusieurs Veuves et de Mike O'Kelly, qui sortait son fauteuil roulant de la voiture de location. « Espèce de petite merdeuse ! Comme tu nous as fait souffrir ! Qu'est-ce que ça t'aurait coûté de m'appeler pour qu'on sache que tu étais vivante ! » a été le salut de ma Nini, en espagnol et à grands cris, comme elle le fait quand elle est très émue, et aussitôt : « Tu as une mine épouvantable, Maya, mais ton aura est verte, la couleur de la guérison, voilà un bon signe. » Ma grand-mère était bien plus petite que dans mon souvenir, en quelques mois elle avait rapetissé et ses cernes violets, autrefois tellement sensuels, la vieillissaient maintenant. « J'ai averti ton père, il rentre tout de suite de Dubaï et demain, il t'attend à la maison », m'a-t-elle dit, accrochée à ma main et me regardant avec des yeux de chouette pour m'empêcher de disparaître à nouveau, mais elle s'est abstenue de m'accabler de questions. Bientôt les Veuves nous ont appelés à table : poulet frit, pommes de terre frites, des friands aux légumes frits et des beignets frits, un festin de cholestérol pour fêter les retrouvailles de ma famille.

Après le dîner, les Veuves de Jésus ont pris congé et sont parties, tandis que nous nous réunissions dans le petit salon, où le fauteuil roulant tenait à peine. Olympia a fait à ma Nini et Mike O'Kelly un résumé de mon état de santé et elle leur a conseillé de m'envoyer en cure de désintoxication dès que nous serions rentrés en Californie, ce que Mike, qui en connaît un rayon à ce sujet, avait déjà décidé de son côté, puis elle s'est discrètement retirée. Alors je les ai brièvement mis au courant de ce qu'avait été ma vie depuis le mois de mai, en omettant la nuit au motel avec Roy Fedgewick et la prostitution, qui auraient brisé Nini. Au fur et à mesure que j'avançais dans mon récit sur Brandon Leeman, ou plutôt Hank Trevor, sur les faux billets, sur les assassins qui m'avaient séquestrée et le reste, ma grand-mère trépignait sur son siège, répétant entre ses dents «espèce de petite merdeuse», mais les yeux bleus de Blanche-Neige brillaient comme des lumières d'avion. Il était ravi de se trouver enfin au cœur d'un vrai polar.

«La falsification de l'argent est un crime très grave, ça coûte plus cher qu'un assassinat avec préméditation et que la traîtrise, nous a-t-il informées joyeusement.

— C'est ce que m'a dit l'inspecteur Arana. Le mieux serait de l'appeler et de tout lui avouer, il m'a laissé son numéro.

— Quelle idée géniale ! Digne de ma bourrique de petite-fille ! s'est exclamée Nini. Tu aimerais passer vingt ans à San Quentin et finir sur la chaise électrique, petite idiote ? Alors vas-y, cours raconter au flic que tu es complice.

— Calme-toi Nidia. La première chose à faire est de détruire les preuves qui leur permettraient de faire le lien entre ta petite-fille et l'argent. Tout de suite après nous l'emmenons en Californie sans laisser de traces de son passage à Las Vegas, et dès qu'elle aura retrouvé la santé nous la ferons disparaître, qu'en penses-tu ?

— Comment allons-nous nous y prendre ? lui a-t-elle demandé.

— Ici tout le monde la connaît sous le nom de Laura Barron, sauf les Veuves de Jésus, n'est-ce pas Maya ?

— Les Veuves non plus ne savent pas mon vrai nom, ai-je précisé.

— Excellent, nous allons rentrer en Californie dans la camionnette que nous avons louée, a décidé Mike.

— Bien vu Mike, est intervenue ma Nini dont les yeux aussi commençaient à briller. Pour l'avion, Maya a besoin d'un billet à son nom et d'une pièce d'identité, cela laisse des traces, mais en voiture nous pouvons traverser le pays sans que personne n'en sache rien. Nous rendrons la camionnette à Berkeley. »

C'est de cette façon expéditive que les deux membres du Club des Criminels ont organisé mon échappée de la Ville du Péché. Il était tard, nous étions fatigués et il fallait dormir avant de mettre le plan à exécution. Cette nuit-là je suis restée chez Olympia, tandis que Mike et ma grand-mère trouvaient un hôtel. Le lendemain matin, nous nous sommes joints aux Pettiford pour prendre le petit déjeuner, que nous avons fait durer le plus possible, car nous avions de la peine de quitter mes bienfaiteurs. Nini, reconnaissante et pour toujours redevable aux Pettiford, leur a offert une hospitalité inconditionnelle à Berkeley, « ma maison est la vôtre », mais par précaution ils n'ont voulu savoir ni notre nom de famille ni notre adresse. Cependant, lorsque Blanche-Neige leur a dit qu'il avait sauvé des jeunes comme Freddy et qu'il pouvait aider le garçon, Olympia a accepté sa carte de visite. « Avec les Veuves de Jésus, nous le chercherons jusqu'à ce que nous le trouvions et nous vous l'amènerons, même si nous devons l'attacher », lui a-t-elle assuré. J'ai fait mes adieux à ce couple adorable avec une longue étreinte et la promesse de revenir les voir.

Ma grand-mère, Mike et moi sommes partis dans la camionnette rouge en direction de Beatty, et en route nous avons discuté de la manière d'ouvrir les cadenas. Il n'était pas question de mettre de la dynamite à la porte, comme l'a suggéré Nini, car à supposer que nous en trouvions, l'explosion pouvait attirer l'attention, la force brutale étant en outre le dernier recours d'un bon détective. Ils m'ont fait répéter dix fois les détails des deux voyages que j'avais faits au dépôt avec Brandon Leeman.

« Quel était exactement le message que tu devais transmettre à son frère par téléphone ? m'a demandé Nini une fois de plus.

— L'adresse de l'endroit où se trouvaient les sacs.

— Et c'est tout ?

— Non ! Maintenant ça me revient, Leeman a beaucoup insisté pour que je dise à son frère où étaient les sacs El Paso TX.

— Il voulait parler de la ville d'El Paso, au Texas ?

— Je suppose, mais je n'en suis pas sûre. L'autre sac n'avait pas de marque, c'était un sac de voyage ordinaire. »

Les deux détectives amateurs en ont déduit que la clé des cadenas était dans le nom, raison pour laquelle Leeman avait insisté sur l'exactitude du message. Ils ont mis trois minutes pour traduire les lettres en chiffres, un code tellement simple qu'ils se sont sentis frustrés, car ils espéraient un défi à leur mesure. Il suffisait de regarder sur un téléphone : les huit lettres correspondaient à huit chiffres, quatre pour chaque combinaison, 3572 et 7689.

Nous avons acheté des gants en caoutchouc, un bout de tissu, un balai, des allumettes et de l'alcool, puis nous nous sommes arrêtés dans une quincaillerie pour un bidon en plastique et une pelle, enfin dans une station-service pour faire le plein d'essence et remplir le bidon. Nous avons continué jusqu'au dépôt dont, par chance, je me souvenais, car il y en a plusieurs dans le secteur. J'ai localisé la porte correspondante et Nini, les mains gantées, a ouvert les cadenas à la seconde tentative ; je l'ai rarement vue aussi contente. À l'intérieur se trouvaient les deux sacs, exactement comme les avait laissés Brandon Leeman. Je leur ai dit que lors des deux visites précédentes je n'avais touché à rien, que c'était Leeman qui avait manipulé les cadenas, sorti les sacs de la voiture et qui était revenu fermer le dépôt, mais Nini a opiné que si j'étais droguée, je ne pouvais être sûre de rien. Mike a nettoyé avec le chiffon trempé d'alcool les surfaces où il pouvait y avoir des empreintes digitales, sur la porte et à l'intérieur.

Par curiosité, nous avons jeté un coup d'œil dans les caisses et trouvé des fusils, des revolvers, des munitions. Nini voulait que nous sortions armés comme des guérilleros, puisque nous étions plongés jusqu'au cou dans l'atmosphère criminelle, et Blanche-Neige a trouvé l'idée formidable, mais je les en ai empêchés. Mon Popo n'avait jamais voulu posséder une arme, il disait qu'elles sont chargées par le diable et que si quelqu'un en a une il finit par l'utiliser et s'en repent ensuite. Nini pensait que si son mari avait eu une arme il l'aurait tuée lorsqu'elle avait jeté à la poubelle ses partitions d'opéra, une semaine après leur mariage. Que donneraient les membres du Club des Criminels pour ces deux caisses de jouets mortels ! Nous avons jeté les sacs dans la camionnette, Nini a balayé le sol pour effacer nos traces de pas et celles du fauteuil roulant, nous avons fermé les cadenas et nous sommes éloignés, sans armes.

Les sacs dans la camionnette, nous sommes allés nous reposer quelques heures dans un motel, après avoir acheté de l'eau et des provisions pour le voyage, qui nous prendrait une dizaine d'heures. Mike et Nini étaient arrivés en avion et ils avaient loué le véhicule à l'aéroport de Las Vegas, ils ne savaient pas à quel point cette route est longue, droite et ennuyeuse, mais au moins, à cette époque, ce n'était pas la fournaise qu'elle est en été, quand la température monte à plus de quarante degrés. Mike O'Kelly a emporté les sacs qui contenaient le trésor dans sa chambre et j'ai partagé un grand lit dans une autre chambre avec Nini, qui m'a tenu la main toute la nuit. « Je n'ai pas l'intention de m'enfuir, Nini, ne t'inquiète pas », lui ai-je assuré à demi évanouie de fatigue, mais elle ne m'a pas lâchée. Aucune des deux n'a pu dormir beaucoup et nous en avons profité pour bavarder, nous avions tant de choses à nous dire. Elle m'a parlé de mon père, de la façon dont mon escapade l'avait affecté, et elle m'a répété qu'elle ne me pardonnerait jamais de les avoir laissés cinq mois, une semaine et deux jours sans nouvelles, je les avais déchirés nerveusement et leur avais

brisé le cœur. «Pardon, Nini, je n'y ai pas pensé...»,
et en vérité ça ne m'était pas venu à l'esprit, je n'avais
pensé qu'à moi.

Je lui ai demandé des nouvelles de Sarah et Debbie,
et elle m'a raconté qu'elle avait assisté à la remise des
diplômes de ma classe à Berkeley High, spécialement
invitée par M. Harper avec lequel elle avait fini par
nouer des liens d'amitié, car il l'appelait régulièrement
pour savoir si j'avais donné signe de vie. Debbie avait
eu son diplôme avec mes autres camarades, mais Sarah
avait été renvoyée ; cela faisait des mois qu'elle séjour-
nait dans une clinique, changée en squelette, dans
un état d'extrême faiblesse. À la fin de la cérémonie,
Debbie s'était approchée d'elle pour lui demander de
mes nouvelles. Elle était en bleu, fraîche et jolie, il ne
restait rien de ses hardes gothiques ni de son maquillage d'outre-tombe, et ma Nini, piquée au vif, lui avait
annoncé que je m'étais mariée avec un riche héritier et
que je me trouvais aux Bahamas. «Pourquoi lui aurais-
je dit que tu avais disparu, Maya ? Je ne voulais pas
lui donner ce plaisir, vois le mal que t'a fait cette malheureuse avec ses habitudes détestables», m'a annoncé
don Corleone de la mafia chilienne, qui ne pardonne
pas.

Quant à Rick Laredo, il avait été arrêté pour une
bêtise dont lui seul pouvait avoir l'idée : séquestrer
des animaux de compagnie. Son opération, très mal
préparée, consistait à voler un délicat toutou, puis à
appeler la famille en demandant une rançon pour le
récupérer. «Les séquestrations de millionnaires en
Colombie lui en avaient donné l'idée, tu sais bien, ces
insurgés, comment s'appellent-ils ? Les Farc ? Bon,
quelque chose comme ça. Mais ne t'inquiète pas,

Mike l'aide et il sortira bientôt de prison», a conclu ma grand-mère. Je lui ai précisé que je me fichais pas mal que Laredo soit derrière les barreaux, que je pensais au contraire que c'était l'endroit qui lui revenait dans l'ordre de l'univers. «Ne sois pas si dure, Maya, ce pauvre garçon a été très amoureux de toi. Quand il sera libéré, Mike va lui trouver du travail à la Société protectrice des animaux, pour qu'il apprenne à respecter les petits chiens des autres, qu'est-ce que tu en penses?» Blanche-Neige n'avait sûrement pas eu l'idée de cette solution, elle venait forcément de Nini.

Mike nous a appelées de sa chambre au téléphone à trois heures du matin, il nous a distribué les bananes et les brioches, nous avons embarqué nos quelques bagages dans la camionnette et une demi-heure plus tard nous roulions en direction de la Californie, ma grand-mère au volant. Il faisait nuit noire, l'heure idéale pour éviter la circulation et les patrouilles. Je dodelinais de la tête, je sentais comme de la sciure dans les yeux, des tambours dans le crâne, du coton dans les genoux et j'aurais donné n'importe quoi pour dormir un siècle, comme la princesse du conte de Perrault. Cent quatre-vingt-dix kilomètres plus loin nous avons quitté la route pour prendre un étroit sentier, choisi par Mike sur la carte parce qu'il ne conduisait nulle part, et nous nous sommes bientôt retrouvés dans une solitude lunaire.

Il faisait froid, mais j'ai eu très vite chaud en creusant un trou, tâche impossible pour Mike dans son fauteuil roulant ou pour Nini avec ses soixante-six ans, et très difficile pour une somnambule comme moi. Le terrain était rocailleux, couvert d'une végétation rampante sèche et dure; les forces me manquaient, je n'avais jamais utilisé de pelle et les instructions de Mike et de ma grand-mère ne faisaient qu'augmenter ma frustration. Une demi-heure plus tard, je n'avais réussi à faire qu'une fente dans le sol, mais comme j'avais des ampoules aux mains sous les gants en caoutchouc et pouvais à peine soulever la pelle, les deux membres du Club des Criminels ont été obligés de s'en contenter.

Brûler un demi-million de dollars n'est pas aussi simple que nous le supposions, car nous n'avions pas pris en compte le facteur vent, la qualité particulièrement résistante du papier ni la densité des liasses. Après plusieurs tentatives, nous avons opté pour la méthode la plus vulgaire : nous mettions des poignées de billets dans le trou, les arrosions d'essence, y mettions le feu et éventions la fumée pour éviter qu'elle se voie de loin, bien que, de nuit, les risques fussent faibles.

« Tu es sûre que tous ces billets sont faux, Maya ? m'a demandé ma grand-mère.

— Comment le saurais-je, Nini ? L'inspecteur Arana m'a dit que normalement on mélange des faux billets avec des vrais.

— Ce serait un gaspillage de brûler de bons billets, avec tous les frais que nous avons. Nous pourrions en garder un peu en cas de nécessité... a-t-elle suggéré.

— Tu es folle, Nidia ! C'est plus dangereux que de la nitroglycérine », lui a rétorqué Mike.

Ils ont continué à discuter avec ardeur tandis que je terminais de brûler le contenu du premier sac, puis ouvrais le second. À l'intérieur je n'ai trouvé que quatre liasses de billets et deux paquets de la taille d'un livre enveloppés dans du plastique, fermés par du ruban adhésif. Nous avons rompu le ruban à coups de dents, car nous n'avions aucun objet coupant et

354

devions nous dépêcher, le jour commençait à se lever ; des nuages couleur plomb glissaient rapidement sur un ciel vermillon. Les paquets contenaient quatre plaques métalliques pour imprimer des billets de cent et de cinquante dollars.

« Cela vaut une fortune, s'est exclamé Mike. Ça a bien plus de valeur que les billets que nous avons brûlés.

— Comment le sais-tu ? lui ai-je demandé.

— D'après ce que t'a dit le policier, Maya, les billets d'Adam Trevor sont si parfaits qu'il est presque impossible de les détecter. Les mafias paieraient des millions pour ces plaques.

— Tu veux dire que nous pourrions les vendre, a dit Nini, pleine d'espoir.

— N'y pense pas, don Corleone, l'a coupée Mike en lui lançant un regard noir.

— Il est impossible de les brûler, suis-je intervenue.

— Nous devrons les enterrer ou les jeter à la mer, a-t-il conclu.

— Quelle tristesse, ce sont des œuvres d'art ! » a soupiré Nini, et elle a entrepris de les envelopper soigneusement pour éviter de les rayer.

Nous avons terminé de brûler le butin, rebouché le trou avec de la terre, et avant de partir Blanche-Neige a insisté pour que nous marquions l'emplacement. « Pour quoi faire ? » lui ai-je demandé. « Au cas où. C'est comme ça qu'on fait dans les romans policiers », m'a-t-il expliqué. C'est moi qui ai dû chercher les pierres et faire une pyramide au-dessus du trou, tandis que Nini comptait les pas jusqu'aux repères les plus proches et que Mike dessinait un plan sur l'un des sacs en papier. C'était comme jouer aux pirates, mais je n'ai pas eu le courage de discuter. Nous avons ponctué de trois arrêts le voyage jusqu'à Berkeley, pour aller aux toilettes, boire du café, faire le plein et nous débarrasser des sacs, de la pelle, du bidon et des gants dans différentes poubelles. L'incendie des couleurs de l'aube avait fait place à la lumière blanche du jour, et nous transpirions dans la vapeur tremblotante du désert, parce que la climatisation du véhicule ne fonctionnait qu'à moitié. Ma grand-mère n'a pas voulu me laisser le volant, car elle pensait que j'avais encore le cerveau embrumé et les réflexes engourdis, aussi a-t-elle conduit toute la journée sur ce ruban interminable, jusqu'à la nuit, sans se plaindre une seule fois. « Ça me sert à quelque chose d'avoir été chauffeur de limousines », a-t-elle commenté, faisant référence à l'époque où elle avait connu mon Popo.

Quand je le lui ai raconté, Daniel Goodrich a voulu savoir ce que nous avions fait des plaques. Ma Nini avait été chargée de les jeter dans la baie de San Francisco depuis le ferry.

Je me souviens que le flegme de psychiatre de Daniel Goodrich a fléchi lorsque je lui ai raconté cette partie de mon histoire, aux alentours du mois de mai. Comment ai-je pu vivre cette éternité sans lui ? Daniel m'a écoutée bouche bée et j'ai compris à son expression qu'il ne lui était jamais rien arrivé d'aussi excitant que mes aventures à Las Vegas. Il m'a dit qu'en rentrant aux États-Unis il se mettrait en contact avec Nini et Blanche-Neige, mais il ne l'a pas encore fait. « Ta grand-mère est un cas, Maya. Elle ferait la paire avec Alfons Zaleski », m'a-t-il commenté.

« Maintenant, Daniel, tu sais pourquoi je vis ici. Ce n'est pas un caprice de touriste, comme tu peux l'imaginer. Ma Nini et Mike O'Kelly ont décidé de m'envoyer le plus loin possible en attendant que la situation dans laquelle je me suis mise s'éclaircisse un peu. Joe Martin et le Chinois en ont après l'argent, car ils ne savent pas que les billets sont faux ; la police veut arrêter Adam Trevor et lui veut récupérer ses plaques avant que le FBI tombe dessus. Je suis le lien, et lorsqu'ils le découvriront je les aurai tous à mes trousses.

— Le lien, c'est Laura Barron, m'a rappelé Daniel.

— La police a dû découvrir que Laura Barron, c'est moi. Mes empreintes digitales sont disséminées un peu partout, sur les casiers du gymnase, dans l'immeuble de Brandon Leeman, et même chez Olympia Pettiford, s'ils ont attrapé Freddy et l'ont fait parler, Dieu l'en garde.

— Tu n'as pas mentionné Arana.

— C'est un chic type. Il collabore avec le FBI, mais il ne m'a pas arrêtée quand il aurait pu le faire et alors qu'il me soupçonnait. Il m'a protégée. Tout ce qui l'intéresse, c'est de démanteler l'industrie des faux dollars et d'arrêter Adam Trevor. Il gagnerait une médaille pour cela. »

Daniel a été d'accord avec le projet de me tenir isolée pendant un certain temps, mais il ne lui a pas paru dangereux que nous nous écrivions, quel besoin y a-t-il d'exagérer le délire de persécution ? J'ai ouvert un compte de courrier électronique au nom de *juanitocorrales@gmail.com*. Personne n'aurait de soupçon concernant la relation de Daniel Goodrich à Seattle avec un gamin de Chiloé, l'un des amis qu'il s'est faits en voyage et avec lesquels il communique régulièrement. Depuis que Daniel est parti, j'ai utilisé ce compte chaque jour. Manuel n'approuve pas l'idée, il pense que les espions du FBI et leurs hackers de l'informatique sont comme Dieu, qu'ils sont partout et voient tout.

Juanito Corrales est le frère que j'aurais voulu avoir, comme Freddy. «Emmenez-le dans votre pays, *gringuita*, moi, ce gamin, il me sert à rien», m'a dit un jour Eduvigis en plaisantant, et Juanito a pris la chose tellement au sérieux qu'il fait des projets pour vivre avec moi à Berkeley. Il est le seul être au monde qui m'admire. «Quand je serai grand, je me marierai avec toi, tante Gringa», m'a-t-il dit. Nous en sommes au troisième tome d'Harry Potter et il rêve d'aller à l'École de magie et de sorcellerie de Poudlard et d'avoir son propre balai volant. Il est fier de m'avoir prêté son nom pour un compte de courrier électronique.

Naturellement, Daniel a trouvé insensé que nous ayons brûlé l'argent dans le désert, où une patrouille aurait pu nous surprendre, car la route 15 qui relie le Nevada à la Californie est très fréquentée par les camions, très surveillée sur terre et par hélicoptère. Avant de prendre cette décision, Blanche-Neige et Nini avaient envisagé plusieurs solutions, y compris de dissoudre les billets dans du Drano, comme ils l'avaient fait une fois avec un kilo de côtelettes, mais toutes présentaient des risques et aucune n'était aussi définitive et théâtrale que le feu. Dans quelques années, lorsqu'ils pourront raconter cette histoire sans craindre d'être arrêtés, un brasier dans le désert Mojave aura beaucoup plus d'effet que du liquide à déboucher les tuyaux.

Avant de connaître Daniel, je n'avais pas pensé au corps masculin ni ne m'étais arrêtée à le contempler, hormis cette vision inoubliable du *David*, à Florence, avec ses cinq mètres et dix-sept centimètres de perfection en marbre, mais au pénis de taille assez réduite. Les garçons avec lesquels j'ai couché ne ressemblaient en rien à ce *David*, ils étaient maladroits, malodorants, poilus, et ils avaient de l'acné. Pendant mon adolescence, j'ai été amoureuse de quelques acteurs de cinéma dont j'ai oublié le nom, pour la seule raison que Sarah et Debbie ou des filles de l'académie de l'Oregon l'étaient aussi, mais ils étaient aussi immatériels que les saints de ma grand-mère. On pouvait se demander s'ils étaient vraiment mortels, à voir la blancheur de leurs dents, la douceur de leur torse épilé à la cire et leur bronzage au soleil des oisifs. Il ne me serait jamais donné de les voir de près, et encore moins de les toucher ; ils avaient été créés pour un écran, pas pour les délicieux attouchements de l'amour. Aucun ne figurait dans mes fantasmes érotiques. Quand j'étais petite, mon Popo m'a offert un joli théâtre en carton avec des personnages habillés de papier pour illustrer les arguments indigestes des opéras. Mes amants imaginaires, comme ces figures en carton, étaient des acteurs sans identité que je déplaçais sur une scène. À présent ils ont tous été remplacés par Daniel, qui occupe mes jours et mes nuits, je pense à lui et je rêve de lui. Il est parti trop tôt, il nous a été impossible de consolider une vraie relation.

L'intimité a besoin de temps pour mûrir, d'une histoire commune, de larmes versées, d'obstacles surmontés, de photos dans un album, c'est une plante qui pousse tout doucement. Daniel et moi sommes suspendus dans un espace virtuel et cette séparation peut détruire notre amour. Il est resté à Chiloé plusieurs jours de plus qu'il ne l'avait prévu, il n'est pas allé jusqu'en Patagonie, mais s'est envolé pour le Brésil et de là pour Seattle où il travaille déjà dans la clinique de son père. Pendant ce temps, je dois terminer mon exil dans cette île et, le moment venu, je suppose que nous déciderons où nous retrouver. Seattle est un bon endroit, il y pleut moins qu'à Chiloé, mais je préférerais vivre ici, je ne voudrais pas laisser Manuel, Blanca, Juanito et Fakine.

Je ne sais s'il y aurait du travail pour Daniel à Chiloé. D'après Manuel, les psychiatres vivent chichement dans ce pays, même s'il y a plus de fous qu'à Hollywood, parce que le bonheur paraît kitsch aux Chiliens, ils rechignent beaucoup à dépenser de l'argent pour surmonter le malheur. Lui-même en est un bon exemple, il me semble, car s'il n'était pas chilien il aurait exploré ses traumatismes avec un spécialiste et vivrait un peu plus heureux. Non que je sois amateur de psychothérapies – comment pourrais-je l'être après mon expérience en Oregon ? –, mais parfois elles aident, comme dans le cas de Nini après son veuvage. Peut-être Daniel pourrait-il trouver un autre emploi. Je connais un universitaire d'Oxford, de ceux qui portent une veste en tweed avec des pièces en cuir aux coudes, qui est tombé amoureux d'une Chilienne ; il est resté dans la Grande Île et il dirige à présent une agence de tourisme. Et que dire de l'Autrichienne au postérieur épique qui fait un si bon *strudel* aux pommes ? Elle était dentiste à Innsbruck, et elle est maintenant propriétaire d'une auberge. Avec Daniel nous pourrions faire des galettes, cela a de l'avenir comme dit Manuel, ou alors élever des vigognes, comme je voulais le faire en Oregon.

Ce 29 mai, j'ai fait mes adieux à Daniel avec une sérénité feinte, car plusieurs curieux se trouvaient sur l'embarcadère – notre relation était plus commentée que le feuilleton télévisé – et je ne voulais pas me donner en spectacle à ces Chilotes qui parlent à tort et à travers, mais en tête à tête avec Manuel, à la maison, j'ai pleuré au point de nous en fatiguer tous les deux. Daniel voyageait sans ordinateur portable, mais en arrivant à Seattle il a trouvé mes cinquante messages et il m'a répondu ; rien de très romantique, il devait être épuisé. Depuis, nous communiquons de façon suivie, en évitant ce qui peut m'identifier ; nous avons un code pour l'amour, qu'il utilise avec trop de mesure, conformément à son caractère, et dont j'abuse sans mesure, conformément au mien.

Mon passé est bref et je devrais l'avoir clairement à l'esprit, mais je ne fais pas confiance à ma mémoire capricieuse, je dois l'écrire avant de me mettre à le changer ou le censurer. Ils ont dit à la télévision que des scientifiques américains ont développé une nouvelle drogue permettant d'effacer les souvenirs, pour l'utiliser dans le traitement des traumatismes psychologiques, en particulier ceux des soldats qui reviennent complètement cinglés de la guerre. Cette drogue est encore au stade de l'expérimentation, ils doivent l'améliorer pour qu'elle ne supprime pas toute la mémoire. Si je l'avais à ma disposition, que choisirais-je d'oublier ? Rien. Les mauvaises choses du passé sont des leçons pour l'avenir et le pire qui me soit arrivé, la mort de mon Popo, je veux m'en souvenir à jamais.

Dans la montagne, près de la grotte de la Pincoya, j'ai vu mon Popo. Il était debout au bord de la falaise et regardait l'horizon, coiffé de son chapeau italien, vêtu de sa tenue de voyage et sa valise à la main, comme s'il arrivait de loin et hésitait entre partir ou rester. Il s'est attardé là un instant trop bref, tandis que moi, immobile, évitant de respirer pour ne pas l'effrayer, je l'appelais sans voix ; puis quelques mouettes sont passées en criant et il a disparu. Je ne l'ai raconté à personne, pour éviter des explications peu convaincantes, mais ici peut-être me croirait-on. Si les âmes en peine hurlent à Cucao, si un bateau navigue dans le golfe d'Ancud avec un équipage de fantômes et si les sorciers se transforment en chiens à Quicaví, l'apparition d'un défunt astronome dans la grotte de la Pincoya est parfaitement plausible. Ce n'est peut-être pas un fantôme, mais mon imagination qui le matérialise dans l'atmosphère, comme une projection de cinéma. Chiloé est un endroit idéal pour l'ectoplasme d'un grand-père et l'imagination de sa petite-fille.

J'ai beaucoup parlé de mon Popo à Daniel quand nous étions seuls et passions notre temps à nous raconter nos vies. Je lui ai décrit mon enfance heureuse, écoulée dans l'extravagance architecturale de Berkeley. Le souvenir de ces années et l'amour jaloux de mes grands-parents m'ont soutenue dans les temps de malheur. Mon père n'a eu que peu d'influence sur moi, parce que son métier de pilote le tenait plus souvent dans les airs que sur la terre ferme. Avant de se marier il vivait dans la même maison que nous, dans deux pièces au premier étage, avec une entrée indépendante par un étroit escalier extérieur, mais on le voyait peu ; lorsqu'il ne volait pas, il pouvait être dans les bras de l'une de ces amoureuses qui appelaient au téléphone à des heures indues et dont il ne parlait pas. Ses horaires changeaient toutes les deux semaines et dans la famille nous avions l'habitude de ne pas l'attendre ni de lui poser de questions. Mes grands-parents m'ont élevée, c'est eux qui se rendaient aux réunions de parents d'élèves à l'école, qui m'emmenaient chez le dentiste, m'aidaient à faire mes devoirs ; eux qui m'ont appris à nouer les lacets de mes chaussures, à monter à bicyclette, à utiliser l'ordinateur, eux qui ont séché mes larmes et ri avec moi ; je ne me souviens pas d'un seul instant de mes quinze premières années où ma Nini et mon Popo n'aient pas été présents et aujourd'hui, alors que mon Popo est mort, je le sens plus proche que jamais, il a tenu sa promesse d'être toujours près de moi.

Deux mois ont passé depuis que Daniel est parti, deux mois sans le voir, deux mois le cœur lourd, deux mois à écrire dans ce cahier les choses dont je devrais être en train de parler avec lui. Comme il me manque ! C'est une agonie, une maladie mortelle. En mai, quand Manuel est rentré de Santiago, il a feint de ne pas se rendre compte que toute la maison sentait les baisers et que Fakine était nerveux parce que je ne m'étais pas occupée de lui et qu'il avait dû se promener seul, comme tous les toutous de ce pays ; il y a peu c'était un bâtard errant, mais à présent il vit avec des prétentions de petit chien de manchon. Manuel a posé sa valise et il nous a annoncé qu'il avait certaines choses à voir avec Blanca Schnake et que, comme il allait pleuvoir, il resterait chez elle pour dormir. Ici on sait qu'il va pleuvoir quand les dauphins dansent et qu'il y a des « échelles de Jacob », comme on appelle les rayons de soleil qui traversent les nuages. Jamais auparavant, à ma connaissance, Manuel n'avait dormi chez Blanca. Merci, merci, merci, lui ai-je soufflé dans l'oreille avec l'une de ces longues étreintes qu'il déteste. Il m'a offert une autre nuit avec Daniel, qui à ce moment mettait du bois dans le poêle pour préparer un poulet à la moutarde avec de la poitrine fumée, invention de sa sœur Frances, qui n'a jamais cuisiné de sa vie mais collectionne les livres de recettes et est devenue un chef théorique. J'avais décidé de ne pas regarder la pendule de bateau sur le mur, qui avalait rapidement les heures qu'il me restait avec lui.

Pendant notre brève lune de miel, j'ai raconté à Daniel mon séjour à la clinique de désintoxication de San Francisco, où je suis restée presque un mois et qui doit beaucoup ressembler à celle de son père à Seattle.

Pendant le voyage de 919 kilomètres entre Las Vegas et Berkeley, ma grand-mère et Mike O'Kelly ont élaboré un plan pour me faire disparaître de la carte avant que les autorités ou les criminels ne mettent la main sur moi. Cela faisait un an que je n'avais pas vu mon père et il ne m'avait pas manqué. Je le rendais coupable de mes malheurs, mais mon ressentiment s'est dissipé d'un souffle lorsque nous sommes arrivés à la maison dans la camionnette rouge et qu'il nous attendait à la porte. Mon père, comme ma Nini, était plus maigre, ratatiné ; pendant mes mois d'absence il avait vieilli, ce n'était plus le séducteur qui ressemblait à une vedette de cinéma dont je gardais le souvenir. Il m'a serrée fort dans ses bras, répétant mon nom avec une tendresse inconnue. «J'ai cru que nous t'avions perdue, ma fille.» Je n'avais jamais vu mon père troublé par une émotion. Andy Vidal était l'image même de la retenue, très élégant dans son uniforme de pilote, épargné par les aspérités de l'existence, désiré par les plus belles femmes, voyageur, cultivé, heureux, en bonne santé. « Bénie sois-tu, bénie sois-tu, ma petite », répétait-il. Nous sommes arrivés à la nuit tombée, mais il nous avait préparé un petit déjeuner en guise de dîner : du chocolat au lait et des tartines grillées avec de la crème et une banane, mon repas préféré.

Pendant que nous déjeunions, Mike O'Kelly a parlé du programme de désintoxication mentionné par Olympia Pettiford et il nous a répété que c'était la meilleure façon connue de venir à bout de l'addiction. Mon père et Nini sursautaient comme s'ils recevaient une décharge électrique chaque fois qu'il prononçait ces mots effrayants : droguée, alcoolique, mais moi je les avais déjà intégrés grâce aux Veuves de Jésus, dont la vaste expérience dans ce domaine leur avait permis d'être très claires avec moi. Mike a expliqué que l'addiction est une bête rusée et patiente, aux ressources infinies et toujours à l'affût, son argument le plus puissant étant qu'on n'est pas vraiment drogué. Il a résumé les options à notre disposition : le centre de désintoxication dont il avait la charge, gratuit et très modeste, ou une clinique de San Francisco, qui coûtait mille dollars par jour et que j'ai écartée sur-le-champ, car où aurions-nous trouvé cette somme ? Mon père a écouté, dents et poings serrés, très pâle, et à la fin il a annoncé qu'il allait utiliser les économies de sa retraite pour mon traitement. Il n'y a pas eu moyen de le faire changer d'avis, alors que d'après Mike le programme était le même que le sien, la seule différence étant les installations et la vue sur la mer.

J'ai passé le mois de décembre à la clinique, dont l'architecture japonaise invitait à la paix et à la méditation :

du bois, de grandes baies vitrées et des terrasses, beaucoup de lumière, des jardins parcourus de sentiers discrets, des bancs où s'asseoir, bien emmitouflée, pour regarder la brume, une piscine chauffée. Le panorama d'eau et de forêt valait les mille dollars par jour. J'étais la plus jeune des résidents, les autres étaient des hommes et des femmes de trente à soixante ans, aimables, qui me saluaient dans les couloirs ou m'invitaient à jouer au Scrabble et au tennis de table, comme si nous étions en vacances. Hormis la façon compulsive dont ils fumaient et buvaient du café, ils paraissaient normaux, personne n'aurait supposé que c'étaient des toxicomanes.

Le programme ressemblait à celui de l'académie de l'Oregon, avec des entretiens, des cours, des séances de groupe, le même jargon de psychologues et de conseillers que je connais trop bien, plus les Douze Pas, l'abstinence, la récupération, la sobriété. Il m'a fallu une semaine pour commencer à entrer en relation avec les autres résidents et vaincre la tentation constante de m'en aller, car la porte restait ouverte et le séjour était volontaire. «Ceci n'est pas pour moi», a été mon mantra tout au long de cette semaine, mais le fait que mon père avait investi ses économies dans ces vingt-huit jours payés d'avance m'a retenue, je ne pouvais à nouveau le décevoir.

Ma compagne de chambre était Loretta, une femme séduisante de trente-six ans, mariée, mère de trois enfants, agent immobilier, alcoolique. «C'est ma dernière chance. Mon mari m'a annoncé que si je n'arrête pas de boire il demandera le divorce et m'enlèvera les enfants», m'a-t-elle confié. Les jours de visite, son mari arrivait avec les enfants, ils apportaient des dessins, des fleurs et des chocolats, ils semblaient former une famille heureuse. Loretta me montrait et remontrait ses albums photo : « À la naissance de mon fils aîné, Patrick, je ne buvais que de la bière et du vin ; pendant les vacances à Hawaii, des daiquiris et des martinis ; à Noël 2002, du champagne et du genièvre ; à l'anniversaire de notre mariage, en 2005, j'ai eu un lavage d'estomac et suivi un programme de désintoxication ; au pique-nique du Quatre Juillet, mon premier whisky après onze mois de sobriété ; à l'anniversaire de 2006, bière, tequila, rhum, amaretto. » Elle savait que les quatre semaines du programme étaient insuffisantes, qu'elle devrait rester deux ou trois mois avant de retourner chez elle.

Outre les entretiens pour nous donner du courage, nous avions des conférences sur l'addiction et ses conséquences, et des consultations en privé avec les conseillers. Les mille dollars quotidiens nous donnaient droit à la piscine et au gymnase, à des promenades dans les parcs des environs, à des massages, à quelques séances de relaxation et de beauté, mais aussi à des cours de yoga, de Pilates, de méditation, de jardinage et d'art, mais malgré toutes ces activités chacun portait son fardeau comme un cheval mort sur les épaules ; impossible de l'ignorer. Mon cheval mort était le désir impérieux de fuir le plus loin possible, de fuir cet endroit, la Californie, le monde, moi-même. La vie était trop dure, il ne valait pas la peine de se lever le matin pour regarder les heures se traîner sans un but. Se reposer. Mourir. Être ou ne pas être, comme Hamlet. « Ne pense pas, Maya, essaie de rester occupée. Cette étape négative est normale et elle passera rapidement », m'a conseillé Mike O'Kelly.

Pour me tenir occupée, je me suis fait plusieurs teintures, à la stupeur de Loretta. De la couleur noire, appliquée par Freddy en septembre, il ne restait que des traces couleur de plomb aux extrémités. Je me suis amusée à me teindre des mèches dans les tons qu'on voit normalement sur les drapeaux. Ma conseillère a qualifié cela d'agression contre moi-même, une façon de me punir ; c'était exactement ce que je pensais de son chignon de matrone.

Deux fois par semaine, il y avait des réunions de femmes avec une psychologue qui ressemblait à Olympia Pettiford par la corpulence et la bonté. Nous nous asseyions par terre dans la salle éclairée par quelques bougies et chacune apportait quelque chose pour dresser un autel : une croix, un Bouddha, des photos d'enfants, un ours en peluche, une petite boîte contenant les cendres d'un être cher, une alliance de mariage. Dans la pénombre, dans cette atmosphère féminine, il était plus facile de parler. Les femmes racontaient comment l'addiction détruisait leur vie, elles avaient des tas de dettes, leurs amis, leur famille ou leur conjoint les avaient abandonnées, elles étaient tourmentées par la culpabilité d'avoir renversé quelqu'un en conduisant en état d'ivresse ou d'avoir quitté le chevet de leur enfant malade pour se procurer de la drogue. Quelques-unes évoquaient aussi la dégradation dans laquelle elles étaient tombées, les vexations, les vols, la prostitution, et moi j'écoutais avec mon âme, parce que j'avais vécu les mêmes expériences. Beaucoup étaient récidivistes et n'avaient aucune confiance en elles, car elles savaient combien la sobriété peut être fuyante et éphémère. La foi aidait, elles pouvaient s'en remettre à Dieu ou à un pouvoir supérieur, mais toutes n'avaient pas ce recours. Ce cercle de femmes en état de dépendance, avec leur tristesse, était l'opposé de celui des belles sorcières de Chiloé. Dans la *ruca* personne n'a honte, tout est abondance et vie.

Les samedis et dimanches il y avait des séances, douloureuses mais nécessaires, avec la famille. Mon père posait des questions logiques : qu'est-ce que le crack et comment l'utilise-t-on, combien coûte l'héroïne, quel est l'effet des champignons hallucinogènes, le pourcentage de réussite chez les Alcooliques Anonymes ? Et les réponses étaient peu rassurantes. D'autres parents manifestaient leur désillusion et leur méfiance, ils avaient supporté le drogué pendant des années sans comprendre sa détermination à se détruire et à détruire ce qu'il y avait de bon dans sa vie. En ce qui me concerne, je ne voyais qu'affection dans le regard de mon père et de Nini, aucun reproche ni aucun doute. « Tu n'es pas comme eux, Maya, tu t'es approchée de l'abîme, mais tu n'es pas tombée au fond », m'a dit une fois Nini. C'est justement contre cela qu'Olympia et Mike m'avaient prévenue : contre la tentation de croire qu'on vaut mieux que les autres.

À tour de rôle, chaque famille se plaçait au centre du cercle pour partager ses expériences avec tous les autres. Les conseillers menaient habilement ces rondes de confessions et parvenaient à créer une atmosphère de sécurité dans laquelle nous étions tous égaux, personne n'avait commis de fautes originelles. Personne ne restait indifférent dans ces moments-là, un à un ils s'effondraient, parfois quelqu'un restait à terre, sanglotant, et ce n'était pas toujours le drogué. Des pères qui avaient abusé de leur enfant, des compagnons violents, des mères odieuses, un inceste, un héritage d'alcoolisme, il y avait de tout.

Lorsque est venu le tour de ma famille, Mike O'Kelly est passé avec nous au centre dans son fauteuil roulant et il a demandé qu'on mette une autre chaise dans le cercle, qui est restée vide. J'avais raconté à Nini à peu près tout ce qui m'était arrivé depuis ma fugue de l'académie, mais j'avais omis ce qui pouvait la blesser à mort ; en revanche, en tête à tête avec Mike lorsqu'il venait me rendre visite, je lui ai tout raconté ; lui, rien ne le scandalise.

Mon père a parlé de son métier de pilote qui l'avait tenu éloigné de moi, de sa frivolité et de la manière dont, par égoïsme, il m'avait laissée à mes grands-parents, sans prendre la mesure de son rôle de père, jusqu'à ce que j'aie mon accident de bicyclette, à seize ans ; alors seulement il avait commencé à me prêter attention. Il n'était pas fâché et gardait confiance en moi, a-t-il dit, il ferait tout ce qu'il pourrait pour m'aider. Nini a décrit la fillette que j'avais été, saine et joyeuse, mes fantaisies, mes poèmes épiques et mes matches de foot, puis elle a répété combien elle m'aimait.

À cet instant, mon Popo est entré tel qu'il était avant sa maladie, grand, avec son odeur de tabac fin, ses lunettes d'or et son Borsalino, il s'est assis sur la chaise qui lui revenait et il m'a ouvert les bras. Jamais auparavant il ne s'était présenté à moi avec cet aplomb, inhabituel chez un fantôme. Sur ses genoux j'ai pleuré et encore pleuré, j'ai demandé pardon et accepté la vérité absolue que personne ne pouvait me sauver de moi-même, que je suis la seule responsable de ma vie. «Donne-moi la main, Popo», lui ai-je demandé, et depuis il ne l'a pas lâchée. Qu'ont vu les autres ? Ils m'ont vue serrer une chaise vide dans mes bras, mais Mike attendait mon Popo, c'est pourquoi il avait demandé la chaise, et Nini a accepté son invisible présence avec naturel.

Je ne me rappelle pas comment s'est terminée cette séance, je me souviens seulement de ma fatigue viscérale ; Nini m'a accompagnée dans ma chambre, elle m'a couchée avec l'aide de Loretta et pour la première fois j'ai dormi quatorze heures d'affilée. J'ai dormi pour mes innombrables nuits d'insomnie, pour l'indignité accumulée et pour la peur tenace. Ce fut un sommeil réparateur qui ne s'est pas répété, l'insomnie m'attendait derrière la porte, patiemment. À partir de ce moment, je suis entrée de plain-pied dans le programme et j'ai osé explorer une à une les cavernes obscures du passé. J'entrais à l'aveuglette dans l'une de ces cavernes pour combattre les dragons et, lorsque j'avais l'impression de les avoir vaincus, une autre s'ouvrait, puis une autre, un labyrinthe interminable. Je devais affronter les questions de mon âme, qui n'était pas absente, comme je le croyais à Las Vegas, mais tuméfiée, rabougrie, effrayée. Je ne me suis jamais sentie en sécurité dans ces cavernes noires, mais je n'ai plus peur de la solitude et c'est pour cette raison qu'aujourd'hui, dans ma nouvelle vie solitaire à Chiloé, je me sens satisfaite. Quelle stupidité est-ce que je viens d'écrire sur cette page ? À Chiloé je ne suis pas seule. La vérité, c'est que je n'ai jamais été plus entourée que dans cette île, dans cette maisonnette, avec ce névrotique de Manuel Arias.

Tandis que je suivais ma cure de désintoxication, Nini a fait renouveler mon passeport, elle est entrée en communication avec Manuel et a préparé mon voyage au Chili. Si elle en avait eu les moyens, elle serait venue personnellement à Chiloé pour me laisser entre les mains de son ami. Deux jours avant la fin du traitement, j'ai mis mes affaires dans mon sac à dos et dès que la nuit est tombée je suis sortie de la clinique, sans dire adieu à personne. Ma Nini m'attendait à deux rues de là dans sa Volkswagen souffreteuse, comme nous en étions convenues. « À partir de cet instant tu disparais, Maya », m'a-t-elle dit avec un clin d'œil de complicité espiègle. Elle m'a donné une autre photo plastifiée de mon Popo, semblable à celle que j'avais perdue, et elle m'a emmenée à l'aéroport de San Francisco.

Je suis en train de mettre la patience de Manuel à bout : Tu crois que les hommes tombent aussi éperdument amoureux que les femmes ? Que Daniel serait capable de venir s'enterrer à Chiloé pour moi ? Tu trouves que je suis grosse, Manuel ? Tu es sûr ? Dis-moi la vérité ! Manuel dit qu'on étouffe dans cette maison, que l'air est saturé de larmes et de soupirs féminins, de passions brûlantes et de projets ridicules. Même les animaux ont un comportement étrange ces derniers temps : le Chat-Lettré, jusqu'alors très propre, vient maintenant vomir sur le clavier de l'ordinateur et le Chat-Bête, auparavant hargneux, fait concurrence à Fakine pour obtenir mes caresses et je le retrouve le matin dans mon lit, les quatre pattes en l'air pour que je lui gratte le ventre.

Nous avons eu plusieurs conversations sur l'amour, beaucoup trop selon Manuel. « Il n'y a rien de plus profond que l'amour », lui dis-je entre autres banalités, et lui, qui a une mémoire académique, me récite d'un trait un vers de D. H. Lawrence disant qu'il y a quelque chose de plus profond que l'amour, la solitude de chacun, et que dans le fond de cette solitude brûle le feu puissant de la vie dans sa nudité, ou quelque chose d'aussi déprimant pour moi qui ai découvert le feu puissant de Daniel dans sa nudité. Quand il ne cite pas des poètes défunts, Manuel garde le silence. Nos conversations sont plutôt des monologues au cours desquels je m'épanche au sujet de Daniel ; je ne mentionne pas Blanca Schnake, car elle me l'a interdit, mais sa présence flotte aussi dans l'atmosphère. Manuel pense qu'il est bien vieux pour tomber amoureux et qu'il n'a rien à offrir à une femme, mais moi j'ai l'impression que son problème est la lâcheté, il a peur de partager, de dépendre, de souffrir, peur que le cancer de Blanca se réveille et qu'elle meure avant lui ou, à l'inverse, de la laisser veuve ou de devenir sénile alors qu'elle sera encore jeune, ce qui est plus que probable, vu qu'il est beaucoup plus âgé qu'elle. S'il n'avait pas ce globule macabre dans le cerveau, Manuel atteindrait sûrement quatre-vingt-dix ans plein de vitalité et en bonne santé. À quoi peut bien ressembler un amour de vieux ? Je veux parler de l'aspect physique. Est-ce qu'ils font... ça ? Quand j'ai eu douze ans et que je me suis mise à espionner mes grands-parents, ils ont mis un verrou à la porte de leur chambre. J'ai demandé à Nini ce qu'ils faisaient enfermés et elle m'a répo qu'ils disaient leur chapelet.

Parfois je donne des conseils à Manuel, je pas m'en empêcher, et lui me les démont nie, mais je sais qu'il m'écoute et qu'il à peu il modifie ses habitudes de moine, il est moins obsédé par l'ordre et plus attentif à mon égard, il ne se raidit plus quand je le touche, et ne fuit pas quand je commence à sauter et danser au son de mon baladeur ; je dois faire de l'exercice si je ne veux pas finir comme les Sabines de Rubens, des femmes nues bien en chair que j'ai vues à la Pinacothèque de Munich. Son globule dans le cerveau a cessé d'être un secret, parce qu'il ne peut me cacher ses migraines ni lorsqu'il voit double et que les lettres se confondent sur la page et sur l'écran. Quand Daniel a eu vent de cet anévrisme, il m'a suggéré la clinique Mayo à Minneapolis, la meilleure des États-Unis en matière de neurochirurgie, et Blanca m'a assuré que son père financerait l'opération, mais Manuel n'a pas voulu en entendre parler ; il doit déjà beaucoup à don Lionel. « Justement, devoir une faveur ou en devoir deux, ça revient au même », lui a rétorqué Blanca. Je regrette d'avoir brûlé ce tas de billets dans le désert Mojave ; faux ou pas, ils auraient servi.

Je me suis remise à écrire dans mon cahier, que j'avais un moment abandonné dans mon ardeur d'envoyer des messages électroniques à Daniel. J'ai l'intention de le lui donner quand nous nous retrouverons, ainsi il pourra mieux me connaître et connaître ma famille. Je ne peux lui raconter tout ce que je voudrais par courriel, où n'entrent que les nouvelles du jour et quelques mots d'amour. Manuel me conseille de censurer mes déclarations passionnées, parce qu'on finit toujours par regretter les lettres d'amour qu'on a écrites, qu'il n'y a rien de plus poseur et de plus ridi- surtout que les miennes ne trouvent aucun écho

chez le destinataire. Les réponses de Daniel sont suc-
cinctes et peu fréquentes. Il doit être très occupé par
son travail à la clinique, ou alors il s'en tient strictement
aux mesures de sécurité imposées par ma grand-mère.

Je m'occupe pour ne pas me consumer spontané-
ment en pensant à Daniel. Il y a eu des cas semblables,
des gens qui sans cause apparente brûlent et disparaissent dans les flammes. Mon corps est une pêche
mûre, prête à être savourée ou à tomber de l'arbre et
à se changer en pulpe sur le sol au milieu des fourmis.
La seconde option est la plus probable dans mon cas,
car Daniel ne donne aucun signe de venir me savourer.
Cette vie de nonne me met de très mauvaise humeur,
j'explose à la moindre contrariété, mais j'admets que je
n'avais jamais si bien dormi, aussi loin que remontent
mes souvenirs, et que mes rêves sont intéressants,
même s'ils ne sont pas tous érotiques, comme je le voudrais. Depuis la mort inattendue de Michael Jackson,
j'ai rêvé plusieurs fois de Freddy. Jackson était son
idole et mon pauvre ami doit être en deuil. Qu'a-t-il pu
devenir ? Freddy a risqué sa vie pour sauver la mienne
et je n'ai pas eu l'occasion de le remercier.

D'une certaine façon, Freddy ressemble à Daniel, il a
la même couleur, des yeux immenses aux cils épais, les
cheveux crépus. Si Daniel avait un fils, il pourrait ressembler à Freddy, mais si j'étais la mère de cet enfant,
il risquerait d'être plutôt danois. Les gènes de Marta
Otter sont très puissants, je n'ai pas pris une seule
goutte de sang latin. Aux États-Unis, Daniel est considéré comme noir, bien qu'il soit clair de peau et puisse
passer pour un Grec ou un Arabe. «En Amérique, les
jeunes hommes noirs sont une espèce menacée, beaucoup finissent en prison ou assassinés avant trente

ans », m'a dit Daniel lorsque nous avons abordé le sujet. Il a été élevé parmi des Blancs, dans une ville libérale de l'Ouest américain, il évolue dans un milieu privilégié où sa couleur ne l'a limité en rien, mais sa situation serait différente dans d'autres endroits. La vie est plus facile pour les Blancs, mon grand-père aussi savait cela.

De mon Popo émanait un air puissant, avec son mètre quatre-vingt-dix et ses cent quarante kilos, ses cheveux gris, ses lunettes à montures d'or et ses éternels chapeaux que mon père lui rapportait d'Italie. Auprès de lui je me sentais à l'abri de tout danger, personne n'aurait pris le risque de toucher cet homme formidable. C'est ce que je croyais jusqu'à l'incident avec le cycliste, j'avais environ sept ans à l'époque.

L'université de Buffalo avait invité mon grand-père à donner des conférences. Nous étions logés dans un hôtel de l'avenue Delaware, l'une de ces demeures de millionnaires du siècle dernier qui sont aujourd'hui des édifices publics ou commerciaux. Il faisait froid et il soufflait un vent glacial, mais mon Popo s'était mis dans la tête d'aller marcher dans un parc voisin. Ma Nini et moi marchions quelques pas en avant en sautant par-dessus les flaques et nous n'avons pas vu comment c'était arrivé, nous avons seulement entendu le cri et la dispute qui a aussitôt éclaté. Derrière nous venait un jeune homme en vélo, qui avait apparemment glissé sur une flaque gelée, heurté mon grand-père et roulé à terre. Sous le choc, mon Popo a vacillé, il a perdu son chapeau et le parapluie fermé qu'il avait au bras est tombé, mais lui est resté debout. J'ai couru après le chapeau et il s'est baissé pour ramasser le parapluie, puis il a tendu la main à l'homme qui était à terre pour l'aider à se relever.

En un instant, la scène est devenue violente. Le cycliste, effrayé, s'est mis à crier, une voiture s'est arrêtée, puis une autre, et en quelques minutes une patrouille de police est arrivée. Je ne sais comment les gens ont pu conclure que mon grand-père avait provoqué l'accident et menacé le cycliste avec son parapluie. Sans s'informer davantage, les policiers l'ont plaqué contre la voiture de patrouille, ils lui ont ordonné de lever les mains, ont écarté ses jambes à coups de pied, l'ont giflé et lui ont menotté les poignets dans le dos. Ma Nini est intervenue comme une lionne, elle a fait face aux hommes en uniforme avec un chapelet d'explications en espagnol, seule langue dont elle se souvient dans les moments de crise, et lorsqu'ils ont voulu l'écarter elle a attrapé le plus grand par sa veste avec une telle énergie qu'elle a réussi à le soulever du sol de quelques centimètres, chose admirable pour quelqu'un qui pèse moins de cinquante kilos.

Nous nous sommes retrouvés au commissariat, mais on n'était pas à Berkeley, il n'y avait pas de sergent Walczak pour nous proposer des *cappuccinos*. Mon grand-père, saignant du nez et d'une blessure à l'arcade sourcilière, a tenté d'expliquer ce qui s'était passé sur un ton humble que nous ne lui avions jamais entendu, et il a demandé un téléphone pour appeler l'université. Pour toute réponse, ils l'ont menacé de l'enfermer s'il ne se taisait pas. Ma Nini, également menottée de peur qu'elle s'attaque de nouveau à quelqu'un, a reçu l'ordre de s'asseoir sur un banc tandis qu'ils remplissaient un formulaire. Personne n'a fait attention à moi et, tremblante, je me suis blottie contre ma grand-mère. « Tu dois faire quelque chose, Maya », m'a-t-elle murmuré à l'oreille. J'ai compris dans son regard ce qu'elle attendait de moi. J'ai aspiré de l'air pour remplir mes poumons, poussé un gémissement guttural qui a résonné dans la salle et je me suis écroulée par terre, cambrée en arrière, prise de convulsions, de l'écume aux lèvres et les yeux blancs. J'avais feint si souvent des crises d'épilepsie lors de mes caprices de gamine gâtée pour ne pas aller à l'école que je pouvais tromper un neurochirurgien, et à plus forte raison des policiers de Buffalo. Ils nous ont prêté le téléphone. On m'a emmenée avec ma Nini en ambulance à l'hôpital, où je suis arrivée complètement remise de la crise, à la surprise de la femme policier qui nous surveillait, tandis que l'université envoyait un avocat pour sortir l'astronome de la cellule qu'il partageait avec des ivrognes et des voleurs.

Le soir nous nous sommes retrouvés à l'hôtel, exténués. Nous avons dîné d'une assiette de soupe et nous sommes couchés tous les trois dans le même lit. Le choc de la bicyclette avait laissé de grands bleus sur mon Popo et les menottes lui avaient blessé les poignets. Dans l'obscurité, blottie entre leurs corps comme dans un cocon, je leur ai demandé ce qui s'était passé. « Rien de grave, Maya, endors-toi », a répondu mon Popo. Ils sont restés un moment silencieux, feignant de dormir, jusqu'à ce que ma Nini finisse par dire : « Ce qui s'est passé, Maya, c'est que ton grand-père est noir. » Et il y avait tant de colère dans sa voix que je n'ai pas posé d'autre question.

Ce fut ma première leçon sur les différences de race, que je n'avais pas perçues auparavant, et qui d'après Daniel Goodrich ne peuvent être mises de côté.

Manuel et moi sommes en train de réécrire son livre. Je dis nous parce qu'il apporte les idées et moi l'écriture, même en espagnol j'écris mieux que lui. L'idée a surgi lorsqu'il a raconté les mythes de Chiloé à Daniel et que celui-ci, en bon psychiatre, a commencé à chercher midi à quatorze heures. Il a expliqué que les dieux représentent divers aspects de la psyché et que les mythes sont des histoires de la création, de la nature ou des drames humains fondamentaux et qu'ils ont un rapport avec la réalité, mais que ceux d'ici donnent l'impression d'être collés avec du chewing-gum, ils manquent de cohérence. Manuel a réfléchi et, deux jours plus tard, il m'a annoncé qu'on avait déjà beaucoup écrit sur les mythes de Chiloé et que son livre n'apporterait rien de nouveau, à moins qu'il puisse proposer une interprétation de la mythologie. Il en a parlé avec ses éditeurs et ils lui ont accordé un délai de quatre mois pour présenter le nouveau manuscrit ; nous devons nous dépêcher. Daniel y participe à distance, parce que cela l'intéresse, et moi j'ai ainsi une autre excuse pour rester en contact permanent avec notre assesseur à Seattle.

Le climat hivernal limite les activités dans l'île, mais il y a toujours du travail : il faut s'occuper des enfants et des animaux, ramasser les fruits de mer à marée basse, raccommoder les filets, réparer provisoirement les maisons rossées par les tempêtes, tricoter et compter les nuages jusqu'à vingt heures, quand les femmes se retrouvent pour regarder le feuilleton télévisé et les hommes pour boire et jouer aux cartes. Il a plu toute la semaine, ce pleur continu du ciel du sud, et l'eau se glisse dans les trous des tuiles déplacées par la tempête de mardi. Nous mettons des récipients sous les gouttières et nous déplaçons avec des serpillières à la main pour essuyer le sol. Lorsqu'il cessera de pleuvoir, je monterai sur le toit, car Manuel n'a plus l'âge de faire des acrobaties et nous avons perdu tout espoir de voir l'homme à tout faire par ici avant le printemps. Le claquement de l'eau inquiète nos trois chauves-souris, suspendues tête en bas aux poutres hautes, hors de portée des coups de patte sans effet du Chat-Bête. Je déteste ces souris ailées aux yeux aveugles, parce qu'elles peuvent me sucer le sang pendant la nuit, même si Manuel affirme qu'elles n'ont aucune parenté avec les vampires de Transylvanie.

Nous dépendons plus que jamais du bois et du poêle noir en fonte, où la bouilloire est toujours prête pour le thé ou le maté ; il y a une trace de fumée, un parfum piquant sur les vêtements et sur la peau. La cohabitation avec Manuel est une danse délicate, moi je nettoie, lui il transporte le bois et nous faisons tous deux la cuisine. Pendant un temps nous faisions aussi le ménage, parce que Eduvigis avait cessé de venir – elle envoyait Juanito prendre le linge sale et il le rapportait lavé –, mais elle est revenue travailler.

Après l'avortement d'Azucena, Eduvigis était très silencieuse, elle ne venait au village que pour l'indispensable et n'adressait la parole à personne. J'étais au courant des ragots qui circulaient dans son dos sur sa famille ; beaucoup l'accusaient d'avoir laissé Carmelo Corrales violer ses filles, mais il n'en manquait pas pour accuser les filles « d'avoir tenté leur père qui était ivre et ne savait pas ce qu'il faisait », comme je l'ai entendu dire à la Taverne du Petit Mort. Blanca m'a expliqué que la mansuétude d'Eduvigis face aux abus de l'homme est courante dans ce genre d'histoires, et qu'il est injuste de l'accuser de complicité, car elle aussi, comme le reste de la famille, est une victime. Elle craignait son mari et n'avait jamais pu l'affronter. «Il est facile de juger les autres quand on n'a pas vécu cette expérience», a conclu Blanca. Cela m'a donné à réfléchir, car j'avais été l'une des premières à juger durement Eduvigis. Repentante, je suis allée la voir chez elle. Je l'ai trouvée penchée sur son lavoir en train de laver nos draps avec une brosse de chiendent et du savon bleu. Elle s'est essuyé les mains sur son tablier et m'a invitée à prendre «un petit thé» sans me regarder. Nous nous sommes assises devant le poêle en attendant que l'eau bouille, puis nous avons bu le thé en silence. L'intention conciliatrice de ma visite était claire, il aurait été embarrassant pour elle que je lui fasse des excuses et mentionner Carmelo Corrales aurait été un manque de respect. Nous savions toutes les deux pourquoi j'étais là.

«Comment allez-vous doña Eduvigis ? lui ai-je enfin demandé alors que nous avions terminé la deuxième tasse de thé, toujours avec le même sachet.

— Couci-couça. Et vous, ma fille ?

— Pareil, couci-couça, merci. Et votre vache, elle va bien ?

— Oui, oui, mais elle vieillit, a-t-elle soupiré. Elle donne peu de lait. Elle devient paresseuse, voilà ce que je dis.

— Manuel et moi nous utilisons du lait condensé.

— *Houessou !* Dites au monsieur que dès demain le Juanito lui apportera un peu de lait et de fromage.

— Merci beaucoup, doña Eduvigis.

— Et votre petite maison, elle ne doit pas être très propre...

« — Non, non, elle est plutôt sale, je ne vais pas vous dire le contraire, ai-je avoué.

— Houé ! Mille excuses.

— Non, non, vous n'avez pas à vous excuser.

— Dites juste au monsieur qu'il peut compter sur moi.

— Comme d'habitude alors, doña Eduvigis.

— Oui, oui, *gringuita*, comme d'habitude. »

Ensuite nous avons parlé de maladies et de pommes de terre, comme l'exige le protocole.

Voilà pour les nouvelles récentes. L'hiver à Chiloé est froid et long, mais bien plus supportable que ces hivers de l'hémisphère Nord ; ici on n'a pas besoin de pelleter la neige ni de se couvrir de peaux. Il y a classe à l'école quand le temps le permet, mais on joue tous les jours aux cartes à la taverne, même quand les éclairs déchirent le ciel. On ne manque jamais de pommes de terre pour la soupe, de bois pour le poêle ni de maté pour les amis. Parfois nous avons de l'électricité, d'autres fois nous nous éclairons à la bougie.

Quand il ne pleut pas, l'équipe du Caleuche s'entraîne avec ardeur pour le championnat de septembre, aucun enfant n'a vu ses pieds grandir et les chaussures de football servent encore. Juanito est suppléant et Pedro Pelanchugay a été élu gardien de but de l'équipe. Dans ce pays tout est résolu par le vote démocratique ou en nommant des commissions, un processus assez compliqué ; les Chiliens pensent que les solutions simples sont illégales.

Doña Lucinda a eu cent dix ans et ces dernières semaines elle a pris l'aspect d'une poupée de chiffon poussiéreuse, elle n'a plus l'énergie de teindre sa laine et reste assise à regarder du côté de la mort, mais il lui pousse de nouvelles dents. Nous n'aurons ni *curanto* ni touristes jusqu'au printemps ; en attendant les femmes tricotent et font de l'artisanat, car c'est péché de ne rien faire de ses mains, la paresse est affaire d'hommes. J'apprends à tricoter pour ne pas être mal vue ; pour le moment je fais des cache-nez à l'épreuve des erreurs, au point mousse avec de la grosse laine.

La moitié de la population de l'île est enrhumée, souffre de bronchite ou de douleurs dans les os, mais si la barque du Service national de santé a une semaine ou deux de retard, la seule à la regretter est Liliana Treviño qui, à ce qu'on dit, a des relations amoureuses avec le docteur imberbe. Les gens ne font pas confiance aux médecins qui ne se font pas payer, ils préfèrent se soigner avec des remèdes naturels et, si c'est grave, ils ont recours à la magie d'une *machi*. Le curé, lui, vient toujours dire sa messe dominicale, pour empêcher les pentecôtistes et les évangélistes d'occuper le terrain. D'après Manuel, cela n'arrivera pas facilement, car au Chili l'Église catholique est plus influente qu'au Vatican. Il m'a raconté que ce pays a été le dernier au monde à voter une loi sur le divorce, et celle qui existe est très compliquée ; il est plus facile de tuer son conjoint que de divorcer, c'est pour cette raison que personne ne veut se marier et que la plupart des enfants naissent hors mariage. Et ne parlons pas de l'avortement, c'est un gros mot, bien qu'il soit largement pratiqué. Les Chiliens vénèrent le pape, mais ils ne tiennent pas compte de ses recommandations pour ce qui est des affaires sexuelles et de leurs conséquences, parce qu'un vieux célibataire qui n'a pas de problèmes économiques et n'a jamais travaillé de sa vie ne peut y connaître grand-chose.

Le feuilleton télévisé avance avec une extrême lenteur, on en est au chapitre quatre-vingt-douze et la situation en est au même point qu'au début. C'est l'événement le plus important de l'île, on souffre davantage des malheurs des personnages que des siens propres. Manuel ne regarde pas la télévision, moi je comprends à peine ce que disent les acteurs et à peu près rien à l'intrigue ; il semble qu'une certaine Elisa a été enlevée par son oncle, qui est tombé amoureux d'elle et la garde enfermée quelque part, tandis que sa tante est à sa recherche pour la tuer, au lieu de tuer son mari, ce qui serait plus raisonnable.

Mon amie la Pincoya et sa famille de phoques ont déserté la grotte ; elles ont émigré vers d'autres eaux et d'autres rochers, mais elles reviendront à la saison prochaine ; les pêcheurs m'ont affirmé que ce sont des créatures aux habitudes tenaces et qu'elles reviennent toujours en été.

Livingston, le chien des carabiniers, a atteint sa taille définitive et il s'est révélé polyglotte : il comprend aussi bien les ordres en anglais qu'en espagnol et en chilote. Je lui ai appris quatre trucs de base que n'importe quel animal domestique connaît, et il a appris le reste tout seul, si bien qu'il conduit les moutons et les ivrognes, récupère les proies lorsqu'il va à la chasse, donne l'alarme s'il y a le feu ou une inondation, détecte les drogues – sauf la marijuana – et attaque pour rire si Humilde Garay lui en donne l'ordre lors des démons- trations, mais dans la vie réelle il est très doux. Il n'a récupéré aucun cadavre, car nous n'en avons malheu- reusement pas eu, comme me l'a dit Garay, mais il a retrouvé le petit-fils de quatre ans d'Aurelio Ñancupel qui s'était égaré dans la montagne. Susan, mon ancienne belle-mère, donnerait de l'or pour un chien comme Livingston.

J'ai manqué deux fois la réunion des bonnes sorcières dans la *ruca*, la première fois quand Daniel était ici et la seconde ce mois-ci, parce que Blanca et moi n'avons pu nous rendre sur la Grande Île : il y avait une menace de tempête et le gouverneur maritime a interdit la navigation. Je l'ai beaucoup regretté, car nous allions bénir le nouveau-né de l'une d'elles et je me préparais à le renifler, j'aime les bébés quand ils ne répondent pas encore. Notre sabbat mensuel dans le ventre de la Pachamama avec ces jeunes femmes sensuelles, saines d'esprit et de cœur, m'a beaucoup manqué. Parmi elles je me sens acceptée, je ne suis plus *la gringa*, je suis Maya, je suis l'une des sorcières et j'appartiens à cette terre. Quand nous allons à Castro nous passons une ou deux nuits chez don Lionel Schnake, dont je serais tombée amoureuse si Daniel Goodrich n'avait pas traversé ma carte astrologique. Il est irrésistible, comme le Millalobo mythique, énorme, sanguin, moustachu et luxurieux. « Vois quelle chance tu as, communiste, que cette jolie *gringuita* ait atterri chez toi ! » s'exclame-t-il chaque fois qu'il voit Manuel Arias.

L'enquête sur l'affaire Azucena Corrales n'a pas abouti, par manque de preuves : rien n'indiquait que l'avortement avait été provoqué, c'est l'avantage de l'infusion concentrée de feuilles d'avocatier et de bourrache. Nous n'avons pas revu l'adolescente, car elle est partie vivre à Quellón avec sa sœur aînée, la mère de Juanito, que je ne connais pas encore. Après ce qui s'est passé, les carabiniers Cárcamo et Garay ont commencé à enquêter pour leur compte sur la paternité de l'enfant mort et ils ont conclu ce qu'on savait déjà, qu'Azucena avait été violée par son propre père, comme il l'avait fait avec ses autres filles. C'est « privé », comme on dit ici, et personne ne se sent en droit d'intervenir dans ce qui se passe à huis clos dans un foyer, le linge sale se lave en famille.

Les carabiniers voulaient que la famille porte plainte, ainsi ils pourraient intervenir légalement, mais ils n'ont pas réussi. Blanca Schnake n'a pas plus réussi à convaincre Azucena ou Eduvigis de le faire. Les potins et les accusations allaient bon train, tout le village donnait son avis, mais finalement le scandale s'est dilué dans les bavardages ; cependant justice a été faite de la manière la plus inattendue quand Carmelo Corrales a eu la gangrène au pied qui lui restait. L'homme a attendu qu'Eduvigis parte pour Castro afin de remplir les formulaires pour la seconde amputation et il s'est injecté toute une boîte d'insuline. Elle l'a trouvé inconscient et l'a soutenu jusqu'à ce qu'il meure, quelques minutes plus tard. Personne, même les carabiniers, n'a mentionné le suicide ; par consensus général, le malade est décédé de mort naturelle, ainsi a-t-on pu lui donner une sépulture chrétienne et éviter une autre humiliation à cette pauvre famille.

Carmelo Corrales a été enterré sans attendre le prêtre itinérant, au cours d'une brève cérémonie conduite par le bedeau de l'église, qui a fait l'éloge de l'habileté de charpentier de bateaux du défunt, seule vertu qu'il a pu présenter, avant de recommander son âme à la miséricorde divine. Une poignée de voisins y ont assisté par compassion pour la famille, parmi eux Manuel et moi. Blanca était si furieuse à cause de l'histoire d'Azucena qu'elle n'est pas venue au cimetière, mais elle a acheté à Castro une couronne de fleurs en plastique pour la tombe. Aucun des enfants de Carmelo n'est venu à l'enterrement, seul Juanito était présent, vêtu de son costume de première communion trop petit, tenant la main de sa grand-mère en grand deuil.

Nous venons de célébrer la fête du Nazaréen dans l'île de Caguach. Des milliers de pèlerins sont arrivés, parmi eux des Argentins et des Brésiliens, la plupart dans de grandes barcasses pouvant transporter deux à trois cents personnes debout, bien serrées, d'autres dans des petits bateaux. Les embarcations naviguaient de façon précaire sur une mer houleuse, avec de gros nuages dans le ciel, mais personne ne s'inquiétait car, selon la croyance, le Nazaréen protège les pèlerins. C'est faux : plus d'un bateau a fait naufrage dans le passé et quelques chrétiens ont péri noyés. À Chiloé beaucoup de gens se noient, car hormis les soldats de la Marine qui sont obligés d'apprendre, personne ne sait nager.

Le Saint Christ, très miraculeux, consiste en une structure en fil de fer dont la tête et les mains sont en bois ; il a une perruque de cheveux humains, des yeux en verre et un visage souffrant, baigné de larmes et de sang. L'une des tâches du sacristain est de raviver le sang avec du vernis à ongles avant la procession. Il porte une couronne d'épines, une tunique violette et une lourde croix. Manuel a écrit sur le Nazaréen, qui depuis déjà trois cents ans est un symbole de la foi des Chilotes ; pour lui, ce n'est pas une nouveauté, mais il m'a accompagnée à Caguach. Pour moi, élevée à Berkeley, le spectacle n'aurait pu être plus païen.

Caguach a une surface de dix kilomètres carrés et compte cinq cents habitants, mais pendant les processions de janvier et d'août arrivent des milliers de croyants ; l'assistance de la Marine et de la police est nécessaire pour maintenir l'ordre pendant la navigation et les quatre jours de cérémonies auxquelles les fidèles assistent en masse pour faire leurs dons et tenir leurs promesses. Le Saint Christ ne pardonne pas à ceux qui ne paient pas leurs dettes pour les faveurs reçues. Pendant les messes, les corbeilles de la quête se remplissent à ras bord d'argent et de bijoux, les pèlerins paient comme ils peuvent, il y en a même qui laissent leur téléphone portable. J'ai eu très peur, d'abord dans la *Cahuilla* qui nous a balancés pendant des heures sur les vagues, poussés par un vent traître, tandis qu'à la poupe le père Lyon chantait des hymnes, puis sur l'île au milieu des fanatiques, et enfin au retour, quand les pèlerins nous ont pris d'assaut pour monter dans la barque, parce qu'il n'y avait pas assez de bateaux pour tout le monde. Nous avons embarqué onze personnes, debout dans la *Cahuilla* et se tenant les unes aux autres, plusieurs ivrognes et cinq enfants endormis dans les bras de leurs mères.

Je me suis rendue à Caguach avec un sain scepticisme, juste pour assister à la fête et la filmer, comme je l'avais promis à Daniel, mais j'avoue avoir été contaminée par la ferveur religieuse ; j'ai fini à genoux devant le Nazaréen, le remerciant pour deux nouvelles extraordinaires envoyées par Nini. Sa manie de la persécution la pousse à composer des messages codés, mais comme elle écrit longuement et fréquemment, je peux deviner ce qu'elle dit. La première nouvelle est qu'elle a enfin récupéré la grande maison bariolée où j'ai passé mon enfance, après trois années de bataille juridique pour expulser le commerçant indien qui n'a jamais payé le loyer et s'abritait derrière les lois de Berkeley, très favorables au locataire. Ma grand-mère a décidé de la nettoyer, de réparer les dommages les plus évidents et de louer des chambres à des étudiants de l'université, ainsi elle pourra la financer et y vivre. Comme j'ai envie de me promener dans ces pièces merveilleuses ! Et la deuxième nouvelle, bien plus importante, concerne Freddy. Olympia Pettiford est apparue à Berkeley, accompagnée d'une autre dame aussi imposante qu'elle, traînant Freddy derrière elles pour le confier aux bons soins de Mike O'Kelly.

À Caguach, Manuel et moi avons campé sous une tente, car il n'y avait pas assez d'hébergement. On pourrait attendre des habitants de l'île qu'ils soient mieux préparés à cette invasion de croyants qui se répète chaque année depuis plus d'un siècle. Le jour était humide et glacé, mais la nuit fut bien pire. Nous tremblions dans nos sacs de couchage, bien que nous ayons gardé nos vêtements, un bonnet, de grosses chaussettes et des gants, tandis que la pluie tombait sur la bâche et suintait sous le sol en plastique. Nous avons finalement décidé de réunir les deux sacs et de dormir ensemble. Je me suis collée au dos de Manuel, comme un sac à dos, et aucun des deux n'a évoqué l'accord passé en février établissant que je ne m'introduirais plus jamais dans son lit. Nous avons dormi comme des bébés jusqu'à ce que commence à l'extérieur le ramdam des pèlerins.

Nous n'avons pas souffert de la faim parce qu'il y avait de nombreux stands de nourriture : friands, saucisses, fruits de mer, pommes de terre cuites sous la cendre, agneaux entiers rôtis à la broche, outre les pâtisseries chiliennes et du vin en abondance, dissimulé dans des bouteilles de boissons gazeuses, car les curés ne voient pas l'alcool d'un bon œil dans les fêtes religieuses. Les toilettes, une rangée de W.-C. portatifs, n'étaient pas en nombre suffisant et au bout de quelques heures ils étaient dégoûtants. Les hommes et les enfants se soulageaient en se cachant derrière les arbres, mais c'était plus compliqué pour les femmes.

Le deuxième jour, Manuel a dû utiliser l'un des W.-C. De façon inexplicable, la porte s'est bloquée et il est resté enfermé. À ce moment je parcourais les stands d'artisanat et de babioles diverses alignés sur le côté de l'église, et j'ai compris qu'il y avait un problème en entendant le tapage. Je me suis approchée par curiosité, sans me douter de ce qui se passait, et j'ai vu un groupe de gens secouer la cabine en plastique prête à basculer, tandis qu'à l'intérieur Manuel criait et tapait sur les parois comme un fou. Plusieurs personnes riaient, mais je me suis rendu compte que l'angoisse de Manuel était celle d'un homme enterré vivant. La confusion est allée en augmentant, jusqu'à ce qu'un homme à tout faire écarte les curieux et entreprenne calmement de démonter la serrure à l'aide d'un canif. Cinq minutes plus tard, il a ouvert la porte et Manuel est sorti comme un bolide pour tomber à terre, congestionné et secoué de nausées. Plus personne ne riait.

Sur ce le père Lyon s'est approché et à nous deux nous avons aidé Manuel à se relever ; le soutenant chacun par un bras, nous avons fait quelques pas en direction de la tente. Attirés par le raffut, deux carabiniers sont arrivés pour demander si le monsieur était malade, sans doute pensaient-ils qu'il avait bu, parce qu'à cette heure on voyait déjà beaucoup d'ivrognes titubants. Je ne sais pas ce qu'a imaginé Manuel, mais ce fut comme si le diable était apparu, il nous a poussés avec une expression de terreur, a trébuché, est tombé à genoux et a vomi une mousse verdâtre. Les carabiniers ont essayé d'intervenir, mais le père Lyon s'est dressé devant eux avec l'autorité que lui donne sa réputation de saint homme, il les a assurés qu'il s'agissait d'une indigestion et que nous pouvions nous charger du malade.

Le curé et moi avons emmené Manuel jusqu'à la tente, nous l'avons nettoyé avec un chiffon mouillé et l'avons laissé se reposer. Il a dormi trois heures d'affilée, recroquevillé, comme si on l'avait battu. «Laisse-le seul, *gringuita*, et ne lui pose pas de questions», m'a ordonné le père Lyon avant de partir accomplir ses devoirs, mais je n'ai pas voulu le laisser, je suis restée dans la tente pour veiller sur son sommeil.

Sur l'esplanade devant l'église avaient été dressées plusieurs tables où les prêtres se sont installés pour distribuer la communion pendant la messe. Puis la procession a commencé, avec la statue du Nazaréen portée à bout de bras par les fidèles qui chantaient à tue-tête, tandis que des douzaines de pénitents se traînaient à genoux dans la boue ou se brûlaient les mains avec la cire fondue des bougies, implorant le pardon de leurs péchés.

Je n'ai pu tenir ma promesse de filmer l'événement pour Daniel, car la caméra est tombée à la mer au cours du voyage agité pour venir à Caguach ; une perte mineure si l'on considère qu'une dame a perdu son petit chien. On l'a sorti de l'eau à moitié congelé, mais il respirait, autre miracle du Nazaréen, comme l'a dit

Manuel. «Pas d'ironie d'athée avec moi, Manuel, je te signale que nous pouvons couler», lui a rétorqué le père Lyon.

Une semaine après le pèlerinage à Caguach, Liliana Treviño et moi sommes allées voir le père Lyon, un étrange voyage presque clandestin, pour éviter que Manuel ou Blanca ne l'apprennent. Les explications auraient été délicates, car je n'ai pas le droit de fouiller dans le passé de Manuel et encore moins à son insu. C'est l'affection que j'ai pour lui qui me motive, une affection qui a grandi au cours de notre cohabitation. Depuis que Daniel est parti et que l'hiver s'est installé, nous passons beaucoup de temps seuls dans cette maison sans portes, où l'espace est trop réduit pour garder des secrets. Ma relation avec Manuel est devenue plus étroite ; il a fini par me faire confiance et j'ai plein accès à ses papiers, ses notes, ses enregistrements et son ordinateur. Le travail m'a fourni un prétexte pour fouiller dans ses cartons. Je lui ai demandé pourquoi il n'avait pas de photos de sa famille ou d'amis, et il m'a expliqué qu'ayant beaucoup voyagé et étant plusieurs fois reparti de zéro dans différentes parties du monde, il s'était défait en cours de route de la charge matérielle et sentimentale ; il dit qu'il n'a pas besoin de photos pour se souvenir des personnes qui lui sont chères. Dans ses archives, je n'ai rien trouvé sur la partie de son passé qui m'intéresse. Je sais qu'il a été emprisonné plus d'un an à l'époque de la dictature, qu'il a été relégué à Chiloé et qu'en 1976 il a quitté le pays ; je connais ce qui a trait à ses femmes, ses divorces, ses livres, mais je ne sais rien de sa claustrophobie ou de ses cauchemars. Si je ne le découvre pas, il me sera impossible de l'aider et je ne parviendrai jamais à le connaître vraiment.

Je m'entends bien avec Liliana Treviño. Elle a la personnalité de ma grand-mère : elle est énergique, idéaliste, intransigeante et passionnée, mais pas aussi autoritaire. Elle s'est arrangée pour que nous allions discrètement voir le père Lyon dans la barque du Service national de santé, invitées par le docteur Jorge Pedraza, son amoureux. Il paraît beaucoup plus jeune qu'il ne l'est, il vient d'avoir quarante ans et cela fait dix ans qu'il travaille dans l'archipel. Il est séparé de sa femme, englué dans les lentes formalités du divorce, et il a deux enfants, dont l'un est atteint du syndrome de Down. Il a l'intention d'épouser Liliana dès qu'il sera libre, mais elle ne voit pas l'avantage de se marier ; elle dit que ses parents ont vécu vingt-neuf ans ensemble et ont élevé trois enfants sans papiers.

Le voyage m'a paru très long, car la barque s'est arrêtée à plusieurs endroits, si bien que lorsque nous sommes arrivés chez le père Lyon il était déjà quatre heures de l'après-midi. Pedraza nous a laissées là et il a poursuivi son parcours habituel, nous promettant de nous récupérer une heure et demie plus tard pour rentrer dans notre île. Le coq aux plumes iridescentes et le mouton obèse que j'avais déjà vus n'avaient pas changé de place, surveillant la petite maison au toit de tuiles du prêtre. L'endroit m'a paru différent dans la lumière hivernale ; même les fleurs en plastique du cimetière semblaient déteintes. Il nous attendait avec du thé, des gâteaux secs, du pain fraîchement sorti du four, du fromage et du jambon, servis par la voisine qui prend soin de lui et le surveille comme s'il était son enfant. «Mettez votre petit poncho et prenez votre aspirine, petit curé, je n'ai pas envie de m'occuper de petits vieux malades», lui a-t-elle ordonné, tandis qu'il ronchonnait. Le prêtre a attendu que nous soyons seuls et il nous a priées de manger les gâteaux, car autrement il devrait les manger et à son âge ils lui plomberaient l'estomac.

Nous devions rentrer avant la tombée de la nuit et, comme nous n'avions pas beaucoup de temps, nous sommes allées droit au but.

«Pourquoi ne demandes-tu pas à Manuel ce que tu veux savoir, *gringuita*? m'a suggéré le prêtre entre deux gorgées de thé.

— Je le lui ai demandé, mon père, mais il esquive...

— Alors il faut respecter son silence, fillette.

— Pardonnez-moi, mon père, mais je ne suis pas venue vous déranger par pure curiosité. Manuel est malade de l'âme et je veux l'aider.

— Malade de l'âme... que sais-tu de ces choses-là *gringuita*? m'a-t-il demandé avec un sourire narquois.

— J'en sais un bout, parce que je suis arrivée à Chiloé malade de l'âme et Manuel m'a accueillie et aidée à guérir. J'ai une dette envers lui, vous ne croyez pas?»

Le prêtre nous a parlé du coup d'État militaire, de l'implacable répression qui avait suivi et de son travail au Vicariat de Solidarité, qui n'avait pas duré longtemps, parce que lui aussi avait été arrêté.

«J'ai eu plus de chance que d'autres, *gringuita*, car le cardinal en personne m'a tiré de là en moins de deux jours, mais je n'ai pu éviter qu'ils me relèguent.

— Que se passait-il avec les détenus?

— Ça dépend. Ils pouvaient tomber entre les mains de la police politique, la DINA[1] ou le CNI[2], des carabiniers ou des services de sécurité d'une branche des forces armées. Manuel a d'abord été emmené au Stade national, puis à la Villa Grimaldi.

— Pourquoi Manuel refuse-t-il d'en parler ?

— Il est possible qu'il ne s'en souvienne pas, *gringuita*. Parfois l'esprit bloque les traumatismes trop graves afin de ne pas sombrer dans la folie ou la dépression. Écoute, je vais te donner un exemple que j'ai connu au Vicariat. En 1974, j'ai dû interroger un homme qu'on venait de libérer d'un camp de concentration, il était physiquement et moralement détruit. J'ai enregistré l'entretien, comme nous le faisions toujours. Nous avons réussi à le faire sortir du pays et je ne l'ai pas revu pendant longtemps. Quinze ans plus tard, je me suis rendu à Bruxelles et je l'ai cherché, car je savais qu'il vivait dans cette ville et je voulais lui poser des questions, car j'écrivais un essai pour la revue *Mensaje*, des jésuites chiliens. Il ne se souvenait pas de moi, mais il a accepté de répondre à mes questions. Le second enregistrement ne ressemblait en rien au premier.

— Dans quel sens ? lui ai-je demandé.

— L'homme se souvenait avoir été arrêté, mais rien de plus. Il avait effacé lieux, dates et détails.

— Je suppose que vous lui avez fait écouter le premier enregistrement.

---

1. DINA : Dirección de inteligencia nacional (Direction nationale du renseignement) était la police politique chilienne sous la dictature d'Augusto Pinochet. (*N.d.T.*)
2. CNI : Centro Nacional de Inteligencia, service de renseignement chilien. (*N.d.T.*)

— Non, ç'aurait été cruel. Dans le premier enre-gistrement il m'avait raconté la torture et les outrages sexuels qu'il avait subis. Cet homme avait oublié pour pouvoir continuer à vivre dans son intégrité. Peut-être Manuel a-t-il fait pareil.

— Si c'est le cas, ce que Manuel a réprimé affleure dans ses cauchemars, a interrompu Liliana Treviño, qui nous écoutait avec la plus grande attention.

— Mon père, je dois découvrir ce qui lui est arrivé, je vous en prie, aidez-moi, ai-je demandé au prêtre.

— Il faudrait que tu ailles à Santiago, *gringuita*, et que tu cherches dans les coins les plus oubliés. Je peux te mettre en contact avec des gens qui pourront t'aider...

— Je le ferai dès que possible. Merci beaucoup.

— Appelle-moi quand tu voudras, fillette. Maintenant j'ai un téléphone portable, mais pas de courrier électronique, je n'ai pas réussi à m'initier aux mystères de l'informatique. Je suis très arriéré en matière de communications.

— Vous êtes en communication avec le ciel, mon père, vous n'avez pas besoin d'un ordinateur, lui a dit Liliana Treviño.

— Au ciel, ils ont déjà Facebook, ma fille ! »

Depuis que Daniel est parti, mon impatience aug-mente de jour en jour. Plus de trois mois interminables ont passé et je suis inquiète. Mes grands-parents ne se séparaient jamais de peur de ne pouvoir se retrou-ver ; je crains que cela ne nous arrive à Daniel et moi. Je commence à oublier son odeur, la pression exacte de ses mains, le son de sa voix, son poids sur moi et, en toute logique, je suis assaillie de doutes. M'aime-t-il ? A-t-il l'intention de revenir ? Ou notre rencontre n'a-t-elle été qu'un caprice de routard péripatéticien ? Des doutes et encore des doutes. Il m'écrit, cela pourrait me rassurer, comme raisonne Manuel quand je le pousse à bout, mais il ne m'écrit pas suffisamment et ses messages sont brefs ; tout le monde ne sait pas communiquer par écrit, comme moi, modestie mise à part, et il ne parle pas de venir au Chili, ce qui est mauvais signe.

Il me faudrait un confident, une amie, quelqu'un de mon âge auprès de qui donner libre cours à mes inquiétudes. Blanca en a assez de mes litanies d'amante frustrée et je n'ose trop embêter Manuel, car ses migraines sont devenues plus fréquentes et plus fortes, il tombe comme foudroyé et il n'y a ni analgésique, ni compresses froides, ni homéopathie capables de le soulager. Pendant un moment, il a prétendu ne pas en tenir compte, mais devant la pression de Blanca et la mienne il a appelé son neurologue et il devra bientôt se rendre à la capitale pour faire examiner cette maudite bulle. Il ne se doute pas que j'ai l'intention de l'accompagner, grâce à la générosité du merveilleux Millalobo, qui m'a offert le prix du billet et un peu d'argent de poche. Ces journées à Santiago me permettront de mettre à leur place les dernières pièces du puzzle qui constituent le passé de Manuel. Je dois compléter les données des livres et d'Internet. L'information est disponible, il ne m'a pas été difficile de la trouver, mais c'était comme peler un oignon : des couches et des couches fines et transparentes, sans jamais arriver à la moelle. J'ai vérifié sur les dénonciations de tortures et d'assassinats, qui ont été largement documentées, mais si je veux comprendre Manuel j'ai besoin de voir les endroits où ils ont eu lieu. J'espère que les contacts du père Lyon me seront utiles.

Il est difficile de parler de cela avec Manuel et d'autres personnes ; les Chiliens sont prudents, ils ont peur d'offenser ou de donner une opinion directe, le langage est une danse d'euphémismes, l'habitude de la prudence est enracinée, et sous la surface il y a beaucoup de ressentiment que personne ne veut élucider ; c'est comme s'il existait une sorte de honte collective – les uns parce qu'ils ont souffert, les autres parce qu'ils en ont tiré profit, certains parce qu'ils sont partis, d'autres parce qu'ils sont restés, les uns parce qu'ils ont perdu leur famille, d'autres parce qu'ils ont fermé les yeux. Pourquoi Nini n'a-t-elle jamais évoqué cela ? Elle m'a élevée dans la langue espagnole alors que je lui répondais en anglais, elle m'emmenait au Cercle chilien de Berkeley où se réunissent les Latino-Américains pour écouter de la musique, voir des pièces de théâtre ou des films, et elle me faisait apprendre par cœur des poèmes de Pablo Neruda que je comprenais à peine. Grâce à elle, j'ai connu le Chili avant d'y avoir mis les pieds ; elle me parlait de montagnes abruptes couvertes de neige, de volcans endormis qui se réveillent parfois dans une secousse apocalyptique, de la longue côte du Pacifique avec ses vagues hérissées et sa collerette d'écume, du désert du nord, sec comme la lune, qui fleurit parfois comme une peinture de Monet, des forêts froides, des lacs limpides, des fleuves féconds et des glaciers bleus. Ma grand-mère parlait du Chili avec une voix d'amoureuse, mais elle ne disait rien des gens ni de l'histoire, comme si c'était un territoire vierge, inhabité, né hier d'un soupir tellurique, immuable, arrêté dans le temps et l'espace. Lorsqu'elle retrouvait d'autres Chiliens sa langue s'accélérait et son accent changeait, je ne pouvais suivre le fil de la conversation. Les immigrés vivent les yeux rivés sur le pays lointain qu'ils ont quitté, mais ma Nini n'a jamais fait l'effort de venir au Chili. Elle a un frère en Allemagne, avec lequel elle communique rarement, ses parents sont morts et le mythe de la famille tribale ne s'applique pas à elle. «Il ne me reste personne là-bas, pourquoi irais-je ?» me disait-elle. Il me faudra attendre pour lui demander les yeux dans les yeux ce qui s'est passé avec son premier mari et pourquoi elle est partie pour le Canada.

Printemps

*Septembre, octobre, novembre
et un mois de décembre dramatique*

L'île est joyeuse, parce que les parents des enfants sont arrivés pour célébrer la Fête nationale et l'éclosion du printemps ; la pluie de l'hiver, qui au début me paraissait poétique, a fini par devenir insupportable. Et le 25 je fêterai mon anniversaire – je suis Balance –, j'aurai vingt ans et mon adolescence sera enfin terminée, *Houessou*, quel soulagement ! Normalement, en fin de semaine, il y a toujours quelques jeunes qui viennent voir leurs familles, mais en ce mois de septembre ils sont arrivés en masse, les bateaux étaient pleins. Ils ont apporté des cadeaux pour les enfants, que dans bien des cas ils n'ont pas vus depuis plusieurs mois, et de l'argent pour les grands-parents qui le dépenseront en vêtements, en appareils ménagers et pour remplacer les vieilles toitures abîmées par l'hiver. Parmi les visiteurs se trouvait Lucía Corrales, la mère de Juanito, une femme sympathique, belle et trop jeune pour avoir un fils de onze ans. Elle nous a dit qu'Azucena a trouvé un travail de femme de ménage dans une auberge de Quellón, qu'elle ne veut pas continuer ses études ni revenir dans l'île, car elle n'a pas envie d'affronter les commentaires malveillants des gens. « Dans les cas de viol, ils rejettent la faute sur la victime », m'a dit Blanca, corroborant ce que j'avais entendu à la Taverne du Petit Mort.

Juanito est timide et méfiant à l'égard de sa mère, qu'il ne connaît que par les photographies ; elle l'a laissé dans les bras d'Eduvigis alors qu'il avait deux ou trois mois et n'est plus revenue le voir tant que Carmelo Corrales était vivant, mais elle l'appelait souvent au téléphone et elle a toujours assuré son entretien. Le garçon m'avait souvent parlé d'elle avec un mélange d'orgueil, parce qu'elle lui envoie de beaux cadeaux, et de rage, parce qu'elle l'a laissé à ses grands-parents. Il me l'a présentée, les joues en feu et les yeux baissés : « Elle, c'est Lucía, la fille de ma grand-mère », a-t-il dit. Ensuite, je lui ai raconté que ma mère était partie quand j'étais bébé et que c'étaient aussi mes grands-parents qui m'avaient élevée, mais que j'avais eu beaucoup de chance, que mon enfance avait été heureuse et que je ne la changerais pour rien au monde. Il m'a regardée longuement avec ses grands yeux sombres, alors je me suis souvenue des marques de coups de ceinture qu'il avait sur les jambes il y a quelques mois, quand Carmelo Corrales pouvait encore l'attraper. Je l'ai serré dans mes bras, pleine de tristesse, parce que je ne peux pas le protéger, toute sa vie il en portera les marques.

Septembre est le mois du Chili. Du nord au sud flottent des drapeaux et jusque dans les endroits les plus reculés s'élèvent des « paillotes », quatre poteaux en bois, un toit de branches d'eucalyptus, où le peuple vient boire et secouer ses os sur des rythmes américains et sur la *cueca*, la danse nationale qui imite la cour du coq à la poule. Ici aussi nous avons fait des paillotes et il y a eu des friands à profusion, des fleuves de vin, de bière et de *chicha*. Les hommes se sont écroulés par terre pour ronfler ; le soir, les carabiniers et les femmes les ont jetés dans la camionnette du marchand de légumes et les ont ramenés chez eux. Aucun homme ivre ne va en prison les 18 et 19 septembre, à moins qu'il sorte un couteau.

Sur le téléviseur de Ñancupel, j'ai vu les défilés militaires à Santiago, où la présidente Michelle Bachelet a passé les troupes en revue au milieu des acclamations de la foule, qui la vénère comme une mère ; aucun autre président chilien n'a été aimé à ce point. Il y a quatre ans, avant les élections, personne ne pariait sur elle, parce qu'on supposait que les Chiliens ne voteraient pas pour une femme, de surcroît socialiste, mère célibataire et agnostique, mais elle a gagné la présidence ainsi que le respect des maures et des chrétiens, comme dit Manuel, bien que je n'aie croisé aucun maure à Chiloé.

Nous avons eu des jours tièdes et des ciels bleus, l'hiver a reculé devant la charge de l'euphorie patriotique. Avec le printemps on a vu quelques phoques aux abords de la grotte, je crois qu'ils vont bientôt revenir s'installer à l'endroit où ils étaient auparavant et que je pourrai renouer mon amitié avec la Pincoya, si elle se souvient de moi. J'emprunte presque chaque jour le chemin escarpé qui monte à la grotte, car souvent j'y retrouve mon Popo. La meilleure preuve de sa présence est que Fakine devient nerveux et qu'il lui arrive de partir en courant la queue entre les jambes. Ce n'est qu'une silhouette diffuse, l'odeur délicieuse de son tabac anglais ou la sensation qu'il me prend dans ses bras. Alors je ferme les yeux et je m'abandonne à la tiédeur et à la sécurité de cette large poitrine, de ce ventre de cheikh, de ces bras forts. Une fois je lui ai demandé où il était l'an dernier, quand j'avais le plus besoin de lui, et je n'ai pas eu à attendre sa réponse, parce que au fond je la connaissais déjà : il a toujours été avec moi. Tant que l'alcool et les drogues dominaient mon existence, personne ne pouvait m'atteindre, j'étais une huître dans sa coquille, mais quand j'étais le plus désespérée, mon grand-père me portait dans ses bras. Il ne m'a jamais quittée des yeux et lorsque j'ai été en danger de mort, dopée à l'héroïne frelatée dans des toilettes publiques, c'est lui qui m'a sauvée. Maintenant, sans bruit dans la tête, je le sens toujours près de moi. Sommée de choisir entre le plaisir fugace d'une gorgée d'alcool ou le plaisir mémorable d'une promenade sur la colline avec mon grand-père, j'opte sans hésiter pour le second. Mon Popo a enfin trouvé son étoile. Cette île lointaine, invisible dans la conflagration du monde, verte, toujours verte, est sa planète perdue ; au lieu de tant la chercher dans le ciel, il aurait dû regarder vers le sud.

Les gens ont enlevé leurs pull-overs et ils sortent prendre le soleil, mais moi je porte encore mon bonnet de laine vert caca d'oie, car nous avons perdu le championnat scolaire de football. Mes pauvres « caleuches » ont assumé tête basse l'entière responsabilité de mon crâne rasé. Le match a eu lieu à Castro et la moitié de la population de notre île y a assisté pour soutenir le Caleuche, y compris doña Lucinda, que nous avons transportée dans la barque de Manuel, attachée sur une chaise et enveloppée dans des châles. Don Lionel Schnake, plus rouge et plus bruyant que jamais, supportait les nôtres avec des cris perçants. Nous avons été sur le point de gagner, un match nul nous aurait suffi, mais au dernier moment, à trente secondes de la fin, le mauvais sort s'en est mêlé et a voulu que l'équipe adverse marque un but. Pedro Pelanchugay a arrêté le ballon avec la tête sous les vivats assourdissants de nos supporters et les sifflets du camp ennemi, mais le coup l'a à moitié étourdi et avant qu'il reprenne ses esprits un joueur s'est avancé, et de la pointe du pied il a tranquillement expédié le ballon dans les filets. La stupeur générale a été telle que nous sommes restés paralysés pendant une longue seconde avant qu'éclatent les cris de guerre et que commencent à voler les canettes de bière et les bouteilles de limonade. Don Lionel et moi avons failli avoir ensemble une crise cardiaque.

Le soir même je me suis présentée chez lui pour payer ma dette. «Pas question, *gringuita* ! Ce pari était une blague», m'a assuré le Millalobo, toujours galant, mais si j'ai appris une chose dans la taverne de Ñancupel, c'est que les paris sont sacrés. Je me suis rendue dans un humble salon de coiffure pour hommes, l'un de ces salons tenus par leur propriétaire, avec un tube à rayures tricolores à la porte et un fauteuil unique, antique et majestueux où je me suis assise avec un certain regret, car cela n'allait pas plaire du tout à Daniel Goodrich. Le coiffeur, très professionnel, m'a entièrement rasé la tête, puis il a fait briller mon crâne avec une peau de chamois. Mes oreilles sont énormes, elles ressemblent à des anses de jarre étrusque, et j'ai des taches de couleur sur le cuir chevelu – on dirait une carte de l'Afrique –, dues aux teintures bon marché d'après le coiffeur. Il m'a recommandé quelques rinçages au jus de citron et au chlore. Le bonnet est nécessaire, parce que les taches paraissent contagieuses.

Don Lionel se sent coupable et il ne sait comment s'attirer mes bonnes grâces, mais il n'y a rien à pardonner, un pari est un pari. Il a demandé à Blanca de m'acheter quelques chapeaux coquets, parce que j'ai l'air d'une lesbienne en chimiothérapie, comme il l'a clairement exprimé, mais le bonnet chilote correspond mieux à ma personnalité. Dans ce pays, la chevelure est un symbole de féminité et de beauté, les jeunes femmes portent leurs cheveux longs et les soignent comme un trésor. Et que dire des exclamations de commisération qu'il y a eu dans la *ruca* quand je suis apparue chauve comme un extraterrestre parmi ces belles femmes dorées avec leurs crinières de la Renaissance.

Manuel a préparé un sac avec quelques vêtements et son manuscrit, dont il a l'intention de parler avec son éditeur, et il m'a appelée dans la salle pour me donner des instructions avant de partir pour Santiago. Je me suis présentée avec mon sac à dos et mon billet à la main pour lui annoncer qu'il allait avoir le plaisir de ma compagnie, grâce à la gentillesse de don Lionel Schnake. «Qui va rester avec les bêtes ?» m'a-t-il demandé faiblement. Je lui ai expliqué que Juanito Corrales allait emmener Fakine chez lui et qu'il viendrait une fois par jour nourrir les chats, tout était arrangé. Je ne lui ai rien dit de la lettre cachetée que m'avait donnée le merveilleux Millalobo pour que je la remette discrètement au neurologue qui, ayant épousé une cousine de Blanca, se trouve être un parent des Schnake. Le réseau de relations dans ce pays est semblable à l'éblouissante toile d'araignée de galaxies de mon Popo. Les arguments de Manuel n'ont eu aucun effet et il a fini par se résigner à m'emmener. Nous nous sommes rendus à Puerto Montt, où nous avons pris un vol pour Santiago. Le trajet de Santiago à Chiloé, qui m'avait pris douze heures en autobus, n'a duré qu'une heure en avion.

« Qu'est-ce qui t'arrive, Manuel ? lui ai-je demandé alors que nous allions atterrir à Santiago.

— Rien.

— Comment ça, rien ? Tu ne m'as pas dit un mot depuis que nous avons quitté la maison. Tu te sens mal ?

— Non.

— Alors tu es fâché.

— Ta décision de venir avec moi sans me consulter est très intrusive.

— Écoute, je ne t'ai pas consulté parce que tu aurais refusé. Il vaut mieux demander pardon que demander la permission. Tu me pardonnes ? »

Cela lui a cloué le bec et un moment après il était de meilleure humeur. Nous sommes allés dans un petit hôtel du centre, chacun dans sa chambre parce qu'il n'a pas voulu dormir avec moi, bien qu'il sache combien il m'est pénible de dormir seule, puis il m'a invitée à manger une pizza et à aller au cinéma voir *Avatar*, qui n'était pas arrivé dans notre île et que je mourais d'envie de voir. Bien sûr, Manuel préférait un film déprimant sur un monde post-apocalyptique, couvert de cendres et habité de bandes de cannibales, mais nous avons résolu le problème en lançant une pièce en l'air. Pile est sorti et c'est moi qui ai gagné, comme toujours. Le truc est infaillible, pile c'est moi qui gagne, face tu perds. Nous avons mangé du pop-corn, de la pizza et des glaces, un festin pour moi qui depuis des mois me nourris d'aliments frais et nutritifs ; il me manquait un peu de cholestérol.

Le docteur Arturo Puga consulte le matin dans un hôpital de pauvres, où il a reçu Manuel, et l'après-midi dans son cabinet privé à la clinique Alemana, en plein quartier résidentiel. Sans la mystérieuse lettre du Millalobo, que je lui ai fait parvenir par sa réceptionniste à l'insu de Manuel, il m'aurait sans doute empêchée d'assister à la consultation. La lettre m'a ouvert les portes toutes grandes. L'hôpital paraissait sorti d'un film de la Seconde Guerre mondiale, vieux et immense, en désordre, avec ses tuyaux apparents, ses lavabos oxydés, ses carreaux cassés et ses murs écaillés, mais il était propre et le personnel disponible si l'on considère le nombre de patients. Nous avons attendu près de deux heures dans une salle pleine de rangées de chaises en fer, jusqu'à ce que notre numéro soit appelé. Le docteur Puga, chef du service de neurologie, nous a aimablement reçus dans son modeste bureau, avec le dossier de Manuel et ses radiographies sur la table. «Quelle est votre relation avec le patient, mademoiselle?» m'a-t-il demandé. «Je suis sa petite-fille», lui ai-je répondu sans hésiter, devant le regard stupéfait de celui dont il était question.

Manuel est sur une liste d'attente pour une éventuelle opération depuis deux ans, et qui sait combien d'autres passeront encore avant que vienne son tour, car il ne s'agit pas d'une urgence. On suppose que s'il a vécu avec cette bulle pendant plus de soixante-dix ans, il peut bien attendre quelques années de plus. L'opération est risquée et vu les caractéristiques de l'anévrisme, il convient de la reporter autant que possible, dans l'espoir que le patient meure d'autre chose, mais étant donné les migraines de plus en plus fréquentes et les nausées de Manuel, il semble que l'heure soit venue d'intervenir.

La méthode traditionnelle consiste à ouvrir le crâne, à séparer le tissu cérébral, à poser un clip pour bloquer le flux sanguin et à refermer la blessure ; la convalescence dure environ un an et l'opération peut laisser de graves séquelles. Bref, un tableau peu rassurant. Mais à la clinique Alemana le problème peut être résolu avec un petit trou dans la jambe : on introduit un cathéter dans l'artère afin d'atteindre l'anévrisme en naviguant dans le système vasculaire et on le remplit avec un fil de platine qui s'enroule à l'intérieur comme un chignon de vieille dame. Le risque est beaucoup moins grand, le séjour en clinique est de trente-six heures et la convalescence ne dure pas plus d'un mois.

« Élégant, simple et tout à fait hors de portée de ma bourse, docteur, a dit Manuel.

— Ne vous inquiétez pas, monsieur Arias, il y a une solution. Je peux vous opérer sans aucun frais. C'est un procédé nouveau, que j'ai appris aux États-Unis, où cette opération est routinière, et je dois former un autre chirurgien pour travailler en équipe. Votre opération serait comme un cours, lui a expliqué Puga.

— Cela veut dire qu'un homme à tout faire va s'introduire avec un fil de fer dans le cerveau de Manuel », l'ai-je interrompu, horrifiée.

Le médecin s'est mis à rire et m'a fait un clin d'œil complice, alors je me suis souvenue de la lettre et j'ai compris qu'il s'agissait d'une conspiration du Millalobo pour régler l'opération sans que Manuel n'en sache rien jusqu'après l'opération, lorsqu'il ne pourra plus rien y faire. Je suis d'accord avec Blanca, être redevable d'une faveur ou de deux, cela revient au même. Pour résumer, Manuel a été interné à la clinique Alemana, on lui a fait les examens préalables et le lendemain le docteur Puga ainsi qu'un présumé apprenti ont réalisé l'intervention avec succès, d'après ce qu'ils

411

nous ont assuré, bien qu'ils ne puissent garantir que la bulle restera stable.

Blanca Schnake a confié son école à une remplaçante et elle s'est envolée pour Santiago dès que je l'ai appelée. Elle a tenu compagnie à Manuel comme une mère toute la journée, tandis que je faisais mon enquête. Le soir, elle est allée chez l'une de ses sœurs et moi j'ai dormi avec Manuel à la clinique Alemana sur un divan plus confortable que mon lit chilote. La nourriture de la cafétéria aussi avait la qualité d'un cinq étoiles. J'ai pu prendre ma première douche à huis clos depuis plusieurs mois, mais avec ce que je sais maintenant je ne pourrai plus jamais embêter Manuel pour qu'il installe des portes dans sa maison.

Santiago compte six millions d'habitants et continue à s'agrandir en hauteur dans un délire de tours en construction. C'est une ville entourée de collines et de hautes montagnes couronnées de neige, propre, prospère, pressée, avec des parcs bien entretenus. La circulation est agressive, parce que les Chiliens, si aimables en apparence, déchargent leurs frustrations au volant. Entre les véhicules pullulent des vendeurs de fruits, d'antennes de télévision, de pastilles à la menthe et de toutes les babioles qui peuvent exister, à chaque feu rouge se trouvent des saltimbanques qui font des sauts de cirque mortels en échange d'une aumône. Nous avons eu de belles journées, même si la pollution empêchait parfois de voir la couleur du ciel.

Une semaine après l'intervention, Manuel et moi sommes rentrés à Chiloé où les animaux nous attendaient. Fakine nous a reçus avec une chorégraphie pathétique et les côtes visibles, car il avait refusé de manger pendant notre absence, comme nous l'a expliqué Juanito, consterné. Nous sommes revenus avant que le docteur Puga en donne l'autorisation à Manuel, parce qu'il n'a pas voulu rester tout le mois de convalescence à Santiago chez la sœur de Blanca où, selon lui, nous dérangions. Blanca m'avait demandé d'éviter tout commentaire en présence de cette famille, qui est d'extrême droite, sur ce que nous avions vérifié du passé de Manuel, parce que cela tomberait très mal. Ils nous ont reçus chaleureusement et tous, même les fils adolescents, se sont mis à la disposition de Manuel pour l'accompagner aux consultations et prendre soin de lui.

J'ai partagé ma chambre avec Blanca et pu apprécier comment vivent les riches dans leurs communautés grillagées, avec bonnes, jardiniers, piscine, chiens de race et trois voitures. On nous apportait le petit déjeuner au lit, on nous faisait couler un bain avec des sels parfumés et on a même repassé mon *blue jean*. Je n'avais jamais rien vu de semblable et cela ne m'a pas déplu ; je m'habituerais rapidement à la richesse. «Ils ne sont pas vraiment riches, Maya, ils n'ont pas d'avion», s'est moqué Manuel lorsque je lui en ai fait le commentaire. «Tu as une mentalité de pauvre, c'est le problème avec les gauchistes», lui ai-je répondu en pensant à ma Nini et Mike O'Kelly, pauvres par vocation. Je ne suis pas comme eux, à mes yeux l'égalité et le socialisme sont ordinaires.

À Santiago, je me suis sentie étouffée par la pollution, la circulation et les relations impersonnelles des gens. À Chiloé, on sait que quelqu'un vient d'ailleurs parce qu'il ne salue pas dans la rue, à Santiago celui qui salue dans la rue est suspect. Dans l'ascenseur de la clinique Alemana, je disais bonjour comme une idiote et les autres regardaient fixement le mur pour ne pas avoir à me répondre. Je n'ai pas aimé Santiago et comptais les heures qu'il restait avant de retourner dans notre île, où la vie s'écoule tel un fleuve paisible, où l'air est pur, où le silence et le temps permettent d'aller au bout de ses pensées.

La récupération prendra un certain temps à Manuel, il a encore mal à la tête et les forces lui manquent. Les prescriptions du docteur Puga ont été catégoriques : chaque jour il doit avaler une demi-douzaine de pilules, rester au repos jusqu'en décembre ; il devra alors retourner à Santiago pour passer un autre scanner, éviter l'effort physique le reste de sa vie et avoir confiance en la chance ou en Dieu, selon sa croyance, car le fil de platine n'est pas infaillible. Je pense qu'on ne perd rien à consulter une *machi*, au cas où...

Blanca et moi avons décidé d'attendre que l'occasion se présente pour parler à Manuel de ce que nous avons découvert, sans faire pression sur lui. Pour le moment nous le soignons du mieux que nous pouvons. Il est habitué à des manières autoritaires de la part de Blanca et de cette *gringa* qui vit chez lui, aussi notre nouvelle amabilité le met-elle sur des charbons ardents ; il pense que nous lui cachons la vérité et que son état est beaucoup plus grave que ne l'a dit le docteur Puga. « Si vous devez me traiter comme un invalide, je préfère que vous me laissiez seul », ronchonne-t-il.

Avec une carte et une liste de lieux et de personnes fournie par le père Lyon, j'ai pu reconstituer la vie de Manuel au cours des années clés entre le coup d'État militaire et son départ en exil. En 1973, âgé de trente-six ans, il était l'un des professeurs les plus jeunes de la faculté de Sciences sociales. Il était marié et, d'après mes déductions, son mariage battait de l'aile. Il n'était pas communiste, comme le croit le Millalobo, et n'était pas inscrit non plus dans un autre parti politique, mais il sympathisait avec la gestion de Salvador Allende et participait aux rassemblements populaires de l'époque, les uns de soutien au gouvernement, les autres d'opposition. Lorsque a eu lieu le coup d'État, le mardi 11 septembre 1973, le pays était divisé en deux factions irréconciliables, personne ne pouvait rester neutre. Deux jours après le coup d'État, le couvre-feu imposé pendant les premières quarante-huit heures a été levé, et Manuel est retourné travailler. Il a trouvé l'université occupée par des soldats armés pour la guerre, en uniformes de combat et les visages noircis pour ne pas être reconnus ; il a vu des impacts de balles sur les murs et du sang dans les escaliers, quelqu'un l'a averti qu'ils avaient arrêté les étudiants et les professeurs qui se trouvaient dans le bâtiment.

Cette violence était tellement inimaginable au Chili, si fier de sa démocratie et de ses institutions, que Manuel n'a pas su mesurer la gravité des événements et qu'il s'est rendu dans le commissariat le plus proche pour demander des nouvelles de ses compagnons. Il n'en est pas ressorti. Les yeux bandés, ils l'ont emmené au Stade national, qui était devenu un centre de détention. Des milliers de personnes avaient déjà été arrêtées au cours des deux jours précédents. Maltraitées et affamées, elles dormaient à même le sol de ciment et passaient la journée assises sur les gradins, priant silencieusement de ne pas faire partie des malheureux qui étaient conduits à l'infirmerie pour y être interrogés.

On entendait les hurlements des victimes et, la nuit, les coups de feu des exécutions. Les détenus étaient isolés, sans contact avec leurs parents, même si ceux-ci pouvaient laisser des paquets de nourriture et de vêtements en espérant que les gardiens les remettraient aux destinataires. La femme de Manuel, qui appartenait au Mouvement de la Gauche révolutionnaire, le groupe le plus pourchassé par les militaires, s'est aussitôt enfuie en Argentine, et de là en Europe ; elle ne reverrait son mari que trois ans plus tard, lorsqu'ils trouveraient tous deux refuge en Australie.

Sur les gradins du stade passait un homme coiffé d'une capuche, avec sa charge de culpabilité et de chagrin, surveillé de près par deux soldats. L'homme désignait de supposés militants socialistes ou communistes, qui étaient conduits sur-le-champ dans les entrailles de l'édifice pour être soumis à la torture ou tués. Par erreur ou par peur, l'homme fatidique au capuchon avait désigné Manuel Arias.

Jour après jour, pas à pas, j'ai parcouru l'itinéraire de son calvaire et, ce faisant, j'ai palpé les cicatrices indélébiles que la dictature a laissées au Chili et dans l'âme de Manuel. Je sais à présent ce qui se cache sous les apparences dans ce pays. Assise dans un parc devant le fleuve Mapocho, où trente-cinq ans plus tôt flottaient des cadavres de suppliciés, j'ai lu le rapport de la Commission qui a enquêté sur les atrocités d'alors, un long récit de souffrance et de cruauté. Un prêtre, ami du père Lyon, m'a facilité l'accès aux archives du Vicariat de Solidarité, un bureau de l'Église catholique qui aidait les victimes de la répression et tenait le compte des disparus, défiant la dictature au cœur même de la cathédrale. J'ai examiné des centaines de photographies de personnes arrêtées qui ont disparu sans laisser de traces, presque toutes jeunes, et les plaintes des femmes qui continuent de chercher leurs enfants, leur mari, et parfois leurs petits-enfants.

Manuel a passé l'été et l'automne 1974 au Stade national et dans d'autres centres de détention où on l'a interrogé tant de fois que plus personne n'en tenait le compte. Les confessions ne signifiaient rien et elles finissaient perdues dans les archives ensanglantées, qui n'intéressaient que les rats. Comme de nombreux autres prisonniers, il n'a jamais su ce que voulaient entendre ses bourreaux et a fini par comprendre que cela n'avait aucune importance, car eux non plus ne savaient pas ce qu'ils cherchaient. Ce n'étaient pas des interrogatoires, mais des châtiments visant à établir un régime oppressif pour trancher net toute résistance dans la population. Le prétexte, c'étaient ces dépôts d'armes que le gouvernement d'Allende était supposé avoir remis au peuple, mais au bout de quelques mois on n'avait rien trouvé et plus personne ne croyait aux arsenaux imaginaires. La terreur a paralysé les gens, c'était le moyen le plus efficace d'imposer l'ordre glacé des casernes, un plan à long terme pour changer le pays du tout au tout.

Pendant l'hiver 1974, Manuel a été détenu dans une demeure des faubourgs de Santiago qui avait appartenu à une puissante famille d'origine italienne, les Grimaldi, dont la fille, ayant été arrêtée, avait échangé sa liberté contre la résidence. La propriété était passée aux mains de la Direction de l'Intelligence nationale, l'infâme DINA – dont l'emblème était un

417

poing de fer –, responsable de nombreux crimes, y compris à l'étranger, comme l'assassinat à Buenos Aires du commandant en chef des Forces armées destitué et celui d'un ancien ministre en plein cœur de Washington, à quelques rues de la Maison-Blanche. La Villa Grimaldi était devenue le plus redouté des centres d'interrogatoires, dans lequel allaient défiler quatre mille cinq cents détenus, dont beaucoup ne sont pas ressortis vivants.

À la fin de ma semaine à Santiago, je me suis rendue à la Villa Grimaldi, qui est aujourd'hui un jardin silencieux où souffre la mémoire de ceux qui sont morts ici. Le moment venu, j'ai été incapable de m'y rendre seule. Ma grand-mère croit que les endroits restent marqués par les expériences humaines, et moi je n'ai pas eu le courage d'affronter, sans une main amie, la méchanceté et la douleur ancrées à jamais dans cet endroit. J'ai demandé à Blanca Schnake, la seule personne à qui j'avais raconté ce que je cherchais en dehors de Liliana et du père Lyon, de m'accompagner. Blanca a faiblement tenté de me dissuader : « À quoi bon continuer à fouiller quelque chose qui s'est passé il y a si longtemps », mais elle pressentait que là se trouvait la clé de la vie de Manuel Arias et son amour pour lui a été plus fort que sa réticence à affronter une chose qu'elle préférait ignorer. « D'accord, *gringuita*, allons-y avant que je le regrette », m'a-t-elle dit.

La Villa Grimaldi, aujourd'hui appelée Parc pour la Paix, est un hectare vert d'arbres somnolents. Il ne reste pas grand-chose des édifices qui existaient lorsque Manuel y a séjourné, parce qu'ils ont été démolis par la dictature pour tenter d'effacer les traces de l'impardonnable. Cependant, les tracteurs n'ont pu raser les fantômes persistants ni faire taire les plaintes d'agonie que l'on perçoit encore dans l'air. Nous avons marché au milieu d'images, de monuments, de grandes toiles montrant les portraits des morts et des disparus. Un guide nous a expliqué le traitement infligé aux prisonniers, les tortures les plus courantes, avec des dessins schématiques de formes humaines pendues par les bras, la tête plongée dans un tonneau d'eau, de lits en fer électrifiés, de femmes violées par des chiens, d'hommes sodomisés par des manches à balai. Sur un mur en pierre, parmi deux cent soixante-six noms, j'ai trouvé celui de Felipe Vidal, et j'ai alors pu poser les dernières pièces du puzzle. C'était dans la désolation de cette Villa Grimaldi que le professeur Manuel Arias et le journaliste Felipe Vidal s'étaient connus, là qu'ils avaient souffert ensemble et que l'un d'eux avait survécu.

Blanca et moi avons décidé que nous devions parler de son passé à Manuel et nous avons regretté que Daniel ne puisse nous aider, car une intervention de ce genre justifie la présence d'un spécialiste, même si c'est un psychiatre novice comme lui. Blanca affirme que les expériences qu'a vécues Manuel doivent être traitées avec le même soin et la même délicatesse que ceux qu'exige son anévrisme, parce qu'elles sont enfermées dans une bulle de sa mémoire qui, si elle explose subitement, pourrait l'anéantir. Ce jour-là, Manuel était allé à Castro récupérer des livres et nous avons profité de son absence pour préparer le dîner, sachant qu'il rentre toujours au coucher du soleil.

Je me suis mise à faire du pain, comme je le fais quand je suis nerveuse. J'aime le rituel patient et sacré qui consiste à pétrir la pâte avec fermeté, lui donner forme, attendre que la miche lève sous un torchon blanc, la mettre au four jusqu'à ce qu'elle dore et, plus tard, la servir encore tiède aux amis. Blanca a préparé l'infaillible poulet à la moutarde et au lard de Frances, le mets préféré de Manuel, et elle a apporté des marrons au sirop pour le dessert. La maison était accueillante, elle sentait le pain fraîchement sorti du four et le poulet qui cuisait lentement dans une marmite en terre. C'était un après-midi plutôt froid, paisible, avec un ciel gris, sans vent. Bientôt ce serait la pleine lune et il y aurait une autre réunion de sirènes dans la *ruca*.

Depuis l'opération de l'anévrisme, quelque chose a changé entre Manuel et Blanca, leur aura brille, comme dirait ma grand-mère, ils ont dans les yeux cette lumière scintillante des gens qui viennent d'être éblouis. Il y a aussi d'autres signes moins subtils, comme la complicité dans le regard, le besoin de se toucher, la manière dont chacun devine les intentions et les désirs de l'autre. D'un côté je m'en réjouis, c'est ce que je m'efforçais de susciter depuis des mois, et de l'autre je m'inquiète pour mon avenir. Que vais-je devenir quand ils décideront de s'immerger dans cet amour qu'ils ont reporté depuis tant d'années ? Cette maison est trop petite pour nous trois et celle de Blanca aussi serait étroite. Eh bien j'espère qu'à ce moment-là mon avenir avec Daniel Goodrich sera éclairci !

Manuel est arrivé avec un sac de livres qu'il avait commandés à ses amis libraires, et des romans en anglais envoyés par ma grand-mère à la poste de Castro.

« Nous fêtons un anniversaire ? a-t-il demandé en humant l'air.

— Nous fêtons l'amitié. Cette maison a bien changé depuis que la *gringuita* est arrivée ! a commenté Blanca.

— Tu veux parler du désordre ?

— Je veux parler des fleurs, des bons repas et de la compagnie, Manuel. Ne sois pas ingrat. Tu vas beaucoup la regretter quand elle s'en ira.

— Elle a l'intention de s'en aller ?

— Non, Manuel. J'ai l'intention d'épouser Daniel et de vivre ici, chez toi, avec les quatre enfants que nous aurons, l'ai-je taquiné.

— J'espère que ton amoureux sera d'accord, a-t-il dit sur le même ton.

— Pourquoi pas ? Ça me semble parfait.

— Il mourrait d'ennui sur cet îlot rocheux, Maya. Les étrangers qui se retirent ici sont désenchantés du monde. Personne ne vient avant d'avoir commencé à vivre.

— Moi, je suis venue m'y cacher, et vois tout ce que j'ai trouvé, vous deux et Daniel, la sécurité, la nature et une population de trois cents Chilotes à aimer. Même mon Popo se sent bien ici, je l'ai vu se promener sur la colline.

— Tu as bu ! s'est exclamé Manuel, inquiet.

— Je n'ai pas bu une goutte, Manuel. Je savais que tu n'allais pas me croire, c'est pourquoi je ne te l'avais pas dit. »

Ce fut une soirée extraordinaire, au cours de laquelle tout a conspiré pour inciter aux confidences, le pain et le poulet, la lune qui glissait entre les nuages, la vraie sympathie que nous nous portons, la conversation émaillée d'anecdotes et de plaisanteries légères. Ils m'ont raconté comment ils se sont connus et l'impression que chacun a faite à l'autre. Manuel a dit qu'étant

421

jeune Blanca était très jolie – elle l'est encore ; c'était une Walkyrie dorée, toute en jambes, boucles et dents, qui rayonnait de l'assurance et de la joie de celle qui a été très choyée. « J'aurais dû la détester, parce que c'était une privilégiée, mais elle m'a vaincu par son charme, il était impossible de ne pas l'aimer. Mais moi, je n'étais en état de conquérir personne, encore moins une jeune fille aussi inaccessible qu'elle. » Pour Blanca, Manuel avait l'attrait de l'interdit et du dangereux, il venait d'un monde opposé au sien, il était issu d'un autre milieu social et représentait l'ennemi politique, bien qu'elle fût prête à l'accepter, car il était l'hôte de sa famille. Je leur ai parlé de ma maison de Berkeley, de la raison pour laquelle je ressemble à une Scandinave et de la seule fois où j'ai vu ma mère. Je leur ai parlé de quelques personnages que j'ai connus à Las Vegas, comme cette grosse femme de cent quatre-vingts kilos à la voix caressante qui gagnait sa vie grâce au sexe téléphonique, ou ce couple de transsexuels amis de Brandon Leeman, qui s'étaient mariés au cours d'une cérémonie formelle, elle en smoking et lui dans une robe d'organdi blanc. Nous avons dîné en prenant notre temps, puis nous nous sommes assis, comme nous en avons l'habitude, pour regarder la nuit par la fenêtre, eux avec leurs verres de vin, moi avec ma tasse de thé. Blanca était sur le divan tout contre Manuel, et moi sur un coussin par terre avec Fakine, qui souffre du syndrome de la séparation depuis que nous l'avons laissé pour aller à Santiago. Il me suit du regard et reste collé à moi, quel ennui !

« J'ai l'impression que cette petite fête est un piège, a bredouillé Manuel. Voilà des jours que quelque chose flotte dans l'air. Venez-en au fait, mesdames.

— Tu as flanqué notre stratégie par terre, Manuel, nous pensions aborder le sujet avec diplomatie, a dit Blanca.

— Qu'est-ce que vous voulez ?

— Rien, juste bavarder.

— De quoi ? »

Et alors je lui ai raconté que cela faisait des mois que j'enquêtais pour mon compte sur ce qui lui était arrivé après le coup d'État, parce que je pensais que ses souvenirs étaient à vif, tel un ulcère au plus profond de sa mémoire, et qu'ils l'empoisonnaient. Je lui ai présenté des excuses pour avoir été indiscrète, ma seule raison étant l'affection que je lui portais ; cela me faisait pitié de le voir souffrir la nuit, quand les cauchemars l'assaillaient. Je lui ai dit que le rocher qu'il portait sur les épaules était trop lourd, qu'il l'écrasait, qu'il vivait à moitié, comme s'il tuait le temps en attendant de mourir. Il s'était tellement refermé sur lui-même qu'il ne pouvait éprouver de la joie ou de l'amour. J'ai ajouté que Blanca et moi pouvions l'aider à porter cette pierre. Manuel ne m'a pas interrompue, il était très pâle, respirait comme un chien fatigué, la main de Blanca dans la sienne, les yeux fermés. « Tu veux savoir ce que la *gringuita* a découvert, Manuel ? » lui a demandé Blanca dans un murmure, et il a acquiescé, muet.

Je lui ai avoué qu'à Santiago, pendant sa convalescence, j'avais fouillé dans les archives du Vicariat et que j'avais parlé aux personnes avec lesquelles le père Lyon m'avait mise en contact, deux avocats, un prêtre et l'un des auteurs du Rapport Rettig, où apparaissent plus de trois mille cinq cents plaintes de violations des droits de l'homme commises sous la dictature. Parmi ces cas, il y avait Felipe Vidal, le premier mari de Nini, et aussi Manuel Arias.

«Je n'ai pas participé à ce rapport, a dit Manuel d'une voix cassée.

— C'est le père Lyon qui a dénoncé ton cas. C'est à lui que tu as raconté les détails de ces quatorze mois pendant lesquels tu as été détenu, Manuel. Tu venais de sortir du camp de concentration de *Tres Álamos* et tu étais relégué ici, à Chiloé, où tu as vécu avec le père Lyon.

— Je ne m'en souviens pas.

— Le curé s'en souvient, mais il n'a pas pu me le raconter, parce qu'il considère que c'est un secret de confession, il s'est contenté de m'indiquer le chemin. Le cas de Felipe Vidal a été dénoncé par sa femme, ma Nini, avant son départ pour l'exil.»

J'ai répété à Manuel ce que j'avais découvert pendant cette semaine importante à Santiago et la visite que j'avais faite avec Blanca à la Villa Grimaldi. Le nom de l'endroit n'a provoqué aucune réaction particulière chez lui, il avait une vague idée qu'il y était passé, mais dans son esprit il le confondait avec d'autres centres de détention. Au cours des trente et quelques années écoulées depuis, il avait éliminé cette expérience de sa mémoire, il s'en souvenait comme s'il l'avait lue dans un livre, pas comme quelque chose de personnel, bien qu'il garde des cicatrices de brûlures sur le corps et ne puisse lever les bras au-dessus des épaules, parce qu'ils ont été disloqués.

«Je ne veux pas connaître les détails», nous a-t-il dit.

Blanca lui a expliqué que les détails étaient intacts quelque part en lui et qu'il fallait un immense courage pour pénétrer dans cet endroit, mais qu'il n'irait pas seul, car elle et moi l'accompagnerions. Il n'était plus un prisonnier impuissant entre les mains de ses bourreaux, mais il ne serait jamais véritablement libre s'il n'affrontait pas la souffrance du passé.

« Le pire t'est arrivé dans la Villa Grimaldi, Manuel. À la fin de la visite que nous avons faite, le guide nous a emmenées voir les cellules témoins. Il y avait des cellules d'un mètre sur deux où ils mettaient plusieurs prisonniers debout, serrés, pendant des jours et des semaines ; on ne les sortait que pour les torturer ou les conduire aux toilettes.

— Oui, oui… c'est dans l'une d'elles que j'ai été avec Felipe Vidal et d'autres hommes. On ne nous donnait pas d'eau… C'était une caisse sans ventilation, nous macérions dans la sueur, le sang, les excréments, a balbutié Manuel, plié en deux, la tête sur les genoux. Et d'autres étaient des niches individuelles, des tombes, des chenils… les crampes, la soif… Sortez-moi de là ! »

Blanca et moi l'avons enveloppé dans un cercle de bras, de poitrines et de baisers, le soutenant, pleurant avec lui. Nous avions vu l'une de ces cellules. J'ai tellement supplié le guide qu'il m'a permis d'y entrer. J'ai dû le faire à genoux, à l'intérieur je suis restée recroquevillée, accroupie, incapable de changer de position ou de bouger, et quand la porte s'est refermée je me suis retrouvée dans le noir, prisonnière. Je ne l'ai pas supporté plus de quelques secondes et me suis mise à crier jusqu'à ce qu'on me sorte de là en me tirant par les bras. « Les détenus restaient enterrés vivants pendant des semaines, parfois des mois. Peu en sont sortis vivants et ceux-là étaient fous », nous avait dit le guide.

« Nous savons maintenant où tu es quand tu rêves, Manuel », a dit Blanca.

Ils finirent par sortir Manuel de sa tombe, pour y enfermer un autre prisonnier, ils se fatiguèrent de le torturer et l'envoyèrent dans d'autres centres de détention. Après avoir accompli sa condamnation de relégation à Chiloé, il put partir pour l'Australie, où se trouvait sa femme, qui n'avait aucune nouvelle de lui depuis plus de deux ans ; elle l'avait cru mort et menait une nouvelle existence dans laquelle Manuel, traumatisé, n'avait pas de place. Ils divorcèrent peu après, comme ce fut le cas pour la plupart des couples en exil. Malgré tout, Manuel eut plus de chance que d'autres exilés, parce que l'Australie est un pays accueillant ; il y trouva du travail dans sa profession et écrivit deux livres, tout en s'abrutissant dans l'alcool et les aventures éphémères qui ne faisaient qu'accentuer sa solitude abyssale. Son second mariage, avec une danseuse espagnole rencontrée à Sydney, dura moins d'un an. Il était incapable de faire confiance à qui que ce soit ou de s'abandonner à une relation amoureuse, il souffrait d'épisodes de violence et de crises d'angoisse, irrémédiablement emprisonné dans sa cellule de la Villa Grimaldi ou nu, attaché sur un lit en métal, pendant que ses geôliers s'amusaient à lui envoyer des décharges électriques.

Un jour, à Sydney, Manuel s'écrasa en voiture contre un pilier en béton armé, un accident invraisemblable, même pour quelqu'un abruti par l'alcool, comme il l'était quand on l'avait ramassé. Les médecins de l'hôpital, où il resta treize jours dans un état grave et un mois immobile, conclurent qu'il avait tenté de se suicider. Ils le mirent en contact avec une organisation internationale qui aidait les victimes de torture. Un psychiatre qui avait l'expérience des cas comme le sien lui rendit visite alors qu'il était encore à l'hôpital. Il ne put démêler les traumatismes de son patient, mais il l'aida à maîtriser les changements d'humeur et les phases de violence et d'angoisse, à cesser de boire et à mener une existence apparemment normale. Manuel se considéra guéri, sans accorder trop d'importance aux cauchemars, à la crainte viscérale des ascenseurs et des lieux clos ; il continua à prendre des antidépresseurs et s'accoutuma à la solitude.

Pendant le récit de Manuel, il y a eu une panne de courant, comme cela se produit toujours dans l'île à cette heure, et aucun de nous ne s'est levé pour allumer les bougies, nous étions dans l'obscurité, assis tout près les uns des autres.

« Pardonne-moi Manuel, a murmuré Blanca au bout d'une longue pause.

— Te pardonner ? Je n'ai que de la gratitude envers toi, lui a-t-il dit.

— Pardonne-moi pour mon incompréhension et mon aveuglement. Personne ne pourrait pardonner aux criminels, Manuel, mais peut-être peux-tu nous pardonner, moi et ma famille. Nous avons péché par omission. Nous avons ignoré l'évidence, parce que nous ne voulions pas être complices. Dans mon cas, c'est pire, parce que j'ai beaucoup voyagé à cette époque, je savais ce que publiait la presse étrangère sur le gouvernement de Pinochet. Ce sont des mensonges, pensais-je, de la propagande communiste. »

Manuel l'a attirée contre lui, la serrant dans ses bras. Je me suis levée à tâtons pour mettre quelques bûches dans le poêle et aller chercher des bougies, une autre bouteille de vin et du thé. La maison s'était refroidie. J'ai posé une couverture sur leurs jambes et me

427

suis blottie de l'autre côté de Manuel sur le canapé déglingué.

« Alors comme ça ta grand-mère t'a parlé de nous, Maya, a dit Manuel.

— Que vous étiez amis, rien d'autre. Elle ne parle pas de cette époque, elle a rarement mentionné Felipe Vidal.

— Dans ce cas, comment as-tu su que j'étais ton grand-père ?

— Mon Popo est mon grand-père », ai-je répliqué en m'écartant de lui.

Sa révélation était tellement inouïe qu'il m'a fallu une longue minute pour en saisir la portée. Les mots se sont frayé un chemin à coups de machette dans mon esprit hébété et mon cœur embrouillé, mais le sens m'échappait.

« Je ne comprends pas... ai-je murmuré.

— Andrés, ton père, est mon fils, a dit Manuel.

— Ce n'est pas possible. Ma Nini n'aurait pas tu cela pendant plus de quarante ans.

— Je pensais que tu le savais, Maya. Tu as dit au docteur Puga que tu étais ma petite-fille.

— Pour qu'il me laisse assister à la consultation. »

En 1964, Nini était secrétaire et Manuel Arias assistant d'un professeur à la faculté ; elle avait vingt-deux ans et venait d'épouser Felipe Vidal, lui en avait vingt-sept et une bourse en poche pour préparer un doctorat de sociologie à l'université de New York. Adolescents, ils avaient été amoureux, puis avaient cessé de se voir pendant quelques années, mais en se retrouvant par hasard à la faculté ils avaient été emportés par une passion nouvelle et urgente, très différente de la romance virginale d'autrefois. Cette passion prit fin de façon déchirante lorsqu'il partit pour New York et qu'ils durent se séparer. Pendant ce temps Felipe Vidal, lancé dans une belle carrière de journaliste, se trouvait à Cuba, ne soupçonnant pas l'infidélité de sa femme, au point qu'il n'avait jamais douté que le fils né en 1965 était le sien. Il n'avait rien su de l'existence de Manuel Arias jusqu'à ce qu'ils partagent une cellule infâme, mais Manuel avait suivi de loin ses succès de reporter. L'amour de Manuel et de Nidia avait connu plusieurs interruptions, mais il s'enflammait inévitablement lorsqu'ils se retrouvaient, jusqu'à ce qu'il se marie en 1970, l'année où Salvador Allende remporta la présidence et où commença à germer le cataclysme politique qui trois ans plus tard aboutirait au coup d'État.

« Mon père le sait-il ? ai-je demandé à Manuel.

— Je ne crois pas. Nidia s'est sentie coupable de ce qui s'était passé entre nous et elle était prête à garder le secret à tout prix, elle voulait l'oublier et que je l'oublie moi aussi. Elle ne l'a mentionné qu'en décembre dernier, lorsqu'elle m'a écrit à ton sujet.

— Maintenant je comprends pourquoi tu m'as reçue dans cette maison, Manuel.

— Au cours de ma correspondance sporadique avec Nidia j'avais appris ton existence, Maya, je savais qu'étant la fille d'Andrés, tu étais ma petite-fille, mais je n'y avais pas accordé d'importance, je pensais que je ne te connaîtrais jamais. »

Le climat de réflexion et d'intimité qui nous enveloppait quelques minutes plus tôt est devenu très tendu. Manuel était le père de mon père, nous avions le même sang. Il n'y a pas eu de réactions dramatiques, pas d'étreintes émues ni de larmes de reconnaissance, pas d'étranglement dans des déclarations sentimentales ; j'ai senti cette dureté amère des temps difficiles, que je n'avais jamais ressentie à Chiloé. Les mois d'insouciance, d'étude et de vie commune avec Manuel se sont effacés ; soudain il était un inconnu dont l'adultère avec ma grand-mère me répugnait.

« Mon Dieu, Manuel, pourquoi ne me l'avais-tu pas dit ? Le feuilleton télévisé tourne court », a conclu Blanca dans un soupir.

Cela a mis fin au sortilège et décrispé l'atmosphère. Nous nous sommes regardés dans la lumière jaunâtre de la bougie, nous avons souri timidement, puis nous sommes mis à rire, d'abord hésitants et ensuite avec enthousiasme face à l'absurdité et au peu d'importance de cette histoire, car tant qu'il ne s'agit pas de faire un don d'organe ou d'hériter une fortune, qu'importe qui est mon aïeul biologique, seule importe l'affection, que par chance nous avons l'un pour l'autre.

« Mon Popo est mon grand-père, lui ai-je répété.

— Personne ne le conteste, Maya », m'a-t-il répondu.

Grâce aux messages de ma Nini, qui écrit à Manuel par l'intermédiaire de Mike O'Kelly, j'ai appris que Freddy avait été retrouvé évanoui dans une rue de Las Vegas. Une ambulance l'avait conduit au même hôpital où il avait déjà atterri quelques mois plus tôt et où Olympia Pettiford l'avait connu, l'une de ces heureuses coïncidences que les Veuves de Jésus attribuent au pouvoir de la prière. Le garçon est resté dans l'unité de soins intensifs, respirant à l'aide d'un tube relié à une machine bruyante, tandis que les médecins tentaient de juguler une double pneumonie, qui l'a tenu aux portes du crématorium. Ensuite ils ont dû lui enlever le rein abîmé par la raclée qu'il avait essuyée autrefois, et traiter les nombreuses maladies causées par sa vie dissolue. Il s'était finalement retrouvé dans un lit de l'étage d'Olympia. Entre-temps, elle avait mis en mouvement les forces salvatrices de Jésus et ses propres ressources pour éviter que le Service de protection de l'enfance ou la loi ne s'emparent du gamin.

Au moment où on lui avait donné la permission de sortir, Olympia Pettiford avait obtenu l'autorisation judiciaire de se charger de lui, alléguant une illusoire parenté, et c'est ainsi qu'elle l'avait sauvé d'un centre juvénile ou de la prison. Il semble qu'elle ait été aidée en cela par l'inspecteur Arana, qui avait appris qu'un gamin ayant les caractéristiques de Freddy avait été admis à l'hôpital, et il avait profité d'un moment de libre pour lui rendre visite. Il avait trouvé l'accès bloqué par l'imposante Olympia, décidée à empêcher quiconque de voir ce malade qui était encore à moitié perdu sur ce territoire incertain entre la vie et la mort.

L'infirmière a eu peur qu'Arana ait l'intention d'arrêter son protégé, mais il l'a convaincue qu'il voulait seulement prendre des nouvelles d'une amie à lui, Laura Barron. Il a dit qu'il était prêt à aider le garçon, et comme tous deux étaient d'accord sur ce point, Olympia l'a invité à bavarder en prenant un jus de fruits à la caféteria. Elle lui a expliqué qu'à la fin de l'année dernière Freddy avait amené chez elle une certaine Laura Barron, droguée et malade, puis qu'il avait disparu. Elle n'avait eu aucune nouvelle de lui jusqu'à ce qu'il sorte du bloc opératoire avec un seul rein et arrive dans une salle de son étage. Au sujet de Laura Barron, elle pouvait seulement lui dire qu'elle l'avait soignée pendant quelques jours ; dès que la petite s'était un peu remise, des parents étaient venus la chercher et l'avaient emmenée, probablement dans un programme de désintoxication, comme elle-même le leur avait conseillé. Elle ignorait où et n'avait plus le numéro que lui avait donné la jeune fille pour appeler sa grand-mère. Quant à Freddy, il fallait le laisser tranquille, a-t-elle averti Arana sur un ton qui n'admettait pas de discussion, car le gamin ne savait rien au sujet de cette Laura Barron.

À sa sortie de l'hôpital, Freddy avait l'air d'un épouvantail ; Olympia Pettiford l'a emmené chez elle et confié au redoutable commando des Veuves chrétiennes. À ce moment et après deux mois d'abstinence, le garçon avait si peu d'énergie que c'est à peine s'il pouvait regarder la télévision. Grâce au régime de fritures des Veuves, il a peu à peu recouvré des forces, et quand Olympia a estimé qu'il pourrait s'enfuir pour retourner dans l'enfer de l'addiction, elle s'est souvenue de l'homme en fauteuil roulant dont elle gardait la carte de visite entre les pages de sa bible, et elle l'a appelé. Elle a tiré ses économies de la banque, acheté les billets et, avec une autre femme en renfort, emmené Freddy en Californie. D'après ma Nini, elles s'étaient présentées vêtues de leurs habits du dimanche dans le réduit sans ventilation près de la prison des mineurs où Blanche-Neige travaille et où il les attendait. L'histoire m'a remplie d'espoir, car si quelqu'un en ce monde peut aider Freddy, c'est bien Mike O'Kelly.

Daniel Goodrich et son père ont assisté à une Conférence d'analystes jungiens à San Francisco, dont le thème de fond était le Livre rouge (*Liber Novus*) de Carl Jung, qui vient d'être publié après être resté enfermé dans un coffre-fort en Suisse pendant des décennies, interdit aux yeux du monde et entouré d'un grand mystère. Sir Robert Goodrich avait acheté à prix d'or l'une des copies de luxe, identique à l'original, dont Daniel héritera. Profitant de son dimanche de liberté, Daniel est allé rendre visite à ma famille à Berkeley et il a apporté les photos de son passage à Chiloé.

Dans la meilleure tradition chilienne, ma grand-mère a insisté pour qu'il passe la nuit chez elle et elle l'a installé dans ma chambre, qui a été repeinte dans un ton plus doux que la vive couleur mangue de mon enfance et débarrassée du dragon ailé accroché au plafond ainsi que des enfants faméliques qui ornaient les murs. L'hôte a été impressionné par la grande maison de Berkeley et par ma pittoresque grand-mère, plus ronchon, plus percluse de rhumatismes et plus colorée que ce que je lui avais décrit. La grosse tour des étoiles avait été utilisée par le locataire pour entreposer ses marchandises, mais Mike avait envoyé plusieurs de ses délinquants repentis gratter la saleté et remettre le vieux télescope à sa place. Ma Nini affirme que cela a rassuré mon Popo, qui auparavant butait sur les cartons et colis d'Inde lorsqu'il déambulait dans la maison. Je me suis abstenue de lui raconter que mon Popo réside à Chiloé, parce qu'il rôde peut-être dans plusieurs endroits à la fois.

Nini a fait connaître à Daniel la bibliothèque, les vieux hippies de Telegraph Avenue, le meilleur restaurant végétarien, le Cercle chilien et, bien sûr, Mike O'Kelly. «L'Irlandais est amoureux de ta grand-mère et je crois qu'elle n'est pas indifférente », m'a écrit Daniel, mais j'ai du mal à imaginer que ma grand-mère puisse prendre Blanche-Neige au sérieux, car comparé à mon Popo c'est un pauvre diable. Bon, d'accord, O'Kelly n'est pas mal du tout, mais n'importe quel homme est un pauvre diable comparé à mon Popo.

Dans l'appartement de Mike, il y avait Freddy, qui a dû beaucoup changer ces derniers mois, car la description de Daniel ne correspond pas à l'adolescent qui m'a sauvé deux fois la vie. Freddy est dans le programme de réhabilitation de Mike, apparemment sobre et en bonne santé, mais très déprimé ; il n'a pas d'amis, ne sort pas, ne veut ni étudier ni travailler. O'Kelly pense qu'il a besoin de temps et que nous devons garder l'espoir qu'il s'en sortira, parce qu'il est très jeune et qu'il a bon cœur, ce qui est toujours d'un grand secours. Les photos de Chiloé et les nouvelles me concernant l'ont laissé indifférent ; si ce n'est qu'il lui manquait deux doigts à une main, je penserais que Daniel l'a confondu avec un autre.

Mon père est arrivé ce dimanche-là à midi, en provenance d'un émirat arabe, et il a déjeuné avec Daniel. Je les imagine tous les trois dans la vieille cuisine de la maison, les serviettes blanches effrangées par l'usage, le même pot à eau vert en céramique, la bouteille de *sauvignon blanc* Veramonte, le préféré de mon père, et la soupe de poisson parfumée de ma Nini, une variante chilienne du *cioppino* des Italo-Américains et de la *bouillabaisse* française, comme elle-même la définit. Mon ami a conclu, de façon erronée, que mon père a la larme facile, parce qu'il s'est ému en regardant mes photos, et que je ne ressemble à personne de ma petite famille. Il faudrait qu'il voie Marta Otter, la princesse de Laponie. Il a passé une journée d'hospitalité incroyable et est reparti avec l'idée que Berkeley est un pays du tiers-monde. Il s'est bien entendu avec ma Nini, même s'ils n'ont que deux choses en commun : moi et une faiblesse pour les glaces à la menthe. Après avoir soupesé les risques, tous deux se sont mis d'accord pour échanger des nouvelles par téléphone, un moyen qui offre le minimum de danger à condition d'éviter de citer mon nom.

« J'ai demandé à Daniel de venir à Chiloé pour Noël, ai-je annoncé à Manuel.

— En visite, pour y rester ou pour venir te chercher ?

— Eh bien je ne sais pas, Manuel.

— Que préférerais-tu ?

— Qu'il reste ! » ai-je répondu sans hésiter, et ma certitude l'a surpris.

Depuis que nous avons clarifié notre parenté, Manuel me regarde avec des yeux humides, et vendredi il m'a rapporté des chocolats de Castro. « Tu n'es pas mon fiancé, Manuel, et ôte-toi de l'idée que tu vas remplacer mon Popo », lui ai-je précisé. « Cela ne me traverserait pas l'esprit, stupide *gringa* », m'a-t-il répondu. Notre relation est restée la même, aucune cajolerie et pas mal de sournoiserie, mais lui paraît être une autre personne et Blanca aussi l'a remarqué, j'espère qu'il ne va pas s'amollir et devenir un vieux gâteux. Leur relation aussi a changé. Plusieurs nuits par semaine, Manuel dort chez Blanca et m'abandonne sans autre compagnie que trois chauves-souris, deux chats maniaques et un chien boiteux. Nous avons eu l'occasion de parler de son passé, qui n'est plus un tabou, mais je n'ose pas encore mettre moi-même le sujet sur la table ; je préfère attendre qu'il le fasse de lui-même, ce qui arrive avec une certaine fréquence, car maintenant que sa boîte de Pandore est ouverte, Manuel éprouve le besoin de s'épancher.

J'ai tracé un tableau assez précis du sort qu'a connu Felipe Vidal, grâce aux souvenirs de Manuel et à la plainte détaillée que sa femme a déposée au Vicariat de Solidarité, où sont même archivées deux lettres qu'il a écrites à Nini avant d'être arrêté. Violant les règles de sécurité, j'ai écrit à ma Nini par l'intermédiaire de Daniel, qui lui a fait parvenir la lettre, pour lui demander des explications. Elle m'a répondu par le même chemin, et j'ai ainsi pu compléter l'information qui me manquait.

Dans le désordre des premiers temps, après le coup d'État, Felipe et Nidia Vidal ont cru qu'en restant invisibles ils pourraient continuer à vivre normalement. Felipe Vidal avait dirigé un programme politique à la télévision pendant les trois années du gouvernement de Salvador Allende, raison plus que suffisante pour être considéré comme suspect par les militaires ; pourtant, il n'avait pas été arrêté. Nidia pensait que la démocratie serait rapidement restaurée, mais lui craignait une dictature au long cours, car étant reporter il avait couvert des guerres, des révolutions, des coups d'État, et il savait que la violence, une fois déchaînée, est incontrôlable. Il pressentait avant l'insurrection que le pays était sur une poudrière prête à exploser et en privé, après une conférence de presse, il en avait averti le président. « Vous savez quelque chose que j'ignore, camarade Vidal, ou est-ce un pressentiment ? » demanda Allende. « J'ai pris le pouls du pays et je crois que les militaires vont se soulever », lui répondit-il sans préambule. « Le Chili a une longue tradition démocratique, personne n'y prend le pouvoir par la force. Je connais la gravité de cette crise, camarade, mais je fais confiance au commandant des Forces armées et au sens de l'honneur de nos soldats, je sais qu'ils accompliront leur devoir », dit Allende sur un ton solennel, comme parlant pour la postérité. Il faisait référence au général Augusto Pinochet, qu'il avait récemment nommé, un homme de la province, d'une famille de militaires, chaudement recommandé par son prédécesseur, le général Prats, qui avait été destitué à la suite de pressions politiques. Vidal reproduisit exactement cette conversation dans sa colonne du journal. Neuf jours plus tard, le mardi 11 septembre, il entendit à la radio les dernières paroles du président faisant ses adieux au peuple avant de mourir, et le fracas des bombes tombant sur le Palais de la Moneda, siège de la présidence. Alors il se prépara au pire. Il ne croyait pas au mythe du comportement civilisé des militaires chiliens, car il avait étudié l'histoire et celle-ci donnait trop de preuves du contraire. Il pressentait que la répression serait épouvantable.

La Junte militaire déclara l'état de guerre et, parmi les mesures immédiates, imposa une stricte censure des médias. Il n'y avait aucune nouvelle, seules circulaient des rumeurs, que la propagande officielle ne tentait pas de faire taire parce qu'il lui convenait de semer la terreur. On parlait de camps de concentration et de centres de torture, de milliers et de milliers d'incarcérés, d'exilés et de morts, de tanks rasant des quartiers ouvriers, de soldats fusillés pour refus d'obéissance, de prisonniers jetés à la mer depuis des hélicoptères, attachés à des tronçons de rails et éventrés afin de couler.

Felipe Vidal prit note des soldats portant des armes de guerre, des tanks, du fracas des camions militaires, du vrombissement des hélicoptères, des gens roués de coups. Nidia arracha les affiches des chanteurs contestataires punaisées sur les murs, elle rassembla les livres, y compris des romans inoffensifs, et elle alla les jeter dans une décharge, parce qu'elle ne savait comment les brûler sans attirer l'attention. C'était une précaution inutile, car il y avait des centaines d'articles, de documentaires et d'enregistrements compromettants sur le travail de journaliste de son mari.

L'idée que Felipe devait se cacher fut celle de Nidia ; ainsi ils seraient plus tranquilles, et elle lui proposa de partir dans le sud, où vivait une tante. Doña Ignacia était une octogénaire assez particulière, qui depuis cinquante ans recevait chez elle des moribonds. Trois bonnes presque aussi âgées qu'elle la secondaient dans la noble tâche d'aider à mourir des malades en fin de vie, qui portaient des noms de famille distingués et que leurs propres parents ne pouvaient ou ne voulaient pas prendre en charge. Personne ne rendait de visites dans cette résidence lugubre, à l'exception d'une infirmière et d'un diacre qui passaient deux fois par semaine pour distribuer des médicaments et la communion, car on savait qu'elle était hantée par des âmes en peine. Felipe Vidal ne croyait à rien de cela, mais par lettre il avoua à sa femme que les meubles se déplaçaient seuls et que la nuit il ne pouvait dormir à cause des inexplicables claquements de portes et des coups sur le toit. La salle à manger faisait souvent office de chapelle funéraire et il y avait une armoire pleine de dentiers, de lunettes et de flacons de remèdes que laissaient les hôtes en partant au ciel. Doña Ignacia accueillit Felipe Vidal à bras ouverts. Elle ne se rappelait pas qui il était et crut qu'il s'agissait d'un autre patient envoyé par Dieu ; aussi fut-elle surprise de le voir en si bonne santé.

La maison était une relique coloniale, en pisé et couverte de tuiles, carrée, avec un patio au centre. Les chambres donnaient sur une galerie où languissaient des géraniums couverts de poussière et où picoraient des poules en liberté. Les poutres et les piliers étaient tordus, les murs fissurés, les vieux volets à moitié sortis de leurs gonds à cause de l'usage et des tremblements ; le toit fuyait à plusieurs endroits, les courants d'air et les âmes en peine déplaçaient les statues des saints qui ornaient les pièces. C'était la parfaite antichambre de la mort, glacée, humide et aussi sombre qu'un cimetière, mais elle parut luxueuse à Felipe Vidal. La chambre qui lui fut attribuée avait la taille de son appartement à Santiago, avec une collection de meubles lourds, des fenêtres à barreaux et un plafond si haut que les tableaux déprimants de scènes bibliques avaient été accrochés inclinés afin qu'on pût les apprécier d'en bas. La nourriture s'avéra excellente, car la tante était gourmande et ne lésinait sur rien pour ses moribonds, qui restaient très calmement dans leurs lits, respiraient avec des bruits de roulades et goûtaient à peine aux plats.

Depuis ce refuge de province, Felipe essaya de tirer les ficelles pour éclaircir sa situation. Il était sans travail, car la chaîne de télévision avait été saisie, son journal rasé et l'immeuble brûlé jusqu'aux fondations. Son visage et sa plume étaient associés à la presse de gauche, il ne pouvait espérer trouver un emploi dans sa profession, mais il avait des économies et pouvait tenir quelques mois. Dans l'immédiat, il lui fallait vérifier s'il était sur la liste noire et, dans ce cas, fuir le pays. Il envoyait des messages codés et passait discrètement des appels téléphoniques, mais ses amis et relations refusaient de lui répondre ou l'embrouillaient avec des excuses.

Au bout de trois mois, il buvait une demi-bouteille de *pisco* par jour, se sentait déprimé et honteux, car pendant que d'autres luttaient dans la clandestinité contre la dictature militaire, il mangeait comme un prince aux frais d'une vieille folle qui lui mettait le thermomètre dans la bouche à chaque instant. Il mourait d'ennui. Il refusait de regarder la télévision pour ne pas entendre les fanfares et les marches militaires, ne lisait pas, car les livres de la maison dataient du XIXe siècle. Sa seule activité sociale était le chapelet du soir que les employées et la tante récitaient pour l'âme des mourants et auquel il devait participer ; c'était la seule condition qu'avait exigée doña Ignacia avant de lui accorder son hospitalité. Pendant cette période il écrivit plusieurs lettres à sa femme, lui racontant les détails de son existence ; j'ai pu lire deux d'entre elles aux archives du Vicariat. Bientôt il commença à sortir, d'abord jusqu'à la porte, puis jusqu'à la boulangerie du coin et au kiosque à journaux, ensuite il fit le tour de la place et alla au cinéma. Il s'aperçut que l'été avait explosé et que les gens préparaient leurs vacances comme si tout était normal, comme si les patrouilles de soldats casqués et armés d'un fusil automatique faisaient partie du paysage urbain. Il passa la Noël et le Nouvel An 1974 séparé de sa femme et de son fils, mais en février, alors que cela faisait cinq mois qu'il vivait comme un rat sans que la police secrète fît mine de le rechercher, il jugea qu'il était temps de retourner dans la capitale et de recoller les morceaux brisés de sa vie et de sa famille.

Felipe Vidal prit congé de doña Ignacia et des domestiques, qui avaient rempli sa valise de fromages et de gâteaux, émues, car en un demi-siècle c'était le premier patient qui, au lieu de mourir, avait grossi de neuf kilos. Afin de se rendre méconnaissable, il avait mis des lentilles de contact, coupé ses cheveux et sa moustache. Il retourna à Santiago et, les circonstances ne lui permettant pas de chercher du travail, il décida d'occuper son temps à écrire ses Mémoires. Un mois plus tard, sa femme sortit de son travail, alla récupérer son fils Andrés à son école et fit quelques emplettes pour le dîner. Lorsqu'elle arriva à l'appartement, elle trouva la porte défoncée et le chat couché sur le seuil, la tête écrasée.

Nidia Vidal fit le parcours habituel, s'enquérant de son mari, avec des centaines d'autres personnes angoissées qui faisaient la queue devant les piquets de police, les prisons, les centres de détention, les hôpitaux et les morgues. Il ne figurait pas sur la liste noire et n'était enregistré nulle part, il n'avait jamais été arrêté, ne le cherchez pas madame, il est sûrement parti pour Mendoza avec une maîtresse. Son pèlerinage aurait continué pendant des années si elle n'avait reçu un message.

Manuel Arias était à la Villa Grimaldi, inaugurée peu auparavant comme quartier général de la DINA, dans l'une des cellules de torture, debout, écrasé contre d'autres prisonniers immobiles. Parmi eux se trouvait Felipe Vidal, que tous connaissaient à cause de son émission à la télévision. Bien sûr, Vidal ne pouvait pas savoir que son compagnon de cellule, Manuel Arias, était le père d'Andrés, l'enfant qu'il considérait comme son fils. Deux jours plus tard, Felipe Vidal fut emmené pour être interrogé et il ne revint pas.

Les prisonniers communiquaient entre eux par des petits coups et des grattements sur les planches de bois qui les séparaient : Manuel apprit de cette façon que Vidal avait eu un infarctus sur le gril électrique. Ses restes, comme ceux de tant d'autres, furent jetés à la mer. Entrer en contact avec Nidia devint pour lui une obsession. Le moins qu'il pouvait faire pour cette femme qu'il avait tant aimée était d'empêcher qu'elle passe sa vie à chercher son mari, et de l'avertir qu'elle devait prendre la fuite avant qu'ils la fassent disparaître à son tour.

Il était impossible d'envoyer des messages à l'extérieur, mais par une coïncidence miraculeuse, à cette époque eut lieu la première visite de la Croix-Rouge, car les dénonciations de violations des droits de l'homme avaient déjà fait le tour du monde. Il fallut cacher les détenus, nettoyer le sang et démonter les grils avant l'inspection. Manuel et d'autres qui étaient en meilleur état furent soignés tant bien que mal, on les baigna, on leur donna des vêtements propres et on les présenta devant les observateurs en les avertissant qu'à la moindre indiscrétion leurs familles subiraient les conséquences. Manuel en profita pour transmettre un message à Nidia Vidal dans les quelques secondes qu'il eut pour murmurer deux phrases à l'un des membres de la Croix-Rouge.

Nidia reçut le message, elle comprit de qui il venait et ne douta pas de sa véracité. Elle prit contact avec un prêtre belge qui travaillait au Vicariat, qu'elle connaissait, et celui-ci se débrouilla pour l'introduire avec son fils dans l'ambassade du Honduras, où ils passèrent deux mois à attendre les sauf-conduits qui leur permettraient de quitter le pays. La résidence diplomatique était envahie jusque dans les moindres recoins par une cinquantaine d'hommes, de femmes et d'enfants qui dormaient à même le sol et occupaient en permanence les trois W.-C., tandis que l'ambassadeur tentait de placer les gens dans d'autres pays, parce que le sien était plein et ne pouvait recevoir d'autres réfugiés. La tâche semblait ne jamais devoir finir, car à chaque instant d'autres personnes traquées par le régime sautaient le mur depuis la rue et atterrissaient dans son jardin. Il obtint que le Canada en reçût vingt, parmi eux Nidia et Andrés Vidal, il loua un bus, lui mit une plaque diplomatique ainsi que deux drapeaux honduriens et, accompagné de son attaché militaire, il conduisit personnellement les vingt exilés à l'aéroport, puis à la porte de l'avion.

Nidia décida d'offrir à son fils une vie normale au Canada, sans peur, ni haine ni rancœurs. Elle lui dit la stricte vérité en lui expliquant que son père était mort d'une crise cardiaque, mais elle omit les horribles détails, car l'enfant était bien jeune pour les assimiler. Les années passèrent sans qu'elle trouvât l'occasion – ou une bonne raison – de lui révéler les circonstances de cette mort, mais maintenant que j'avais déterré le passé, ma Nini allait devoir le faire. Elle devrait aussi lui dire que Felipe Vidal, l'homme sur la photo qu'il avait toujours gardée sur sa table de nuit, n'était pas son père.

Un paquet est arrivé pour nous par la poste à la Taverne du Petit Mort et avant de l'ouvrir nous savions qui l'avait envoyé, car il venait de Seattle. Il contenait la lettre dont j'avais tant rêvé, longue et pleine d'informations, mais dépourvue du style passionné qui aurait mis fin à mes doutes au sujet de Daniel. Venaient aussi les photos qu'il avait prises à Berkeley : ma Nini, de meilleur aspect que l'an dernier parce qu'elle avait teint ses cheveux blancs, au bras de mon père dans son uniforme de pilote, toujours aussi beau ; Mike O'Kelly debout, cramponné à son déambulateur, avec le torse et les bras d'un lutteur, mais les jambes atrophiées par la paralysie ; la maison magique à l'ombre des pins par un jour d'automne lumineux ; la baie de San Francisco mouchetée de voiles blanches. Il n'y avait qu'un instantané de Freddy, probablement pris dans un moment d'inattention du garçon ; il ne figurait sur aucun autre, comme s'il avait exprès évité l'appareil photo. Cet être aux yeux affamés, squelettique et triste, était semblable aux zombies de l'immeuble de Brandon Leeman. Venir à bout de son addiction peut prendre des années à mon pauvre Freddy, s'il y parvient ; en attendant il souffre.

Le paquet contenait aussi un livre sur les mafias, que je lirai, et une revue publiant un long reportage sur le faussaire le plus recherché au monde, un Américain de quarante-quatre ans, Adam Trevor, arrêté au mois d'août à l'aéroport de Miami alors qu'il essayait de rentrer aux États-Unis, en provenance du Brésil, sous une fausse identité. Il avait fui le pays avec sa femme et son fils au milieu de l'année 2008, trompant le FBI et Interpol. Incarcéré dans une cellule d'une prison fédérale où il risquait de passer le reste de ses jours, il avait estimé qu'il valait mieux coopérer avec les autorités en échange d'une condamnation plus courte. Les renseignements fournis par Trevor allaient pouvoir conduire au démantèlement d'un réseau international capable d'influer sur les marchés financiers de Wall Street jusqu'à Pékin, disait l'article.

Trevor avait commencé son industrie de faux dollars dans l'État sudiste de Géorgie, puis il s'était installé au Texas, près de la frontière poreuse du Mexique. Il avait monté son imprimante à billets dans le sous-sol d'une fabrique de chaussures fermée depuis plusieurs années, au cœur d'une zone industrielle très active pendant la journée et morte la nuit, ce qui lui permettait de transporter les matériaux sans attirer l'attention. Ses billets étaient aussi parfaits que me l'avait assuré l'inspecteur Arana à Las Vegas, parce qu'il utilisait des chutes du papier sans amidon dont on faisait les vrais et qu'il avait développé une technique ingénieuse pour leur mettre la bande métallique de sécurité; le plus habile des caissiers ne pouvait les détecter. De plus, il produisait des billets de cinquante dollars, rarement soumis au même examen minutieux que les coupures de valeur supérieure. La revue répétait ce qu'avait dit Arana : que les dollars falsifiés étaient toujours envoyés hors des États-Unis, où des bandes de criminels les mêlaient à de vrais billets avant de les mettre en circulation.

Dans sa confession, Adam Trevor admit son erreur d'avoir confié un demi-million de dollars à son frère, à Las Vegas; celui-ci avait été assassiné avant de pouvoir lui dire où il avait caché le butin. Rien n'aurait été découvert si son frère, un trafiquant de drogues de petite envergure qui se faisait appeler Brandon Leeman, ne s'était mis à les dépenser. Les billets auraient pu passer des années dans l'océan de liquidités des casinos du Nevada sans être détectés, mais Brandon Leeman les avait également utilisés pour corrompre des policiers ; grâce à cette piste, le FBI avait pu commencer à démêler l'écheveau.

Le département de Police de Las Vegas contrôla à peu près le scandale de la corruption, mais suite à des fuites dans la presse, il y eut un nettoyage sommaire pour calmer l'indignation du public et plusieurs officiers corrompus furent destitués. Le journaliste terminait son reportage sur un paragraphe qui m'a effrayée :

Le demi-million de faux dollars est sans importance. L'essentiel est de retrouver les plaques à imprimer les billets qu'Adam Trevor a confiées à son frère, avant que celles-ci tombent entre les mains de groupes terroristes ou de gouvernements, comme ceux de la Corée du Nord et de l'Iran, qui aimeraient inonder le marché de faux dollars afin de saper l'économie américaine.

Ma grand-mère et Blanche-Neige sont convaincus que le secret n'existe plus, que l'on peut connaître la vie intime de n'importe qui et que personne ne peut se cacher, car il suffit d'utiliser une carte de crédit, d'aller chez le dentiste, de monter dans un train ou de passer un appel téléphonique pour laisser une piste ineffaçable. Pourtant, chaque année des centaines de milliers d'enfants et d'adultes disparaissent pour une raison ou une autre : séquestration, suicide, assassinat, maladie mentale, accidents ; beaucoup fuient la violence domestique ou la loi, entrent dans une secte ou voyagent sous une fausse identité, sans parler des victimes du trafic sexuel et de tous ceux qui sont exploités dans le travail forcé comme esclaves. Actuellement, d'après Manuel, il existe vingt-sept millions d'esclaves, bien que l'esclavage ait été aboli dans le monde entier.

L'année dernière, j'étais l'une de ces personnes disparues et ma Nini a été incapable de me retrouver, alors que je n'avais rien fait pour me cacher. Elle et Mike pensent que le gouvernement américain, sous prétexte de terrorisme, espionne tous nos mouvements et intentions, mais je doute qu'il puisse accéder aux milliards de mails et de conversations téléphoniques : l'air est saturé de paroles dans des centaines de langues, il serait impossible d'ordonner et de décoder le brouhaha de cette tour de Babel. « Ils en sont capables, Maya, ils disposent de la technologie et de millions de bureaucrates insignifiants dont l'unique tâche est d'espionner. Si les innocents doivent faire attention à eux, tu dois le faire, toi, à plus forte raison, écoute ce que je te dis », avait insisté Nini lorsque nous nous étions séparées à San Francisco, en janvier. Il se trouve que l'un de ces innocents, son ami Norman, cet odieux génie qui l'avait aidée à violer mon courrier et mon portable à Berkeley, s'est amusé à diffuser des blagues au sujet de Ben Laden sur Internet ; moins d'une semaine plus tard, deux agents du FBI se présentaient chez lui pour l'interroger. Obama n'a pas démantelé la machinerie de l'espionnage intérieur montée par son prédécesseur, si bien que toute précaution est à peine suffisante, affirme ma grand-mère, et Manuel Arias est de son avis.

Manuel et Nini ont un code pour parler de moi : le livre qu'il est en train d'écrire, c'est moi. Par exemple, pour donner à ma grand-mère une idée de la façon dont je me suis adaptée à Chiloé, Manuel lui dit que le livre avance mieux qu'il ne l'avait prévu, qu'il n'a eu aucun problème sérieux et que les Chilotes, habituellement fermés, se montrent coopératifs. Ma Nini peut lui écrire avec un peu plus de liberté à condition de ne pas le faire depuis son ordinateur. J'ai ainsi appris que les formalités du divorce de mon père sont terminées, qu'il vole toujours vers le Moyen-Orient, que Susan est rentrée d'Irak et qu'elle a été mutée à la sécurité de la Maison-Blanche. Ma grand-mère reste en contact avec elle, car elles ont fini par être amies malgré les conflits qui les avaient opposées au début, lorsque la belle-mère intervenait trop souvent dans l'intimité de sa belle-fille. Moi aussi j'écrirai à Susan dès que ma situation sera régularisée. Je ne veux pas la perdre, elle a été très bonne envers moi.

Nini continue à travailler à la bibliothèque, à accompagner les mourants de l'*Hospice* et à aider Mike O'Kelly. Le Club des Criminels est sorti dans la presse américaine parce que deux de ses membres ont découvert l'identité d'un tueur en série de l'Oklahoma. Grâce à la déduction logique, ils sont parvenus à des résultats que la police, avec ses techniques modernes d'enquête, n'avait pas obtenus. Cette notoriété a provoqué une avalanche de demandes pour entrer dans le club. Nini veut faire payer une cotisation mensuelle aux nouveaux membres, mais O'Kelly pense que l'idéalisme se perdrait.

« Ces plaques d'Adam Trevor peuvent provoquer un cataclysme dans le système économique international. Elles sont l'équivalent d'une bombe nucléaire, ai-je commenté à Manuel.

— Elles se trouvent au fond de la baie de San Francisco.

— Nous n'en sommes pas sûrs, et même si c'était le cas, le FBI n'en sait rien. Qu'allons-nous faire, Manuel ? Si on me cherchait jusque-là pour une liasse de faux billets, à plus forte raison maintenant pour ces plaques. Ils vont sérieusement se mobiliser pour me retrouver. »

Vendredi 27 novembre 2009. Troisième jour funeste. Depuis mercredi je ne suis pas allée travailler, je ne suis pas sortie de la maison ; je suis restée en pyjama, je n'ai pas d'appétit et je n'arrête pas de me disputer avec Manuel et Blanca ; des jours de désespoir, des jours sur une montagne russe d'émotions. Un instant avant de décrocher le téléphone, ce mercredi maudit, je planais dans la lumière et le bonheur, puis est venue la chute à pic, comme un oiseau dont le cœur est transpercé. J'ai passé trois jours hors de moi à me lamenter à grands cris sur mes amours, mes erreurs et mes douleurs, mais aujourd'hui, enfin, j'ai dit « ça suffit ! » et j'ai pris une douche si longue que j'ai vidé l'eau du réservoir. Après avoir lavé ma peine avec du savon, je me suis assise au soleil sur la terrasse et j'ai dévoré les tartines grillées à la confiture de tomates qu'a préparées Manuel et qui ont eu la vertu de me rendre mon bon sens, après mon inquiétante crise de folie amoureuse. J'ai pu aborder ma situation avec un peu d'objectivité, tout en sachant que l'effet calmant des tartines grillées ne durerait pas. J'ai beaucoup pleuré et continuerai à pleurer tout mon soûl, de pitié sur moi-même et de dépit, car je sais ce qui se passe quand je veux faire la courageuse, comme je l'ai fait à la mort de mon Popo. En plus, personne ne se soucie de mes pleurs, Daniel ne les entend pas et le monde continue à tourner, inébranlable.

Daniel Goodrich m'a informée qu'il «tient à notre amitié et veut garder le contact», que je suis une jeune fille exceptionnelle et bla bla bla ; en bref il ne m'aime pas. Il ne viendra pas à Chiloé pour Noël, ç'a été une suggestion à moi sur laquelle il ne s'était pas prononcé, de même qu'il n'avait jamais fait de projets pour que nous nous retrouvions. Notre aventure en mai était très romantique, il s'en souviendra toujours, encore et encore du bla-bla-bla, mais il a sa vie à Seattle. Lorsque j'ai reçu ce message dans le courrier de *juanitocorrales@gmail.com*, j'ai cru que c'était un malentendu, une confusion due à la distance, et je l'ai appelé au téléphone, c'était mon premier appel, au diable les mesures de sécurité de ma grand-mère ! Nous avons eu une conversation brève, très pénible, qu'il m'est impossible de répéter sans être submergée par la confusion et l'humiliation, moi suppliant, lui reculant.

«Je suis laide, idiote et alcoolique ! Daniel a bien raison de ne pas s'intéresser à moi, ai-je sangloté.

— Très bien, Maya, flagelle-toi, m'a conseillé Manuel, qui s'était assis à côté de moi avec son café et d'autres tartines grillées.

— C'est ça ma vie ? Descendre dans l'obscurité de Las Vegas, survivre, me sauver par hasard ici à Chiloé, connaître l'amour fou avec Daniel et le perdre aussitôt. Mourir, ressusciter, aimer et mourir à nouveau. Je suis un désastre, Manuel.

— Voyons Maya, n'exagérons rien, ce n'est pas un opéra. Tu as commis une erreur, mais tu n'es pas responsable, ce jeune homme aurait dû se soucier davantage de tes sentiments. Tu parles d'un psychiatre ! C'est un con.

450

— Oui, mais un con très sexy. »

Nous avons souri, mais je me suis aussitôt remise à pleurer, il m'a donné une serviette en papier pour que je me mouche et il m'a serrée dans ses bras.

« Je suis désolée pour ton ordinateur, Manuel, ai-je murmuré, le nez plongé dans son gilet.

— Mon livre est sauvé, je n'ai rien perdu, Maya.

— Je vais t'acheter un autre ordinateur, je te le promets.

— Et comment as-tu l'intention de t'y prendre ?

— Je vais demander un prêt au Millalobo.

— Ça, sûrement pas !

— Alors il faudra que je me mette à vendre la marijuana de doña Lucinda, il en reste plusieurs plants dans son jardin. »

Ce n'est pas seulement l'ordinateur détruit qu'il me faudra remplacer, je m'en suis également prise aux étagères de livres, à la pendule de bateau, aux cartes, aux assiettes, aux verres et à d'autres choses à portée de ma fureur, en criant comme une gamine de deux ans, la crise de nerfs la plus scandaleuse de ma vie. Les chats se sont enfuis par la fenêtre et Fakine s'est planqué sous la table, effrayé. Quand Manuel est arrivé, vers neuf heures du soir, il a trouvé sa maison dévastée par un typhon et moi par terre, complètement ivre. C'est ça le pire, ce qui me fait le plus honte.

Manuel a appelé Blanca, qui est arrivée de chez elle en courant, bien qu'elle n'ait plus l'âge de courir, et à eux deux ils m'ont ranimée avec un café noir, lavée, couchée, avant de ramasser les morceaux. J'avais bu une bouteille de vin et les restes de vodka et de liqueur d'or que j'avais trouvés dans l'armoire, j'étais intoxiquée jusqu'à la moelle. Je me suis mise à boire sans y penser. Moi qui me vantais d'avoir surmonté mes problèmes, de pouvoir me passer de thérapie et des Alcooliques Anonymes, parce que j'avais de la volonté à revendre et qu'en réalité je n'étais pas droguée, je m'étais emparée des bouteilles de façon automatique dès que le routard de Seattle m'avait repoussée. J'admets que la cause était accablante, mais là n'est pas le sujet. Mike O'Kelly avait raison : l'addiction est toujours à l'affût, guettant son heure.

« Comme j'ai été stupide, Manuel !

— Mais non, Maya, cela s'appelle tomber amoureuse de l'amour.

— Comment ça ?

— Daniel, tu le connais à peine. Tu es amoureuse de l'euphorie qu'il provoque en toi.

— Cette euphorie est la seule chose qui m'importe, Manuel. Je ne peux pas vivre sans lui.

— Mais bien sûr que si. Ce jeune homme a été la clé qui a ouvert ton cœur. L'addiction à l'amour n'abîmera ni ta santé ni ta vie, comme le crack ou la vodka, mais tu dois apprendre à faire la distinction entre l'objet amoureux, Daniel dans ce cas, et l'excitation d'avoir le cœur ouvert.

— Répète-moi ça, tu me parles comme les thérapeutes de l'Oregon.

— Tu sais que j'ai passé la moitié de ma vie fermé comme une huître, Maya. Je commence à peine à m'ouvrir, mais je ne peux choisir les sentiments. La même ouverture par où entre l'amour laisse passer la peur. Ce que je veux te dire, c'est que si tu es capable d'aimer beaucoup, tu vas également souffrir beaucoup.

— Je vais mourir, Manuel. Je ne peux pas supporter cela. C'est ce que j'ai connu de pire.

— Non, *gringuita*, c'est un malheur temporaire, une bagatelle comparée à ta tragédie de l'an passé. Ce routard t'a fait une faveur, il t'a donné l'occasion de mieux te connaître.

— Je n'ai pas la foutue moindre idée de qui je suis, Manuel.

— Tu es sur le bon chemin pour le découvrir.

— Et toi, tu sais qui est Manuel Arias ?

— Pas encore, mais j'ai fait les premiers pas. Tu as de l'avance et beaucoup plus de temps que moi devant toi, Maya.

Manuel et Blanca ont supporté avec une générosité exemplaire la crise de cette *gringa* absurde, comme ils ont décidé de m'appeler ; ils ont enduré les pleurs, les récriminations, les lamentations de culpabilité et d'apitoiement sur moi-même, mais ils ont stoppé net mes gros mots, mes insultes et mes menaces de continuer à briser la propriété d'autrui, qui dans ce cas est celle de Manuel. Nous avons eu deux ou trois disputes retentissantes, qui nous manquaient à tous les trois. On ne peut pas toujours être zen. Ils ont eu l'élégance de ne pas évoquer ma cuite ni le coût de la destruction, ils savent que je suis prête à n'importe quelle pénitence pour me faire pardonner. Quand je me suis calmée et que j'ai vu l'ordinateur à terre, j'ai eu la tentation fugace de me jeter à la mer. Comment allais-je pouvoir regarder Manuel en face ? Comme ce nouveau grand-père doit m'aimer pour ne pas m'avoir mise dehors ! Cette crise de nerfs sera la dernière de ma vie, j'ai vingt ans et ce n'est plus drôle. Je dois absolument trouver un autre ordinateur.

Le conseil de Manuel sur le fait de m'ouvrir aux sentiments continue à résonner en moi, parce que mon Popo aurait pu le donner, ou Daniel Goodrich lui-même. Hélas ! je ne peux écrire son nom sans me mettre à pleurer. Je vais mourir de chagrin, je n'ai jamais autant souffert. Ce n'est pas sûr, j'ai bien plus souffert, mille fois plus, quand mon Popo est mort. Daniel n'est pas le seul à m'avoir brisé le cœur, comme dans les chansons populaires mexicaines que fredonne ma Nini. Quand j'ai eu huit ans, mes grands-parents ont décidé de m'emmener au Danemark afin de couper court à ma présomption d'être orpheline. Le plan consistait à me laisser chez ma mère, afin que nous apprenions à nous connaître tandis qu'ils faisaient du tourisme en Méditerranée, et de me récupérer deux semaines plus tard pour rentrer ensemble en Californie. Ce serait mon premier contact direct avec Marta Otter, et pour lui faire bonne impression ils avaient rempli ma valise de vêtements neufs et de cadeaux empreints de sentimentalisme, comme un reliquaire contenant quelques-unes de mes dents de lait et une mèche de mes cheveux. Mon père, qui au début s'était opposé à ce voyage et n'avait cédé que sous la pression conjuguée de mes grands-parents et de moi-même, nous avait avertis que ces fétiches de dents et de cheveux ne seraient pas appréciés : les Danois ne collectionnent aucune partie du corps.

J'avais plusieurs photos de ma mère, mais à cause de son nom, Otter, je l'imaginais semblable aux loutres de l'aquarium de Monterey. Sur les photos qu'elle m'avait quelquefois envoyées pour Noël, elle était mince, élégante et avait les cheveux platinés, ç'avait donc été une surprise de la voir chez elle à Odense un peu empâtée, en jogging et les cheveux mal teints, couleur lie-de-vin. Elle était mariée et avait deux enfants.

D'après le guide touristique que mon Popo avait acheté à la gare de Copenhague, Odense est une ville ravissante sur l'île de Fionie, au centre du Danemark, berceau du célèbre écrivain Hans Christian Andersen, dont les livres occupaient une place de choix sur mes étagères, à côté de l'*Astronomie pour les débutants*, vu qu'ils correspondaient à la lettre A. Cela avait été un motif de discussion : Popo insistait sur l'ordre alphabétique alors que Nini, qui travaillait à la bibliothèque de Berkeley, affirmait qu'on range les livres par thèmes. Je n'ai jamais su si l'île de Fionie était aussi ravissante que l'assurait le guide, car nous n'avons pas eu le temps de la connaître. Marta Otter vivait dans un quartier aux maisons toutes identiques, avec un carré de gazon sur le devant, qui se distinguait des autres par une sirène en plâtre assise sur un rocher, pareille à celle que j'avais dans une boule en verre. Elle nous a ouvert la porte avec une expression de surprise, comme si elle ne se souvenait pas que Nini lui avait écrit des mois auparavant pour lui annoncer notre visite, qu'elle le lui avait répété avant de quitter la Californie et l'avait appelée la veille, de Copenhague, au téléphone. Elle nous a salués d'une poignée de main formelle, nous a invités à entrer et présenté ses fils, Hans et Vilhelm, de quatre et deux ans, des enfants si blancs qu'ils brillaient dans l'obscurité.

L'intérieur était propre, impersonnel et déprimant, dans le même style que la chambre d'hôtel à Copenhague, où nous n'avions pas pu nous doucher faute d'avoir trouvé les robinets de la salle de bains sur les minimalistes surfaces lisses en marbre blanc.

La nourriture de l'hôtel était aussi austère que le décor et Nini, se sentant flouée, avait exigé un rabais sur le prix. «Vous nous faites payer une fortune et vous n'avez même pas de chaises!» a-t-elle argué à la réception, où il n'y avait qu'une grande table en acier et une composition florale consistant en un artichaut dans un tube en verre. La seule décoration, chez Marta Otter, était une reproduction d'un tableau de la reine Margrethe, assez bon; si Margrethe n'était pas reine, elle serait sans doute mieux appréciée en tant qu'artiste.

Nous nous sommes assis sur un canapé en plastique gris, très inconfortable, mon Popo gardant à ses pieds ma valise, qui paraissait énorme, tandis que ma Nini me tenait le bras de peur que je parte en courant. Je les avais bassinés pendant des années pour connaître ma mère, mais à cet instant j'étais prête à m'enfuir, atterrée à l'idée de passer deux semaines avec cette femme inconnue et ces lapins albinos, mes jeunes frères. Quand Marta Otter est partie à la cuisine pour préparer le café, j'ai murmuré à l'oreille de Popo que s'il me laissait dans cette maison je me suiciderais. Il l'a soufflé à sa femme et en moins de trente secondes tous deux ont décidé que ce voyage était une erreur; mieux valait que leur petite-fille continue à croire à la légende de la princesse de Laponie le reste de sa vie.

Marta Otter est revenue avec le café dans des tasses si petites qu'elles n'avaient pas d'anse, et la tension s'est un peu relâchée grâce au rituel consistant à se faire passer le sucre et la crème. Mes frères d'une pâleur extrême se sont installés devant la télévision pour regarder un programme animalier, sans le son afin de ne pas déranger; ils étaient très bien élevés, et les adultes se sont mis à parler de moi comme si j'étais décédée. Ma grand-mère a sorti l'album de famille de son sac et commenté une à une les photos à ma mère : Maya à deux semaines, nue, blottie dans une seule des grandes mains de Paul Ditson II, Maya à trois ans habillée en Hawaïenne avec un ukulélé, Maya à sept ans jouant au football. Pendant ce temps, j'étudiais avec une énorme attention les lacets de mes chaussures neuves. Marta Otter a remarqué que je ressemblais beaucoup à Hans et Vilhelm, alors que la seule similitude consistait en ce que nous étions tous les trois des bipèdes. Je crois que mon aspect fut un secret soulagement pour ma mère, car je ne présentais aucune évidence des gènes latino-américains de mon père et pourrais facilement passer pour une Scandinave s'il était besoin.

Quarante minutes plus tard, aussi longues que quarante heures, mon grand-père a demandé le téléphone pour appeler un taxi, et nous avons pris congé sans mentionner la valise à aucun moment, qui avait grossi et pesait autant qu'un éléphant. À la porte, Marta Otter m'a donné un timide baiser sur le front, elle a dit que nous allions rester en contact et qu'elle se rendrait en Californie d'ici un an ou deux, car Hans et Vilhelm voulaient connaître Disneyworld. « C'est en Floride », lui ai-je expliqué. Nini m'a fait taire en me pinçant.

Dans le taxi, Nini a opiné d'un ton frivole que l'absence de ma mère, loin d'être un malheur, avait été une bénédiction, parce que je grandissais choyée et libre dans la maison magique de Berkeley, avec ses murs bariolés et sa tour pour observer les étoiles au lieu d'être élevée dans l'ambiance minimaliste d'une Danoise. J'ai sorti de mon sac la boule en verre avec la petite sirène, et en descendant je l'ai laissée sur le siège du taxi.

457

Après la visite à Marta Otter, j'ai passé des mois plongée dans la mélancolie. Ce Noël-là, pour me consoler, Mike O'Kelly m'a offert une corbeille couverte d'un torchon de cuisine à carreaux. En retirant le torchon, j'ai découvert une petite chienne blanche de la taille d'un pamplemousse qui dormait paisiblement sur un autre torchon de cuisine. «Elle s'appelle Daisy, mais tu peux changer son nom», m'a dit l'Irlandais. Je suis tombée éperdument amoureuse de Daisy, je revenais en courant de l'école pour ne pas perdre une minute de sa compagnie, c'était ma confidente, mon amie, mon jouet, elle dormait dans mon lit, mangeait dans mon assiette et vivait dans mes bras, elle ne pesait même pas deux kilos. Cet animal a eu la vertu de me rassurer et de me rendre si heureuse que je n'ai plus pensé à Marta Otter. À un an, Daisy a eu ses premières chaleurs, l'instinct a été plus fort que sa timidité et elle s'est échappée. Elle n'est pas allée bien loin : une voiture l'a heurtée au coin de la rue et tuée sur le coup.

Ma Nini, incapable de m'annoncer la nouvelle, a averti mon Popo, qui a quitté son travail à l'université pour venir me chercher à l'école. On m'a fait sortir de la classe et quand je l'ai vu qui m'attendait, j'ai su ce qui était arrivé avant qu'il me le dise. Daisy ! Je l'ai vue courir, j'ai vu la voiture, j'ai vu le corps inerte de la petite chienne. Mon Popo m'a accueillie dans ses bras immenses, il m'a serrée contre sa poitrine et a pleuré avec moi.

Nous avons mis Daisy dans une boîte et l'avons enterrée dans le jardin. Nini a voulu trouver une autre chienne, aussi ressemblante que possible à Daisy ; mon Popo a dit qu'il ne s'agissait pas de la remplacer, mais de vivre sans elle. «Je ne peux pas, Popo, je l'aimais tant ! » ai-je sangloté, inconsolable. « Cette affection est en toi, Maya, pas en Daisy. Tu peux la donner à d'autres animaux, et ce que tu as en trop tu me le donnes à moi », m'a répondu ce grand-père plein de sagesse. Cette leçon sur le deuil et l'amour va me servir à présent, car ce qui est sûr, c'est que j'ai aimé Daniel plus que moi-même, mais pas plus que mon Popo ou Daisy.

Mauvaises nouvelles, très mauvaises, il pleut sur du mouillé comme on dit ici quand les malheurs s'accumulent ; d'abord l'histoire de Daniel et maintenant ceci. Comme je le craignais, le FBI a retrouvé ma piste et l'inspecteur Arana est arrivé à Berkeley. Cela ne veut pas dire qu'il viendra à Chiloé, comme l'affirme Manuel pour me rassurer, mais j'ai peur, car s'il s'est donné la peine de me chercher depuis novembre de l'an dernier, il ne va pas abandonner maintenant qu'il a localisé ma famille.

Arana s'est présenté à la porte de chez mes grands-parents en civil, mais brandissant son insigne. Nini était à la cuisine et mon père l'a fait entrer, pensant qu'il s'agissait des délinquants de Mike O'Kelly. Il a eu la désagréable surprise d'apprendre qu'Arana enquêtait sur un trafic de faux billets et qu'il avait besoin de poser quelques questions à Maya Vidal, alias Laura Barron ; l'affaire était presque classée, a-t-il ajouté, mais la jeune fille était en danger et il était de son devoir de la protéger. La peur qu'ont eue Nini et mon père aurait été bien plus grande si je ne leur avais pas dit qu'Arana était un policier honnête, qui m'avait toujours traitée avec gentillesse.

Ma grand-mère lui a demandé comment il m'avait retrouvée, et Arana n'a vu aucun inconvénient à le lui expliquer, fier de son flair de fin limier, comme elle l'a commenté dans son message à Manuel. Le policier avait commencé par la piste de base : l'ordinateur du département de Police, où il avait consulté les listes de filles disparues dans le pays en 2008. Il ne lui avait pas paru nécessaire de remonter plus loin, car lorsqu'il m'avait connue il s'était rendu compte que je ne vivais pas dans la rue depuis longtemps ; les adolescents perdus ont rapidement une marque reconnaissable d'abandon. Il y avait des douzaines de filles sur les listes, mais il s'était limité à celles qui avaient entre quinze et vingt-cinq ans, au Nevada et dans les États limitrophes. Dans la plupart des cas il y avait des photographies, même si certaines n'étaient pas récentes. C'était un bon physionomiste et il avait pu réduire la liste à seulement quatre filles, parmi lesquelles l'une d'elles avait attiré son attention, car l'annonce coïncidait avec la date à laquelle il avait connu la supposée nièce de Brandon Leeman : juin 2008. En étudiant la photo et l'information disponible, il en avait conclu que cette Maya Vidal était celle qu'il recherchait, ainsi avait-il appris mon vrai nom, mes antécédents, l'adresse de l'académie de l'Oregon et celle de ma famille en Californie.

Il se trouve que mon père, contrairement à ce que je croyais, m'avait cherchée pendant des mois et qu'il avait communiqué ces renseignements à tous les commissariats et hôpitaux du pays. Arana avait appelé l'académie, il avait parlé avec Angie pour obtenir les détails qui lui manquaient, et c'est ainsi qu'il était remonté jusqu'à l'ancienne adresse de mon père, où les nouveaux locataires lui avaient parlé de la grande maison multicolore de mes grands-parents. « C'est une chance que ce soit à moi et non à un autre inspecteur qu'on ait confié l'affaire, car j'ai la conviction que Laura, ou Maya, est une fille honnête, et je veux l'aider avant que les choses se compliquent pour elle. Je pense pouvoir prouver que son implication a été insignifiante », leur a dit l'officier en conclusion de son explication.

Devant l'attitude si conciliante d'Arana, ma Nini l'invita à prendre place à table avec eux, et mon père ouvrit sa meilleure bouteille de vin. Le policier déclara que la soupe était parfaite pour un soir brumeux de novembre, était-ce un plat typique du pays de madame ? Il avait remarqué son accent. Mon père l'informa qu'il s'agissait d'une terrine de volaille chilienne, comme le vin, et que sa mère et lui étaient nés dans ce pays. L'officier voulut savoir s'ils se rendaient souvent au Chili et mon père lui précisa qu'ils ne l'avaient pas fait depuis plus de trente ans. Ma Nini, attentive à chacune des paroles du policier, envoya un coup de pied sous la table à son fils pour le faire taire. Moins Arana en saurait sur la famille, mieux cela vaudrait. Elle avait flairé de la fausseté chez l'inspecteur et restait sur ses gardes. Comment l'affaire pouvait-elle être classée alors qu'ils n'avaient récupéré ni les faux billets ni les plaques ? Elle aussi avait lu l'article sur Adam Trevor et pendant des mois elle avait étudié le trafic international de faux billets ; elle se considérait experte en la matière et connaissait la valeur commerciale et stratégique des plaques.

Prête à collaborer avec la loi, comme elle le dit, ma Nini donna à Arana l'information qu'il aurait pu obtenir tout seul. Elle l'informa que sa petite-fille avait fugué de l'académie de l'Oregon en juin de l'an passé, qu'ils l'avaient cherchée en vain, jusqu'à ce qu'ils reçoivent un appel d'une église de Las Vegas et qu'elle aille la chercher, car à cette époque le père de Maya était en vol. Elle l'avait trouvée dans un état lamentable, méconnaissable, il avait été très dur de voir que sa petite, autrefois belle, athlétique et vive, était devenue une droguée. À ce point du récit, accablée de tristesse, ma grand-mère pouvait à peine parler. Mon père ajouta qu'ils avaient placé sa fille dans une clinique de San Francisco pour une cure de désintoxication, mais que quelques jours avant la fin du programme elle s'était à nouveau enfuie et qu'ils n'avaient aucune idée de l'endroit où elle se trouvait. Maya avait vingt ans, ils ne pouvaient l'empêcher de détruire sa vie, si telle était sa volonté.

Je ne saurai jamais jusqu'à quel point l'inspecteur Arana les crut. « Il est très important que je trouve rapidement Maya. Des criminels sont prêts à lui mettre le grappin dessus », dit-il, et au passage il les avertit de ce qu'était la condamnation pour dissimulation et complicité dans un crime fédéral. L'officier but le reste du vin, dégusta le flan au lait, remercia pour le repas et avant de partir leur laissa sa carte, au cas où ils auraient des nouvelles de Maya Vidal ou se souviendraient d'un détail pouvant faire avancer l'enquête. « Retrouvez-la, lieutenant, je vous en supplie », l'implora ma grand-mère à la porte en le retenant par les revers de sa veste, les joues baignées de larmes. Dès que le policier fut parti, elle essuya ses pleurs de cabotine, enfila son manteau, attrapa mon père par le bras et l'emmena dans son tacot à l'appartement de Mike O'Kelly.

Freddy, qui était resté plongé dans un silence impénétrable depuis son arrivée en Californie, sortit de sa léthargie lorsqu'il apprit que l'inspecteur Arana fouinait dans Berkeley. Le garçon n'avait rien dit de ce qu'avait été son existence entre le jour où il m'avait laissée dans les bras d'Olympia Pettiford, en novembre de l'année dernière, et son opération du rein sept mois plus tard, mais la crainte qu'Arana pût l'arrêter lui délia la langue. Il leur raconta qu'après m'avoir aidée il n'avait pas pu retourner dans l'immeuble de Brandon Leeman, parce que Joe Martin et le Chinois l'auraient écharpé. Le solide cordon ombilical du désespoir l'unissait à l'immeuble, car nulle part ailleurs il ne pourrait compter sur une telle abondance de drogues, mais le risque de s'en approcher était immense. Il ne pourrait jamais convaincre les fiers-à-bras qu'il n'avait pas participé à ma fuite, tout comme il l'avait fait après la mort de Brandon Leeman quand il m'avait fait sortir du gymnase juste à temps pour leur échapper.

De la maison d'Olympia, Freddy partit en autobus pour un village de la frontière, où il avait un ami, et il y survécut péniblement pendant un certain temps, mais le besoin de revenir était devenu insupportable. À Las Vegas il connaissait le terrain, il pouvait se déplacer les yeux fermés et savait où s'approvisionner. Pour éviter Joe Martin et le Chinois, il se tint éloigné de ses anciens quartiers, vécut de trafics, de larcins, dormant dehors, de plus en plus malade, jusqu'à ce qu'il se retrouve à l'hôpital, puis dans les bras d'Olympia Pettiford.

À l'époque où Freddy était encore dans la rue, les corps de Joe Martin et du Chinois furent découverts dans le désert, à l'intérieur d'une voiture incendiée. Si le garçon se sentit soulagé d'être débarrassé des bandits, cela ne dura sans doute pas longtemps, car d'après les rumeurs qui circulaient dans le petit monde des drogués et des délinquants, le crime ressemblait fort à un règlement de comptes de la police. La presse avait publié les premières nouvelles de corruption au sein du département de Police, et le double assassinat des associés de Brandon Leeman devait avoir un rapport. Dans une ville où régnaient le vice et les mafias, la corruption était chose courante, mais cette fois des faux billets étaient en circulation et le FBI était intervenu ; les officiers corrompus allaient essayer d'étouffer le scandale par tous les moyens et les corps dans le désert étaient un avertissement adressé à ceux qui auraient l'idée de se mettre à table. Les coupables savaient que Freddy avait vécu avec Brandon Leeman et ils n'allaient pas permettre qu'un morveux drogué les fasse tomber, même si en réalité il ne pouvait les identifier, car il ne les avait jamais vus en personne. Brandon Leeman avait chargé l'un de ces policiers d'éliminer Joe Martin et le Chinois, dit Freddy, ce qui coïncidait avec ce que Brandon m'avait avoué lors du voyage à Beatty, mais il avait commis la maladresse de le payer avec de faux billets, pensant qu'ils circuleraient sans être détectés. Les choses tournèrent mal, l'argent fut découvert, le policier se vengea en révélant le plan à Joe Martin et au Chinois, et le jour même ceux-ci assassinèrent Brandon Leeman. Freddy avait entendu la conversation téléphonique des deux gangsters lorsqu'ils avaient reçu l'ordre de tuer Leeman, et plus tard il en déduisit que cet ordre avait été donné par le policier. Après avoir assisté au crime, il avait couru au gymnase pour m'avertir.

Quelques semaines plus tard, lorsque Joe Martin et le Chinois me séquestrèrent dans la rue et m'amenèrent à l'appartement pour m'obliger à avouer où était caché le reste de l'argent, Freddy m'avait de nouveau aidée. Le garçon ne m'avait pas trouvée attachée et bâillonnée sur ce matelas par hasard, mais parce qu'il avait entendu Joe Martin parler au téléphone et dire ensuite au Chinois qu'on avait localisé Laura Barron. Il se cacha au troisième étage, les vit arriver avec moi à bout de bras, et peu après ressortir seuls. Il attendit plus d'une heure, à se demander quoi faire, avant de se décider à entrer dans l'appartement pour voir ce qu'ils avaient fait de moi. Restait à savoir si la voix au téléphone qui avait donné l'ordre de tuer Brandon Leeman était la même qui avait ensuite informé les assassins de l'endroit où me trouver, et si cette voix était celle du policier corrompu, dans le cas où il s'agirait d'une seule personne, car ils pouvaient aussi être plusieurs.

Mike O'Kelly et ma grand-mère n'allèrent pas aussi loin dans leurs spéculations et préférèrent ne pas accuser sans preuves l'inspecteur Arana, mais ils ne l'écartèrent pas non plus en tant que suspect, tout comme Freddy, raison pour laquelle il tremblait. S'il le prenait, l'homme – ou les hommes – qui avait éliminé Joe Martin et le Chinois dans le désert lui ferait subir le même sort. Nini déclara que si Arana était ce mécréant, il se serait débarrassé de Freddy à Las Vegas, mais d'après Mike il devait être difficile d'assassiner un patient dans l'hôpital ou un protégé des Veuves aguerries de Jésus.

Manuel est parti pour Santiago, accompagné de Blanca, afin d'être examiné par le docteur Puga. Pendant ce temps, Juanito Corrales est venu habiter avec moi à la maison pour terminer une bonne fois le quatrième tome d'Harry Potter. Plus d'une semaine avait passé depuis que j'avais rompu avec Daniel, ou plus exactement depuis qu'il avait rompu avec moi, et je continuais à pleurnicher, somnambule, avec la sensation d'avoir été battue, mais j'étais retournée au travail. Nous étions dans les dernières semaines de classe avant les vacances d'été et je ne pouvais pas m'absenter.

Le jeudi 3 décembre je suis allée avec Juanito acheter de la laine chez doña Lucinda, parce que j'avais l'intention de tricoter l'une de mes horribles écharpes pour Manuel, c'était le moins que je pouvais faire. J'ai emporté notre balance pour peser la laine, l'un des objets à avoir échappé à ma folie destructrice, parce que les chiffres de la sienne sont effacés par la suie du temps, et pour adoucir sa journée je lui apportais une tarte à la poire qui était sortie toute plate du four, mais qu'elle apprécierait de toute façon. Sa porte s'est bloquée lors du tremblement de terre de 1960, et depuis on utilise la porte de derrière ; il faut passer par la cour, où se trouvent les plants de marijuana, le foyer et les bidons en fer-blanc dans lesquels elle teint sa laine, au milieu d'un fouillis de poules en liberté, de lapins en cages et de deux chèvres qui à l'origine donnaient du lait pour le fromage et jouissent à présent d'une vieillesse sans obligations. Fakine nous suivait avec son trot de travers et la truffe au vent, flairant ; il sut ainsi ce qui était arrivé avant d'entrer dans la maison et se mit à hurler, aussitôt imité par les chiens des environs qui se passaient le mot et bientôt hurlaient dans toute l'île.

Dans la maison, nous avons trouvé doña Lucinda assise sur sa chaise en paille à côté du poêle éteint, vêtue de la robe qu'elle mettait pour aller à la messe, un chapelet à la main et ses rares cheveux blancs bien pris dans son chignon, déjà froide. En pressentant que c'était son dernier jour en ce monde, elle s'était préparée elle-même pour ne pas causer de dérangement après sa mort. Je me suis assise par terre à côté d'elle pendant que Juanito allait avertir les voisins qui, attirés par le chœur des chiens, étaient déjà en chemin.

Le vendredi, personne n'a travaillé dans l'île à cause de la veillée funèbre, et le samedi nous sommes tous allés à l'enterrement. Le décès de la centenaire doña Lucinda a provoqué un désarroi général, car personne n'imaginait qu'elle était mortelle. Pour la veillée dans la maison, les voisines ont apporté des chaises et la foule est arrivée peu à peu, remplissant la cour et la rue. On a mis l'aïeule sur la table où elle mangeait et pesait la laine, dans un cercueil ordinaire, entourée d'une profusion de fleurs fichées dans des pots en terre et des bouteilles en plastique, des roses, des hortensias, des œillets, des lys. L'âge avait tellement réduit la taille de doña Lucinda que son corps n'occupait que la moitié de la caisse et sa tête sur l'oreiller était celle d'un enfant. Sur la table, on avait posé deux bougeoirs en laiton avec des bouts de bougie et le portrait de son mariage, peint à la main, sur lequel on la voyait en robe de mariée au bras d'un soldat en uniforme d'autrefois, le premier de ses six maris, il y avait quatre-vingt-quatorze ans.

Le bedeau de l'île a dirigé les femmes pour un rosaire et des cantiques désaccordés, tandis que les hommes, attablés dans la cour, allégeaient leur deuil avec du porc aux oignons et de la bière. Le lendemain est arrivé le curé itinérant, un missionnaire que l'on surnomme Trois Marées à cause de la longueur de ses prêches, lesquels commencent avec une marée et se terminent avec la troisième ; il a dit la messe dans l'église, tellement remplie de gens, de fumée de bougies et de fleurs sauvages que je me suis mise à avoir des visions d'anges qui toussaient.

Le cercueil était devant l'autel sur une structure métallique, couvert d'un tissu noir portant une croix blanche et deux candélabres, avec une cuvette en dessous « au cas où le corps exploserait », comme on me l'a expliqué. Je ne sais ce que ça peut être, mais ça paraît vilain. La congrégation a prié, puis chanté des valses chilotes au son de deux guitares ; ensuite, Trois Marées a pris la parole et il ne l'a pas lâchée pendant soixante-cinq minutes. Il a commencé par faire l'éloge de doña Lucinda et s'est bientôt égaré dans d'autres thèmes : la politique, l'industrie saumonière et le football, tandis que les fidèles dodelinaient de la tête. Le missionnaire est arrivé à Chiloé il y a cinquante ans et il a toujours son accent étranger. Au moment de la communion, plusieurs personnes se sont mises à larmoyer, elles nous ont communiqué leurs larmes et à la fin même les guitaristes pleuraient.

Une fois la messe terminée, les cloches se sont mises à sonner le glas et huit hommes ont soulevé le cercueil, qui ne pesait rien. Ils sont sortis d'un pas solennel dans la rue, suivis par tout le village qui portait les fleurs de la chapelle. Au cimetière, le prêtre a une fois de plus béni doña Lucinda et, juste au moment où ils allaient la descendre dans la fosse, le charpentier de bateaux et son fils sont arrivés, haletants ; ils apportaient une petite maison pour la tombe, fabriquée en peu de temps, mais parfaite. Comme doña Lucinda n'avait pas de parents vivants et que Juanito et moi avions découvert le corps, les gens ont défilé devant nous pour nous présenter leurs condoléances par une sobre poignée de mains calleuses, avant de se rendre en masse à la Taverne du Petit Mort pour boire le remontant de rigueur.

J'ai été la dernière à quitter le cimetière, alors que la brume commençait à monter de la mer. Je suis restée là, pensant combien Manuel et Blanca m'avaient manqué pendant ces deux jours de deuil, à doña Lucinda, tellement aimée par la communauté, et combien avait été solitaire, en comparaison, l'enterrement de Carmelo Corrales, mais je pensais surtout à mon Popo. Ma Nini voulait répandre ses cendres sur une montagne, le plus près possible du ciel, mais quatre ans ont passé et elles attendent toujours dans l'urne en céramique, sur sa commode. Je suis montée par le sentier de la colline jusqu'à la grotte de la Pincoya, dans l'espoir de sentir la présence de mon Popo et de lui demander la permission d'apporter ses cendres dans cette île, de les enterrer dans le cimetière qui regarde la mer et de marquer sa tombe avec une réplique en miniature de sa tour aux étoiles, mais mon Popo ne vient pas quand je l'appelle, il ne vient que s'il en a envie, et cette fois je l'ai attendu en vain au sommet de la colline. Je suis très sensible depuis que Daniel a cessé de m'aimer, assaillie par de mauvais pressentiments.

La marée montait et la brume était de plus en plus dense, mais d'en haut on apercevait encore l'entrée de la grotte ; un peu plus loin se trouvaient les lourdes masses des phoques somnolant sur les rochers. La falaise est un à-pic d'environ six mètres, par où nous sommes descendus deux ou trois fois avec Juanito. Pour cela il faut de l'agilité et de la chance, on peut facilement glisser et se rompre le cou, raison pour laquelle elle est interdite aux touristes.

Je vais essayer de résumer les événements de ces derniers jours tels qu'on me les a racontés et tels que je m'en souviens, bien que mon cerveau fonctionne à moitié, à cause du coup que j'ai reçu. Certains aspects de l'accident sont incompréhensibles, mais ici personne n'a l'intention d'enquêter sérieusement.

Je suis restée un long moment à contempler le paysage, que la brume estompait rapidement ; le miroir d'argent de la mer, les rochers et les phoques avaient disparu dans la grisaille. En décembre il y a des journées lumineuses et d'autres froides, comme celle-là, avec du brouillard ou une bruine presque impalpable, qui en peu de temps peut tourner à l'averse. Ce samedi s'était levé avec un soleil radieux, mais dans la matinée le ciel s'était peu à peu couvert. Une brume délicate flottait dans le cimetière, donnant à la scène la mélancolie appropriée pour dire adieu à doña Lucinda, la trisaïeule de tout le village. Une heure plus tard, au sommet de la colline, le monde était enveloppé dans un manteau cotonneux, belle métaphore de mon état d'âme. La colère, la honte, la désillusion et les pleurs qui m'avaient bouleversée quand j'avais perdu Daniel ont fait place à une tristesse imprécise et changeante, pareille à la brume. Cela s'appelle le dépit amoureux, qui d'après Manuel Arias est la tragédie la plus banale de l'histoire humaine, mais Dieu que cela fait mal ! La brume est inquiétante, qui sait quels dangers guettent à deux mètres de distance, comme dans les romans policiers londoniens qui plaisent tant à Mike O'Kelly, dans lesquels l'assassin est protégé par la brume qui monte de la Tamise.

470

J'ai eu froid, l'humidité commençait à traverser mon gilet, et peur, car la solitude était absolue. J'ai senti une présence qui n'était pas celle de mon Popo, plutôt quelque chose de vaguement menaçant, comme un gros animal, et je l'ai écarté, pensant que c'était encore mon imagination qui me jouait des tours, mais à ce moment Fakine s'est mis à grogner. Il était à mes pieds, sur le qui-vive, le poil hérissé, la queue raide, montrant les crocs. J'ai entendu des pas sourds.

« Qui va là ? » ai-je crié.

J'ai entendu encore deux pas et distingué une silhouette humaine griffonnée par le brouillard.

« Retiens le chien, Maya, c'est moi... »

C'était l'inspecteur Arana. Je l'ai immédiatement reconnu, malgré la brume et son allure étrange, car il semblait déguisé en touriste américain, avec un pantalon écossais, une casquette de base-ball et un appareil photo sur la poitrine. Une grande lassitude, un calme glacé m'ont envahie : ainsi se terminait une année de fuite et de cache-cache, une année d'incertitude.

« Bonsoir inspecteur, je vous attendais.

— Comment ça ? » a-t-il dit en s'approchant.

À quoi bon lui expliquer ce que j'avais déduit des messages de ma Nini et qu'il connaissait parfaitement ; à quoi bon lui dire qu'il y avait un moment que je visualisais chaque pas inexorable qu'il faisait dans ma direction, calculant combien de temps il mettrait à m'atteindre et attendant ce moment avec angoisse. Au cours de la visite qu'il avait faite à ma famille à Berkeley, il avait découvert nos origines chiliennes, puis il avait dû avoir confirmation de la date à laquelle j'avais quitté la clinique de San Francisco. Avec ses connexions, il n'avait pas eu de mal à vérifier que mon passeport avait été renouvelé et à étudier les listes des passagers de cette période sur les deux lignes aériennes qui volent vers le Chili.

« Ce pays est très long, lieutenant. Comment avez-vous atterri à Chiloé ?

— Par expérience. Tu m'as l'air en pleine forme. La dernière fois que je t'ai rencontrée à Las Vegas tu étais une clocharde du nom de Laura Barron. »

Son ton était aimable et familier, comme si les circonstances dans lesquelles nous nous trouvions étaient normales. Il m'a raconté en quelques mots qu'après avoir dîné avec ma Nini et mon père il avait attendu dans la rue ; comme il le supposait, il les avait vus sortir cinq minutes plus tard. Il était facilement entré dans la maison, avait fait une inspection sommaire, avait découvert l'enveloppe contenant les photos que leur avait apportées Daniel Goodrich et eu confirmation de son soupçon qu'on me tenait cachée quelque part. L'une des photos avait attiré son attention.

« Une maison tirée par des bœufs, l'ai-je interrompu.

— Exactement. Tu courais devant les bœufs. Sur Google j'ai identifié le drapeau qui flottait sur le toit de la maison, j'ai écrit "transport d'une maison par des bœufs au Chili", et Chiloé m'est apparu. Il y avait plusieurs photographies et trois vidéos d'un halage sur YouTube. C'est incroyable comme un ordinateur peut faciliter une enquête ! J'ai pris contact avec les personnes qui avaient filmé ces scènes et je suis tombée sur une certaine Frances Goodrich, à Seattle. Je lui ai envoyé un message expliquant que j'allais faire un voyage à Chiloé et que j'avais besoin de quelques informations ; nous avons chatté un moment, elle m'a raconté que ce n'était pas elle, mais son frère Daniel

472

qui avait séjourné dans l'archipel et elle m'a donné son adresse mail ainsi que son numéro de téléphone. Daniel n'a répondu à aucun de mes messages, mais je suis entré sur sa page et j'y ai trouvé le nom de cette île, où il a passé plus d'une semaine à la fin du mois de mai.

— Mais il n'y est pas question de moi, inspecteur, j'ai vu ces pages moi aussi.

— Non, mais il figurait avec toi sur l'une des photos qu'il y avait chez tes parents à Berkeley. »

Jusqu'à cet instant, l'idée absurde qu'Arana ne pouvait rien contre moi à Chiloé sans un ordre d'Interpol ou de la police chilienne me rassurait, mais la description du long périple qu'il avait effectué pour me rejoindre m'a ramenée à la réalité. S'il s'était donné tant de peine pour parvenir à mon refuge, sans doute avait-il le pouvoir de m'arrêter. Que savait cet homme ?

J'ai reculé instinctivement, mais il m'a retenue sans violence par le bras et répété ce qu'il avait dit à ma famille : qu'il voulait seulement m'aider et que je devais lui faire confiance. Sa mission serait terminée dès qu'il aurait trouvé l'argent et les plaques, a-t-il dit, car l'imprimerie clandestine avait été démantelée, Adam Trevor était en prison et il avait donné les renseignements nécessaires sur le trafic des faux dollars. Il était venu à Chiloé de sa propre initiative et par conscience professionnelle, parce qu'il s'était juré de clore cette affaire. Le FBI ignorait encore tout de moi, mais il m'a avertie que la mafia liée à Adam Trevor avait autant intérêt à mettre la main sur moi que le gouvernement américain.

« Tu comprends bien que si j'ai pu te retrouver, ces criminels le feront aussi, a-t-il dit.

— Personne ne peut établir un lien entre cette affaire et moi, l'ai-je défié, mais ma voix trahissait ma peur.

— Mais bien sûr que si. Pourquoi crois-tu que ces deux gorilles, Joe Martin et le Chinois, t'ont séquestrée à Las Vegas ? Et à ce propos, j'aimerais savoir comment tu leur as échappé, non seulement une fois, mais deux.

— Ils n'étaient pas très malins, inspecteur. »

Il devait me servir à quelque chose d'avoir grandi sous l'aile du Club des Criminels, avec une grand-mère paranoïaque et un Irlandais qui me prêtait ses livres de détectives et m'a appris la méthode déductive de Sherlock Holmes. Comment l'inspecteur Arana savait-il que Joe Martin et le Chinois m'avaient poursuivie après la mort de Brandon Leeman ? Et qu'ils m'avaient séquestrée le jour même où lui m'avait surprise en train de voler un jeu vidéo ? La seule explication, c'est que c'était lui, la première fois, qui leur avait donné l'ordre de nous tuer Brandon Leeman et moi, en découvrant qu'il avait été payé avec de faux billets et, la deuxième fois, lui qui les avait appelés sur le portable pour leur dire où me trouver et comment me faire avouer où l'argent était caché. Ce jour-là, à Las Vegas, quand l'inspecteur Arana m'avait emmenée dans une gargote mexicaine et donné dix dollars, il ne portait pas l'uniforme, pas plus qu'il ne le portait lors de sa visite à ma famille ou à cet instant, sur la colline. La raison n'était pas qu'il collaborait incognito avec le FBI, comme il l'avait affirmé, mais qu'il avait été destitué pour corruption. Il était l'un de ceux qui acceptaient des pots-de-vin, et passait des marchés avec Brandon Leeman ; il avait traversé le monde pour le butin, non par sens du devoir et encore moins pour m'aider. Je suppose qu'Arana comprit à l'expression de mon visage qu'il avait trop parlé et il réagit avant que je me mette à courir au bas de la colline. Il m'immobilisa de ses deux griffes de fer.

« Tu ne crois pas que je vais partir d'ici les mains vides, n'est-ce pas ? m'a-t-il dit, menaçant. Tu vas me donner ce que je cherche de gré ou de force, mais je préfère ne pas avoir à te faire de mal. Nous pouvons trouver un accord.

— Quel accord ? lui ai-je demandé, terrorisée.

— Ta vie et ta liberté. Je vais clore l'affaire, ton nom n'apparaîtra nulle part dans mon rapport d'enquête et personne ne sera plus à tes trousses. En plus, je te donnerai vingt pour cent de l'argent. Comme tu le vois, je suis généreux.

— Brandon Leeman a gardé deux sacs contenant de l'argent dans un dépôt à Beatty, inspecteur. Je les ai sortis et j'ai brûlé le contenu dans le désert de Mojave, parce que j'avais peur qu'on m'accuse de complicité. Je vous le jure, c'est la vérité.

— Tu me prends pour un imbécile ? L'argent ! Et les plaques !

— Je les ai jetées dans la baie de San Francisco.

— Je ne te crois pas ! Maudite pute ! Je vais te tuer ! a-t-il crié en me secouant.

— Je n'ai pas votre putain d'argent, ni vos putains de plaques ! »

Fakine s'est remis à grogner, mais Arana l'a repoussé d'un féroce coup de pied. C'était un homme musclé, entraîné aux arts martiaux et habitué à des situations de violence, mais je ne manque pas d'audace et je lui ai fait face, aveuglée par le désespoir. Je savais qu'en aucun cas Arana n'allait me laisser en vie. Je joue au football depuis mon enfance et mes jambes sont fortes. Je lui ai expédié un coup de pied dans les testicules, qu'il a deviné à temps pour l'esquiver, et je l'ai atteint à la jambe. Si je n'avais pas porté de sandales, peut-être lui aurais-je brisé le tibia, mais le coup a détruit mes orteils et la douleur m'est arrivée au cerveau comme un éclair blanc. Arana en a profité pour me couper le souffle d'un coup de poing dans l'estomac, puis il m'est tombé dessus et je ne me souviens plus de rien ; peut-être m'a-t-il étourdie d'un autre coup au visage, car j'ai le nez cassé et il faudra remplacer les dents que j'ai perdues.

J'ai vu le visage diffus de mon Popo sur un fond blanc et translucide, des couches et des couches de gaze flottant dans la brise, un voile de mariée, la queue de la comète. Je suis morte, ai-je pensé, heureuse, et je me suis abandonnée au plaisir de léviter avec mon grand-père dans le vide, incorporelle, détachée. Juanito Corrales et Pedro Pelanchugay affirment qu'il n'y avait aucun monsieur noir coiffé d'un chapeau dans les parages, ils disent que je me suis réveillée l'espace d'un instant, juste au moment où ils essayaient de me soulever, mais que je me suis à nouveau évanouie.

Je suis sortie de l'anesthésie à l'hôpital de Castro, Manuel d'un côté, Blanca de l'autre et le carabinier Laurencio Cárcamo au pied du lit. «Seulement quand vous le pourrez, ma petite dame, vous répondrez à quelques petites questions, qu'en dites-vous ?» a été son salut cordial. Je n'ai pu le faire que deux jours plus tard, apparemment la commotion m'avait mise sérieusement K.-O.

L'enquête des carabiniers avait déterminé qu'un touriste qui ne parlait pas espagnol était arrivé dans l'île juste après l'enterrement de doña Lucinda, qu'il s'était rendu à la Taverne du Petit Mort où les gens étaient rassemblés, et qu'il avait montré ma photo au premier qu'il avait rencontré à la porte, Juanito Corrales. L'enfant lui indiqua l'étroit chemin qui montait à la grotte et l'homme partit dans cette direction. Juanito Corrales alla chercher son copain Pedro Pelanchugay et ensemble, par curiosité, ils décidèrent de le suivre. Au sommet de la colline, ils entendirent Fakine aboyer ; cela les guida vers l'endroit où je me trouvais avec l'étranger et ils arrivèrent à temps pour assister à l'accident, mais à cette distance et avec le brouillard, ils n'étaient pas sûrs de ce qu'ils avaient vu. Cela expliquait qu'ils se contredisent sur les détails. D'après leur déclaration, l'inconnu et moi étions penchés au bord de la falaise en train de regarder la grotte, l'étranger avait fait un faux pas, j'avais essayé de le rattraper, nous avions perdu l'équilibre et avions disparu. D'en haut, la brume épaisse ne permettait pas de voir où nous étions tombés, et comme nous ne répondions pas à leurs appels, les deux enfants étaient descendus en s'accrochant aux saillies rocheuses et aux racines de la colline. Ils l'avaient déjà fait et le terrain était plutôt sec, ce qui avait facilité leur descente, car lorsque la pente est mouillée, elle devient très glissante. Ils s'étaient approchés avec prudence, par crainte des phoques, mais ils avaient constaté que la plupart d'entre eux s'étaient jetés à l'eau, y compris le mâle qui normalement surveillait son harem d'un rocher.

Juanito expliqua qu'il m'avait trouvée couchée sur l'étroite bande de sable entre l'entrée de la grotte et la mer, que l'homme avait atterri sur les rochers et que la moitié de son corps était dans l'eau. Pedro n'était pas sûr d'avoir vu le corps de l'homme, il avait eu peur en me voyant couverte de sang et avait été incapable de penser, dit-il. Il avait essayé de me soulever, mais Juanito, se souvenant du cours de premiers secours de Liliana Treviño, avait décidé qu'il valait mieux ne pas me bouger et avait envoyé Pedro chercher de l'aide, tandis qu'il restait près de moi, me soutenant, craignant que la marée arrive jusqu'à nous. Il ne lui vint pas à l'esprit d'aider l'homme, ayant conclu qu'il était mort, car personne ne survivrait à une chute d'une telle hauteur sur les rochers.

Pedro escalada comme un singe la falaise et courut jusqu'au poste des carabiniers, où il ne trouva personne, et de là partit donner l'alarme à la Taverne du Petit Mort. En quelques minutes les secours s'organisèrent, plusieurs hommes se dirigèrent vers la colline et quelqu'un localisa les carabiniers qui arrivèrent dans la jeep et prirent la situation en main. Ils ne tentèrent pas de me remonter avec des cordes, comme le prétendaient certains hommes qui avaient trop bu, car je perdais beaucoup de sang. Quelqu'un donna sa chemise pour envelopper ma tête fracassée et d'autres improvisèrent un brancard en attendant l'arrivée du bateau des secours, qui tarda un peu parce qu'il dut faire le tour de la moitié de l'île. Ils commencèrent à chercher l'autre victime deux heures plus tard, une fois calmée l'excitation de mon transport, mais alors il faisait déjà sombre et il leur fallut attendre jusqu'au lendemain.

Le rapport écrit des carabiniers diffère quelque peu de ce qui a été vérifié au cours de leur enquête, véritable chef-d'œuvre d'omissions :

Nous, soussignés les sous-officiers Laurencio Cárcamo Ximénez et Humilde Garay Ranquileo, attestons avoir secouru dans la journée d'hier, samedi 5 décembre 2009, la citoyenne américaine Maya Vidal, de Californie, résidant temporairement dans ce village, qui a subi une chute sur la falaise dite de la Pincoya, au nord-est de l'île. Ladite dame se trouve dans un état stable à l'hôpital de Castro, où elle a été transportée par un hélicoptère militaire sollicité par les signataires. La dame accidentée a été découverte par le mineur Juan Corrales, âgé de onze ans, et le mineur Pedro Pelanchugay, âgé de quatorze ans, tous deux natifs de cette île, qui se trouvaient sur ladite falaise. Ayant été dûment interrogés, lesdits témoins ont déclaré avoir vu tomber une autre victime présumée, un visiteur étranger de sexe masculin. Un appareil photo en mauvais état a été trouvé sur les rochers de ladite grotte de la Pincoya. Du fait que l'appareil photo est de marque Canon, les signataires concluent que la victime était un touriste. Les carabiniers de la Grande Île enquêtent actuellement sur l'identité de l'étranger. Les mineurs Corrales et Pelanchugay pensent que les deux victimes ont glissé sur ladite falaise, mais étant donné la faible visibilité due au brouillard, ils n'en sont pas certains. La dame Maya Vidal est tombée sur le sable, alors que le touriste s'est écrasé sur les rochers et il est mort au moment de l'impact. Quand la marée est montée, le courant a emporté le corps vers le large et celui-ci n'a pas été retrouvé.

Les sous-officiers signataires de ce rapport demandent une fois de plus l'installation d'une barrière de sécurité sur ladite falaise de la Pincoya, étant donné sa dangerosité, avant que d'autres dames et touristes ne perdent la vie, ce qui ferait grand tort à la réputation de l'île.

Pas un mot sur le fait que l'étranger était à ma recherche avec une photo à la main. Il n'est pas mentionné non plus qu'aucun touriste n'est jamais arrivé seul dans notre petite île où il y a peu d'attractions en dehors du *curanto* ; ils viennent toujours en groupe lors d'excursions organisées par les agences de tourisme. Pourtant, personne n'a mis le rapport des carabiniers en question, sans doute ne veut-on pas d'embrouilles dans l'île. Les uns disent que le noyé a été dévoré par les saumons et qu'un de ces jours la mer rendra peut-être les os nettoyés sur la plage ; d'autres croient dur comme fer qu'il a été emporté par le *Caleuche*, le bateau fantôme, auquel cas on ne retrouvera même pas sa casquette de base-ball.

Au poste de police, les carabiniers ont interrogé les enfants en présence de Liliana Treviño et d'Aurelio Ñancupel – qui s'étaient présentés afin d'éviter qu'ils soient intimidés –, ainsi qu'une douzaine d'îliens réunis dans la cour dans l'attente des résultats, menés par Eduvigis Corrales ; celle-ci est sortie du trou émotionnel dans lequel elle se trouvait depuis l'avortement d'Azucema, elle a quitté le deuil et se montre d'humeur combative. Les garçons n'ont rien pu ajouter à ce qu'ils avaient déjà déclaré. Le carabinier Laurencio Cárcamo est bien venu à l'hôpital pour me poser des questions sur la manière dont nous étions tombés, mais il a omis l'histoire de la photographie, un détail qui aurait compliqué l'histoire de l'accident. Son interrogatoire a eu lieu deux jours après les faits et Manuel Arias avait alors eu le temps de m'instruire sur la seule réponse à faire : j'étais confuse en raison de la commotion cérébrale, je ne me souvenais pas de ce qui était arrivé. Mais il n'a pas été nécessaire de mentir, car le carabinier ne m'a même pas demandé si je connaissais le présumé touriste, seulement intéressé par les détails du terrain et de la chute, à cause de la barrière de sécurité qu'il réclame depuis cinq ans. « Ce serviteur de la patrie avait averti ses supérieurs du danger de ladite falaise, mais les choses sont comme ça, ma petite dame, il faut qu'un étranger innocent meure pour qu'on nous écoute. »

D'après Manuel, tout le village va se charger de brouiller les pistes et d'enterrer l'accident pour nous mettre à l'abri, les enfants et moi, de tout soupçon. Ce ne serait pas la première fois que, forcés de faire un choix entre la stricte vérité, qui dans certains cas ne favorise personne, et un silence discret qui peut aider les leurs, ils optent pour la seconde solution.

Une fois seule avec Manuel je lui ai raconté ma version des faits, y compris le combat corps à corps avec Arana, et que je ne me souviens absolument pas que nous ayons roulé ensemble dans le précipice ; il me semble plutôt que nous étions loin du bord. J'ai retourné mille fois cette scène dans ma tête sans comprendre comment c'était arrivé. Après m'avoir étourdie, Arana avait peut-être conclu que je n'avais pas les plaques et qu'il devait m'éliminer, parce que j'en savais trop. Il avait décidé de me jeter de la falaise, mais je ne suis pas si légère et dans l'effort il avait perdu l'équilibre, ou alors Fakine l'avait attaqué par-derrière, et il était tombé avec moi. Le coup de pied avait dû étourdir le chien pendant quelques instants, mais nous savons qu'il s'était remis très vite, puisque les enfants avaient été attirés par ses aboiements. Sans le corps d'Arana, qui pourrait fournir quelques pistes, ou la collaboration des enfants, qui semblent décidés à se taire, impossible de répondre à ces questions. Je ne comprends pas non plus comment la mer l'a emporté lui seul alors que nous étions au même endroit, mais il se peut que je ne connaisse pas le pouvoir des courants marins de Chiloé.

« Tu ne crois pas que les enfants ont eu quelque chose à voir dans cette histoire, Manuel ?

— Comment ça ?

— Ils ont pu traîner le corps d'Arana à l'eau pour que la mer l'emporte.

— Pourquoi auraient-ils fait ça ?

— Parce qu'ils l'ont peut-être poussé eux-mêmes du haut de la falaise quand ils ont vu qu'il voulait me tuer.

— Ôte-toi ça de la tête, Maya, et ne le redis jamais, même en plaisantant, cela pourrait anéantir la vie de Juanito et de Pedro, m'a-t-il avertie. C'est ce que tu veux ?

— Bien sûr que non, Manuel, mais j'aimerais bien connaître la vérité.

— La vérité, c'est que ton Popo t'a sauvée d'Arana et empêchée de tomber sur les rochers. Voilà l'explication, ne pose plus de questions. »

Voilà plusieurs jours qu'ils cherchent le corps sous les ordres du gouverneur maritime et de la Marine. Ils ont fait venir des hélicoptères, envoyé des bateaux, jeté des filets et descendu deux scaphandriers au fond de la mer, qui n'ont trouvé aucun noyé mais remonté une motocyclette de 1930, incrustée de mollusques, telle une sculpture surréaliste, qui sera la pièce la plus précieuse du musée de notre île. Humilde Garay a parcouru la côte de bout en bout avec Livingston sans trouver trace du malheureux touriste. On suppose que c'était un certain Donald Richards, car un Américain s'est enregistré sous ce nom pour deux nuits à l'hôtel *Galeón Azul* d'Ancud, il y a dormi la première nuit, mais n'a plus reparu ensuite. Comme il n'est jamais revenu, l'administrateur de l'hôtel, qui a lu la nouvelle de l'accident dans la presse locale, a pensé qu'il pouvait s'agir de la même personne. Dans la valise on a trouvé des vêtements, un objectif photographique de la marque Canon et le passeport de Donald Richards, émis à Phoenix, Arizona, en 2009, d'aspect neuf, avec une seule entrée internationale, au Chili le 4 décembre, la veille de l'accident. D'après le formulaire d'entrée dans le pays, le motif du voyage était le tourisme. Ce Richards était arrivé à Santiago, le jour même il avait pris un avion pour Puerto Montt, dormi une nuit à l'hôtel d'Ancud et voulait repartir le lendemain matin ; un itinéraire inexplicable, car personne ne fait le voyage de la Californie à Chiloé pour n'y séjourner que trente-huit heures.

Le passeport confirme ma théorie : Arana devait être sous le coup d'une enquête du département de Police de Las Vegas et il ne pouvait sortir des États-Unis sous son vrai nom. Obtenir un faux passeport lui était très facile. Aucun diplomate du consulat américain ne s'est déplacé jusque dans l'île pour jeter un coup d'œil, ils se sont contentés du rapport officiel des carabiniers. S'ils ont pris la peine de chercher la famille du défunt pour lui faire part de son décès, ils ne l'ont sans doute pas trouvée, car il doit y avoir des milliers de Richards parmi les trois cents millions d'habitants des États-Unis. Il n'existe pas de lien apparent entre Arana et moi.

Je suis restée à l'hôpital jusqu'au vendredi, et le samedi 12 on m'a transportée chez don Lionel Schnake, où j'ai été reçue comme un héros de guerre. J'étais toute meurtrie, avec vingt-trois points de suture sur le cuir chevelu, et je devais rester allongée sur le dos, sans oreiller et dans la pénombre, à cause de la commotion cérébrale. Dans la salle d'opération, on m'avait rasé la moitié du crâne pour me recoudre, mon destin est visiblement d'être chauve. Depuis le rasage précédent en septembre, trois centimètres de cheveux avaient repoussé et j'ai ainsi découvert ma couleur naturelle : jaune, comme la Volkswagen de ma grand-mère. Mon visage était encore très enflé, mais la dentiste du Millalobo m'avait déjà vue, une dame au nom allemand, lointaine parente des Schnake. (Y a-t-il dans ce pays quelqu'un qui ne soit pas apparenté aux Schnake ?) La dentiste s'est dite prête à remplacer mes dents. Elle a opiné qu'elles seraient plus belles que les originales et a offert de me blanchir les autres gratuitement, par déférence pour le Millalobo, qui l'avait aidée à obtenir un prêt bancaire. Un troc par ricochet dont je vais être la bénéficiaire.

Sur l'ordre du médecin, il me fallait rester couchée et au calme, mais il y a eu un défilé ininterrompu de visites ; les belles sorcières sont arrivées de la *ruca*, l'une d'elles avec son bébé, la famille Schnake en masse, des amis de Manuel et Blanca, Liliana Treviño et son amoureux, le docteur Pedraza, beaucoup de gens de l'île, mes footballeurs et le père Luciano Lyon. « Je t'apporte l'extrême-onction des mourants, *gringuita* », m'a-t-il dit en riant, et il m'a remis une petite boîte de chocolats. Il m'a précisé que ce sacrement s'appelle à présent l'onction des malades et qu'il n'est pas indispensable d'être à l'agonie pour le recevoir. Bref, pas de repos pour moi.

Le dimanche, j'ai suivi les élections présidentielles depuis mon lit, le Millalobo assis à mes pieds, très excité parce que son candidat, Sebastián Piñera, le multimillionnaire conservateur, peut gagner, et un peu titubant car pour célébrer cela il s'est descendu une bouteille de champagne à lui tout seul. Il m'en a offert une coupe et j'en ai profité pour lui dire que je ne peux pas boire, parce que je suis alcoolique. «Quel malheur, *gringuita*! C'est pire que d'être végétarien», s'est-il exclamé. Aucun candidat n'a obtenu suffisamment de voix et il y aura un second tour en janvier, mais le Millalobo m'assure que son ami gagnera. Ses explications politiques me paraissent plutôt confuses: il admire la présidente socialiste Michelle Bachelet parce qu'elle a admirablement gouverné et que c'est une dame très élégante, mais il déteste les partis de centre gauche, qui ont été au pouvoir pendant vingt ans, et considère que c'est maintenant le tour de la droite. En plus, le nouveau président est son ami, ce qui est très important au Chili où tout s'arrange grâce aux relations et à la parenté. Le résultat des élections démoralise Manuel, entre autres parce que Piñera a bâti sa fortune sous la dictature de Pinochet, mais d'après Blanca les choses ne vont pas tellement changer. Ce pays est le plus prospère et le plus stable d'Amérique latine, il faudrait que le nouveau président soit stupide pour se mettre à innover. C'est loin d'être le cas, on peut tout dire de Piñera sauf que c'est un idiot; il est d'une habileté incroyable.

Manuel a appelé ma grand-mère et mon père au téléphone pour leur raconter mon accident, sans les alarmer avec des détails truculents sur mon état de santé, et ils ont décidé de venir passer les fêtes de Noël avec nous. Nini a trop longtemps reporté ses retrouvailles avec son pays, et mon père s'en souvient à peine. Il est temps qu'ils fassent le voyage. Ils ont pu parler avec Manuel sans se compliquer la vie avec des codes et des clés, car avec la mort d'Arana le danger a disparu, je n'ai plus besoin de me cacher et je vais pouvoir rentrer à la maison dès que mes jambes me soutiendront. Je suis libre.

Dernières pages

Il y a un an, ma famille se composait d'une personne morte, mon Popo, et de trois vivantes, ma grand-mère, mon père et Mike O'Kelly, alors que j'ai aujourd'hui une véritable tribu, même si nous sommes un peu dispersés. C'est ce que j'ai compris au cours de l'inoubliable fête de Noël que nous venons de passer dans la maison sans portes en cyprès de las Guaitecas. C'était mon cinquième jour dans notre île après une semaine de convalescence chez le Millalobo. Ma Nini et mon père étaient arrivés la veille avec quatre valises, parce que je leur avais demandé d'apporter des livres, deux ballons de football et du matériel didactique pour l'école, les DVD des films de Harry Potter et d'autres cadeaux pour Juanito et Pedro, ainsi qu'un ordinateur pour Manuel que je leur paierai plus tard comme je pourrai. Ils voulaient aller dans un hôtel, comme si on était à Paris ; le seul disponible dans l'île est une chambre insalubre au-dessus d'une des poissonneries. Nini et moi avons donc dormi dans le lit de Manuel, mon père dans le mien, tandis que Manuel allait dormir chez Blanca. Sous le prétexte de l'accident et du repos obligatoire, ils ne me laissent rien faire et me gâtent comme une *guagua* (c'est ainsi qu'on appelle au Chili les bébés qui portent encore des couches). Je suis toujours horrible, avec les yeux au beurre noir, le nez comme une aubergine et un énorme pansement sur le crâne, outre les orteils cassés et les bleus sur le corps qui commencent à virer au vert, mais j'ai déjà des dents provisoires.

Dans l'avion, Nini a raconté à son fils la vérité sur Manuel Arias. Comme il était retenu par la ceinture de sécurité, mon père n'a pas pu faire de scandale, mais je crois qu'il ne pardonnera pas facilement à sa mère de l'avoir laissé dans l'ignorance pendant quarante-quatre ans. La rencontre de Manuel et de mon père a été courtoise, ils se sont serré la main, puis se sont donné une timide et maladroite accolade, mais pas question de longues explications. Que pouvaient-ils se dire ? Il faudra qu'ils fassent connaissance pendant les journées qu'ils vont passer ensemble et, si affinités, ils pourront nouer une amitié dans la mesure où la distance le permettra. De Berkeley à Chiloé la distance est aussi grande qu'un voyage sur la Lune. En les voyant ensemble je me suis aperçue qu'ils se ressemblent ; dans trente ans mon père sera un beau vieillard, comme Manuel.

Les retrouvailles de ma Nini avec Manuel, son ancien amant, ne sont pas plus dignes d'être racontées : deux baisers tièdes sur la joue, à la manière des Chiliens, rien de plus. Blanca Schnake les surveillait, bien que je l'aie prévenue que ma grand-mère est très distraite et qu'elle avait sûrement oublié ses amours passionnées avec Manuel Arias.

Blanca et Manuel ont préparé le souper de Noël – de l'agneau, pas de saumon – et Nini a décoré la maison dans son style kitsch avec des lumières de Noël et quelques petits drapeaux en papier qui restaient de la Fête nationale. Mike O'Kelly nous a beaucoup manqué, car depuis qu'il connaît Nini il a passé toutes les fêtes de Noël avec ma famille. À table, nous nous

490

coupions la parole à tue-tête dans notre impatience de nous raconter tout ce qui nous était arrivé. Nous avons beaucoup ri et la bonne humeur nous a permis de porter un toast à Daniel Goodrich. Ma Nini est d'avis que dès que mes cheveux auront repoussé j'aille étudier à l'université de Seattle ; je pourrai ainsi attraper ce routard fuyant au lasso, mais Manuel et Blanca sont épouvantés par cette idée qui leur semble fatale, car j'ai un tas de choses à résoudre avant de plonger à nouveau dans l'amour. « C'est ce que je vais faire, mais je pense tout le temps à Daniel », leur ai-je annoncé, et une fois de plus les larmes me sont montées aux yeux. « Ça va te passer, Maya. Les amants s'oublient en un battement de cils », a dit ma Nini. Manuel s'est étranglé avec le morceau d'agneau qu'il avait dans la bouche et, tous les autres, nous sommes restés la fourchette en l'air.

À l'heure du café j'ai demandé des nouvelles des plaques d'Adam Trevor, qui m'avaient presque coûté la vie. Comme je le supposais, c'est Nini qui les a, elle ne les jettera jamais à la mer, surtout pas aujourd'hui avec la crise économique mondiale qui menace de nous faire tous sombrer dans la pauvreté. Si ma grand-mère sans foi ni loi ne se met pas à imprimer des billets ou ne vend pas les plaques à des mafieux, elle me les laissera en héritage lorsqu'elle mourra, avec la pipe de mon Popo.

Table

Isabel Allende
dans Le Livre de Poche

La Cité des dieux sauvages   n° 30049

Alexander Cole s'engage avec sa grand-mère dans une
équipe du National Geographic qui se rend en Amazonie
à la recherche d'une créature mystérieuse que les Indiens
appellent « la Bête »... Parmi les participants, un guide
vénézuélien et sa fille, Nadia.

Les Contes d'Eva Luna   n° 9544

Vingt-trois récits burlesques ou sombres, de nostalgie ou
de colère, d'ironie ou de révolte. Vingt-trois contes d'une
prodigieuse diversité de situations.

D'amour et d'ombre   n° 6347

Irène, journaliste, fait équipe avec Francisco, un photo-
graphe. Ils vont se trouver à l'origine de la révélation d'un
massacre politique, si nombreux en Amérique du Sud. La
répression se tourne alors contre eux...

Eva Luna n° 6789

Isabel Allende renoue avec sa jubilation de « raconteuse »
qu'on avait vue à l'œuvre dans *La Maison aux esprits*.

Fille du destin n° 15245

Abandonnée à Valparaiso en 1832, adoptée par la famille
Sommers, Eliza mène une existence de petite fille modèle,
jusqu'au jour où elle s'éprend de Joaquín qui la quitte pour
gagner la Californie. Enceinte, Eliza s'embarque clandestinement sur un voilier.

La Forêt des Pygmées n° 31014

Alexander et Nadia accompagnent Kate, journaliste au
National Géographic, dans ses expéditions. Leur avion fait
un atterrissage forcé près d'un village bantou dirigé par un
prétendu sorcier qui sème la terreur chez les villageois et
dans le peuple pygmée, qu'il a réduit en esclavage.

L'Ile sous la mer n° 32991

1770, Saint-Domingue. Zarité – Tété – a 9 ans lorsqu'elle est
vendue à Toulouse Valmorain. Un beau portrait de femme,
une histoire d'amour et une fresque historique. Un hom-
mage à la première révolution d'esclaves de l'histoire.

Inés de mon âme   n° 31661

Au milieu du XVIᵉ siècle, Inés Suárez, embarquée pour le
Nouveau Monde sur les traces de son mari parti chercher
fortune, apprend sa mort en accostant au Pérou. Elle se joint
à une troupe de conquistadores en route pour le Chili.

La Maison aux esprits   n° 6143

Une saga familiale dans une contrée qui ressemble à s'y
méprendre au Chili. Entre les différentes générations, entre
les maîtres et les bâtards, le patriarche et les femmes de la
maison, les domestiques, les paysans du domaine, se nouent
et se dénouent des relations marquées par l'absolu de
l'amour, la familiarité de la mort, la folie douce ou bestiale
des uns et des autres.

Mon pays réinventé   n° 30352

Un Chili mythique, imaginé dans l'exil, le seul pays où
Isabel Allende ne se sente pas une étrangère. La géographie,
l'histoire, la culture, les mentalités du Chili entremêlés de
souvenirs et de pensées personnelles.

Paula   n° 14119

Le 8 décembre 1991, Paula, 29 ans, sombre dans le coma.
Elle mourra un an plus tard. Sa mère – l'auteur – entreprend
de lui adresser par écrit un long récit : l'histoire des siens.

Le Plan infini   n° 13608

La Californie avec deux familles d'errants : celle du prédi-
cateur Reeves qui prêche la recherche du « plan infini » qui
justifie nos existences ; et celle des Morales, immigrés mexicains d'un quartier de Los Angeles hanté par la violence.

Portrait sépia   n° 15483

Paulina del Valle recueille Aurora, sa petite-fille de 5 ans,
mais elle lui cache l'identité de ses parents. Paulina décide
d'entreprendre un voyage en Europe. À Paris, Aurora fait la
connaissance de Diego Dominguez, un officier de marine,
qu'elle épousera.

Le Royaume du Dragon d'or   n° 30516

La grande statue du Dragon d'or est à l'abri dans un
royaume mystérieux de l'Himalaya. À Manhattan, un millionnaire sans scrupules veut s'en emparer pour dominer
le monde… Kate Cold, son petit-fils Alexander et son amie
Nadia sont conviés à découvrir les beautés et les secrets du
Royaume interdit.

La Somme des jours   n° 33156

Isabel Allende s'adresse à sa fille, Paula, décédée en 1991,
et lui raconte ce qu'il advint après sa mort. Une grande toile
familiale qui dépeint les relations humaines dans tout leur
éclat et toute leur complexité.

Diego de la Vega, né d'un père gentilhomme espagnol et d'une mère à moitié indienne, est initié au maniement de l'épée et aux rites de sa tribu. Après des études à Barcelone, il repart pour la Californie bien décidé à lutter contre les injustices, et devient un symbole d'espoir pour les faibles et les opprimés.

Le Livre de Poche s'engage pour
l'environnement en réduisant
l'empreinte carbone de ses livres.
Celle de cet exemplaire est de :
500 g éq. CO_2
Rendez-vous sur
www.livredepoche-durable.fr

PAPIER À BASE DE
FIBRES CERTIFIÉES

Composition réalisée par INOVCOM

Achevé d'imprimer en mars 2015 en France par
CPI BRODARD ET TAUPIN
La Flèche (Sarthe)
N° d'impression : 3010241
Dépôt légal 1ʳᵉ publication : avril 2015
LIBRAIRIE GÉNÉRALE FRANÇAISE
31, rue de Fleurus – 75278 Paris Cedex 06